★超级电脑学校★

Photoshop CS4入门大全

PHOTOSHOPCS4RUMENDAQUAN

浅显易懂
版式美观
指导性强

张成龙◎编著

★ 剖析Photoshop CS4软件的基础知识和应用要领
★ 将基础知识融于实际操作之中
★ 提供了强大的数字艺术制作平台，兼容性强
★ 化繁为简，注重实战
★ 体系完整，内容全面
★ 通过综合实例对软件功能进行详细的讲解

延边人民出版社

图书在版编目（CIP）数据

计算机公共基础教程/张成龙 编著．—延吉：延边人民出版社，（2011 重印）

ISBN 978－7－80698－391－1

Ⅰ．计…　Ⅱ．张…　Ⅲ．电子计算机—教材
Ⅳ．TP3

中国版本图书馆 CIP 数据核字（2005）第 010473 号

计算机公共基础教程·PHOTOSHOPCS4 入门大全

编　　著：张成龙
责任编辑：张光朝
出版发行：延边人民出版社
社　　址：吉林省延吉市友谊路 363 号
邮政编码：133001
网　　址：http：//www. ybcbs. com.
经　　销：全国新华书店
印　　刷：北京市德美印刷厂
开　　本：787×1092 毫米　1/16
印　　张：176
字　　数：2800 千字
版　　次：2011 年 2 月第 2 次印刷
标准书号：ISBN 978－7－80698－391－1
全套定价：260.00 元（本册定价 26.00 元）

前 言

本套丛书是“21世纪全国高职高专计算机应用专业教材”之一，是根据国家教育部高等教育司制定的《普通高等学校计算机基础教学大纲》和当前高职高专计算机应用专业的实际需要而编写的。主要面向全国高校大专类别的计算机应用专业作为教材或参考资料使用，也可社会上各阶层人士作为对计算机入门学习的参考书。

计算机科学是信息科学的一个重要组成部分。我们应立足于21世纪对人才在计算机方面的需求来考虑对他们的培养。加强计算机基础教育，不仅是人们掌握现代化的信息处理工具，同时也是一种文化基础教育，一种人才科学素质教育，一种强有力技术的基础教育。综合国力的竞争，很大程度上取决于现代科学技术的普及程度，因此怎样将计算机科学知识迅速而有效地普及到全社会。也就成了各国家、各民族，特别是发展中国家和民族一件具有紧迫感的任务。

为此，我们必须对学生加强计算机基础知识教育。不权要培养他们具有计算机文化意识，而且要培养他们真正掌握现代化的信息处理工具。高等学校各类学生，特别是专科学生，毕业后大多是社会的应用型人才，这就要求他们熟练掌握计算机的应用，以满足日常工作中的文字、图像、声音、动画等数据处理，并能用计算机网络在全球范围内与他人交流信息、搜索查找所需的信息，自由地共享网上无穷丰富的软硬件资源。因此我们的教学也应当从实际出发，着重计算机基础应用教育。本丛书作者根据多年高职高专计算机应用专业教学实践积累的经验，从社会实际需要出发，编写了这套教材，目的是希望广大读者通过本丛书的系统学习与大量的同步实际操作，能更快、更好地掌握计算机实际操作技能。

本丛书在编写过程中得到了北京科技大学信息工程系和计算机中心有关领导的大力支持，在此表示衷心的感谢。限于编者水平，对于本丛书中出现的错误和不足之处，诚恳希望广大读者不吝批评和赐教。

编 者

目 录

第 1 章 初识 Photoshop CS4

第 2 章 Photoshop CS4 工具箱

第3章　图像的色彩与色调

第4章　文字编辑

第5章　通道和蒙版

第6章 图层的应用

第7章 路径的应用

第8章 滤镜

第 9 章　神奇的 3D 功能

第 10 章　Photoshop 之网页应用

第 11 章　VI 设计

第 12 章　商业案例

第1章 初识 Photoshop CS4

随着电脑技术的不断创新,Photoshop 的版本也在不断地升级。Photoshop CS4 以它独特的工作界面和广泛的应用领域出现在人们面前。为了适应时代的进步,及时并准确地掌握 Photoshop CS4 的操作已成为相关设计人员必备的技能,而掌握 Photoshop CS4 的基础知识则是学会使用该软件的前提条件。

1.1 认识 Photoshop CS4

熟悉 Photoshop CS4 的运行环境,了解基本的操作界面、面板、文件的打开与存储、常用图像文件格式和图像颜色模式、重做与恢复技巧等是 Photoshop CS4 入门的基础。

1.1.1 Photoshop CS4 的系统要求

Adobe Photoshop CS4 软件是专业图像编辑标准软件之一。借助其前所未有的灵活性,用户可以根据自己的需要自定义 Photoshop 的操作界面。本节介绍安装 Photoshop CS4 时系统的配置要求。

与以往版本相比,Photoshop CS4 新增的 3D 功能对系统的要求,有了进一步的提高。基于 Windows 操作系统和 Mac OS 操作系统之间存在差异,以下是 Photoshop CS4 对系统的最低要求。

系统	最低要求
Windows	·1.8GHz 或更快的处理器
	·带 SP2 的 Windows XP (推荐 SP3) 或带 SP1 的 Windows Vista HomePremium、Business、Ultimate 或 Enterprise 版(经认证可用于 32 位 Windows XP、64 位 Windows Vista 和 Windows7 及 32 位)
	·512 MB 内存(推荐 1GB 或更大的内存)
	·安装所需的 1GB 可用硬盘空间,安装过程需要更多的可用空间(无法在基于闪存的设备上安装)
	·1024×768 的显示器分辨率(推荐 1280×800),16 位或更高的显卡
	·DVD-ROM 驱动器
	·某些 GPU 加速功能要求 Shader Model 3.0 和 OpenGL 2.0 图形支持
	·多媒体功能所必需的 QuickTime7.2
	·联机服务所必需的宽带 Intemet 连接
Mac OS	·PowerPC G5 或多核 Intel 处理器
	·Mac OS X v10.4.11~10.5.4
	·512MB 内存(推荐 1GB 或更大的内存)
	·2GB 可用于安装的磁盘空间;安装过程中需要更多磁盘空间
	·1024×768 的显示器分辨率(推荐 1280×800),16 位或更高的显卡
	·DVD-ROM 驱动器
	·某些 GPU 加速功能要求 Shader Model 3.0 和 OpenGL 2.0 图形支持
	·多媒体功能所必需的 Quick Time 7.2
	·联机服务所必需的宽带 Intemet 连接

1.1.2 Photoshop 的功能特点

Photoshop 软件支持多种颜色模式和图像格式；采用开放式结构，能够兼容常用的图像输入／输出设备；可以创建并编辑图层；拥有奇妙的滤镜处理等功能。

1.支持多种颜色模式

Photoshop 支持包括 RGB、CMYK、Lab、HSB、位图、灰度、双色调和索引颜色等在内的多种颜色模式，并且可以在各种模式间相互转换。

2.支持多种图像文件格式

Photoshop 支持包括 PSD、TIF、GIF、EPS、JPG 以及:BMP 等大部分图像文件格式，并且可以在各种图像文件格式之间进行转换。

3.调整图像

在 Photoshop 中可以对图像的尺寸、分辨率以及内容等进行调整。

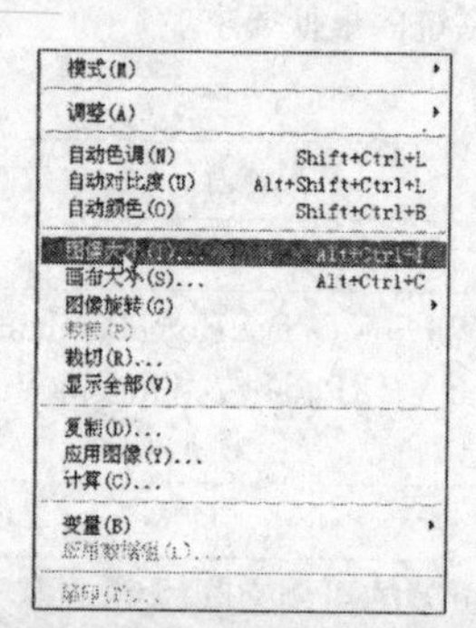

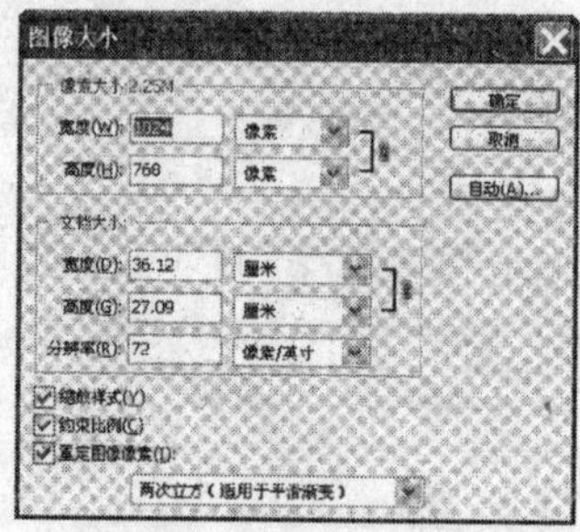

还可以对图像进行旋转、缩放、扭曲和变形等操作。

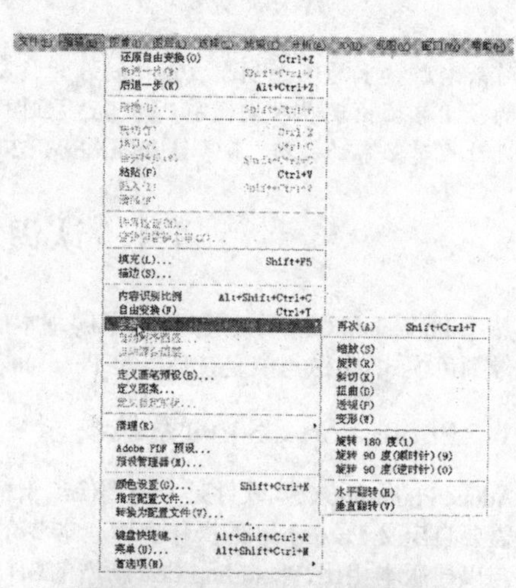

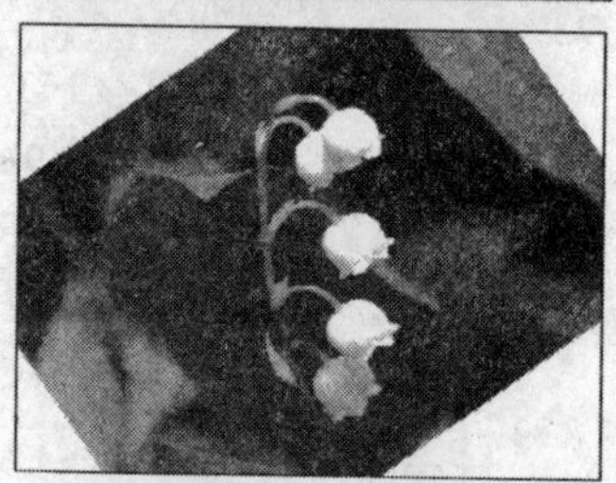

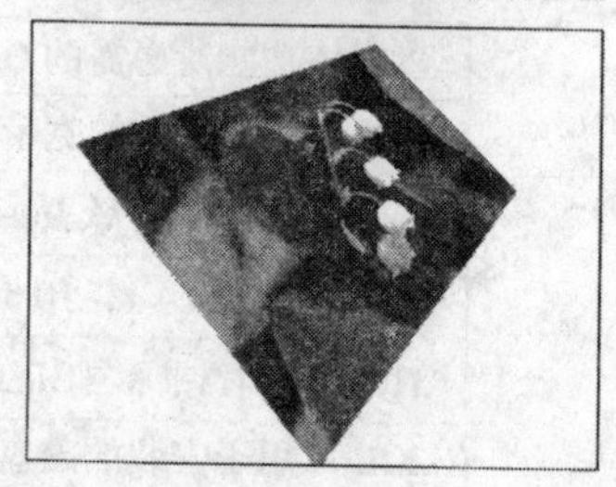

4.绘制图形图像

使用 Photoshop 中的路径和形状工具可以绘制矢量边缘的图形，使用绘制类工具可以绘制并修饰图像，使用文字工具还可以在图像中添加文字。

5.区域选择

使用工具箱中的多种选取工具可以在图像中创建选区，并且可以对其进行各种编辑操作，如复制、移动等。

使用【魔棒】工具建立选区，如图所示。

按下【Ctrl】+【Shift】+【I】组合键反选选区。

按下【Ctrl】+【J】组合键复制选区内的内容，并使用【移动】工具移动图像，如图所示。

6.调整色彩和色调

使用【调整】子菜单中的菜单项可以调整图像的色彩和色调。

7.图层

图层在 Photoshop 中是比较重要的部分，运用图层功能便于进行图像处理，在图层上可以进行调整图像的透明度、添加图层样式等操作。利用多图层编辑功能，可以同时选中并编辑多个图层，从而提高工作效率。

8.通道和蒙版

通道和蒙版主要应用在图像高级处理的过程中，利用通道和蒙版的编辑功能可以制作并存储复杂的选区。

9.自动化和批处理

Photoshop 提供一系列的动作自动化和批处理图像功能，能够使繁复的工作简单化，从而提高工作效率。例如，使用自动功能可以对一批需要进行相同操作的图像文件进行自动化操作。

在工作流程的指定时间启动基于事件的脚本，可以达到事半功倍的效果。

使用变量可以迅速地生成重复的图形，并且能够使用电子表格或者数据库中的数据为此变量赋值，以得到不同的设计效果，从而提高工作效率。

10.滤镜效果

使用 Photoshop 中提供的各种滤镜可以为图像添加丰富的特效。

11.创建动画

在【动画】面板中可以制作出适用于网页的简单动画。

12.Adobe Bridge 文件浏览器

Adobe Bridge CS4 文件浏览器可以通过文稿演示的形式查看或管理电脑中的图像文件，进行查找元数据、为图像文件添加标签等操作。

13.多兼容模式

Photoshop CS4 可以创建和编辑 32 位彩色高动态范围图像，可以对三维图像进行渲染，还可以与常见的图像软件之间进行文件交换等。

Photoshop 支持大多数常用的图像输入 / 输出设备，例如数码相机和扫描仪等。

1.1.3 Photoshop CS4 的新功能

与以往版本相比，Photoshop CS4 又重新设计了界面样式，增加了一些功能。

1.【调整】面板

之前版本中的【调整】命令是以子菜单的形式排列在【调整】菜单中，Photoshop CS4 新增的【调整】面板的功能和【调整】菜单中的调整命令相同，不过【色阶】、【曲线】等命令是以更加直观和方便的按钮形式出现的，极大地提高了工作效率。

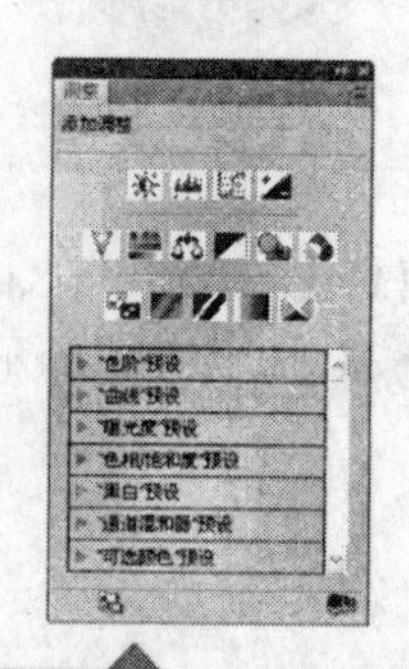

在处理图像的过程中执行【调整】面板中的调整命令后，在【图层】面板中会相应地创建一个【调整】层。执行完其他操作后，如果需要对【调整】命令进行修改，只需选中相应的【调整】层，打开【调整】面板，重新设置参数即可。

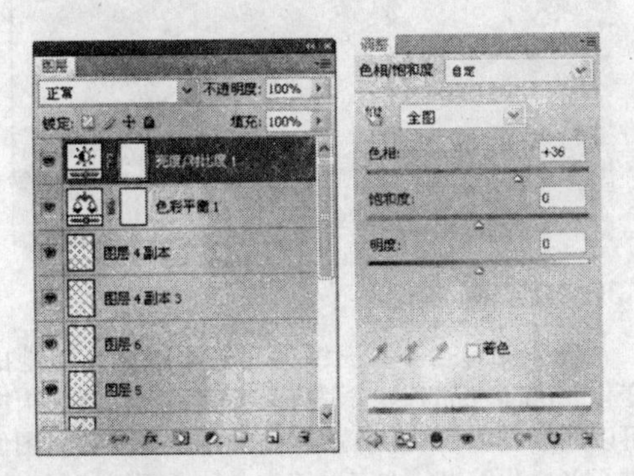

2.【自然饱和度】命令

【自然饱和度】命令源自 CameraRaw 中的【细节饱和度】功能，与【色相 / 饱和度】命令的功能类似，可以使图片更加鲜艳或者更加暗淡，但是执行【自然饱和度】命令的效果更细腻。该命令会智能地处理图像中不够饱和的部分并忽略过饱和的颜色。

3.【蒙版】面板

Photoshop CS4 之前版本的蒙版功能是设置在【图层】面板中的，而：Photoshop CS4 新增了【蒙版】面板，用于创建基于像素和矢量的可编辑蒙版，不但操作方便，而且相对直观。

【蒙版】面板中包含 蒙版边缘... 按钮，颜色范围... 按钮和 反相 按钮，通过这些按钮可以方便快捷地对图像进行相应地处理。

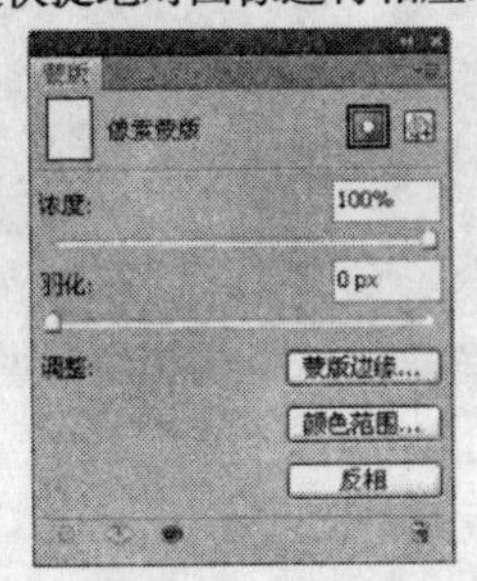

4.【内容识别比例】命令

在处理图像的过程中，使用自由变换功能变换图像时，所有元素都随之缩放，同时会出现变形和扭曲。Photoshop CS4 中新增了【内容识别比例】命令，可以在调整图像的尺寸时，智能地按比例保留其中重要的区域。

5.【自动对齐图层】命令

Photoshop CS4 中的【自动对齐图层】功能又增加了【镜头校正】选项组，可以更加精确快速地对齐与连接多张图片。Photoshop CS4 的【自动对齐图层】功能十分强大，在对全景图进行拼接时，即使是未用三脚架拍出的多张图片，粗略的重复区域、甚至个别图片背光拍摄等，也几乎能够完美地合成。

6.【自动混合图层】命令

【自动混合图层】命令主要用来混合全景图，在Photoshop CS4 中，该功能作为单独选项出现。

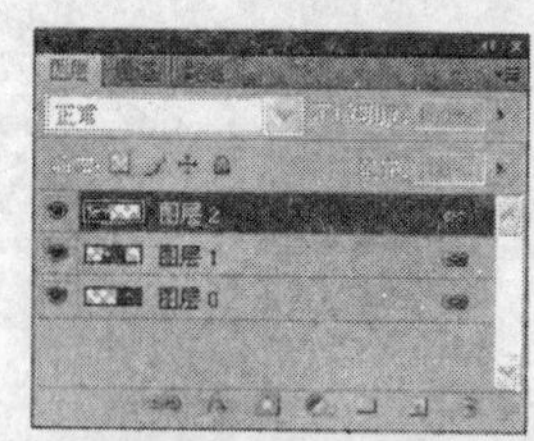

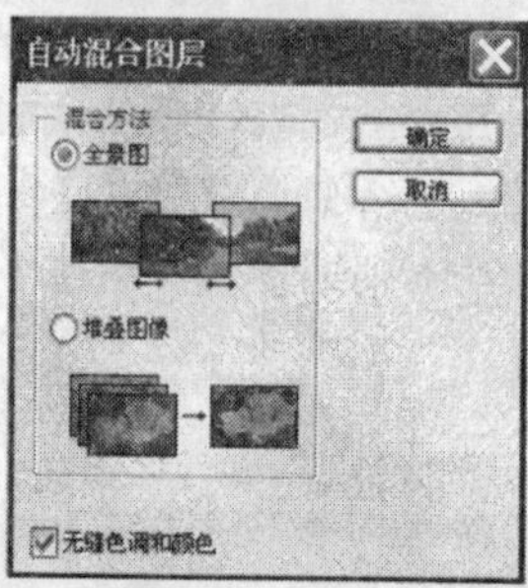

【堆叠图像】选项是新增的自动混合图层命令，主要用来融合不同曝光度、颜色和焦点的图像。比如相机以大光圈快速连拍时得到了多张焦点不同，且景深较浅(焦外模糊)的图片，就可以用该功能把多张图片混合为一张完全清晰并经过颜色校正的图片。

7.3D 功能

Photoshop CS4 对三维的支持有了翻天覆地的变化。Photoshop CS4 新增了【3D】面板，在该面板中可以通过设置场景、灯光、网格和材质等参数对图像进行多样化编辑。在工具箱中增加了两组控制三维对象和摄像机的三维工具；同时在菜单中也增加了【从图层新建三维明信片】命令，可以把普通的图片转换为三维对象，并可以使用相关工具调整其位置、大小和角度等。

在:Photoshop CS4 中可以生成简单的三维形状，例如帽子、易拉罐、酒瓶以及一些基本形状等。用户不但可以使用材质进行贴图，还可以直接使用【画笔】工具 和【图章】工具 在三维对象上绘画，并结合【动画】面板来完成三维动画等操制作。

8.【kuler】面板

【Kuler】面板是访问由在线设计人员社区所创建的颜色组、主题的入口。可以使用它来浏览 Kuler 网站上的数千个主题，也可以下载其中的一些进行编辑，还可以创建和保存主题，通过上传与【Kuler】社区共享。【Kuler】面板作为专业的配色创建、分享和评论工具，特别是在网页制作方面，可以快速地获得更多专业的配色方案。

9.清晰的像素边缘提示

在 Photoshop CS4 软件中无限放大图像时，当被放大足够倍数后，图像中会有像素边缘的高亮提示，该功能在排版和网页设计过程中非常有用。

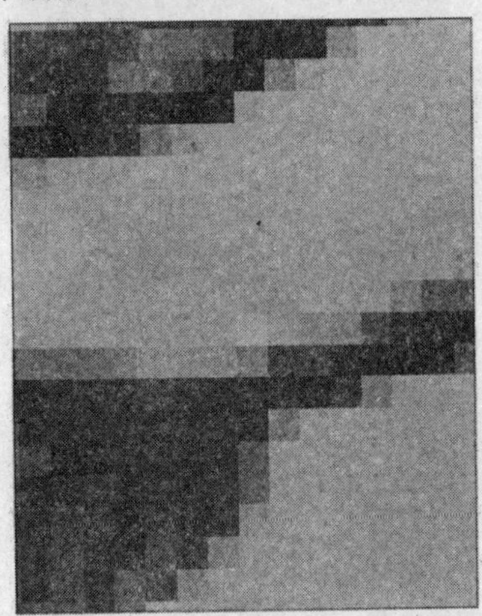

1.1.4 PhotOShop 的应用领域

1.广告摄影

作为对视觉要求非常严格的广告摄影作品，往往需要经过 Photoshop 的处理才能达到满意的效果。

2.平面设计

平面设计是 Photoshop 应用最为广泛的领域，无论是图书封面，还是招贴画和海报，这些具有丰富图像的平面印刷品，基本上都需要使用 Photoshop 软件对图像进行处理。

3.修复照片

Photoshop 具有强大的图像修饰功能，利用这些功能可以快速修复人像照片中的瑕疵，也可以修复问题照片等。

4.婚纱写真设计

当前影楼里，使用 Photoshop 软件设计婚纱及写真照片已经成为一种流行趋势。

5.视觉创意

视觉传达是艺术设计的一个分支,视觉传达设计通常没有非常明显的商业目的,但为广大设计爱好者提供了广阔的设计空间，因此 Photoshop 逐渐成为传达个人特色与风格的主要工具。

6.影像创意

通过 Photoshop 的处理可以将原本毫不相关的对象组合在一起,也可以使用改头换面的手段使图像发生巨大的变化。

7.绘画

由于 Photoshop 具有良好的绘画与调色功能，可以使用【铅笔】和【钢笔】工具绘制草稿,然后使用 Photoshop 填色来绘制插画。

8.绘制或处理三维贴图

三维软件能够制作出精良的模型,但是无法为模型应用逼真的贴图，也无法得到较好的渲染效果。实际上,在制作材质时,除了依靠软件本身具有的材质功能外，还可以利用 Photoshop 制作在三维软件中无法得到的合适的材质。

1.2　了解 Photoshop 操作界面

Photoshop CS4 的工作界面在以往版本的基础上发生了一系列的变化，变得时尚且容易操作，用户可以根据需要选择不同的工作区，也可以存储或者自定义工作区，还可以对工具箱或者面板进行相应地缩放和组合。

1.2.1　操作界面的介绍

1.标题栏

在标题栏中可以设置当前窗口中打开的图像的缩放级别，编排方式和屏幕的显示模式等属性，如右图所示。

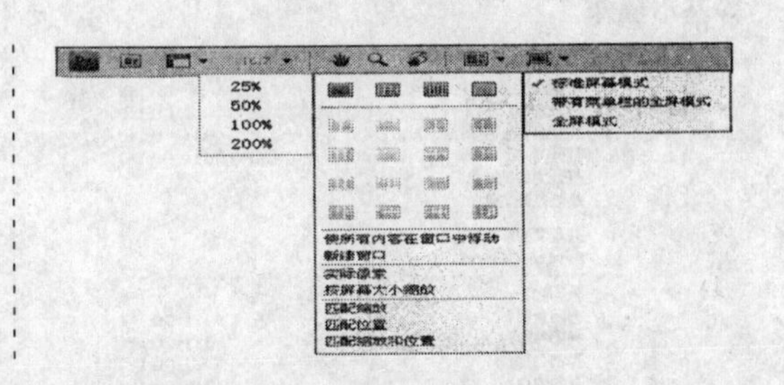

打开多个图像文件后，单击【排列文档】按钮，在弹出的菜单中选择相关的按钮，则图像的排列会发生相应的变化。

2.菜单栏

【文件】菜单

【文件】菜单集合了所有与文件管理有关的基本操作命令。在【文件】菜单中可以完成对图形文件的新建、打开、存储、导入、导出、自动、脚本和打印等基本操作。

文件(F)
新建(N)... Ctrl+N
打开(O)... Ctrl+O
在 Bridge 中浏览(B)... Alt+Ctrl+O
打开为... Alt+Shift+Ctrl+O
打开为智能对象...
最近打开文件(T)
共享我的屏幕...
Device Central...
关闭(C) Ctrl+W
关闭全部 Alt+Ctrl+W
关闭并转到 Bridge... Shift+Ctrl+W
存储(S) Ctrl+S
存储为(A)... Shift+Ctrl+S
签入...
存储为 Web 和设备所用格式(D)... Alt+Shift+Ctrl+S
恢复(V) F12
置入(L)...
导入(M)
导出(E)
自动(U)
脚本(R)
文件简介(F)... Alt+Shift+Ctrl+I
页面设置(G)... Shift+Ctrl+P
打印(P)... Ctrl+P
打印一份(Y) Alt+Shift+Ctrl+P
退出(X) Ctrl+Q

【编辑】菜单

【编辑】菜单主要用于对图像进行剪切、复制、粘贴、填充和变换等基本的编辑操作。

编辑(E)
重做画笔工具(O) Ctrl+Z
前进一步(W) Shift+Ctrl+Z
后退一步(K) Alt+Ctrl+Z
渐隐画笔工具(D)... Shift+Ctrl+F
剪切(T) Ctrl+X
拷贝(C) Ctrl+C
合并拷贝(Y) Shift+Ctrl+C
粘贴(P) Ctrl+V
贴入(I) Shift+Ctrl+V
清除(E)
拼写检查(H)...
查找和替换文本(X)...
填充(L)... Shift+F5
描边(S)...
内容识别比例 Alt+Shift+Ctrl+C
自由变换(F) Ctrl+T
变换
自动对齐图层...
自动混合图层...
定义画笔预设(B)...
定义图案...
定义自定形状...
清理(R)
Adobe PDF 预设...
预设管理器(M)...
颜色设置(G)... Shift+Ctrl+K
指定配置文件...
转换为配置文件(V)...
键盘快捷键... Alt+Shift+Ctrl+K
菜单(U)... Alt+Shift+Ctrl+M
首选项(N)

【图像】菜单

【图像】菜单主要用于完成对图像的模式、颜色以及画布尺寸等的设置。

【图层】菜单

【图层】菜单主要用于对图层进行新建、复制、合并图层等基本操作。

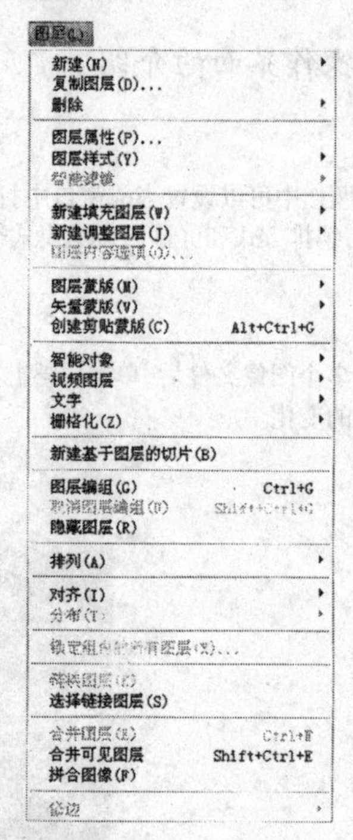

【选择】菜单

【选择】菜单主要用于对图像的选择区域进行取消、羽化、修改和保存等编辑操作。

选择(S)
全部(A) Ctrl+A
取消选择(D) Ctrl+D
重新选择(E) Shift+Ctrl+D
反向(I) Shift+Ctrl+I
所有图层(L) Alt+Ctrl+A
取消选择图层(S)
相似图层(Y)
色彩范围(C)...
调整边缘(F)... Alt+Ctrl+R
修改(M)
扩大选取(G)
选取相似(R)
变换选区(T)
在快速蒙版模式下编辑(Q)
载入选区(O)...
存储选区(V)...

【滤镜】菜单

使用【滤镜】菜单中的滤镜特效可以制作出非常奇特的图像效果。

滤镜(T)
上次滤镜操作(F) Ctrl+F
转换为智能滤镜
滤镜库(G)...
液化(L)...
消失点(V)...
风格化
画笔描边
模糊
扭曲
锐化
视频
素描
纹理
像素化
渲染
艺术效果
杂色
其它
Digimarc
浏览联机滤镜...

【分析】菜单

【分析】菜单主要用于设置图像的测量比例、数据点、标尺工具及计数工具等。

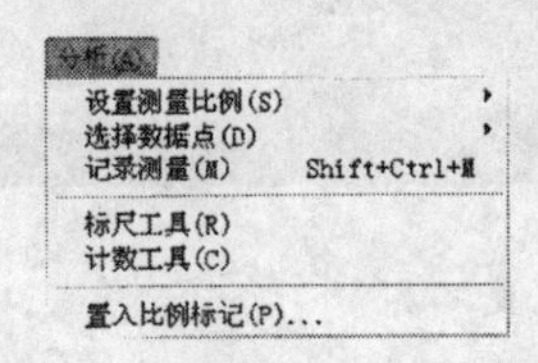

【3D】菜单

【3D】菜单是新增的菜单，主要用于编辑三维图像，例如创建简单模型和制作 3D 明信片效果等。

【视图】菜单

【视图】菜单是一个起辅助作用的菜单，主要用于颜色校样、缩放显示窗口以及标尺、网格和参考线等参数的设置。

视图(V)
校样设置(U)
校样颜色(L) Ctrl+Y
色域警告(W) Shift+Ctrl+Y
像素长宽比(S)
像素长宽比校正(P)
32 位预览选项...
放大(I) Ctrl++
缩小(O) Ctrl+-
按屏幕大小缩放(F) Ctrl+0
实际像素(A) Ctrl+1
打印尺寸(Z)
屏幕模式(M)
✓ 显示额外内容(X) Ctrl+H
显示(H)
标尺(R) Ctrl+R
✓ 对齐(N) Shift+Ctrl+;
对齐到(T)
锁定参考线(G) Alt+Ctrl+;
清除参考线(D)
新建参考线(E)...
锁定切片(K)
清除切片(C)

【窗口】菜单

【窗口】菜单主要用于控制面板的显示或隐藏，并能对打开的图像文件进行管理。

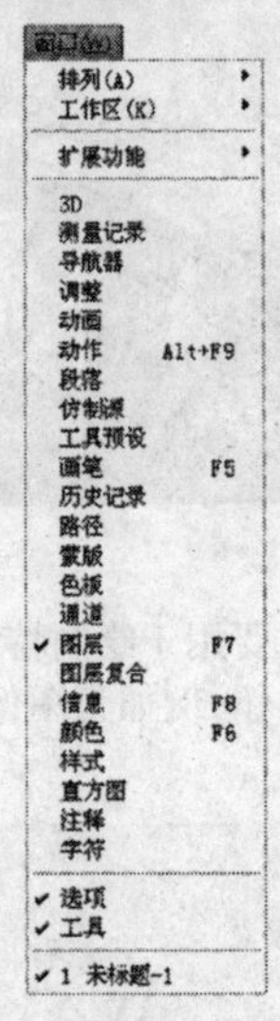

【帮助】菜单

【帮助】菜单主要用于查看 Photoshop CS4.相关的信息，帮助用户了解该版本的各种功能。

帮助(H)
Photoshop 帮助(H)... F1
关于 Photoshop(A)...
关于增效工具(B)
专利和法律声明...
系统信息(I)...
注册...
取消激活...
更新...
GPU(G)...
Photoshop 联机(O)...
如何处理 3D 图像
如何创建 Web 图像
如何打印照片
如何进行绘制和画图
如何使用图层和选区
如何使用文字
如何使用颜色
如何修复和改善照片
如何准备用于其它应用程序的作品
如何自定操作和实现自动化

3.工具箱

使用工具箱中的工具可以对图像进行各种编辑操作,以满足不同的需要。Photoshop CS4 软件中的工具箱包含了几十种工具,其中有用于创建选区的选择工具组,修整图像的修复工具组,添加渐变颜色的渐变填充工具组,创建多种路径的钢笔工具组,绘制特定形状路径的自定形状工具组,还有Photoshop CS4 软件新增的三维旋转工具组等。

选择工具

选择工具主要用于选择图像中的部分区域,或者创建指定的形状选区以便对图像进行精确的编辑操作。

绘图工具

绘图工具主要用于绘制特殊的图像样式,对图像进行修饰等操作,例如为图像添加草状花纹等效果。

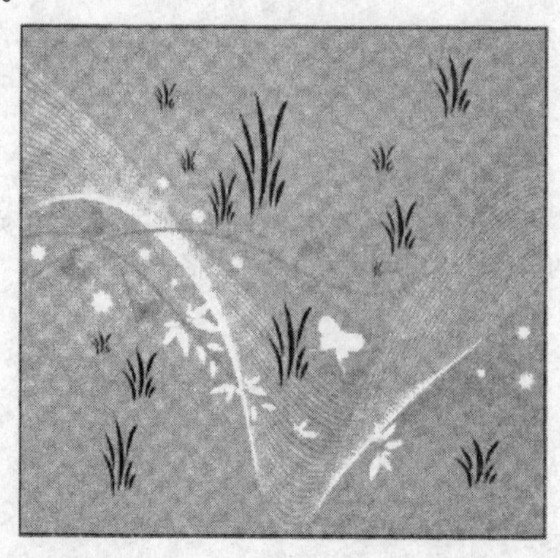

图像处理工具

图像处理工具主要用于修复图像中的污点、缺失等问题,使图像效果更佳,常用于修整有污损的照片。

颜色设置工具

颜色设置工具主要用于编辑图像的色彩和色调,使图像的颜色达到饱和状态,或者达到所需的理想状态。

3D 辅助工具

3D 辅助工具是 Photoshop CS4 新增的工具,主要是针对三维图像文件进行编辑和操作的智能化工具。

路径工具

路径工具主要用于为图像添加特殊的效果,如文字、变换的线条等样式,还可以使用【钢笔】工具绘制实体效果。

空间辅助工具

工具箱中还有一些其他的辅助工具，利用这些辅助工具可以进行图像的缩放和移动等操作，便于对图像进行精确的编辑。

4.工具选项栏

工具选项栏的主要功能是配合工具设置不同的参数。部分设置专用于某个工具。选中工具箱中的某个工具时，在工具选项栏中会显示出相应的参数设置。例如选中【裁剪】工具，工具选项栏中会出现与【裁剪】工具对应的参数，在此进行相应的设置。

在工具选项栏中的【宽度】和【高度】文本框中输入相关的参数，则使用【裁剪】工具裁剪图像时，定界框的属性会随着参数设定的变化而发生变化。

选择【矩形选框】工具，工具选项栏中会出现与其对应的参数，在此可以进行相应的设置。

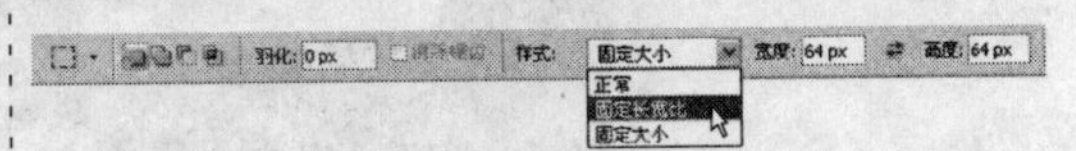

在工具选项栏中的【样式】下拉列表中选择不同的选项，可以绘制相应的矩形选区。

5.窗口选项卡

Photoshop CS4 中的图像窗口与以往的版本有所不同，它采用了网页浏览器的形式排列在工作区中。选中所需的图像文件，按住鼠标左键拖动，可以将其拖出成为单独的图像窗口。

打开多个图像文件后，在图像显示区域只能显示其中的一部分，如果想选择其他的图像文件，可以单击图像显示区域名称栏右侧的按钮，在弹出的菜单中选择所需的图像文件即可。

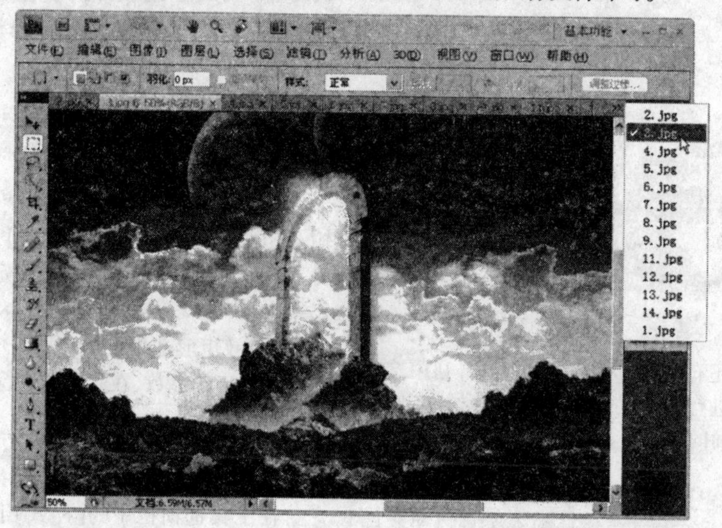

6.面板井

默认情况下，面板井中只显示了几种常用的控制面板。面板井中各个面板的功能主要是对图像进行各种调节。在标题栏中单击其右侧的 基本功能 按钮，在弹出的菜单中可以选择不同的面板显示模式。

✓基本功能
基本
CS4 新增功能
高级 3D
分析
自动
颜色和色调
绘画
校样
排版
视频
Web
存储工作区(S)...

在处理图像的过程中，可以根据需要在【窗口】菜单项中选择所需的面板。单击面板井中的面板图标即可打开相应的面板，再次单击即可还原。

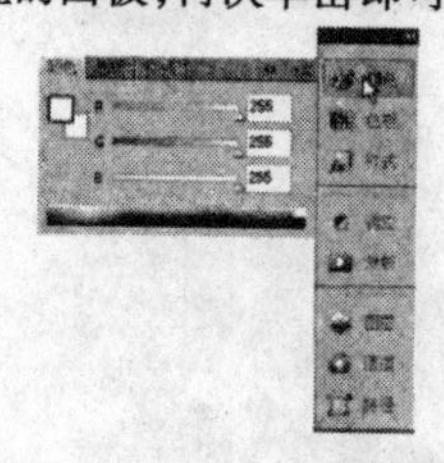

各个面板的基本功能如下。

【颜色】面板

该面板的作用是利用 6 种颜色模式的滑块准确地设置和选取颜色。单击该面板右上角的按钮，在弹出的面板菜单中可以选择颜色模式滑块进项。

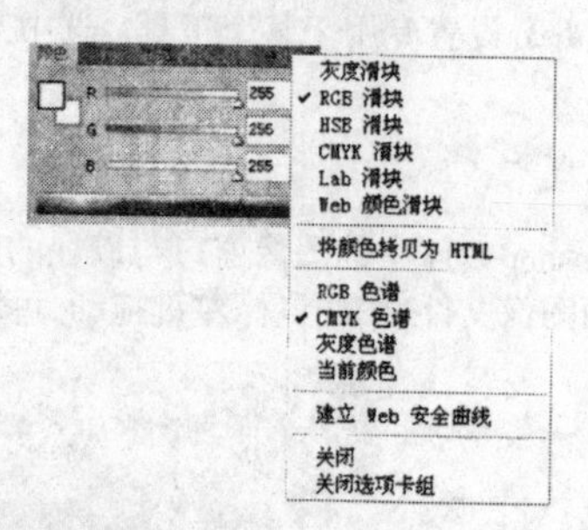

【色板】面板

该面板的作用是提供系统预设好的颜色，以便在处理图像的过程中选取、设置和保存颜色。

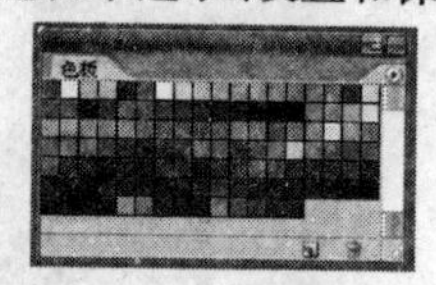

【样式】面板

该面板的作用是提供预设的图层样式效果，并且可以直接应用到当前操作的图层中。

【调整】面板

该面板是 Photoshop CS4 新增的面板之一，主要用于调整图像的色调和饱和度等，该面板的特殊性就在于可以在【图层】面板中新建调整图层，能够对调整层进行重复编辑或者删除等操作。

【蒙版】面板

该面板也是 Photoshop CS4 新增的面板，其功能与【图层】面板下方的【添加图层蒙版】按钮相同，该面板中添加了调整滑块，大大提高了处理图

像的效率。

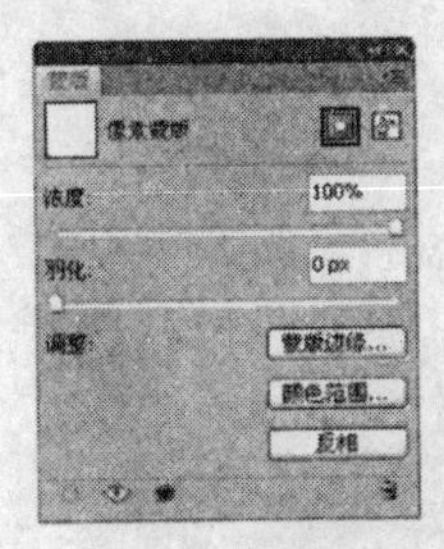

【图层】面板

【图层】面板的作用主要是显示各个图层的信息和图层的操作等内容。

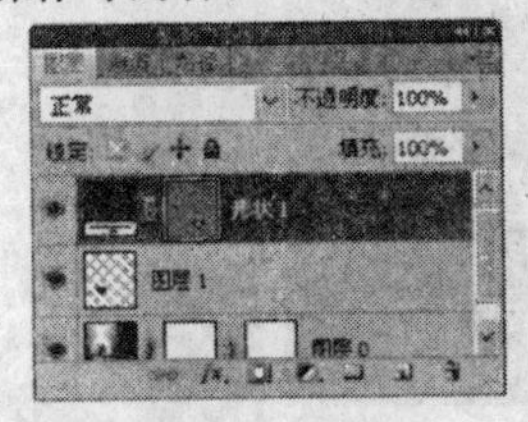

【路径】面板

【路径】面板的作用主要是建立矢量式的蒙版路径,保存矢量蒙版的内容等。

【通道】面板

该面板的作用主要是将图层分为不同的颜色通道来记录图像的颜色数据,对不同的颜色通道进行各种操作以及保存图层蒙版的内容。

【信息】面板

该面板的作用是显示鼠标指针所在位置的坐标值以及像素值。当旋转图像时,【信息】面板还可以显示出图像的旋转角度等信息。

【历史记录】面板

该面板的作用是恢复和撤消指定步骤的操作或者为指定的操作建立快照。

【动作】面板

该面板的作用是录制一系列的编辑操作,可以对大量的图片进行批处理。

【画笔】面板和【工具预设】面板

【画笔】的作用是设置画笔笔触大小以及形状等相关参数。【工具预设】面板的作用是预设【修复画笔】、【画笔】和【裁切】等工具的参数。

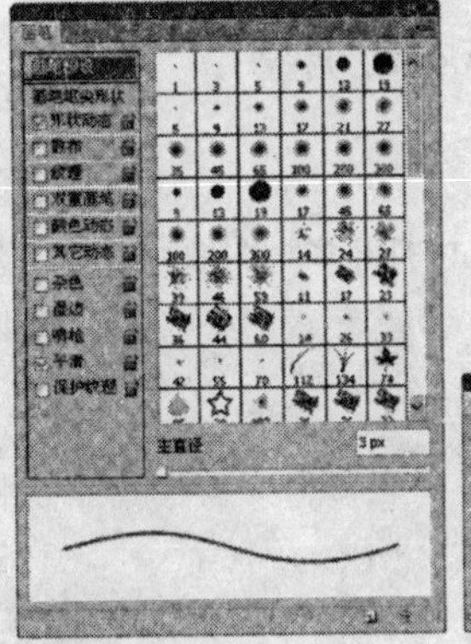

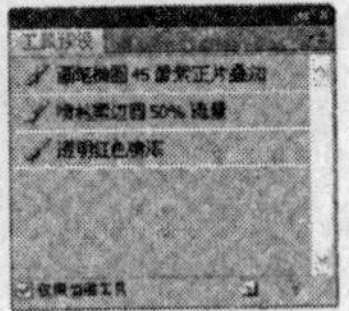

【仿制源】面板

该面板的作用类似于复制,并且可以精确设置仿制图像的位置。

【字符】面板

【字符】面板的主要作用是设置文字的字符格式、字符的类型、大小、颜色和行距等相关的属性。

【段落】面板

【段落】面板的主要作用是设置段落文字的格式、排列方向、缩进量等相关属性。

【动画】面板

该面板的作用是快速创建 GIF 动画效果。

【测量记录】面板和【注释】面板

【测量记录】面板的作用是保存测量工具曾经执行过的测量记录。【注释】面板是为了方便【注释】工具的使用而配备的,方便查看相关信息。

【3D】面板和【Kuler】面板

这两个面板也是 Photoshop CS4 新增的面板,在【3D】面板中可以对场景、灯光、网格和材质等参数进行多样化编辑。

在【窗口】菜单中选择【扩展功能】➢【Kuler】菜单项,会弹出【Kuler】面板,通过链接网络来浏览 Kuler 网站上的多个主题,然后下载其中的主题进行编辑,该功能对设计网页模板的颜色搭配非常有帮助。

1.2.2　多窗口分布的调整

1.文档窗口

在 Photoshop CS4 中打开多个图像窗口时,【文档窗口】以【选项卡】的形式显示。

可以按下【Ctrl】+【Tab】组合键顺序切换窗口;或按下【Ctrl】+【Shift】+【Tab】组合键逆序切换窗口。当图像数量较多时拖动某选项卡的标题栏,可以调整其在选项卡中的顺序,如图所示。

将某窗口的标题栏从选项卡中拖出，此时该窗口就会成为可以任意移动位置的浮动窗口，拖动浮动窗口的一个边角，可以调整窗口的大小，将一个浮动窗口的标题栏拖动到工具选项栏下面，当出现蓝色横线时松开鼠标，该窗口就会停放在选项卡中。

当需要缩放窗口的显示比例或移动画面的显示区域时，Photoshop 提供了用于切换屏幕模式和窗口排列方式的功能，以及【缩放】工具、【导航器】面板和各种【缩放】命令。单击菜单栏中的【屏幕模式】按钮或按下【F】键，可以在【标准屏幕模式】、【带有菜单栏的全屏模式】和【全屏模式】之间进行切换。

2.多窗口分布

1.在 Photoshop CS4 软件中打开对应的多个图片文件。

2.将所有图像窗口的标题栏从选项卡中拖出。

3.选择【窗口】▶【排列】▶【层叠】菜单项，如图所示。

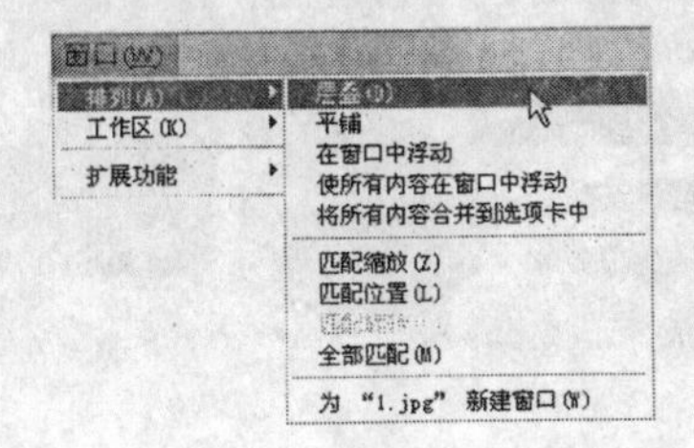

4.各窗口从屏幕的左上角到右下角以【层叠】的方式停放，如图所示。

5.选择【平铺】选项以靠边的方式显示窗口，当关闭某幅图像时，打开的窗口会自动调整大小以填充可用的空间，如图所示。

6.选择【窗口中浮动】选项,可以拖动任一标题栏移动窗口的位置,如图所示。

7.选择【使所有内容在窗口中浮动】选项,使所有对象在窗口都浮动,如图所示。

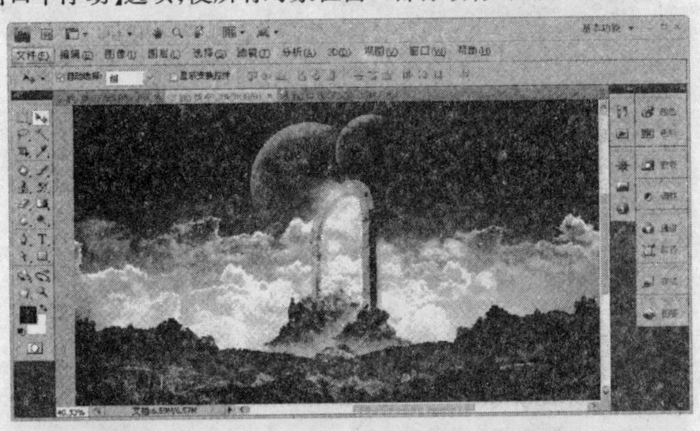

8.选择【将所有内容合并到选项卡中】选项，整个工作窗口显示一个图像，其他图像最小化到选项卡中，如图所示。

9.选择【匹配缩放】选项，将所有窗口都匹配到与当前窗口相同的缩放比例。例如当前窗口的缩放比例为100%，其他图像窗口缩放比例均小于100%，则执行该命令后其他窗口的显示比例也会调整为100%，如图所示。

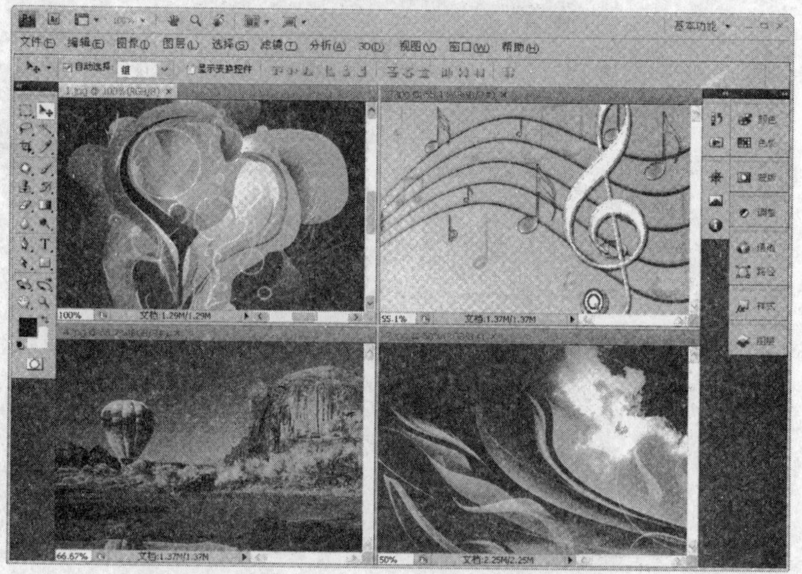

10.选择【匹配位置】选项，将所有窗口中图像的显示位置都匹配到与当前窗口相同，如图所示。

11.选择【全部匹配】选项，将所有窗口的缩放比例、图像显示位置以及画布旋转角度与当前窗口匹配。

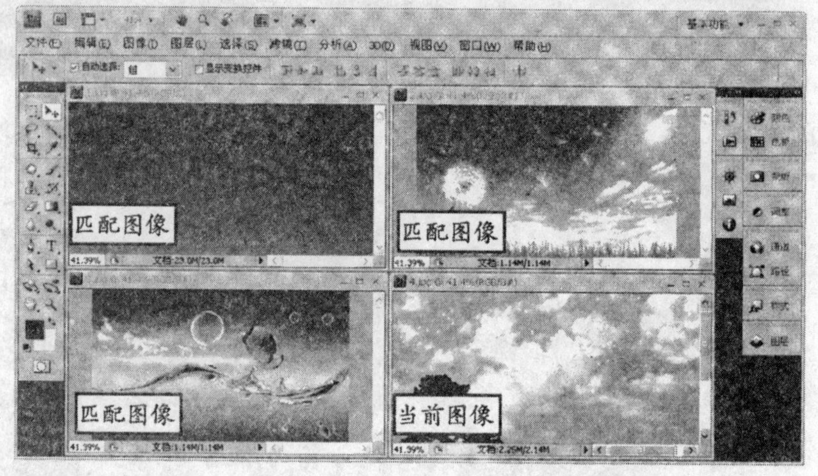

练兵场　调整窗口的缩放比例

按照 1.2.2 小节介绍的方法，利用光盘中的文件，调整窗口的缩放比例，操作过程可参见配套光盘 \ 练兵场 \ 调整窗口的缩放比例。

1.3 面板解析

面板用来设置颜色、参数以及执行编辑命令。Photoshop CS4 中包含 20 多个面板，在【窗口】菜单栏中可以对需要的面板自由组合和拆分。

默认情况下面板井中只显示了几种常用的控制面板。面板井中各个面板的功能主要是对图像进行各种调节。在标题栏中单击其右侧的 基本功能 按钮，在弹出的菜单中可以选择不同的面板显示模式。

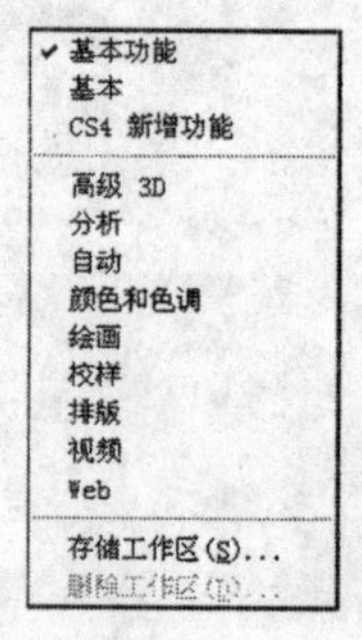

在处理图像的过程中，可以根据需要在菜单栏中选择【窗口】菜单，在弹出的菜单中选择所需的面板。单击面板井中面板的图标即可打开相应的面板，再次单击即可还原。

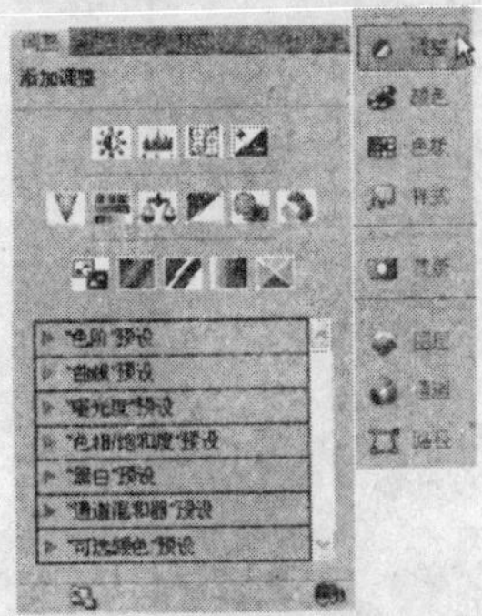

单击面板的名称即可将该面板设置为当前面板，同时显示面板中的选项。

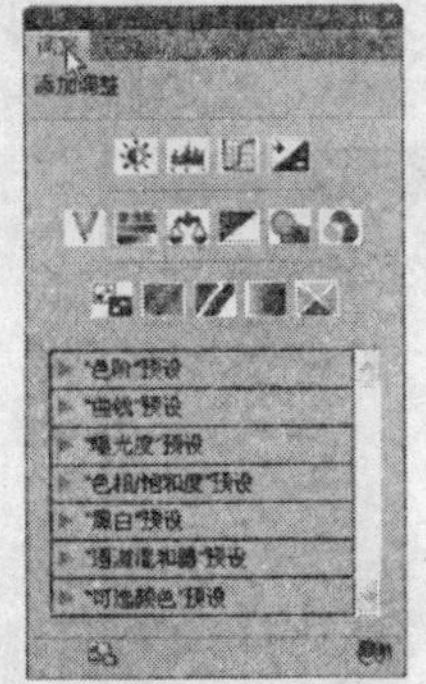

单击面板右上角的【展开面板】按钮和【折叠为图标】按钮可以折叠或展开面板。

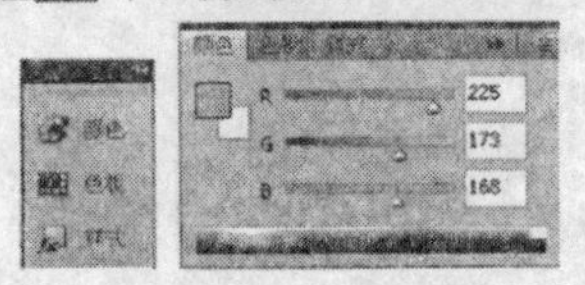

将鼠标放在面板的名称上，按住鼠标左键不放将其拖到另一个面板下，当两个面板的连接处显示为蓝色时松开鼠标，可以连接两个面板，且可以同时移动。

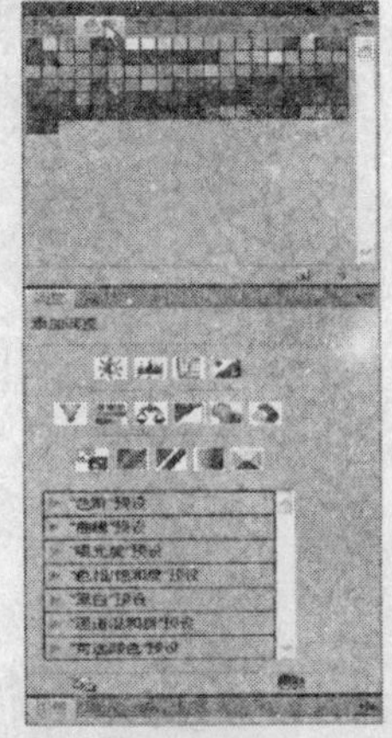

单击面板右上角的按钮，可以打开面板菜单，其中包含了与当前面板有关的各种命令。

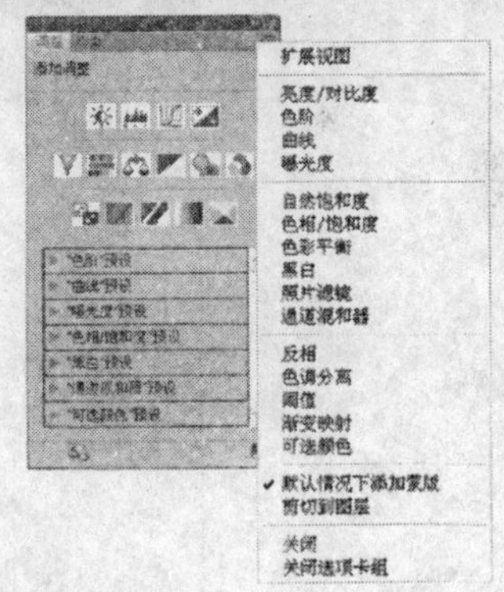

练兵场　自定义面板井

按照本小节介绍的方法，利用光盘中文件，自定义面板井，操作过程可参见配套光盘＼练兵场＼自定义面板井。

1.4　文件的打开与存储

图像文件的基本操作主要包括图像文件的新建、打开、导入和导出等。

1.4.1　文件的打开

打开文件常用的几种方法如下。

1.选择【文件】▶【打开】菜单项。

2.弹出【打开】对话框，单击右上角的【“查看”菜单】按钮，在弹出的子菜单中可以选择文件的预览模式，这里选择的是【列表】模式。

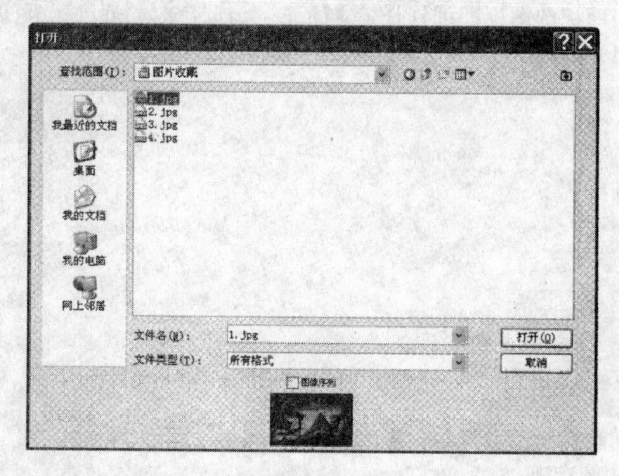

3.在【查找范围】下拉列表中找到所需文件的正确路径。在【文件类型】下拉列表中可以选择所需文件的格式，通常情况下默认为【所有格式】选项。选择所需的文件后单击打开(O)按钮即可。

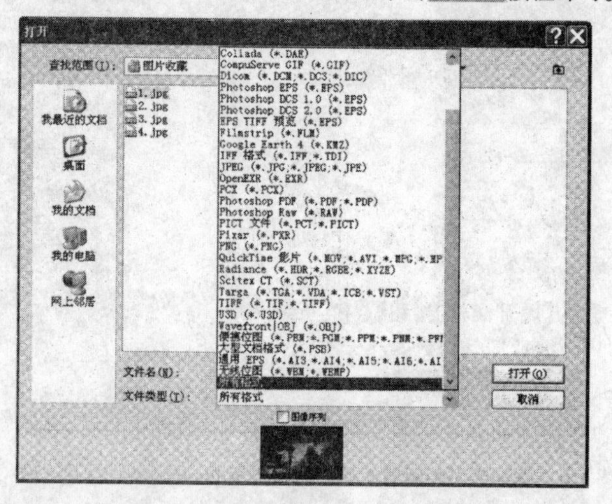

4.选择【文件】➢【打开为】菜单项，弹出【打开为】对话框。使用【打开为】菜单项可以打开一些使用【打开】菜单项无法打开的图像文件格式。

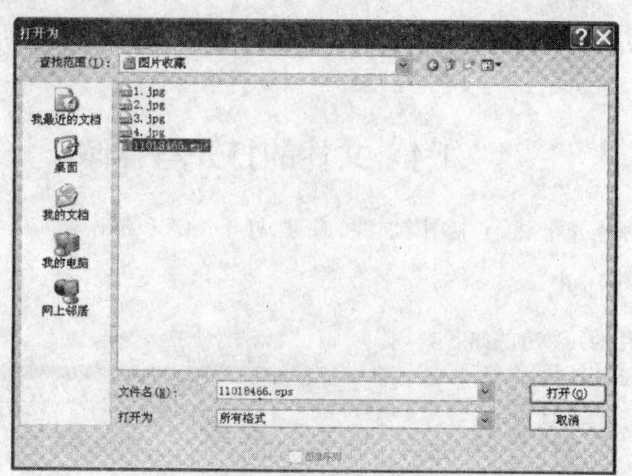

5.选择所需的图像文件,按住鼠标左键的同时将其拖到 Photoshop CS4 的工作区域中,或者双击.psd 格式的图像文件即可使用 Photoshop 将其打开。

Adobe Bridge 是一个可以独立运行的应用程序,Adobe Bridge 的出现使图片的管理和处理变得更加简单和快捷。

单击 Photoshop CS4 标题栏左侧的按钮即可打开【Adobe Bridge】窗口。

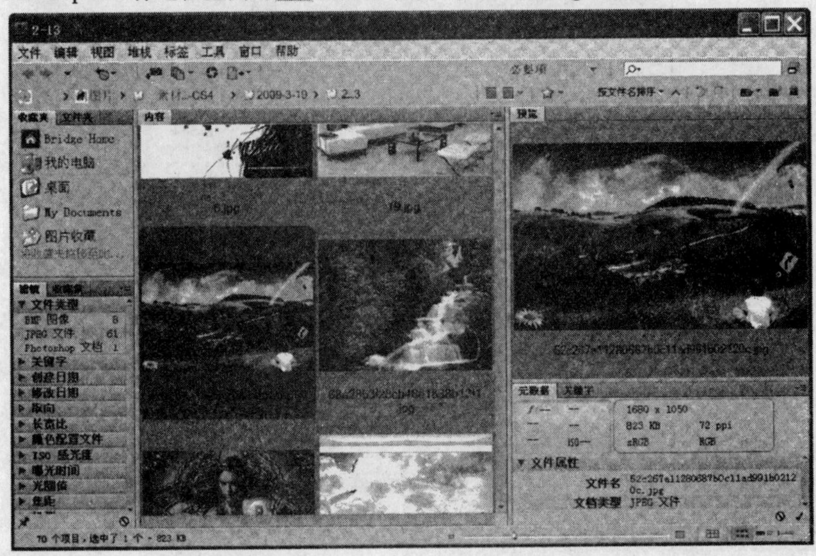

在该浏览器窗口中,选择所需的图像文件,将其拖至 Photoshop CS4 的工作区域即可将其打开。

1.4.2 文件的存储

处理完成的图像需要进行保存,方法如下。

(1)使用菜单存储:选择【文件】➢【存储】菜单项,即可弹出【存储为】对话框,在【文件名】文本框中输入新建文件的名称,在【格式】下拉列表中选择存储文件的格式,然后单击 保存(S) 按钮即可(还可以按下【Ctrl】+【S】组合键打开【存储为】对话框)。

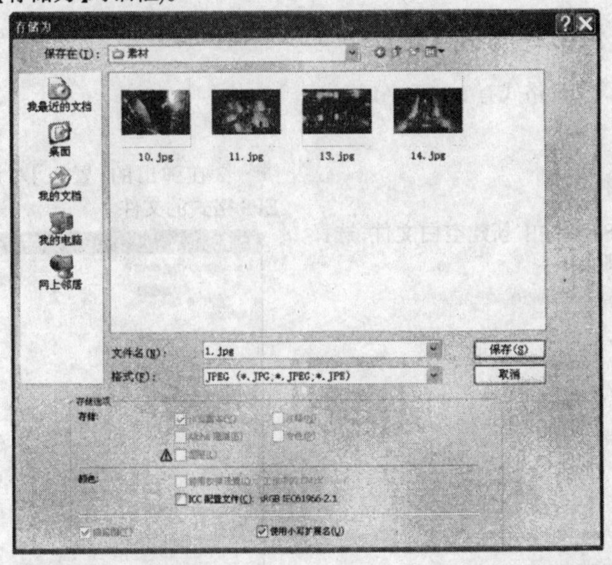

(2)存储为:选择【文件】➢【存储为】菜单项,可以对已经保存的图像文件的名称和路径进行修改,然后将该文件另存为其他名称或者存储到其他的位置。

(3)存储为 Web 和设备所用格式:在使用 Photoshop 软件中的【动画】面板制作动画时,可以将制作的动画存储为.gif 格式的文件。选择【文件】▶【存储为 Web 和设备所用格式】菜单项,弹出【存储为 Web 和设备所用格式】对话框。设置完参数后单击 存储 按钮,弹出【将优化结果存储为】对话框。

在该对话框中设置文件的名称和存储位置,单击 保存(S) 按钮即可。

练兵场 将文件另存为新文件名

按照 1.4.2 小节介绍的方法,利用光盘中文件,将其另存为新文件名,操作过程可参见配套光盘 \ 练兵场 \ 将文件另存为新文件名。

1.5 常用图像文件格式和图像颜色模式的介绍

使用【文件】菜单的【置入】命令可以将照片、图片,或者 EPS、PDF、AI 等矢量格式文件作为智能对象置入 Photoshop 文档中。

1.5.1 常用的图像文件格式

常用于置入的图像文件格式有 EPS 和 AI 格式。

1.置入 EPS 格式文件

1.在 Photoshop CS4 软件中新建空白文件,选择【文件】▶【置入】菜单项。

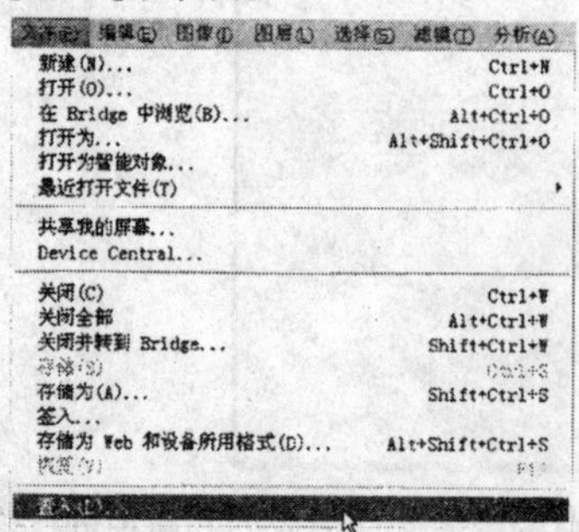

2.在弹出的【置入】对话框中,选择要置入的 EPS 格式的文件。

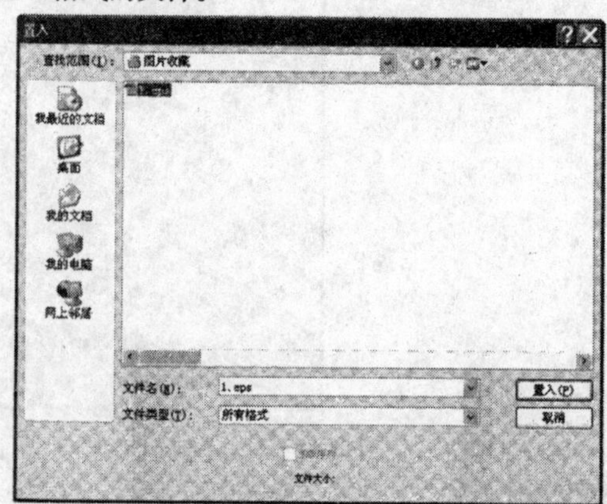

3.单击 置入(P) 按钮，将鼠标放在置入图像定界框的控制点上，按住【Shift】键的同时拖动鼠标可进行等比缩放。

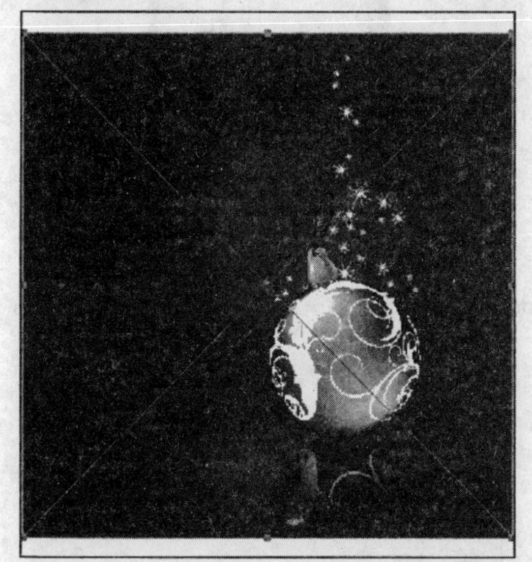

4.按下【Enter】键确认，打开【图层】面板，可以看到，置入的对象被创建为智能对象，如图所示。

2.置入 AI 格式文件

AJ 格式是 Adobe Illustrator 的矢量文件格式，将 AJ 文件置入 Photoshop 时，可以保留图层、蒙版、透明度、复合形状、切片、图像映射及可编辑的类型。

置入 AI 格式文件的具体步骤如下。

1.在 Photoshop CS4 软件中新建空白文件，选择【文件】>【置入】菜单项，在弹出的【置入】对话框中选择要置入的文件，然后单击 置入(P) 按钮。

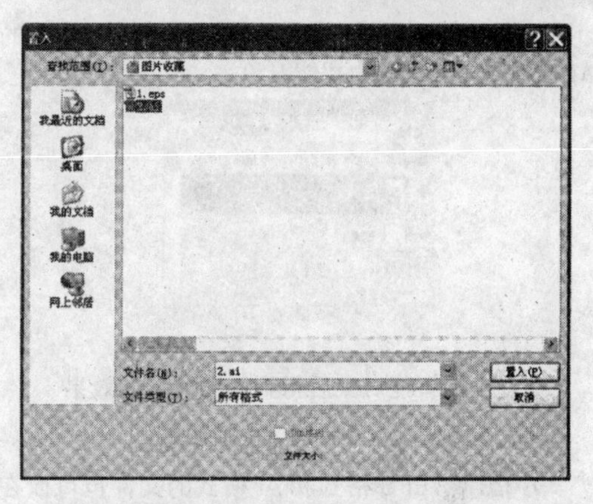

2.打开【置入 PDF】对话框，在【裁剪到】下拉列表中选择【作品框】选项，如图所示。

3.单击 确定 按钮，将 AI 文件置入到图像中，按住【Shift】键的同时拖动定界框上的控制点，对文件进行缩放。

4.调整合适后按下【Enter】键确认操作，置入的AI文件同样被创建为智能对象。

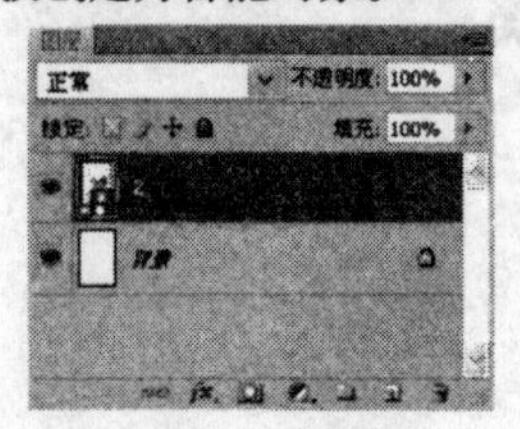

5.置换为智能对象后得到如图所示的效果。

小提示 EPS格式和AI格式的文件也可以在Adobe Illustrator中打开，选中并复制下来，然后在Photoshop中粘贴到新建的空白文件中。

1.5.2 图像的颜色模式

1.位图模式

位图模式用黑和白来表示图像中的像素，其位深度为1，因此位图模式的图像也被称为黑白图像或者1位图像。

要想把图像转换为位图模式，首先应将图像转换成灰度模式，再转换成位图模式。

2.灰度模式

灰度模式由8位像素的信息组成，只有黑、白、灰3种颜色，它使用256级灰度来表现图像，因此图像的过渡显得更加自然平滑。

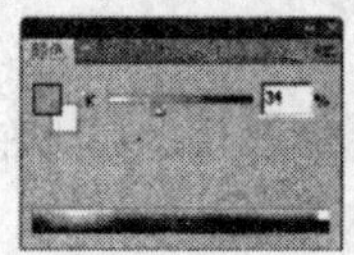

3.双色调模式

双色调模式使用较少的油墨创建单色调、双色调、三色调和四色调，以尽量丰富颜色层次，这种模式主要是为了降低印刷成本而设定的。

选择【图像】➢【模式】菜单项，在弹出的【双色调选项】对话框中的【类型】下拉列表中可以选择【单色调】、【双色调】、【三色调】或【四色调】选项，对图像的颜色进行变换。

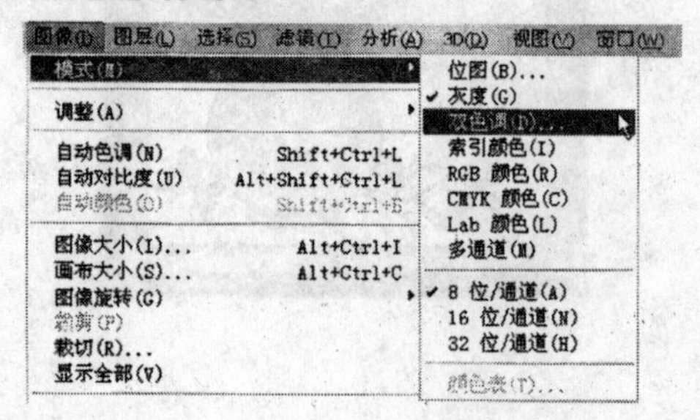

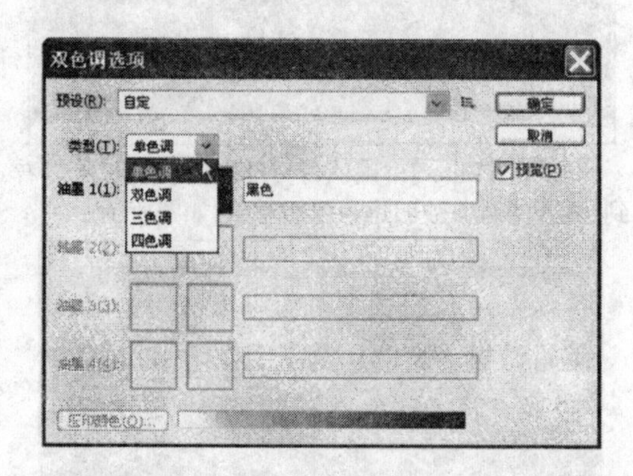

如果要将RGB模式的图像转换为灰度图像，则选择【图像】➢【模式】➢【灰度】菜单项，在弹出的【信息】对话框中单击 扔掉(D) 按钮。

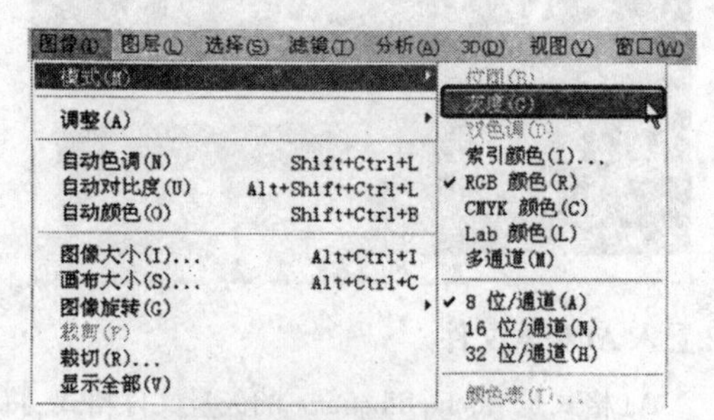

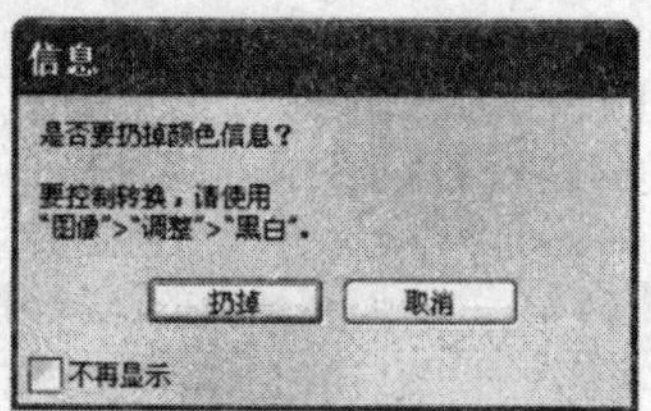

图像前后对比效果如图所示。

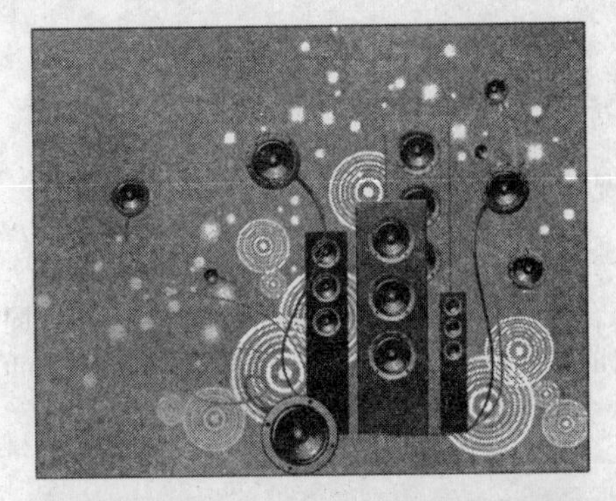

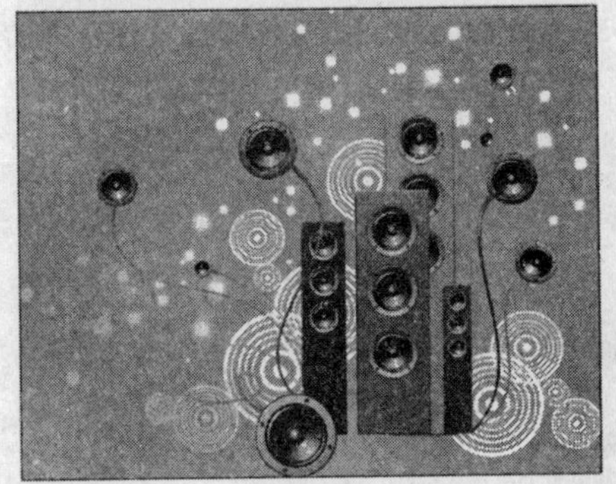

4.索引模式

索引模式是一种专业的网络图像颜色模式，包括一个颜色查找表，用来存放图像中的颜色并建立颜色索引。由于在这种模式下可以减少图像的很大一部分存储空间，所以经常被应用到动画领域。

5.RGB 模式

RGB 模式是一种主要用在显示器中的加色模式，是 Photoshop 常用的色彩模式。该模式利用红、绿、蓝 3 种基本色对颜色进行加法运算，混合产生出不同的颜色。

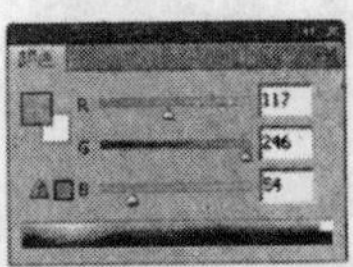

当把 R、G、B 的值都设置为 255 时，图像颜色将变为纯白色；当把 R、G、B 的值都设置为 0 时，图像颜色将变为纯黑色。通常，保存一些扫描输入和绘制的图像都使用 RGB 模式，在此模式下处理图像比较方便。

6.CMYK 模式

CMYK 模式是一种印刷模式，分别由青、洋红、黄和黑组成。在本质上，CMYK 模式与 RGB 模式是没有什么区别的，只是以 RGB 模式保存的图像相比以 CMYK 模式保存的图像的大小要小一些。

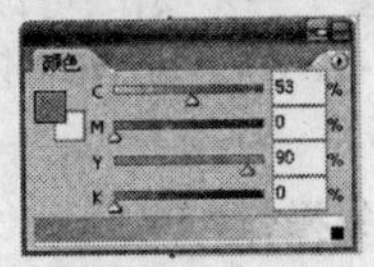

CMYK 模式又被称为色光减色法，这是因为此模式是打印或印刷的一种减色模式，是通过油墨对光的反射来表达颜色的。

7.Lab 模式

Lab 模式是 Photoshop 内部的颜色模式，通常情况下很少用到。

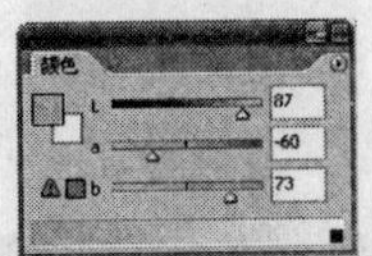

Lab 模式是色彩范围最广泛的颜色模式。在确保图像色彩真实度的情况下，使用 Lab 模式可以在不同的系统和平台之间交换图像文件。

8.多通道模式

将图像转换为多通道模式后，Photoshop 可以根据原图像的通道模式产生新的通道，该模式下，每个通道都使用 256 级灰度。进行图书打印的时候，多通道图像十分有用。

9.8 位、16 位、32 位 / 通道模式

位深度也称为像素深度或颜色深度，用来度量在显示或打印图像中的每个像素时需要使用多少颜色信息，较大的位深度意味着数字图像具有较多的可用色和较精确的颜色表示。8 位 / 通道的位深度为 8 位，每个通道可支持 256 种颜色，16 位 / 通道的位深度为 16 位，每个通道可支持 65 536 种颜色，在 16 位模式下工作可以得到更精确的改善和编辑结果。高动态范围图像（HDR）的位深度为 32 位，每个颜色通道包含颜色要比标准的 8 位通道多得多，可以存储 100 000:1 的对比度，在 Photoshop 中，使用 32 位浮点数字来表示存储 HDR 图像的亮度值。

练兵场　修改颜色模式

按照 1.5.2 小节介绍的方法，应用 Photoshop CS4 软件中的颜色模式知识，更改图像的颜色模式，操作过程可参见配套光盘 \ 练兵场 \ 修改颜色模式。

1.6 重做与恢复技巧

在对图像进行处理的过程中，如果出现操作失误等情况，可以对图像进行重做或者恢复操作。

1.使用快捷键恢复操作

如果想要恢复上一步操作，可以同时按下【Ctrl】+【Z】组合键；如果希望恢复两步以上的操作，可以同时按下【Ctrl】+【Alt】+【Z】组合键；如果恢复之后又想返回到之前操作后的效果，可以同时按下【Ctrl】+【Shift】+【Z】组合键。

2.使用菜单项恢复操作

要使用菜单对操作步骤进行恢复，或者希望将图片恢复到原始状态，可以选择【编辑】➢【还原】菜单项。

如果希望恢复两步以上的操作，需要多次选择【编辑】➢【后退一步】菜单项。

当恢复了操作后又想保留进行恢复操作之前的效果时，则需要选择【编辑】➢【前进一步】菜单项。

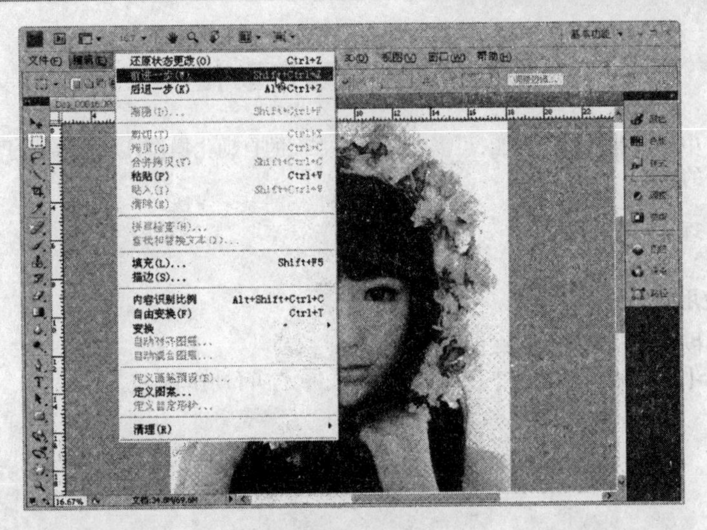

3.使用【历史记录】面板恢复操作

前面在讲到界面时介绍过【历史记录】面板，选择【窗口】➢【历史记录】菜单项。

打开【历史记录】面板，在面板中单击任何一个操作步骤，图像窗口即可恢复到当时的操作画面，如图所示。

1.7 文件处理自动化

Photoshop CS4 中预设有自动化功能，可以进行不同方面的自动化操作，以达到简化图像的编辑步骤、提高工作效率的目的。

1.7.1 文件处理自动化简介

1.【动作】面板的使用

使用【动作】面板的具体操作步骤如下。

1.选择【窗口】➢【动作】菜单项或按下【Alt】+【F9】组合键，打开【动作】面板。

2.单击面板上的【默认动作】动作组，展开自带的动作，如图所示。选择其中的动作选项后，单击面板下方的【播放选定的动作】按钮，原始图片将发生改变。

3.处理前后的图像对比效果如图所示。

2.创建新动作

录制动作前可以新建一个动作，并为其命名，以便与其他动作加以区别。

创建新动作的具体步骤如下。

1.单击【创建新动作】按钮。

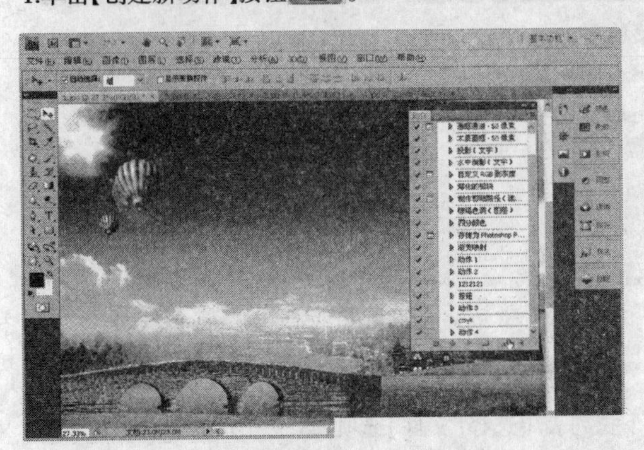

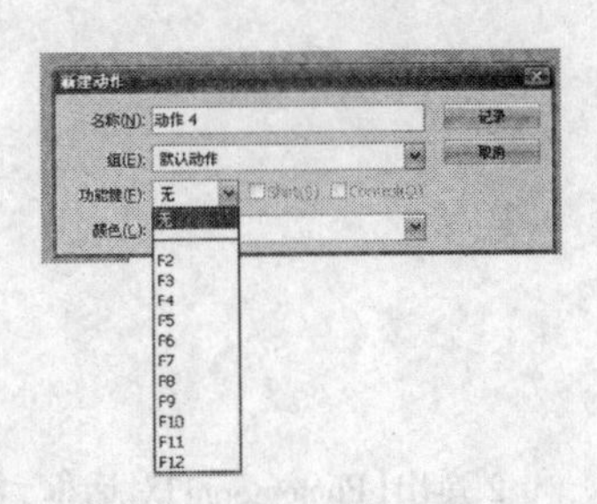

2.弹出【新建动作】对话框，在【名称】文本框中输入新建的动作名称，在【功能键】下拉列表中可以设置快捷键，然后单击 记录 按钮。

3.对照片进行操作，【动作】面板将自动存储操作的一系列步骤，操作完毕后单击【停止播放/记录】按钮。

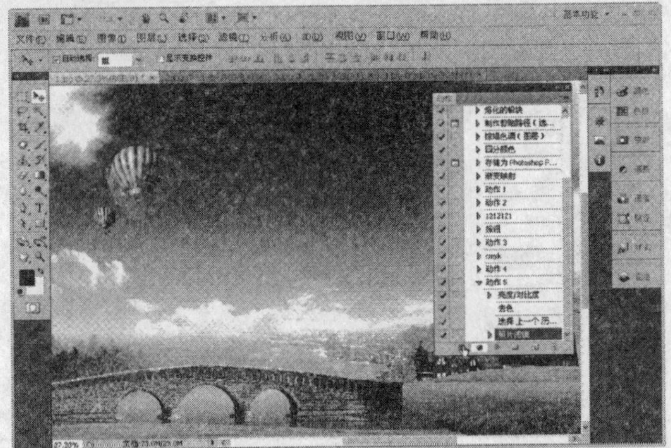

4.新的动作创建完毕后，如果要对该图片文件执行该动作，则按照前面介绍的动作的使用方法进行操作即可。

1.7.2 拼接照片

使用【Photomerge】命令可以突破拍摄中镜头的限制，将在同一位置和角度连续拍摄的多张照片拼合为一张全景照片。

下面介绍应用【Photomerge】命令拼接照片的操作方法。

1.选择【文件】➢【自动】➢【Photomerge】菜单项。

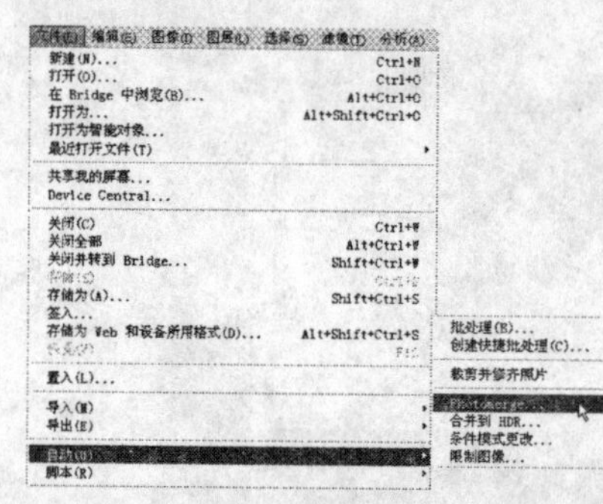

2.弹出【Photomerge】对话框，在【使用】下拉列表中选择【文件】选项，然后单击 浏览(B)... 按钮。

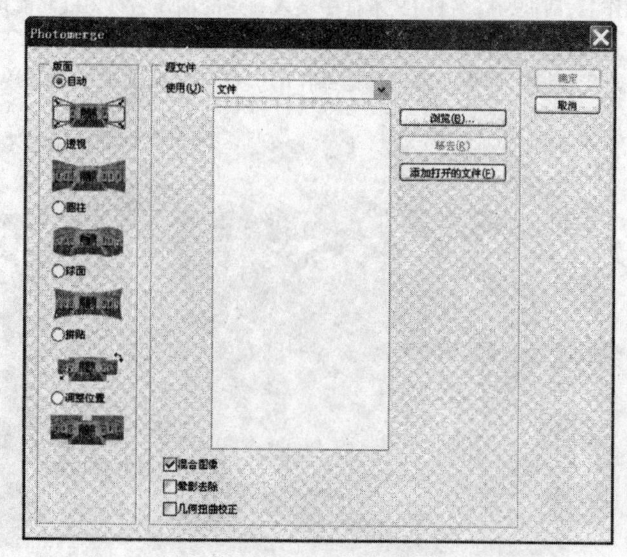

3.弹出【打开】对话框,从中选择要拼接的照片,然后单击 确定 按钮。

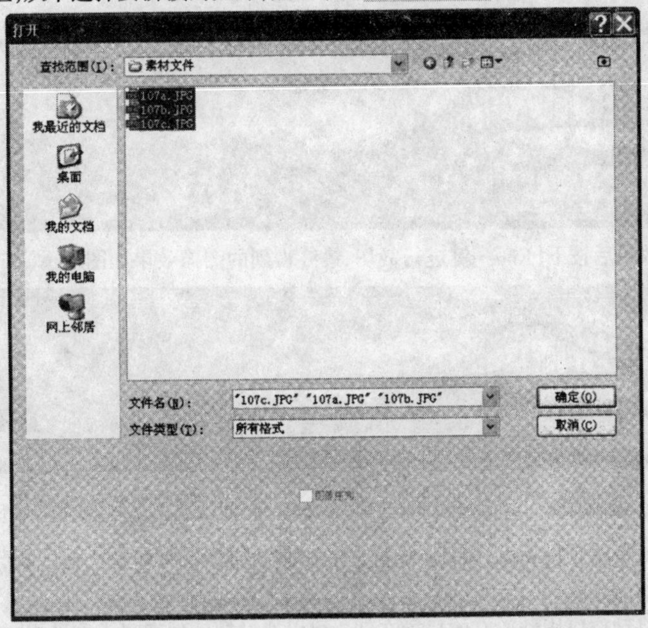

4.选中的文件自动添加到【Photomerge】对话框中的预览区内,在该对话框中选中【自动】单选钮,然后单击 确定 按钮。

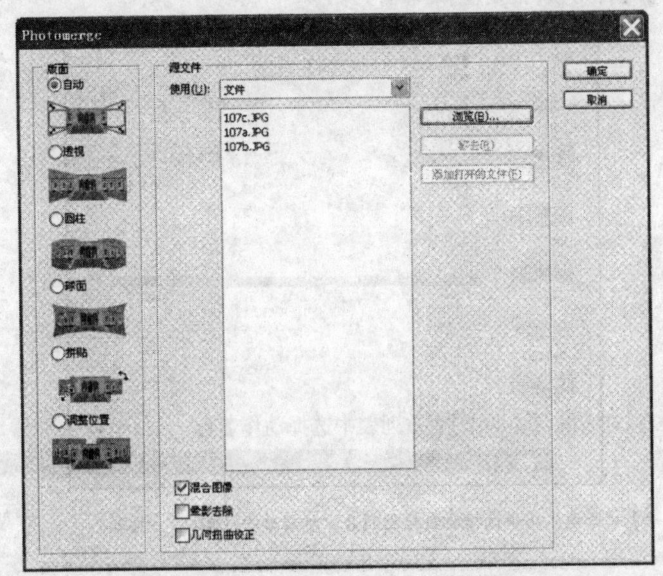

5.系统在工作区中自动根据图像边缘将图像进行合并,效果如图所示。

6.选择【裁剪】工具 ，对图像内容进行取舍，如图所示。

7.得到满意效果后按下【Enter】键进行裁切，最终得到的图像效果如图所示。

1.7.3 文件夹批处理

前面介绍的是单个文件自动化处理的常用方法，当有很多的文件都需要进行同样的处理，这就需要使用文件夹批处理功能。

批处理是指将动作应用到所有的目标文件。可以通过批处理来完成大量相同的、重复性的操作，实现图像处理的自动化，以节省时间，提高工作效率。

1.选择【文件】▶【自动】▶【批处理】菜单项。

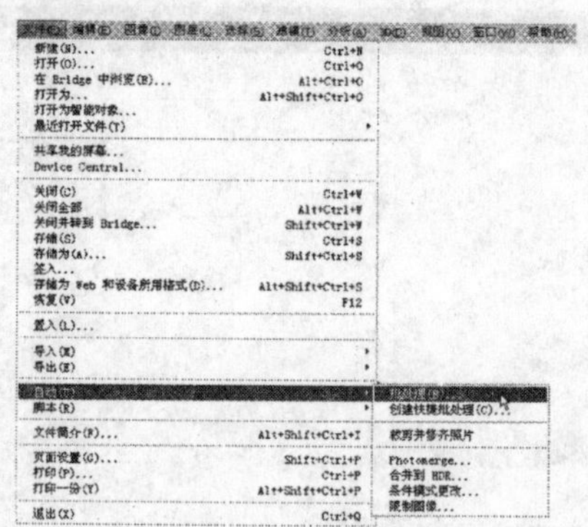

2.弹出【批处理】对话框，在【动作】下拉列表中选择动作名称。

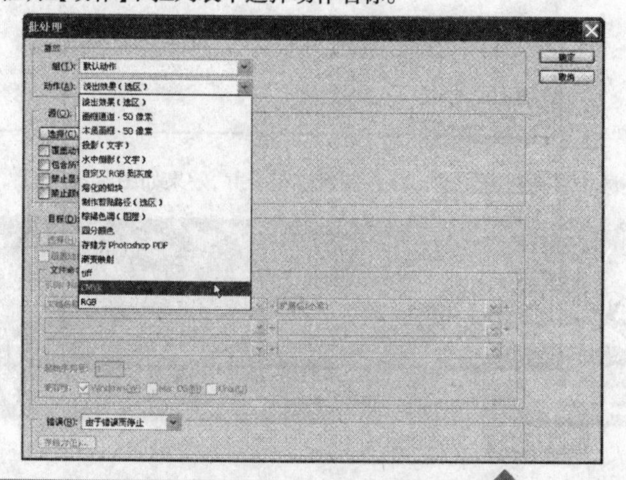

3.在【源】下拉列表中选择【文件夹】选项，然后单击 选择(C)... 按钮。

4.选择要处理的文件夹的路径，在【目标】组合框中，单击 选择(H)... 按钮选择存储路径，设置完毕后单击 确定 融钮即可进行批处理。

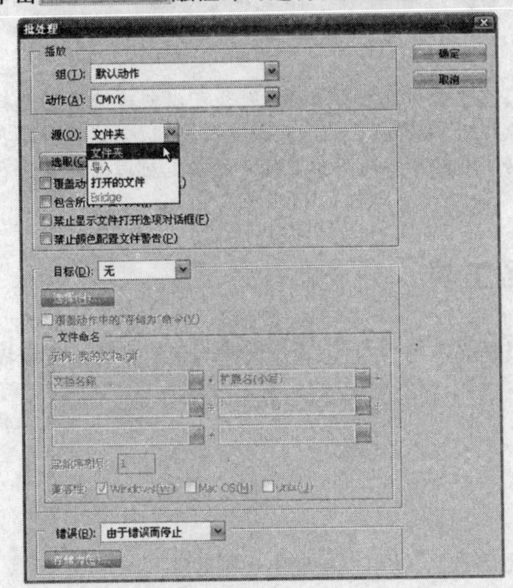

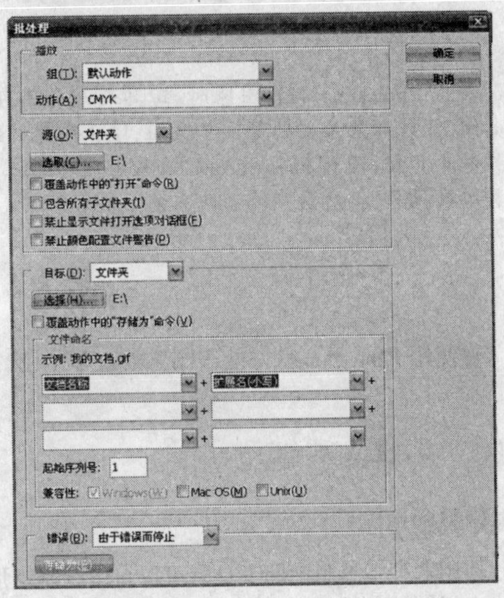

练兵场 批处理照片

按照 1.7.3 小节介绍的方法，对拍摄的照片进行批处理。操作过程可参见配套光盘 \ 练兵场 \ 批处理照片。

第 2 章　Photoshop CS4 工具箱

在用 Photoshop 编辑图像时，工具箱是必不可少的，它包含了几十种工具，例如可以创建选区的选择工具组，修改照片尺寸的剪切工具组，修正图像的修复工具组，编辑颜色的渐变填充工具组，创建多种路径的钢笔工具组，还有 Photoshop CS4 软件新增的三维旋转工具组等。使用工具箱中的工具可以对对象进行各种编辑操作，满足用户的不同需要。

2.1　选择工具

在使用 Photoshop 软件处理图像的过程中，选择工具是必不可少的，创建选区是为了更精确地编辑操作。

2.1.1　选框工具组

1.创建规则选区

使用选框工具组中的工具既可以自由绘制矩形、圆形等选区，还可以绘制不规则的选区。

选择【矩形选框】工具第 2 章　Photoshop CS4 工具箱

在用 Photoshop 编辑图像时，工具箱是必不可少的，它包含了几十种工具，例如可以创建选区的选择工具组，修改照片尺寸的剪切工具组，修正图像的修复工具组，编辑颜色的渐变填充工具组，创建多种路径的钢笔工具组，还有 Photoshop CS4 软件新增的三维旋转工具组等。使用工具箱中的工具可以对对象进行各种编辑操作，满足用户的不同需要。

2.1　选择工具

在使用 Photoshop 软件处理图像的过程中，选择工具是必不可少的，创建选区是为了更精确地编辑操作。

2.1.1　选框工具组

1.创建规则选区

使用选框工具组中的工具既可以自由绘制矩形、圆形等选区，还可以绘制不规则的选区。

选择【矩形选框】工具，在工具选项栏中的【样式】下拉列表中可以设置绘制的矩形选框的样式。例如选择【固定比例】选项，此时【宽度】和【高度】文本框处于可用状态，在此可以设定绘制选区的长宽比例。，在工具选项栏中的【样式】下拉列表中可以设置绘制的矩形选框的样式。例如选择【固定比例】选项，此时【宽度】和【高度】文本框处于可用状态，在此可以设定绘制选区的长宽比例。

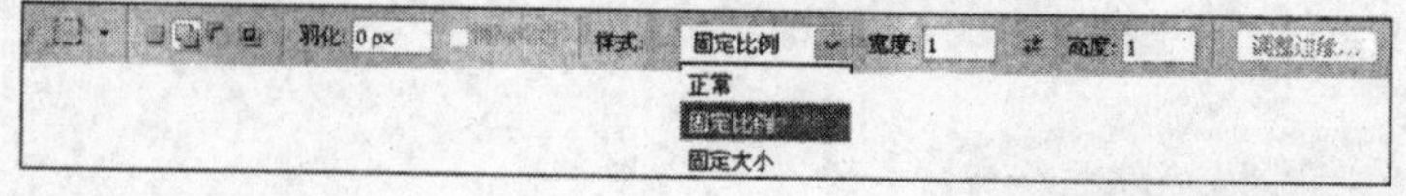

设定比例参数后，在图像中可以绘制固定比例的矩形选区。

2.设置选区的属性

绘制的选区可以通过编辑工具选项栏中的相关选项进行设置。

羽化: 8 px　消除锯齿　样式: 正常

例如选择【矩形选框】工具，在图像中绘制矩形选区。

单击工具选项栏中的 调整边缘... 按钮，弹出【调整边缘】对话框，在该对话框中可以对选区进行相关的编辑，例如羽化、收缩或者扩展等。

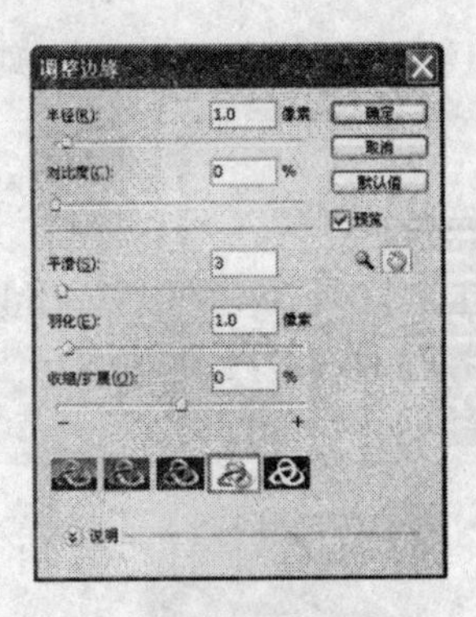

2.1.2 套索工具组

1.【套索】工具

选择【套索】工具，在图像中按住鼠标左键不放，沿着需要绘制选区的对象拖动鼠标指针至合适的位置，释放鼠标即可绘制出选区。但使用该工具绘制的选区不稳定，因此通常应用在选择大致范围的图像轮廓的操作中。

使用【套索】工具，对图像进行粗略的选取后，编辑选区内的图像部分，也可以制作出特殊的效果。

2.【多边形套索】工具

使用【多边形套索】工具，可以方便地选择形状比较规则的多边形图像轮廓。例如矩形、三角形等。

多边形图像的轮廓线越规则，使用【多边形套索】工具绘制的选区就越精确。

使用【多边形套索】工具绘制选区时，只需在多边形的一个顶点处单击鼠标左键确定起点。

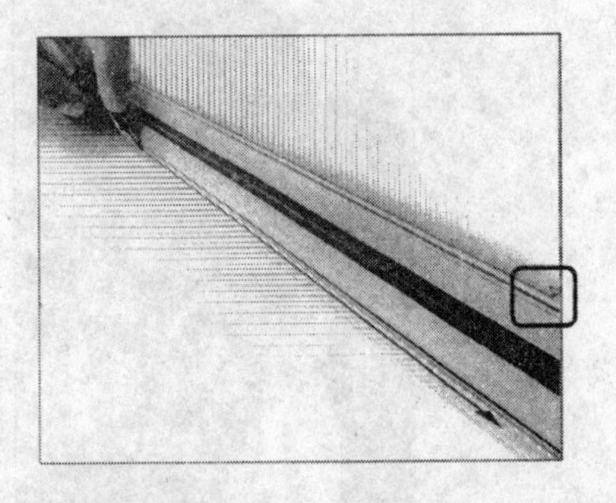

然后在相邻的另一点再次单击鼠标左键，绘制第一条边。用同样的方法，直至回到起点闭合选区。

3.【磁性套索】工具

【磁性套索】工具适合选择对比度较大的图像轮廓，选择【磁性套索】工具后，将鼠标指针移至需要选择的图像的边缘处单击。

松开鼠标后沿边缘移动鼠标指针，系统可以自动、快速地选择图像中的图形轮廓。

如果锚点的位置不准确，可以按下【Delete】键将其删除，连续按下【Delete】键，可以依次删除前面的锚点。

选择【磁性套索】工具，在工具选项栏中可以设置该工具的相关属性。

在【频率】文本框中输入参数，可以设置【磁性套索】工具绘制的锚点的密度，参数越大锚点的密度越大；参数越小，锚点的密度越小。

2.1.3 魔棒工具组

1.【快速选择】工具

选中【快速选择】工具，在工具选项栏中可以设置该工具的相关参数。

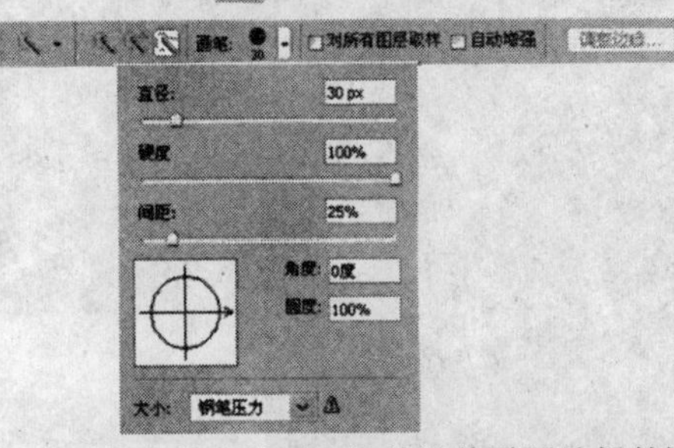

在图像中单击鼠标左键并沿着需要选择的图像部分拖动鼠标，即可将像素相近的图像部分载入选区。

2.【魔棒】工具

选择【魔棒】工具，在图像中需要选择的区域单击鼠标左键，即可选中与该部分颜色相近的图像区域。

选择【魔棒】工具在工具选项栏中可以设置选区颜色的容差参数、羽化参数等。

容差: 32 消除锯齿 连续 对所有图层取样 调整边缘...

在工具选项栏中设置容差的参数越大，使用【魔棒】工具选择的图像区域越大。

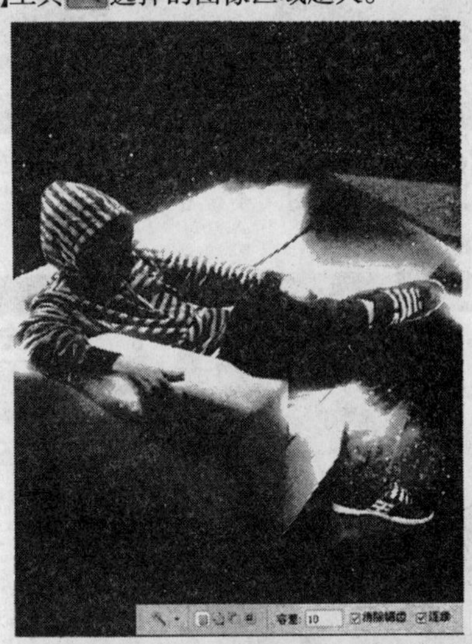

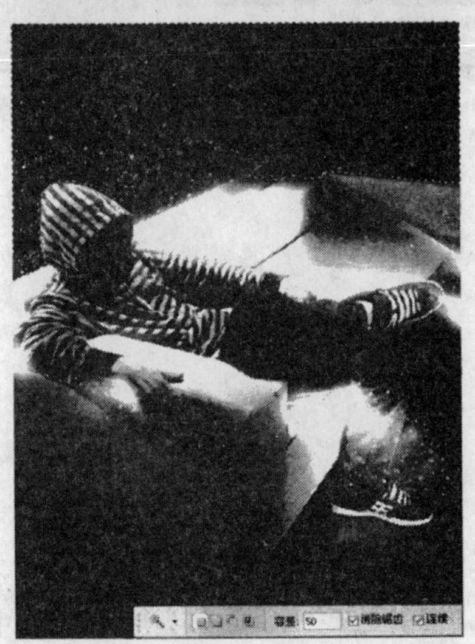

2.1.4 实例——水晶按钮的制作

1.打开本实例对应的原始文件 201.psd。

2.单击【设置前景色】颜色框，弹出【拾色器(前景色)】对话框，在【#】文本框中输入“9b1207”，单击 确定 按钮。

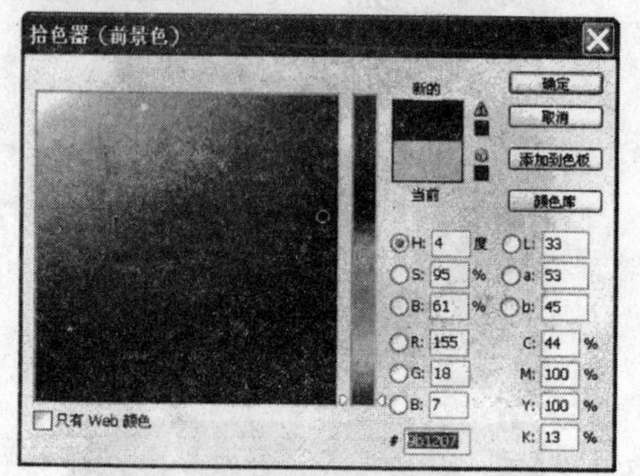

3.在【工具箱】中选择【自定形状】工具。

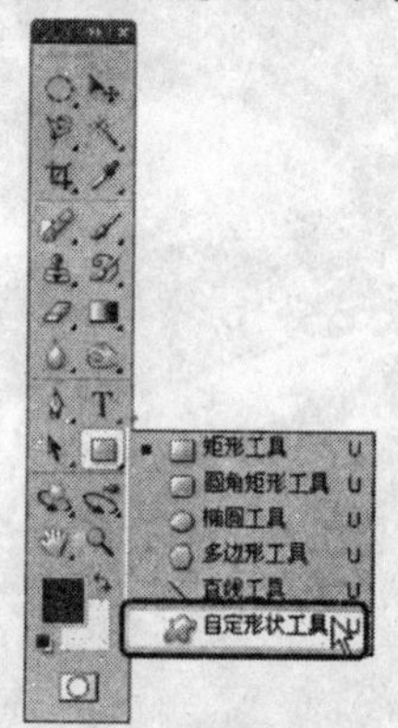

4.在工具选项栏中的【自定形状】拾色器中选择【红心形卡】选项。

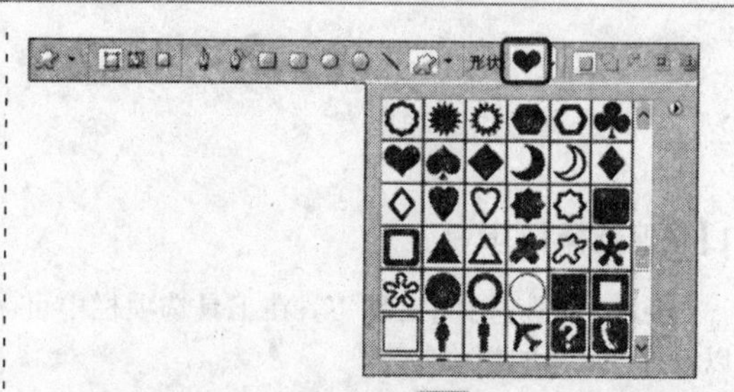

5.使用【自定形状】工具在图像中绘制如图所示的形状。

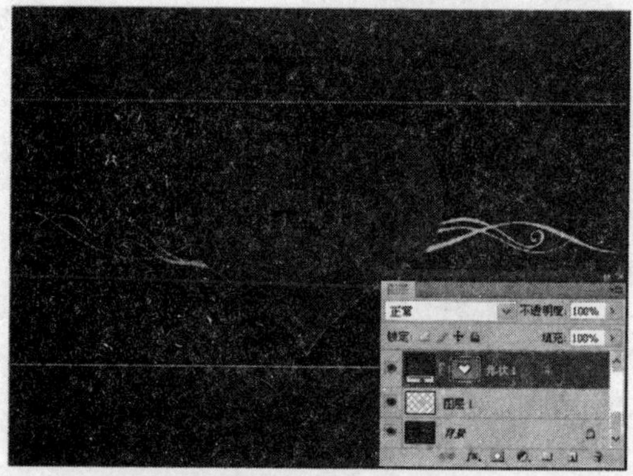

6.选择【形状 1】图层，单击鼠标右键，在弹出的快捷菜单中选择【栅格化图层】菜单项。

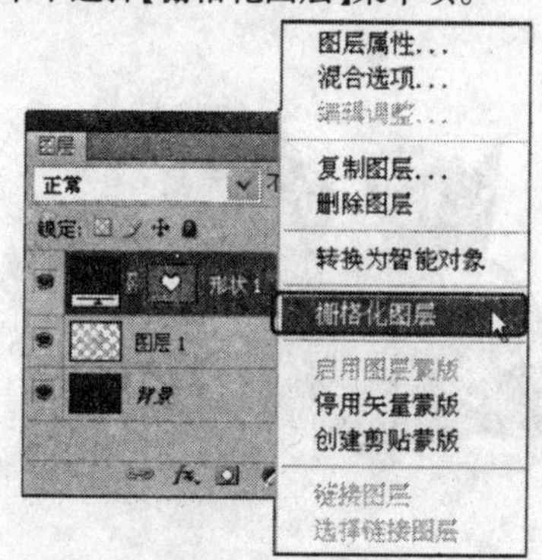

7.选择【形状 1】图层，单击【添加图层样式】按钮，在弹出的菜单中选择【混合选项】。

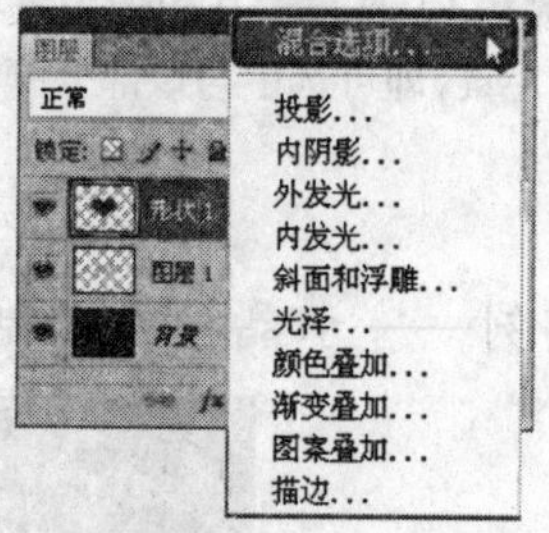

8.弹出【图层样式】对话框，在【样式】选项组中单击【斜面和浮雕】选项，设置如图所示的参数。

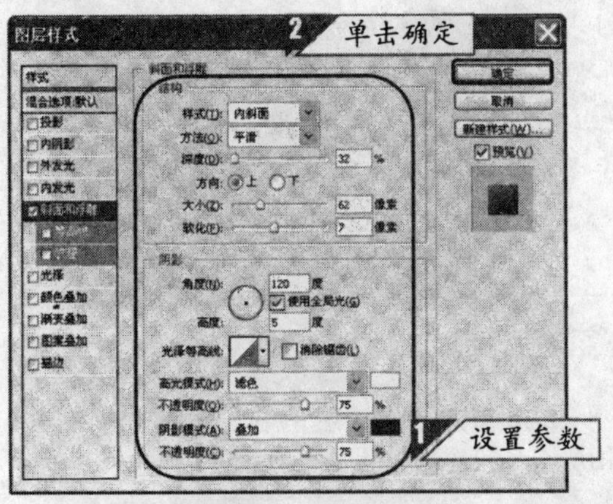

9.在【样式】选项组中选中【描边】选项，在该选项组中的【填充类型】下拉列表中选择【渐变】选项，然后设置【渐变】颜色条为【铜色渐变】选项，其他参数设置如图所示，单击 确定 按钮。

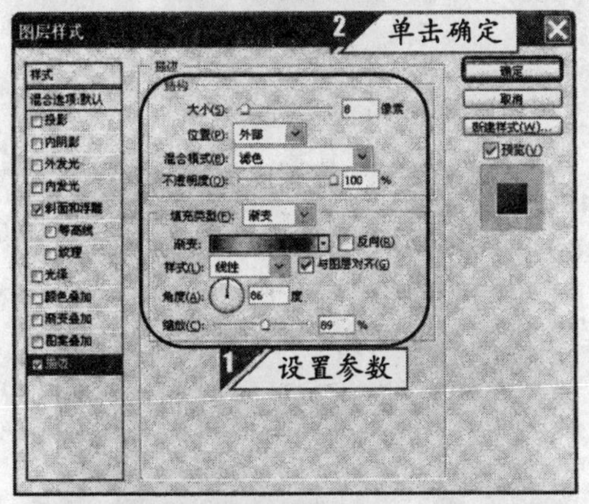

10.得到的图像效果如图所示。

11.选择【图层 1】图层，按下【Ctrl】+【J】组合键，复制出【图层1副本】图层。

12.单击【图层 1 副本】图层，向上拖动到【形状 1】图层上侧。

13.选择【图层 1 副本】图层，按下【Ctrl】+【T】组合键，拖动鼠标调整图像大小，调整合适后按下【Enter】键，得到的图像效果如图所示。

14.单击【创建新图层】按钮，新建【图层 2】图层。

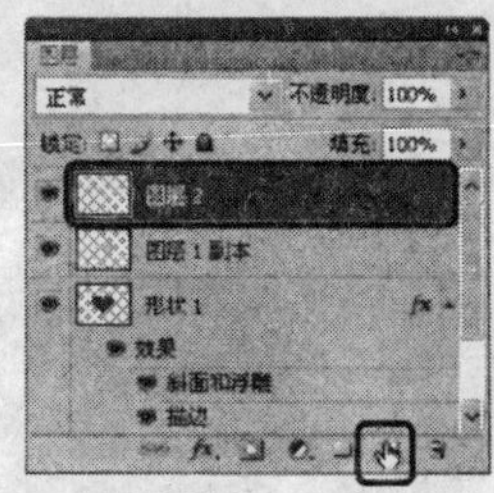

15.选择【钢笔】工具，在工具选项栏中选择如图所示的选项。

16.使用【钢笔】工具绘制如图所示的路径。

17.按下【Ctrl】+【Enter】组合键，将路径转换为选区，将前景色设置为白色，按下【Alt】+【Delete】组合键填充选区。

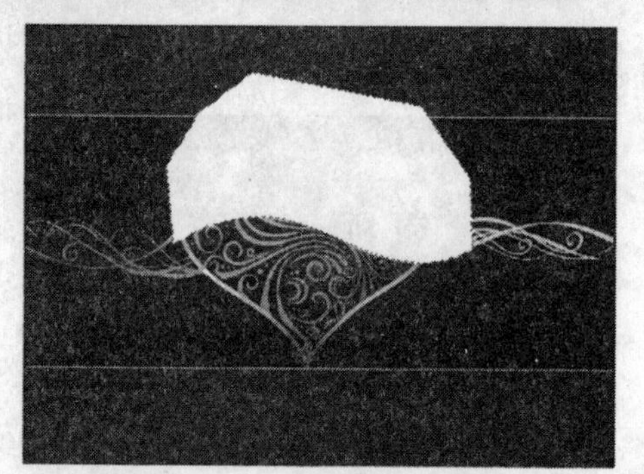

18.在【图层】面板中的【设置图层的混合模式】下拉列表中选择【叠加】选项，然后在【填充】文本框内输入“51%”。

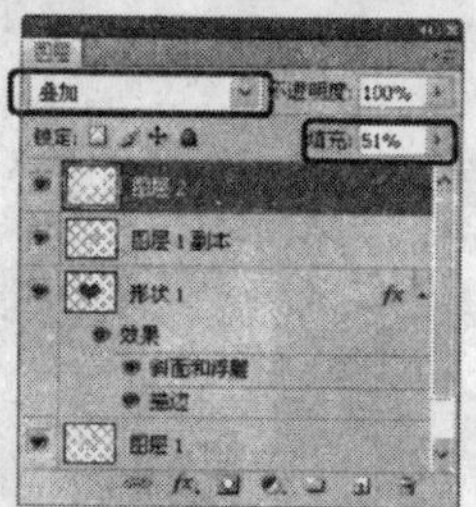

19.按下【Ctrl】+【D】组合键取消选区，得到的图像效果如图所示。

20.打开【图层】面板，选择【图层 2】图层，按下【Ctrl】键的同时选中【图层 1 副本】图层，按下【Ctrl】+【Alt】+【G】组合键，将这两个图层嵌入到【形状 1】图层上。

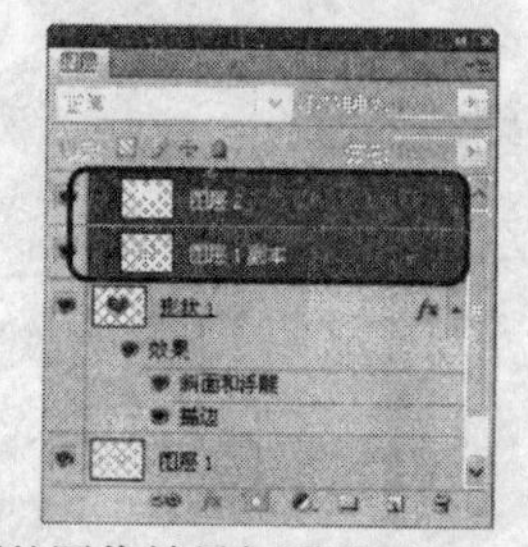

21.得到的图像效果如图所示。

22.单击【创建新图层】按钮，新建【图层 3】图层。

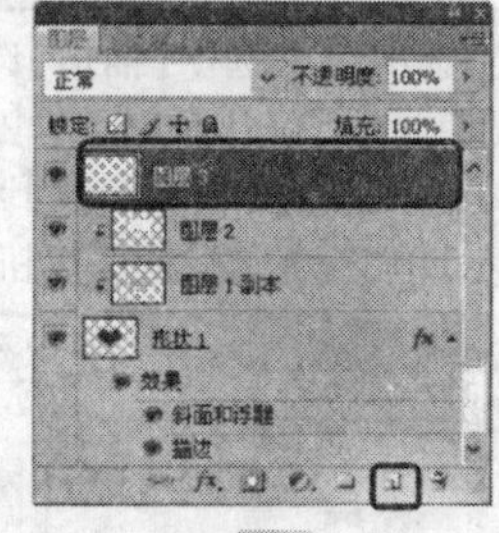

23.选择【钢笔】工具，在工具选项栏中设置如图所示的选项。

24.使用【钢笔】工具绘制如图所示的路径。

25.按下【Ctrl】+【Enter】组合键，将路径转换为选区，将前景色设置为白色，按下【Alt】+【Delete】组合键填充选区。

26.在【图层】面板中的【设置图层的混合模式】下拉列表中选择【叠加】选项。

27.按下【Ctrl】+【D】组合键取消选区，得到的图像效果如图所示。

28.选择【图层 3】图层，按下【Ctrl】+【J】组合键复制图层，得到【图层 3 副本】图层。

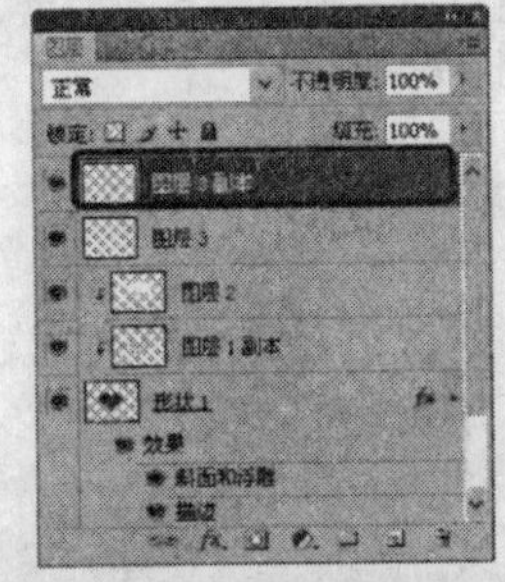

29.得到的图像效果如图所示。

练兵场　鲜花与女孩

按照 2.1 节介绍的方法，应用选择工具组、套索工具以及魔棒工具等制作漂亮的梦幻效果。操作过程可参见配套光盘 \ 练兵场 \ 鲜花与女孩。

2.2　绘图工具

在 Photoshop 中，绘图工具是十分重要的工具之一，通过矢量工具创建出矢量图形，是基于像素的工具。

2.2.1　【画笔】工具

选择【画笔】工具，在工具选项栏中将会显示相关的参数设置信息。

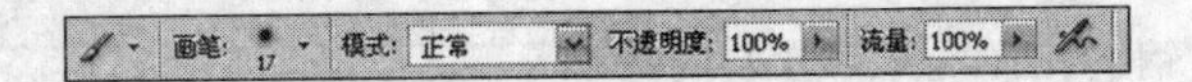

该工具选项栏中各个选项的作用如下。

【不透明度】选项

该选项可以设置画笔的不透明度，该值越高，线条的不透明度越高。

该值越低，线条的不透明度越低，如图所示。

【流量】选项

用来设置当光标移动到某个区域上方时应用颜色的速率，如果涂抹时一直按住鼠标左键，颜色将根据流动速率增加。

【喷枪】按钮

单击该按钮后画笔则会具备喷枪的特性，绘制时的笔触会因为鼠标的停留时间而逐渐变粗。在工具选项栏中，单击【切换画笔面板】按钮 会弹出【画笔】面板。

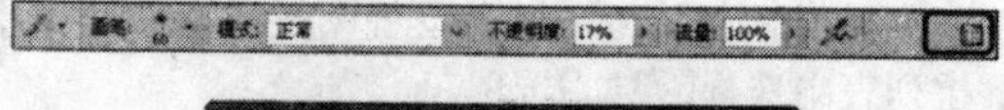

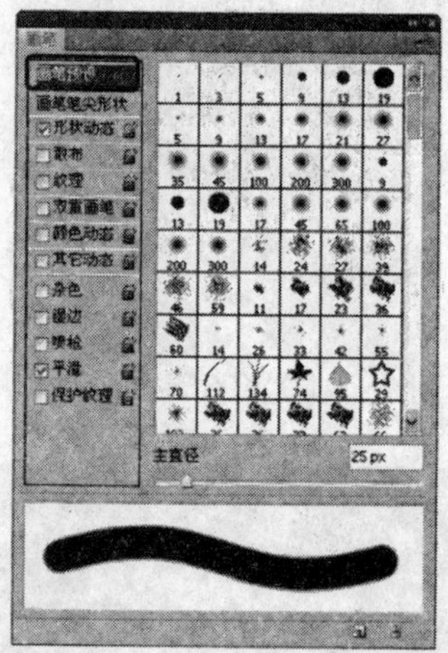

在该面板中，单击左侧【画笔预设】选项，在右侧会显示相关的选项设置，从中可以设置画笔的绘制效果。

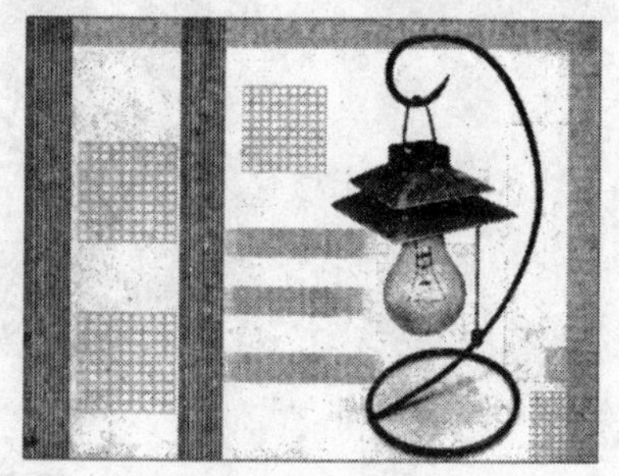

2.2.2 【钢笔】工具

【钢笔】工具 是绘制路径的基本工具，使用该工具可以创建直线或平滑流畅的曲线。

1.工具选项栏

选择工具箱中的【钢笔】工具 ，该工具的选项栏如图所示。

【形状图层】按钮

单击此按钮，此时的工具选项栏如图所示。

在图像窗口中创建路径时会同时建立一个形状层，并在闭合的路径区域内填入前景色或者设定的样式。

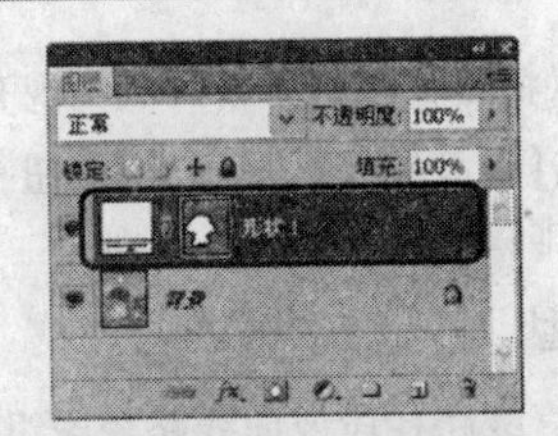

【路径】按钮

单击此按钮，然后在图像中创建路径，此时只能绘制出路径。

【填充像素】按钮

只有在单击【矩形】工具、【圆角矩形】工具、【椭圆】工具、【多边形】工具、【直线】工具，和【自定形状】工具之一时，【填充像素】按钮才可用。单击此按钮，可直接在图像中绘制某一填充图形，它与绘画工具类似。

工具按钮组

在工具选项栏中可以选择【钢笔】工具、【自由钢笔】工具、【矩形】工具、【圆角矩形】工具、【椭圆】工具、【多边形】工具、【直线】工具者【自定形状】工具。

【几何选项】按钮

单击此按钮可以打开【钢笔选项】面板。

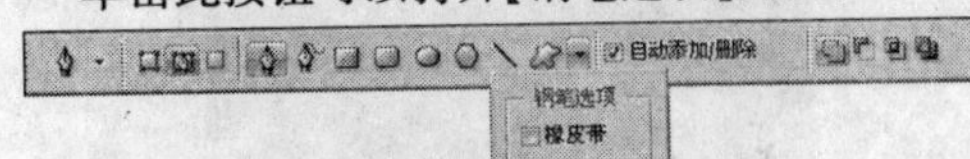

如果选中【橡皮带】复选框，并且已经在图像中确立了一个锚点，那么【钢笔】工具后面就会尾随一条路径线段，像拉橡皮带一样。

如果撤选【橡皮带】复选框，那么只有在单击时才会出现新路径段。

【自动添加/删除】复选框

在工具选项栏中勾选该复选框，移动鼠标指针到绘制的路径上，当鼠标指针变为形状，单击即可添加锚点；当鼠标指针变为形状时，单击即可删除锚点。

【路径交叠】按钮组

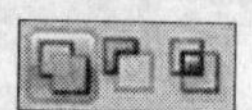

可以选择一种建立路径的方式。单击【添加到路径区域】按钮，可以将新区域添加到重叠路径区域；单击【从路径区域减去】按钮，可以将新区域从重叠路径区域移去；单击【交叉路径区域】按钮，可以将路径限制为新区域和现有区域的交叉区域；单击【重叠路径区域除外】按钮，可以从合并路径中排除重叠区域。

2.锚点的类型

路径由直线路径段或曲线路径段组成，通过锚点连接，锚点分为两种，一种是角点，另一种是平滑点。

角点

角点连接形成直线或者转角曲线。

平滑点

连接平滑的曲线路径的锚点称为平滑点。

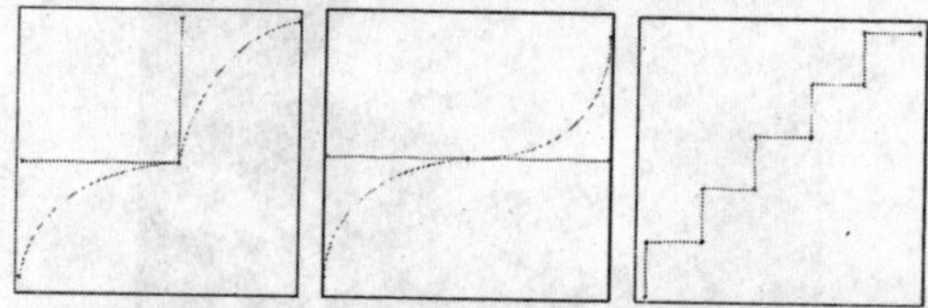

曲线路径段上的锚点有方向线，方向线的端点为方向点，他们用于调整曲线的形状。

3.绘制路径常用的快捷键

(1)在绘制路径状态下，按一次【Delete】键可以删除一个锚点，按两次【Delete】键可以将当前工作路径删除或者将当前新建路径中正在绘制的路径删除，按三次【Delete】键可以将所有新建路径删除。

(2)按一下【Enter】键或者按两下【Esc】键可以完成当前路径的绘制，并取消当前路径的选中状态。

(3)在绘制路径状态下按住【Alt】键，此时，【钢笔】工具的功能和【转换点】工具的相同。

(4)在绘制路径状态下按住【Ctrl】键(鼠标指针将变成形状)，此时【钢笔】工具的功能和【直接选择】工具的相同。

(5)在绘制路径状态下按住【Shift】+【Air】组合键，可以限制下一个锚点沿 45° 增量(从上一个锚点开始)方向拖动。

(6)在绘制路径状态下按住【Ctrl】+【Alt】组合键，单击可以选择路径上所有的锚点，按住鼠标左键并拖动可以拖曳出路径的副本，同时按下【Shift】键则可限制沿 45° 增量方向拖动。

2.2.3 图章工具组

本小节主要介绍图章工具组的使用。

1.【仿制图章】工具

在使用【仿制图章】工具时，可以从图形中复制信息，然后应用到其他区域或者图像中，该工具常用于复制对象或者去除图像中的缺陷。

下面介绍该工具的使用方法。

1.打开一个文件。

2.选择【仿制图章】工具，在工具选项栏中设置如图所示的参数。

3.将光标放在如图所示的部分。

4.按住【Alt】键，当光标变成⊕形状时单击鼠标左键，然后松开【Alt】键，在指定位置单击即可仿制该图案。

选中工具选项栏中的【对齐】复选框，可以对像素进行连续取样，而不会丢失当前的取样点，即使松开鼠标左键也是如此。

2.【图案图章】工具

使用【图案图章】工具可以在图像中绘制预设图案。

选择【图案图章】工具，在其对应的工具选项栏中单击【图案】右侧的下箭头按钮，打开【图案】拾色器，从中选择一种图案。

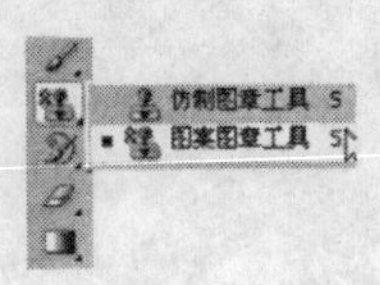

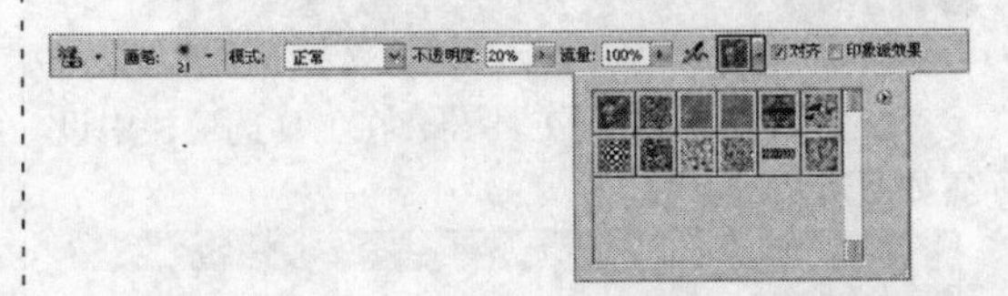

如选择该拾色器中的【编制(宽)】选项，将不透明度设置为“20%”，在图像中绘制，即可将该效果应用到图案中。

2.2.4 历史记录画笔工具组

历史记录画笔工具组用于恢复图像到操作过的某种状态或者以特殊的方式使图像恢复到某种状态。

1.【历史记录画笔】工具

【历史记录画笔】工具可以将图像恢复到操作过程中某一步的状态，或将部分图像恢复原样，该工具需要结合【历史记录】面板一起使用。

打开【历史记录画笔】面板，在使用【历史记录画笔】工具时，设置【历史记录画笔】工具的源图标所在位置作为其原图像，在打开图像时，图像的初始状态会自动显示到快照区，图标也在原始图像的快照上。因此，不用修改其位置，在工具选项栏中设置参数后，直接使用【历史记录画笔】工具在需要恢复的位置拖动涂抹就可以了。

下面介绍如何使用【历史记录画笔】工具。

1.打开一个文件。

2.选择【仿制图章】工具，在工具选项栏中设置如图所示的参数。

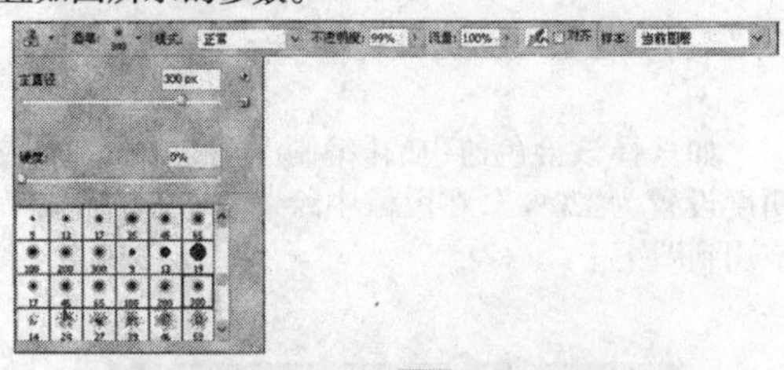

3.使用【仿制图章】工具绘制如图所示的效果。

4.打开【历史记录】面板，图像的初始状态会自动显示在快照区。

5.选择【历史记录画笔】工具，在工具选项栏中设置如图所示的参数。

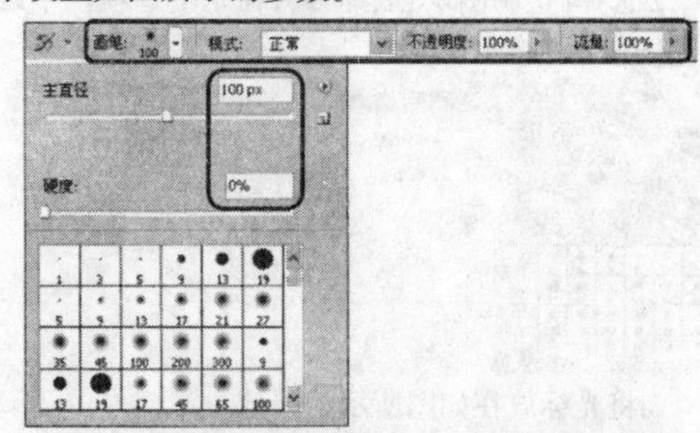

6.在上面仿制图章的边缘区域进行涂抹，将该区域的图像恢复为初始效果。

7. 在工具选项栏中将【不透明度】设置为“40%”，在上面仿制图章的区域进行涂抹。得到的图像效果如图所示。

2.【历史记录艺术画笔】工具

使用【历史记录艺术画笔】工具可以将指定的历史记录状态或快照中的源数据以风格化描边的方式进行绘画，通过设置样式，大小和容差选项，实现以不同的效果和艺术风格模拟绘画的纹理。像【历史记录画笔】工具一样，【历史记录艺术画笔】工具也将指定的历史记录状态或快照用作源数据，但是【历史记录艺术画笔】工具通过重新创建指定的源数据来绘画，而且在使用这些数据的同时还可以应用不同的颜色和艺术风格。

下面介绍如何使用【历史记录艺术画笔】工具。

1.打开一个文件。

2.将前景色设置为黑色，选择【滤镜】➢【素描】➢【绘画笔】菜单项。

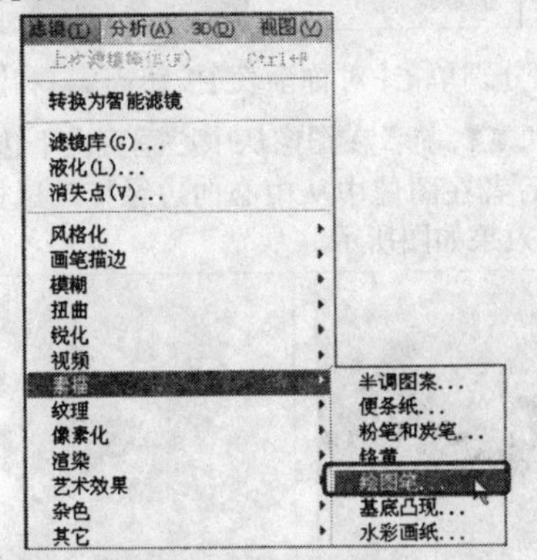

3.在弹出的【绘画笔】对话框中设置如图所示的参数，单击 确定 按钮。

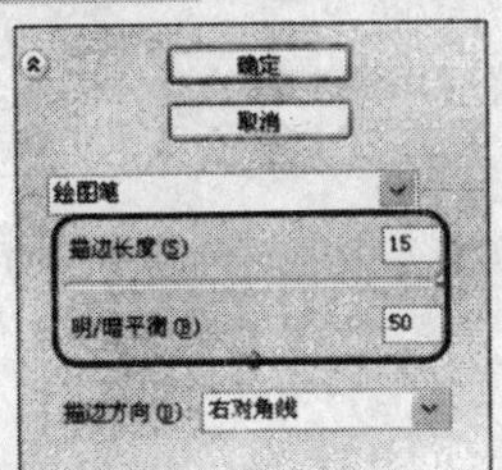

4.得到的图像效果如图所示。

5.选择【历史记录艺术画笔】工具，在工具选项栏中设置如图所示的参数。

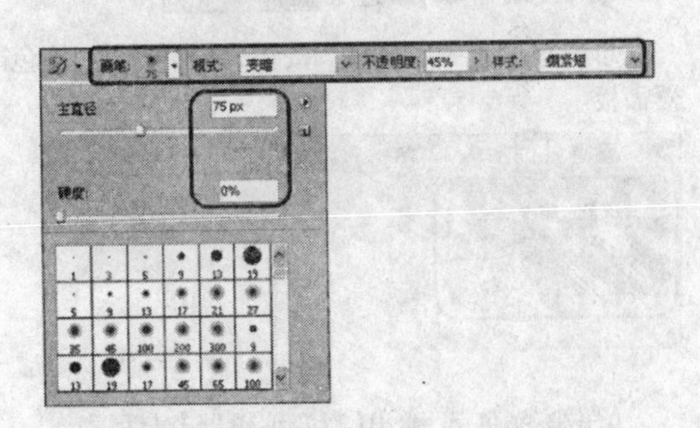

6.使用该画笔在图像中进行涂抹，得到的图像效果如图所示。

2.2.5 【渐变】工具

选择渐变工具组，单击鼠标右键，在弹出的菜单栏中选择【渐变】工具菜单项。

使用【渐变】工具可以在选区或者整个图层中填入具有多种颜色过渡的混合色。选择【渐变】工具，此时工具选项栏中将会显示相关信息。

该工具选项栏中各个选项的作用如下。

【渐变编辑器】颜色条

单击该颜色条右侧的按钮，弹出【渐变】拾色器面板。

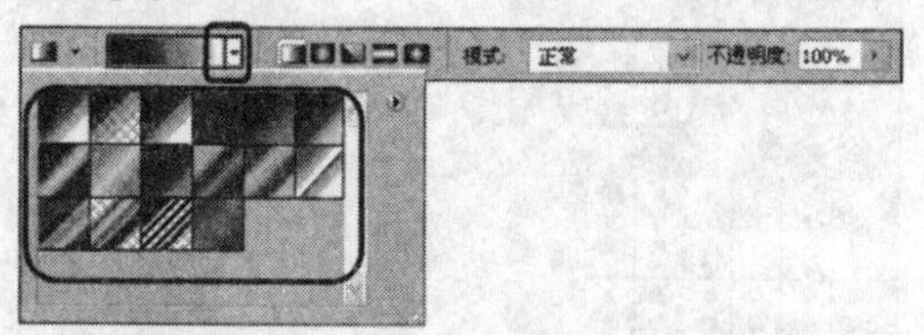

单击该颜色条，弹出【渐变编辑器】对话框。

【渐变类型】按钮组

(1)单击【线性渐变】按钮，按下【Shift】键在图像中从左向右拖动鼠标，得到的图像效果如图所示。

(2)分别单击【径向渐变】按钮和【角度渐变】按钮，在图像中从中心向边缘拖动鼠标，得到的图像效果如图所示。

(3)分别单击【对称渐变】按钮雯和【菱形渐变】按钮，前者在图像从中心垂直向下边缘拖动鼠标，后者在图像中从中心向边缘拖动鼠标，得到的图像效果如图所示。

模式

用来设置应用渐变时的混合模式。

反向

可以转换渐变中的颜色顺序，得到反方向的渐变效果。

透明区域

选中该选项时，可以创建透明渐变。撤选该选项时，可以创建实色渐变。

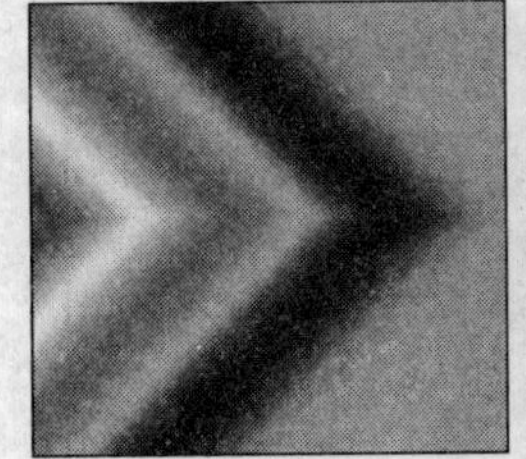

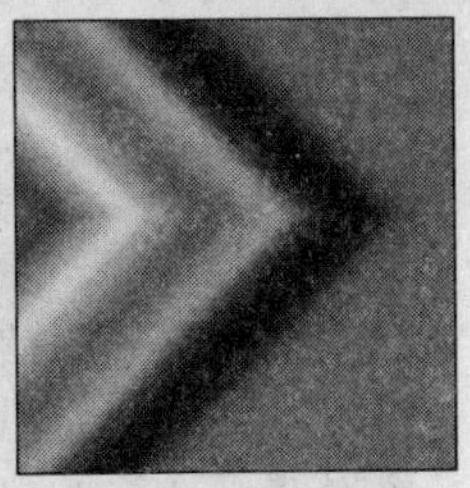

2.2.6 实例——精美花纹的绘制

▲素材文件与最终效果对比

1.打开本实例对应的原始文件 202.psd。

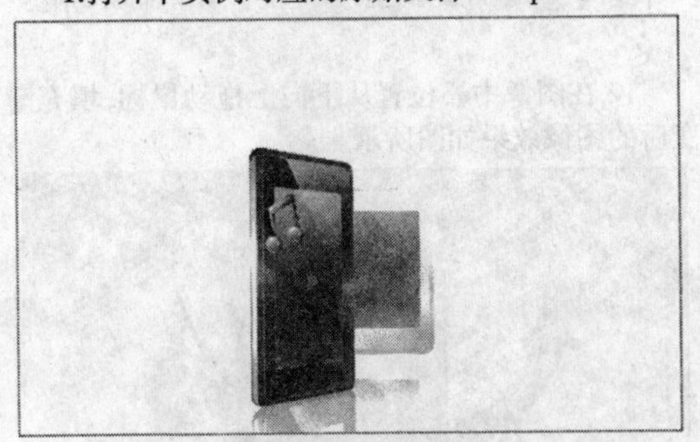

2.打开【路径】面板，从中选择【精美花纹】路径。

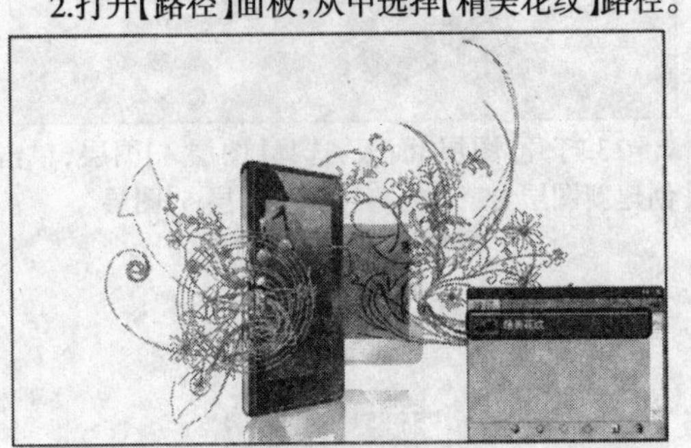

3.按下【Ctrl】+【Enter】组合键将路径转换为选区。

4.打开【图层】面板，选择【背景】图层，单击【创建新图层】按钮，新建【图层 3】图层。

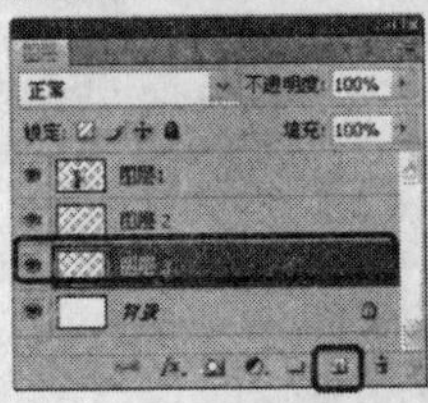

5.单击工具箱中的【设置前景色】颜色框，弹出【拾色器(前景色)】对话框，在【#】文本框中输入“520362”，单击 确定 按钮。

6. 参照上述方法将背景色设置为“#fe00e9”号色。在工具箱中选择【渐变】工具，在工具选项栏中设置如图所示的参数。

7.单击【渐变编辑器】颜色条，弹出【渐变编辑器】对话框，在渐变编辑颜色条中间位置单击添加色块。

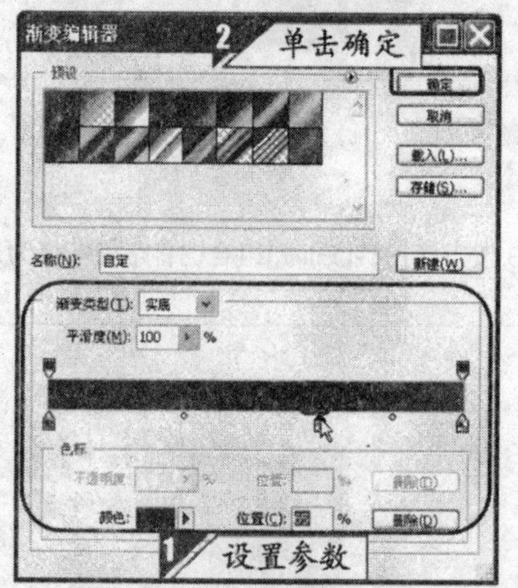

8.添加色块后，双击该色块，在弹出的【选择色标颜色】对话框中设置如图所示的参数，单击 确定 按钮。

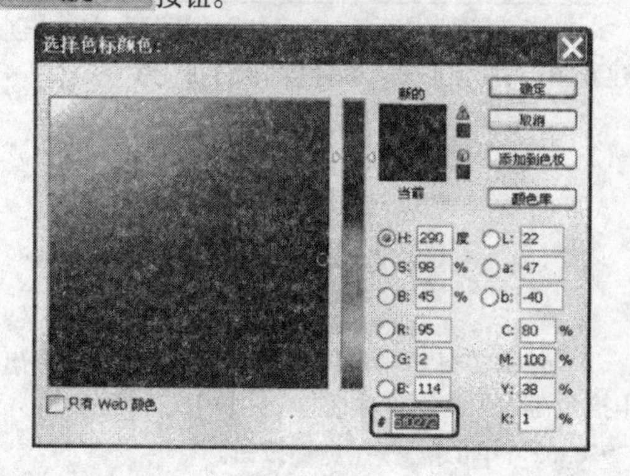

9.在【渐变编辑器】对话框中单击 确定 按钮，在选区中从中心向边缘拖动鼠标，填充渐变后的图像效果如图所示。

10.按下【Ctrl】+【D】组合键取消选区，打开【图层】面板，选择【背景】图层，单击【创建新图层】按钮，新建【图层 4】图层。

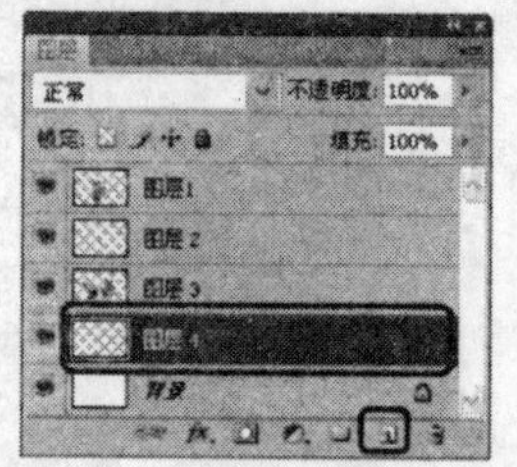

11. 将前景色设置为白色，背景色设置为“#969493”号色，在工具箱中选择【渐变】工具，在工具属性栏中设置如图所示的参数。

12.在图像中心位置从下向上拖动鼠标，填充渐变后的图像效果如图所示。

13.打开【图层】面板，选择【图层 4】图层，单击【创建新图层】按钮，新建【图层 5】图层。

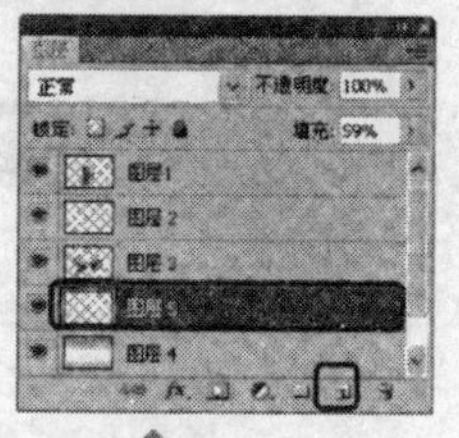

14.将前景色设置为白色，按下【Alt】+【Delete】组合键填充前景色。

15.在工具箱中选择【椭圆选框】工具 。

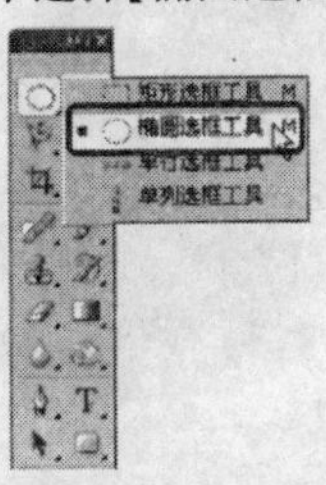

16.在图像中绘制如图所示的选区。

17.选择【选择】➢【修改】➢【羽化】菜单项。

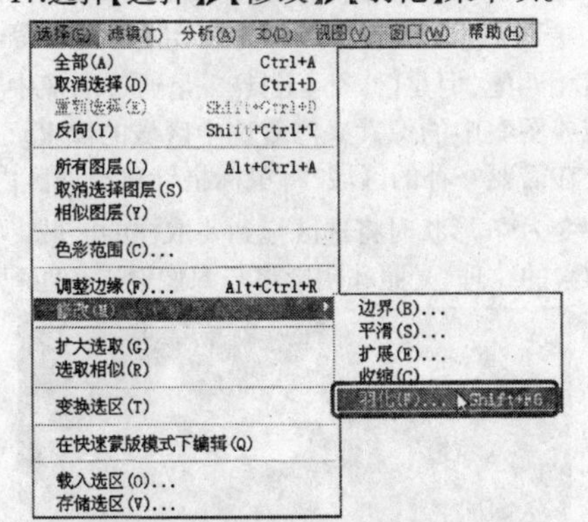

18.弹出【羽化选区】对话框，设置如图所示的参数，然后单击 确定 按钮。

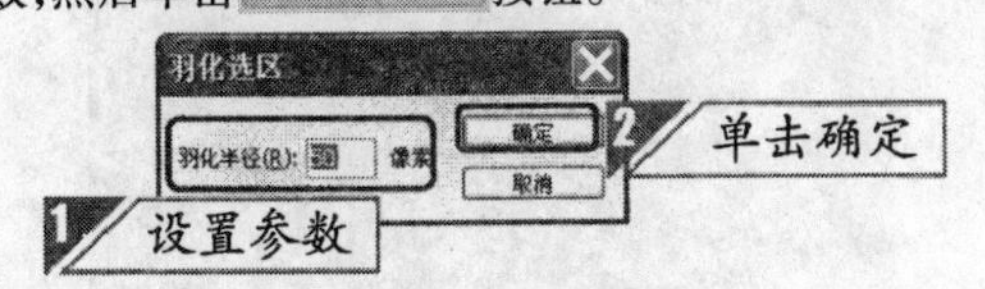

19.将前景色设置为“#d8d9d9”号色，按下【Alt】+【Delete】组合键填充前景色，然后按下【Ctrl】+【D】组合键取消选区。

20.选择【图层 5】图层，在【填充】文本框内输入“59%”。

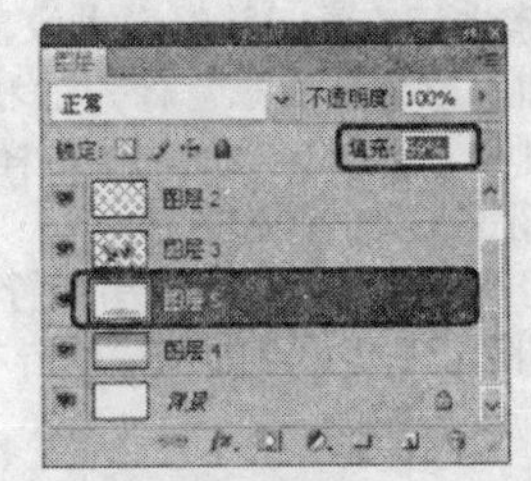

21.得到的图像效果如图所示。

练兵场 思念

按照 2.2 节介绍的方法，应用创建选区工具以及渐变填充工具等制作漂亮的屏风效果。操作过程可参见配套光盘\练兵场\思念。

2.3 图像处理工具

Photoshop 提供了多个用于处理照片的修复工具，包括【仿制图章】工具、【污点修复画笔】工具、【修复画笔】工具、【修补】工具和【红眼】工具。

2.3.1 修复画笔工具组

修复工具组的工具主要用于快速修复图像中的污点或瑕疵，例如消除人物脸部的斑点、眼睛中的红眼等。

1.【污点修复画笔】工具

使用【污点修复画笔】工具可以快速地移去照片中的污点或者瑕疵。该工具使用图像或者图案中的样本像素进行绘画，并将样本像素的纹理、光照、透明度和阴影等与所修复像素的相匹配，该工具可以自动地从所修饰区域的周围取样。

下面介绍该工具的操作方法。

选择该工具，在工具选项栏中设置合适的画笔直径，然后在图像中有污点的位置单击左键即可。

2.【修复画笔】工具

【修复画笔】工具的使用与【污点修复画笔】工具的使用有所不同。选择该工具，按住【Alt】键的同时单击图像中无污点的部分作为仿制源，然后释放鼠标，设置合适的画笔笔触，在污点处单击即可。

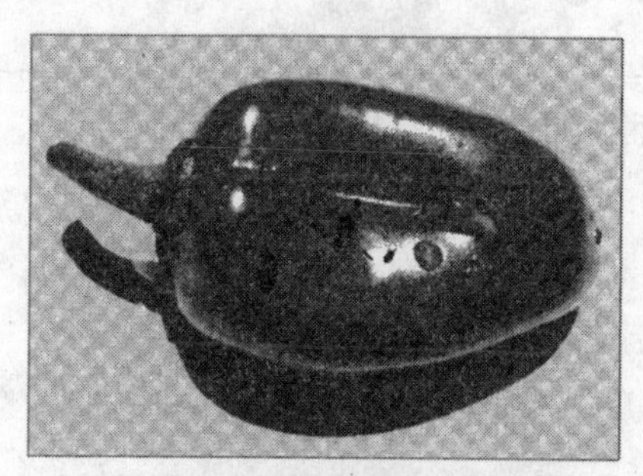

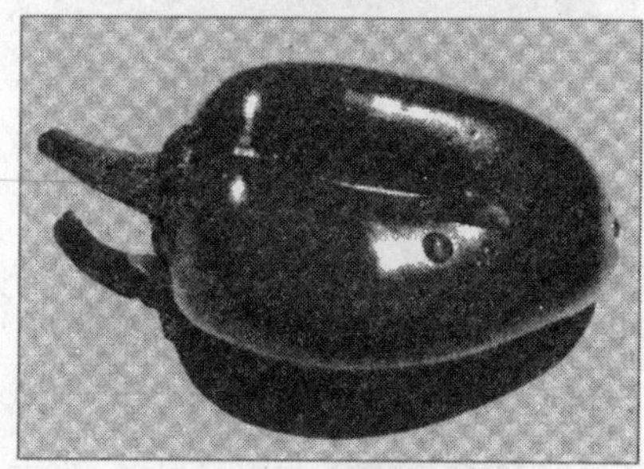

3.【修补】工具

【修补】工具和【修复画笔】工具一样，适用于消除瑕疵，使图像的纹理、光照和阴影等与源像素相匹配，但是【修补】工具是通过图像中其他区域或图案中的像素来修复选中区域的像素。

在需要修补的区域，将鼠标指针移至选区内，待指针变为形状时将选区拖到要取样的区域，被取样像素的纹理、光照和阴影将与源像素进行匹配。

4.【红眼】工具

使用【红眼】工具可以消除在拍摄过程中由于开设闪光灯造成的人物照片中的红眼现象，也可以消除用闪光灯拍摄的动物照片中的白色或者绿色反光现象。

在工具选项栏中设置好选项参数，然后单击鼠标框选图像中的红眼部分即可。

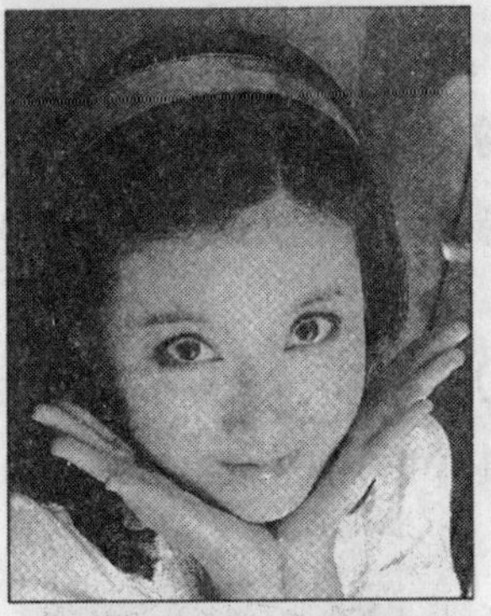

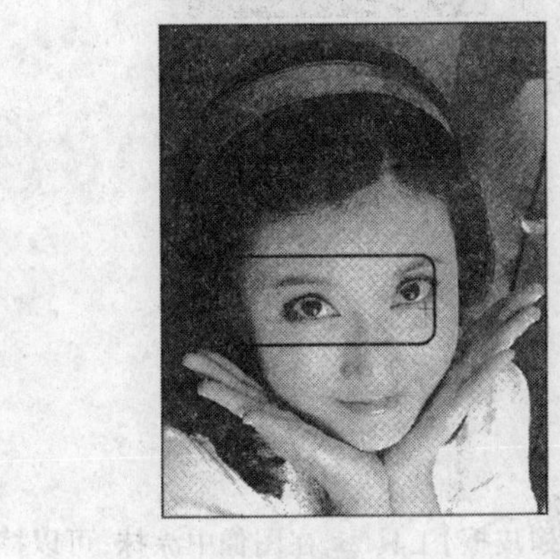

2.3.2 【裁剪】工具

选择工具箱中的【裁剪】工具，该工具的选项栏如图所示。

宽度： 高度： 分辨率： 像素/英寸 前面的图像 清除

使用【裁剪】工具可以裁剪图像，重新定义画布的大小。选择该工具后，在图像上单击并拖动出一个矩形框，定义要保留的内容。

按下【Enter】键确认操作，可裁剪矩形框外的图像。

宽度、高度和分辨率

可输入图像的宽度、高度和分辨率值，裁剪后的图像尺寸将由输入的数值决定，与裁剪区域的大小无关。

前面的图像

单击该按钮，可以在前面各个文本框中显示当前图像的大小和分辨率，如果打开了两个文件，则会显示另一个图像的大小和分辨率。

清除

在【宽度】、【高度】和【分辨率】文本框中输入数值后，Photoshop 会将其保留下来。单击该按钮，可以删除这些数值，使选项恢复为默认状态。

2.3.3 橡皮擦工具组

橡皮擦工具组用于清除图像，擦除背景色或指定颜色范围的图像。

1.【橡皮擦】工具

在工具箱中选择【橡皮擦】工具。

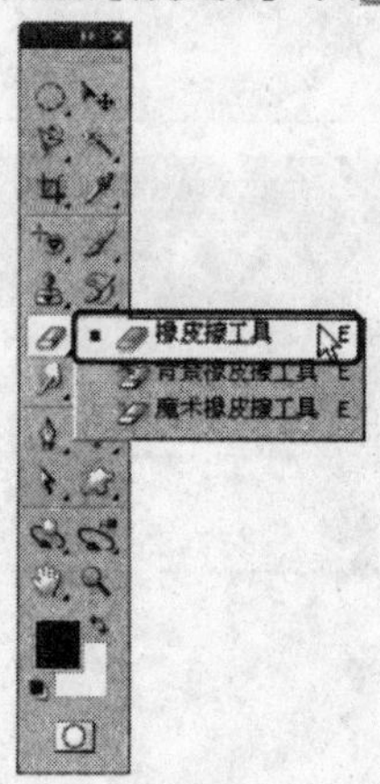

使用【橡皮擦】工具在图像中涂抹，可以擦除图像中不需要的部分。该工具的选项栏如图所示。

画笔样式

单击【画笔】右侧的按钮可以打开【画笔预设】面板，选择画笔预设。

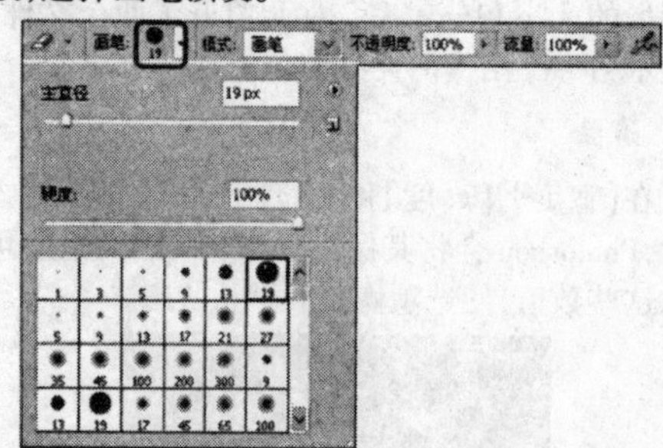

模式

在该下拉列表中可以设置【橡皮擦】工具的擦除方式。选择【画笔】选项，可以创建柔边的擦除效果；选择【铅笔】选项，可以创建硬边的擦除效果；选择【块】选项，擦除的效果为块状。

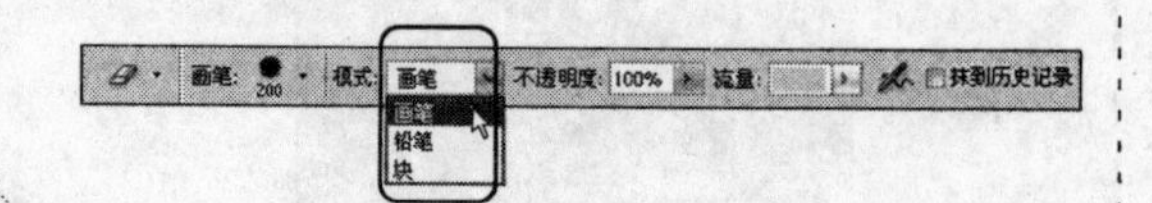

不透明度

用来设置擦出的强度，“100%”的不透明度可以完全擦除像素，较低的不透明度只能擦除部分像素。

流量

在该文本框中输入数值或者拖动其对应的滑块，可以改变画笔流量的数值，从而改变擦除图像的力度。

2.【背景橡皮擦】工具

在工具箱中选择【背景橡皮擦】工具。

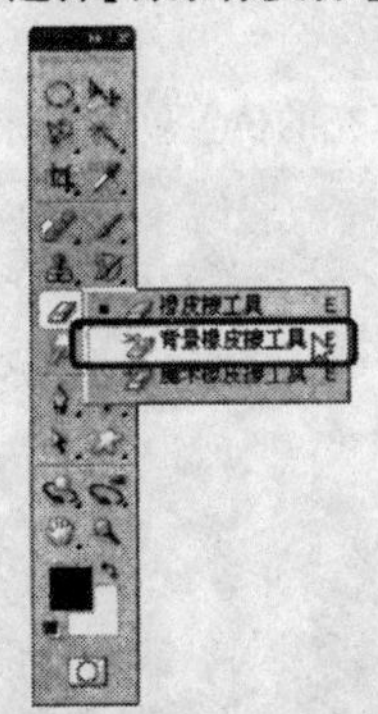

在工具选项栏中设置合适的参数后，在图像中涂抹颜色相似的部分，可以将当前图层中的部分图像擦除，露出下一层的图像颜色。该工具应用在颜色比较单一的图像中效果较明显。其选项栏如图所示。

(1)【连续】按钮：单击该按钮可以随着鼠标的拖移连续地对颜色取样。

(2)【一次】按钮：单击该按钮只替换第 1 次单击颜色区域中包含的取样颜色。

(3)【背景色板】按钮：只替换包含当前背景色的区域。

(4)选中【保护前景色】复选框，在擦除选定区域内的颜色时，与前景色匹配的区域将会被保留。

如选中【连续】按钮，将前景色设置为"撑fc302f"，【容差】设置为"10%"，选中【保护前景色】复选框，在图像中擦除，得到的图像效果如图所示。

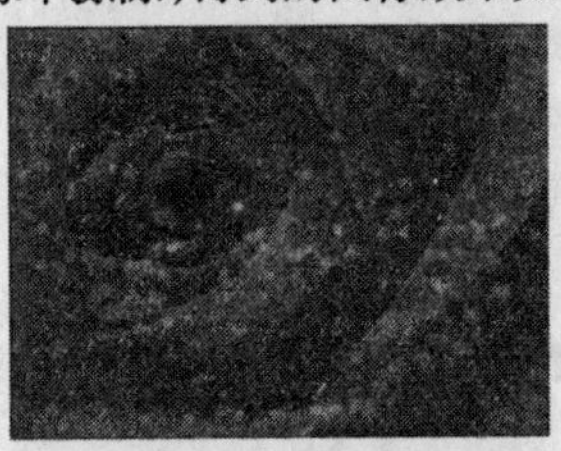

3.【魔术橡皮擦】工具

使用【魔术橡皮擦】工具可以擦除一定容差内与鼠标落点相邻的颜色，并且将擦除过的地方变为透明色。

2.3.4 【油漆桶】工具

使用【油漆桶】工具可以在图像中填充颜色或者图案。该工具的填充是按照图像中的像素颜色进行的，填充的范围是与鼠标落点处颜色相同或者相近的像素点。

在工具箱中选择该工具，按下【shift】+【G】组合键可以切换【渐变】工具和【油漆桶】工具。

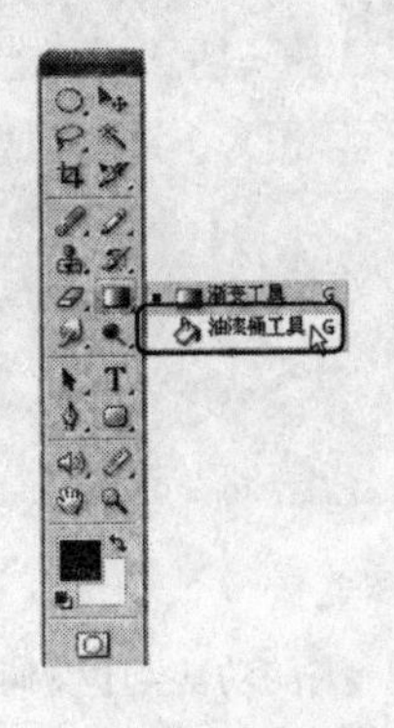

该工具选项栏如图所示。

填充内容

单击油漆桶右侧的按钮，可以在下拉列表中选择填充内容，包括“前景色”和“图案”。

模式／不透明度

用来设置填充内容的混合模式和不透明度。

容差

用来定义填充像素的颜色相似程度，低容差会填充颜色值与单击点像素非常相似的像素，高容差则填充更大范围内的像素。

消除锯齿

勾选该复选框，可平滑填充选区的边缘。

连续的

只填充与鼠标单击点相邻的像素。

2.3.5 模糊工具组

模糊工具用于模糊图像，【锐化】工具用于锐化图像和【涂抹】工具以涂抹的方式修整图像。

1.【模糊】工具

选择【模糊】工具，在工具选项栏中设置合适的画笔直径及模式等参数，在图像中需要进行模糊设置的部分单击鼠标左键，或者按住鼠标左键不放并拖动鼠标即可。

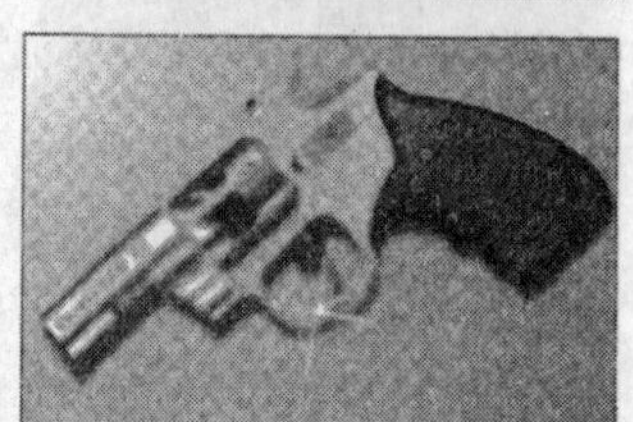

2.【锐化】工具

【锐化】工具的功能与【模糊】工具的功能相反，该工具可以适当地将模糊的图像变清晰。

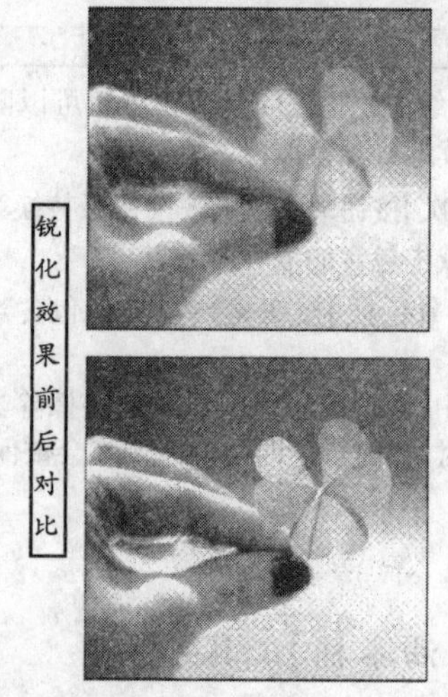

3.【涂抹】工具

选择【涂抹】工具，在工具选项栏中设置合适的画笔直径及模式等参数，在图像中按住鼠标左键拖动即可完成涂抹操作。

如给图像填充图案，在【填充内容】选项中选择【图案】，在【图案拾色器】选项中选择合适的图案。

在图像中要填充的位置单击鼠标，即可填充。

2.3.6 减淡工具组

减淡工具组用于增大或减小图像的亮度以及调整图像的饱和度。

1.【减淡】工具

该工具通过增加图像的曝光度来降低图像中某个区域(阴影、高光、中间调)的亮度。选择【减淡】工具，设置合适的画笔直径及相关参数，在图像中需要减轻颜色亮度的部分单击鼠标左键，或者按住鼠标左键并拖动即可降低该处图像的饱和度。

2.【加深】工具

【加深】工具通过减弱图像的光线来提高图像中某个区域(阴影、高光、中间调)的亮度。选择该工具，设置合适的画笔直径及相关参数，在图像中需要加深颜色的部分单击鼠标左键，或者按住鼠标左键拖动即可加深该处图像的颜色。

3.【海绵】工具

该工具主要用于增加或者降低图像的色彩饱和度。选择【海绵】工具，在工具选项栏中设置饱和度和画笔直径，在【模式】下拉列表中可以设置改变图像饱和度的方式。

在需要设置图像饱和度的部分单击鼠标左键，或者按住鼠标左键拖动鼠标即可完成设置。

2.3.7 实例——珍珠项链

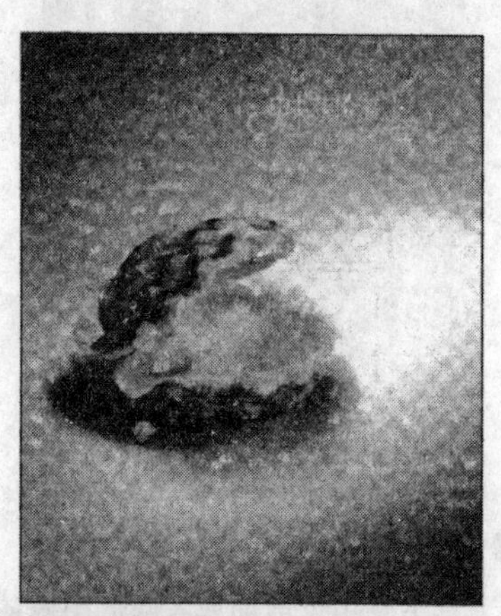

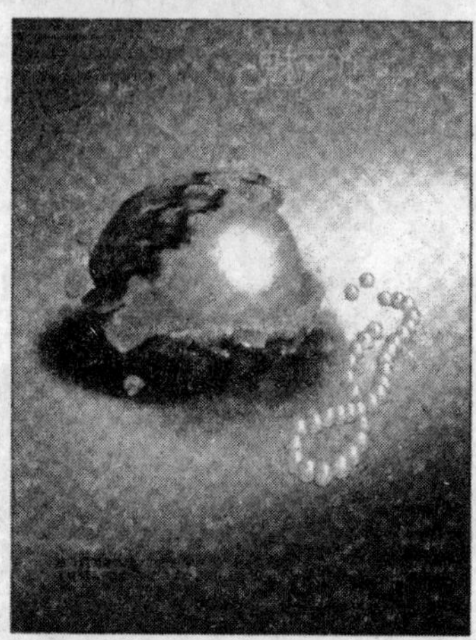

素材文件与最终效果对比

1. 打开本实例对应的素材文件203.jpg。选择【椭圆选框】工具，按住【Shift】键在图像中绘制圆形。

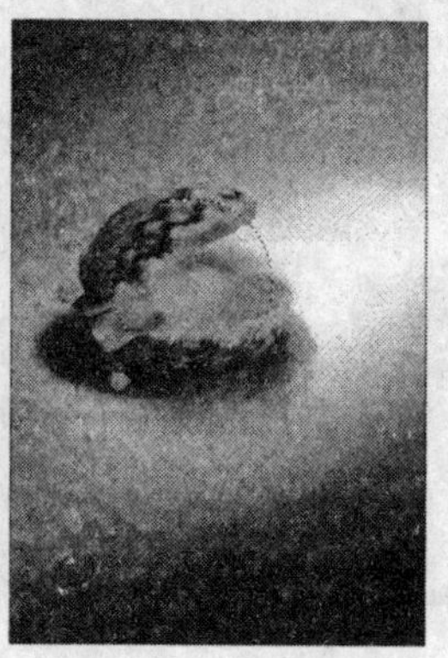

2.单击【设置前景色】颜色框，弹出【拾色器(前景色)】对话框，在【撑】文本框中输入“e58b18”.然后单击 确定 按钮。

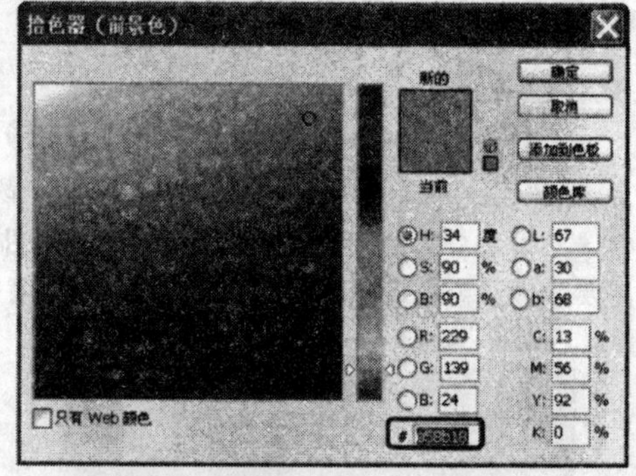

3.在【图层】面板中单击【创建新图层】按钮，新建【图层1】图层，按下【Alt】+【Delete】组合键填充前景色。

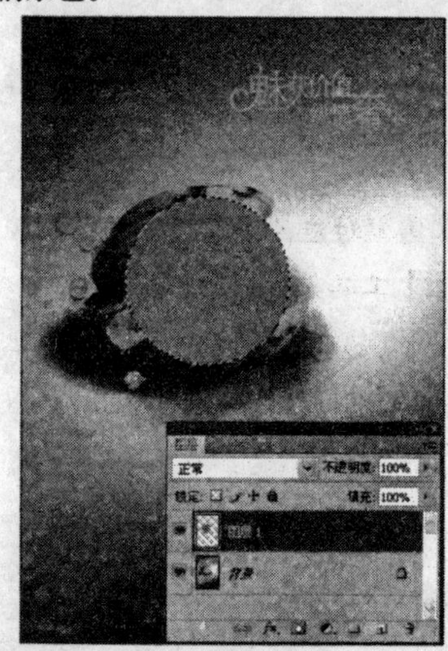

4.将前景色设置为“#bc6c06”，选择【画笔】工具，在工具选项栏中设置如图所示的参数。

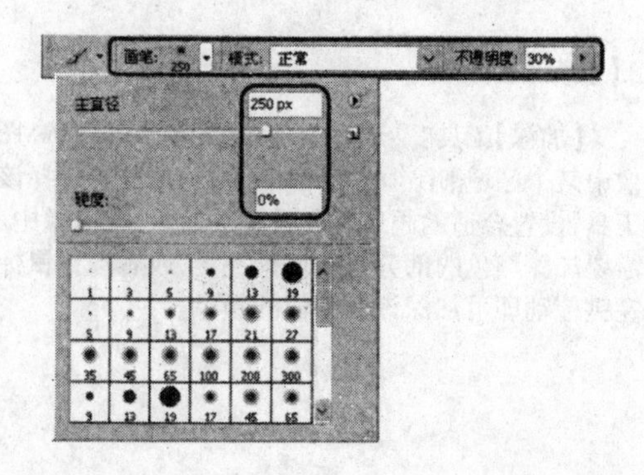

5.选择【画笔】工具在选区内涂抹，'绘制珍珠的暗部，得到的效果如图所示。

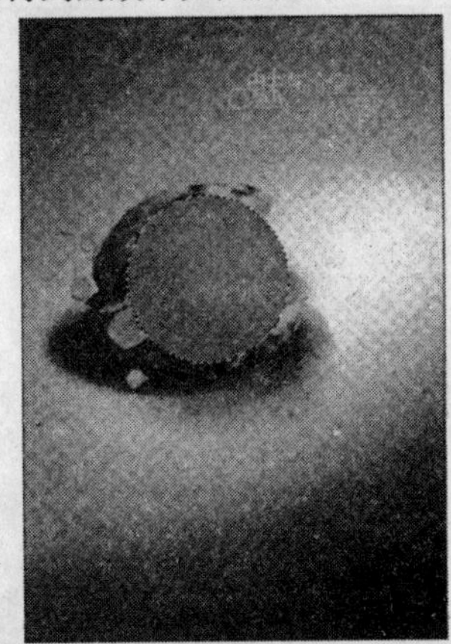

6.选择【加深】工具，在工具选项栏中设置如图所示的参数。

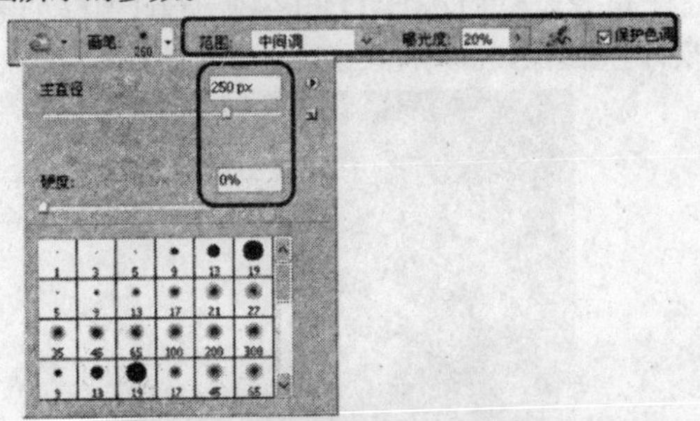

7.使用【加深】工具在暗部涂抹，得到如图所示的效果。

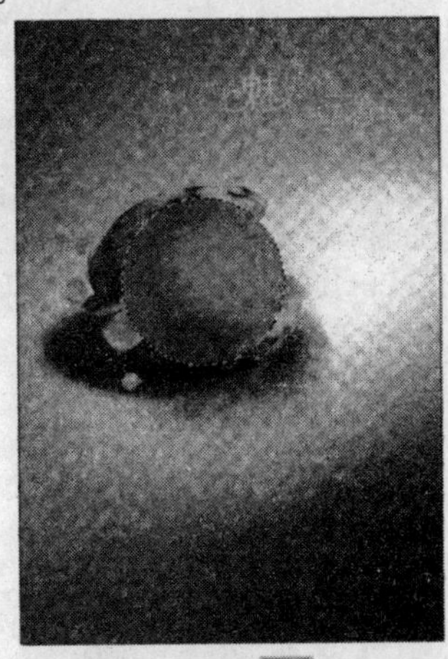

8. 选择【画笔】工具，将前景色设置为"#ffd200"，在【图层 1】图层中进行涂抹，使用【减淡】工具在图像的高光处涂抹，得到图像效果如图所示。

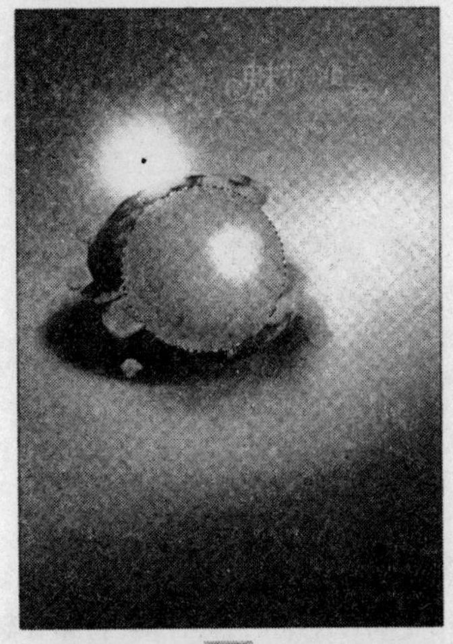

9.使用【模糊】工具，结合【加深】工具和【减淡】工具进行调整，图像效果如图所示。

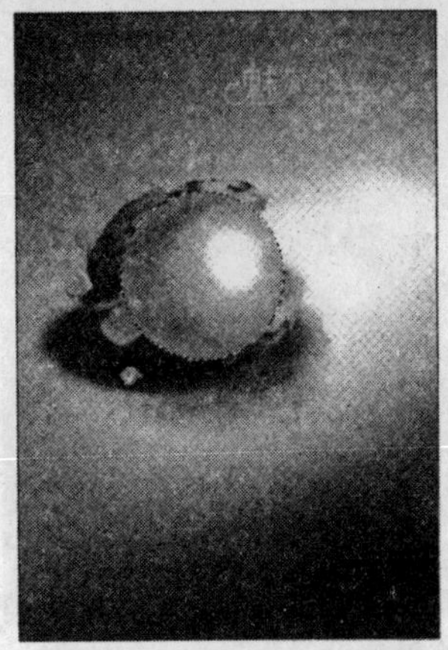

10.按下【Ctrl】+【D】组合键取消选区，在【图层】面板中单击【图层 1】图层左边的按钮，隐藏【图层 1】图层。

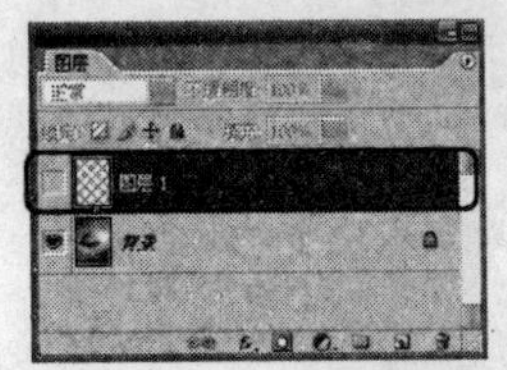

11.选择【钢笔】工具，在工具选项栏中设置如图所示的参数。

12.使用【钢笔】工具沿贝壳内侧绘制闭合路径。

13.按下【Ctrl】+【Enter】组合键,将路径转换为选区,如图所示。

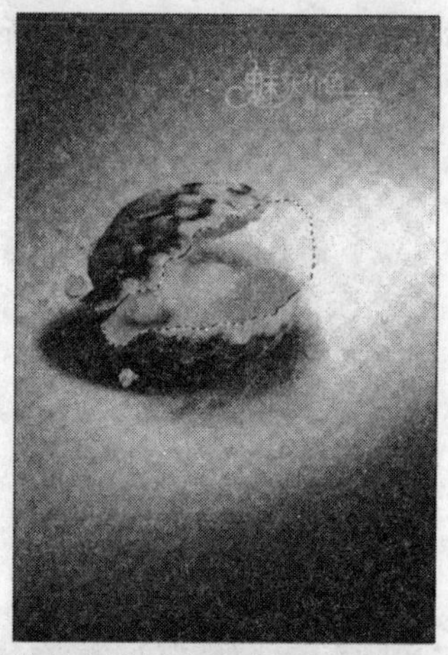

14.将前景色设置为黑色,选中并显示【图层 1】图层,单击图层面板中的【添加蒙版】按钮,得到的图像效果如图所示。

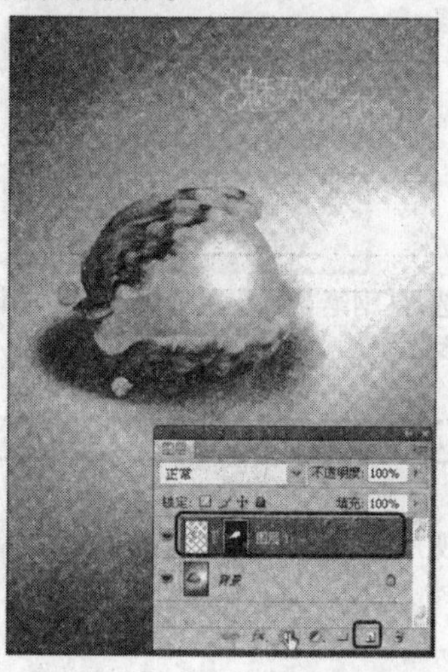

15.参照 1~14 步的方法新建【图层 2】图层再绘制一颗小珍珠。

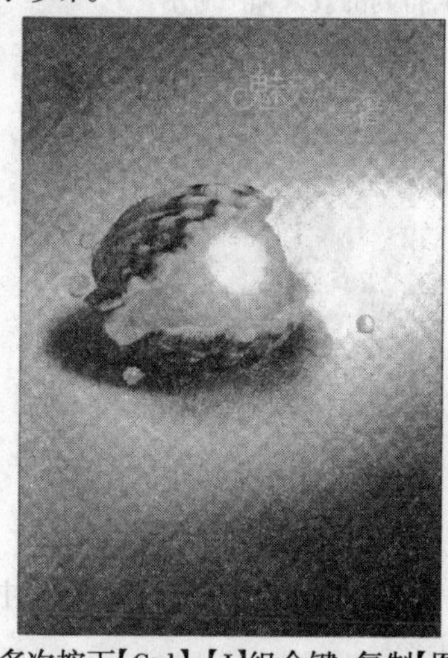

16.多次按下【Ctrl】+【J】组合键,复制【图层 2】图层,调整图像大小并将其移动到合适的位置。

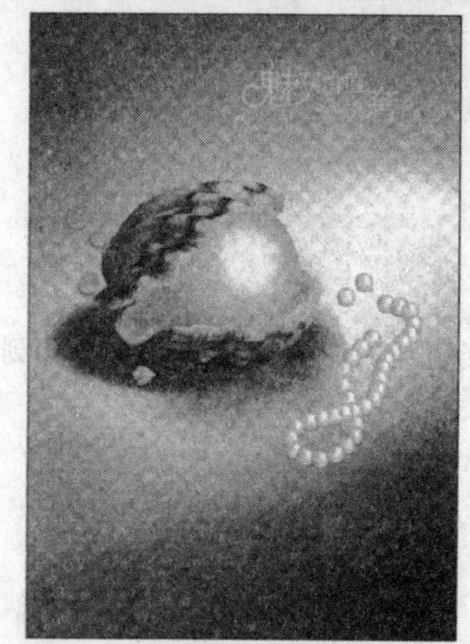

17.按住【Ctrl】键的同时选中所有小珍珠图层,在【图层面板】中单击钮链接图层。

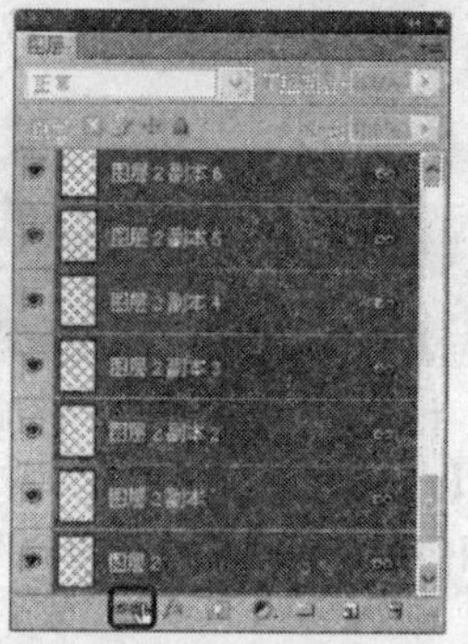

18.选择【编辑】>【变换】>【透视】菜单项。

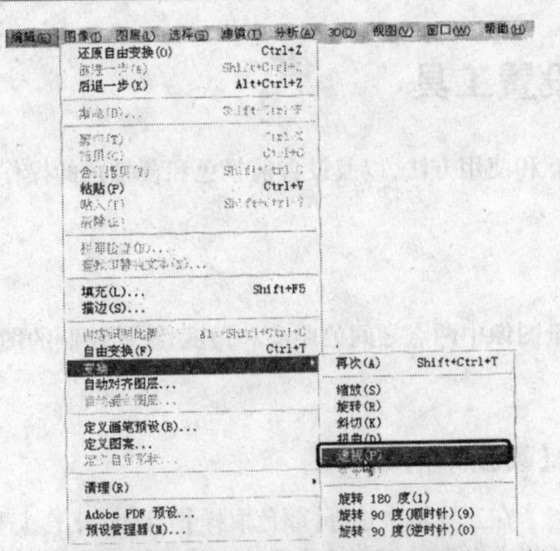

19.调整图像形状，使图像产生透视效果，得到如图所示的效果。

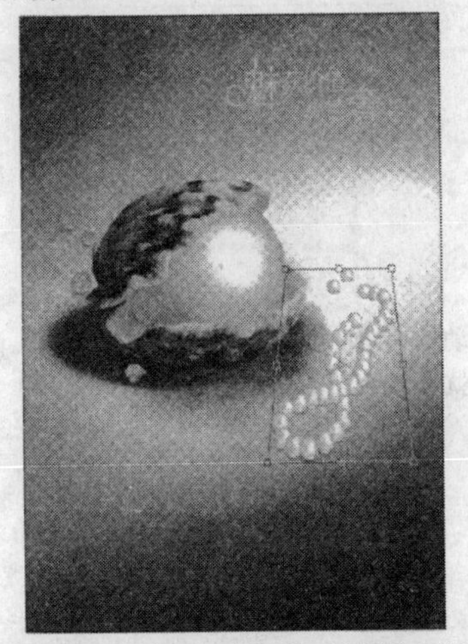

20.按下【Enter】键确认操作，效果如图所示。

21.选择【横排文字】工具 T，将前景色设置为“6e4400”号色，设置合适的字体和字号，在图像中输入文字，最终效果如图所示。

练兵场　运动风

按照 2.3 节介绍的方法，利用光盘中的图片文件制作运动风效果。操作过程可参见配套光盘\练兵场\制作“运动风”效果图。

2.4 颜色设置工具

本节主要介绍【吸管】工具组中各个工具的基本功能和使用方法，以及设置前景色和背景色的操作方法。

2.4.1 吸管工具组

吸管工具组主要用于完成吸取颜色、取样颜色、测量图像中两点之间的距离和角度、统计绘制的图像数量以及为图像添加必要的注释等操作。

1.【吸管】工具

在工具箱中选择【吸管】工具。

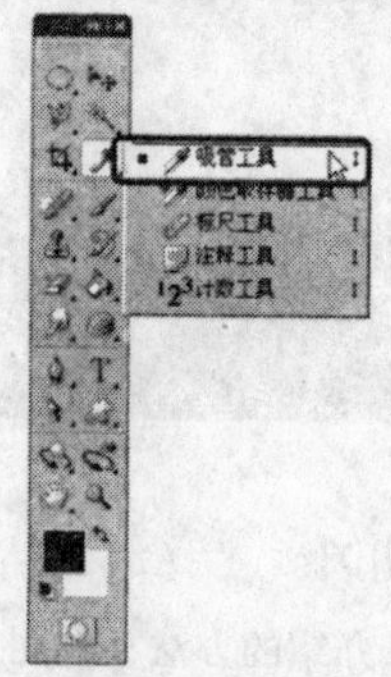

在图像中单击即可将前景色设置为所选的颜色，工具选项栏如图所示。

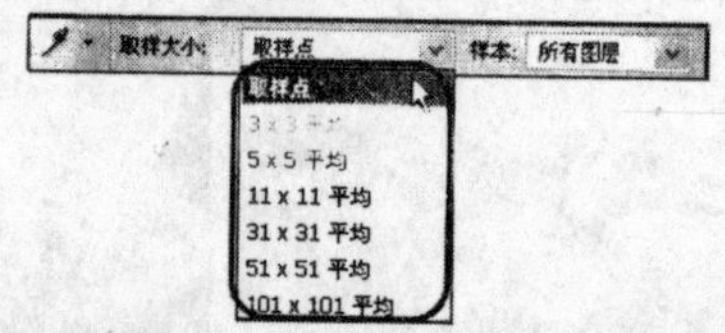

【取样大小】下拉列表中的【取样点】选项为系统的默认设置，大小为 1 像素；【3×3 平均】选项表示被选取处的像素大小以 3 像素×3 像素颜色的平均值作为取样颜色，依次类推。

设置完成后，将鼠标指针移至图像中的取样点处，待光标变为形状时单击，即可将取样颜色设置为前景色。

2.【颜色取样】工具

在工具箱中选择【颜色取样】工具，工具选项栏中会显示相应的选项，按下【F8】键弹出【信息】面板。

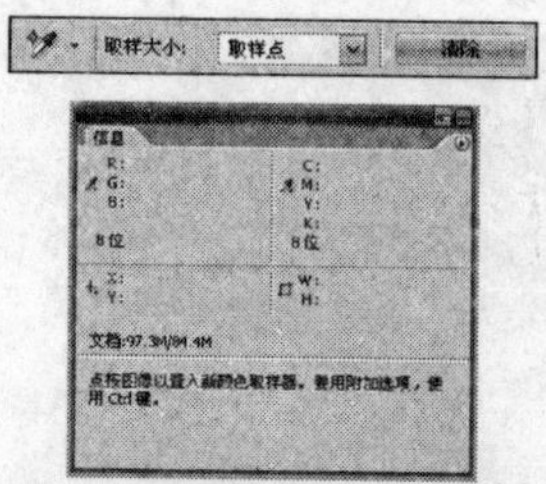

移动鼠标指针并在图像中单击某点，该处的颜色信息就会在【信息】面板中显示出来。

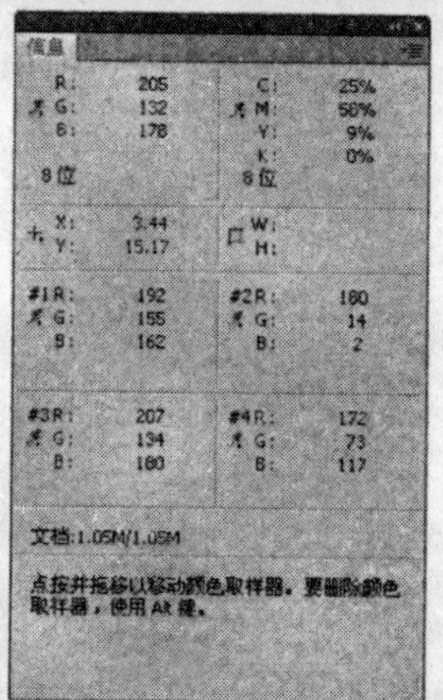

小提示 单击并拖动取样点，可以移动位置；按下【Alt】键单击颜色取样点，可以将其删除；要删除所有取样点，单击工具选项栏中的 清除 按钮。

2.4.2 设置前景色和背景色

单击工具箱中的【设置前景色】颜色框，会弹出【拾色器(前景色)】对话框，可以在该对话框的右侧进行参数设置，调整颜色；还可以手动选择颜色，即拖动中间的颜色条滑块，或者在左侧的颜色浏览区域单击，在【新的】颜色框中会显示刚刚选择的颜色。

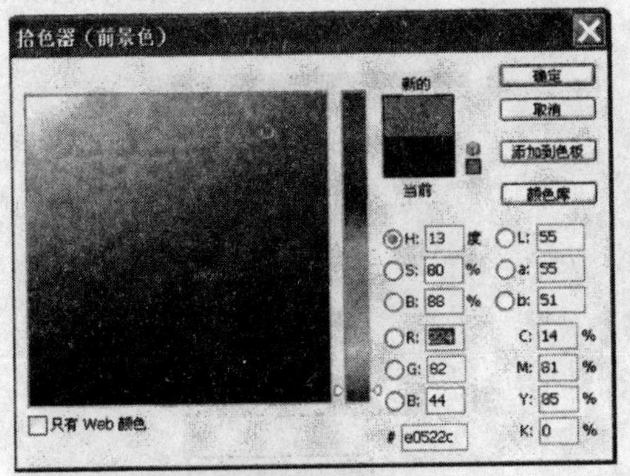

下面介绍该对话框中各部分的作用。

(1)颜色预览：上半部分的颜色表示调整后的颜色，下半部分的颜色表示当前颜色。

(2)色域：其中包括所有的颜色。

(3)【只有 Web 颜色】复选框：选中该复选框，可以将选取的颜色范围限定在 Web 颜色范围以内。

(4)【颜色滑块】：从中可以选择颜色范围。

(5)颜色值设置区：在该处可以设置颜色的数值。

(6)【非 Web 安全】警告按钮：出现该按钮时，表示当前选择的颜色超出了 Web 颜色的范围。

(7) 颜色库 按钮：单击该按钮，弹出【颜色库】对话框，可以选择系统提供的颜色进行设置。选中【只有 Web 颜色】复选框，系统预设的颜色只以适合于 Web 的颜色显示。在【颜色库】对话框中的【色库】下拉列表中可以选择渐变颜色条的样式。

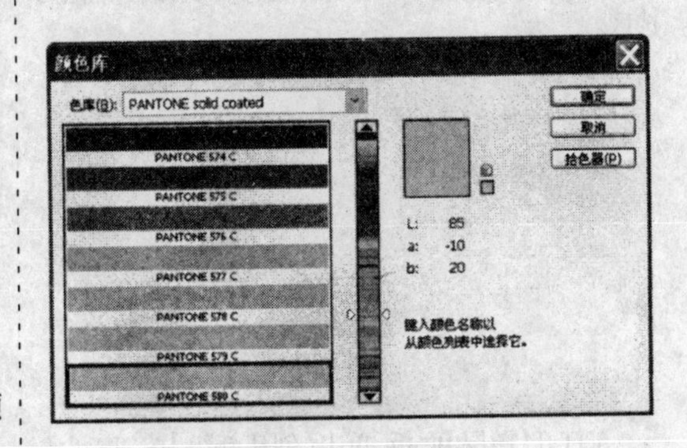

2.4.3 实例——视觉彩绘

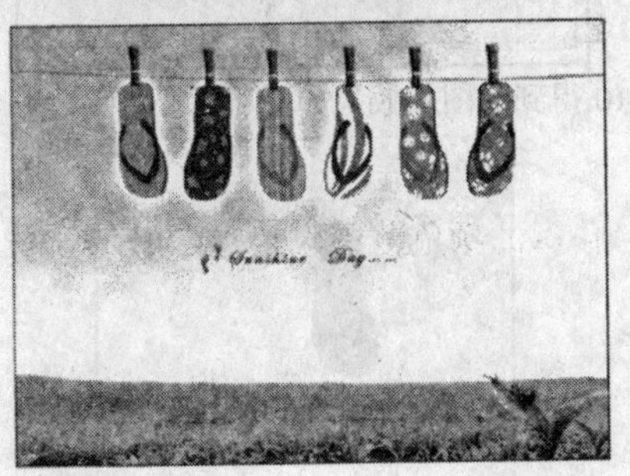

1.绘制鞋子

1.打开本实例对应的素材文件 204.ipg。

2.选择【钢笔】工具 ，在工具选项栏中设置如图所示的参数。

3.在图像中绘制如图所示的路径。

4.按下【Ctrl】+【Enter】组合键将鞋底路径转化为选区。

5.打开【图层】面板，单击【创建新组】按钮，新建【组 1】图层组，单击【创建新图层】按钮 ，新建【图层 1】图层。

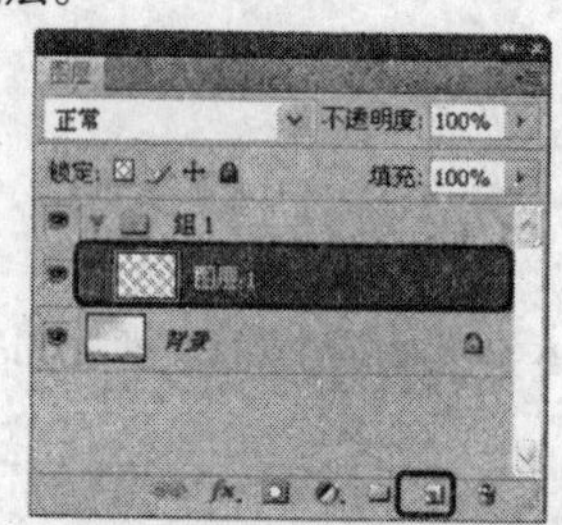

6.单击【设置前景色】颜色框，弹出【拾色器(前景色)】对话框，在【#】文本框中输入“690146”，单击 确定 按钮。

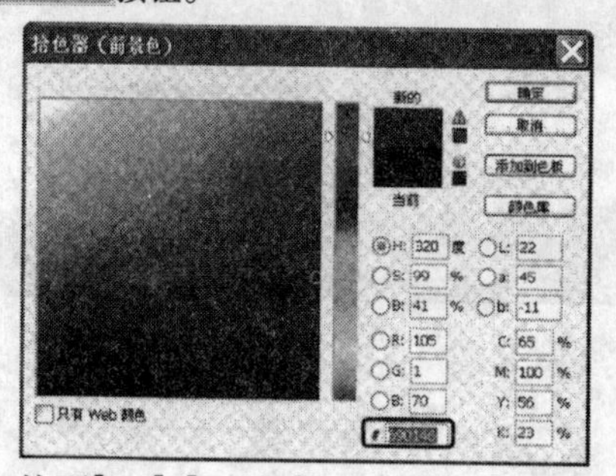

7.按下【Alt】+【Delete】组合键填充前景色，得到的图像效果如图所示。

8.打开【图层】面板，单击【添加图层样式】按钮 fx，在弹出的菜单栏中选择【外发光】菜单项。

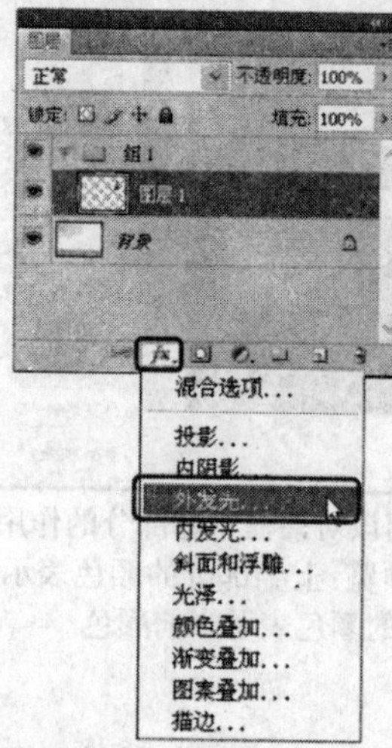

9.在弹出的【图层样式】对话框中设置如图所示的参数，单击 确定 按钮。

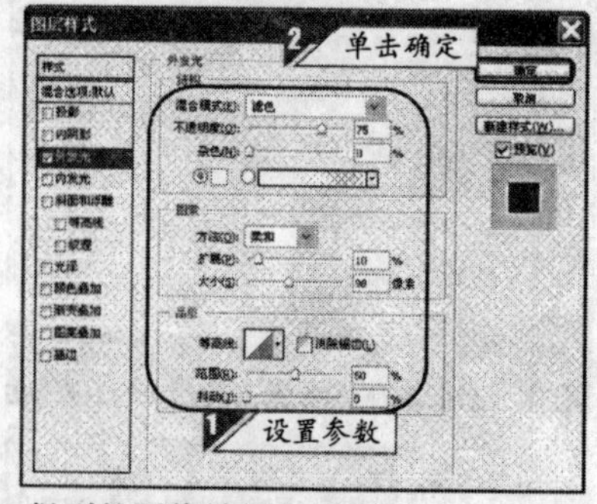

10.得到的图像效果如图所示。

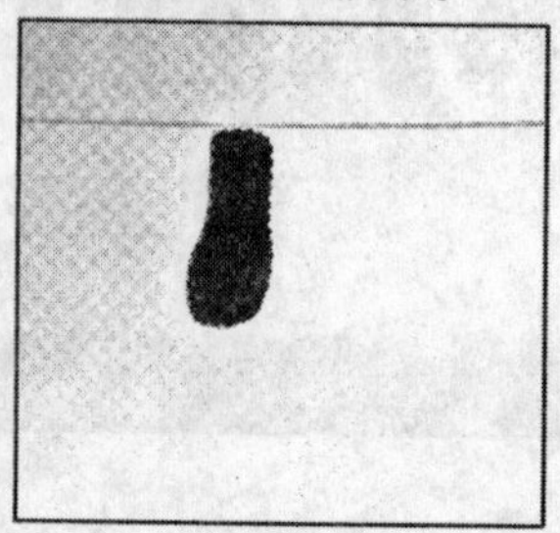

11. 打开图层面板，单击【创建新图层】按钮 ，新建【图层 2】图层。

12.选择【选择】➤【变换选区】菜单项。

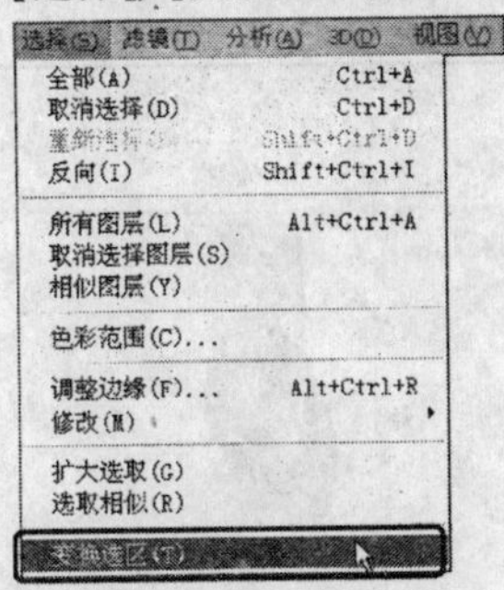

13.连续按 2 次键盘中的【→】键向右移动选区的位置，得到如图所示的效果。

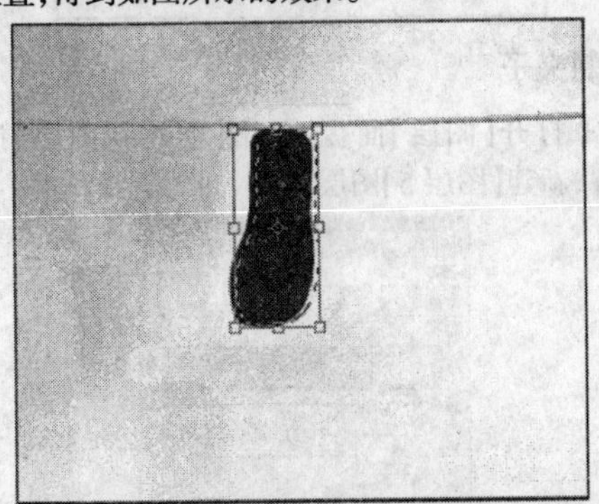

14.按下【Enter】键确认选区，将前景色设置为“fa4fd8”号色，按下【Alt】+【Delete】组合键填充前景色，按下【Ctrl】+【D】组合键取消选区，效果如图所示。

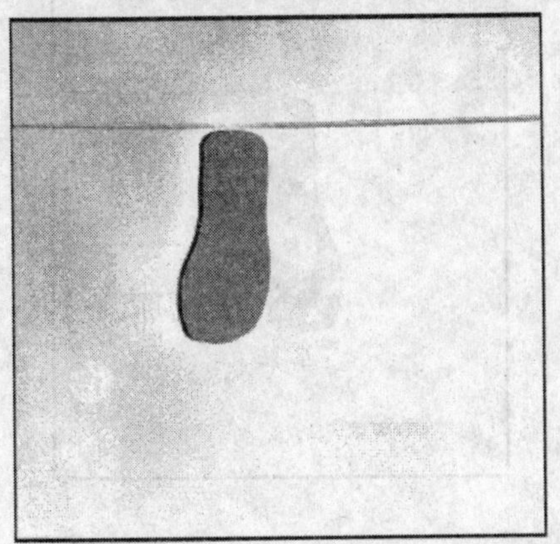

15.打开【图层】面板，选择【图层 2】图层，单击【创建新图层】按钮 ，新建【图层 3】图层，将前景色设置为白色。

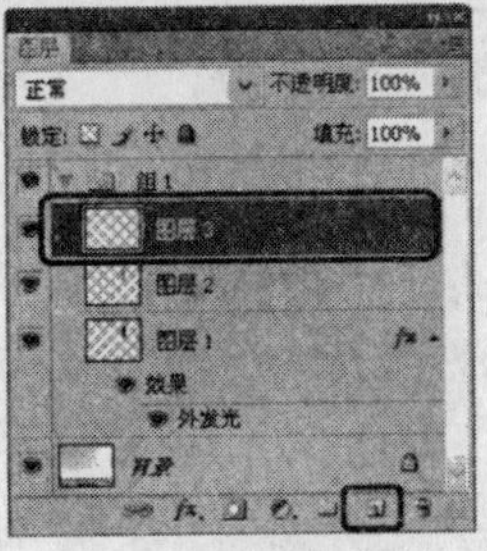

16.在工具箱中选择【自定形状】工具 ，在工具选项栏中设置如图所示的参数。

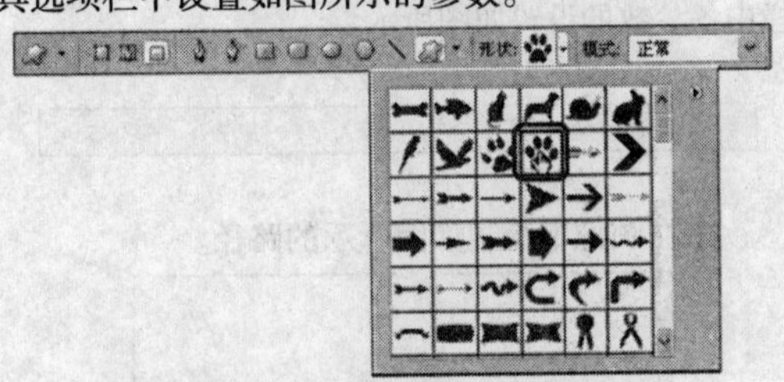

17.在图像中绘制如图所示的效果。

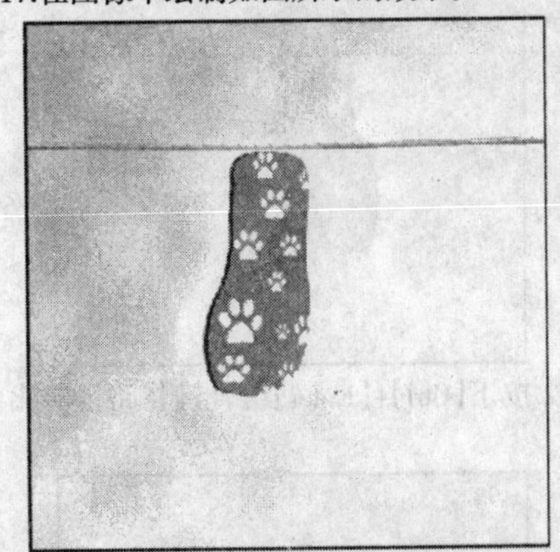

18.打开【图层】面板，选择【图层 3】图层，按下【Ctrl】+【Alt】+【G】组合键将该图层嵌入到【图层 2】图层。

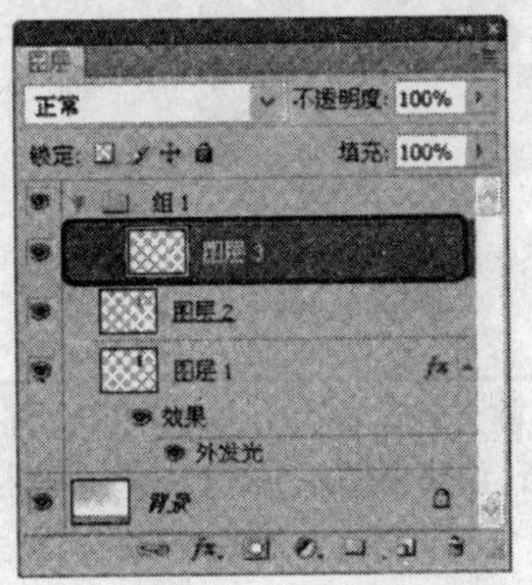

19.得到的图像效果如图所示。

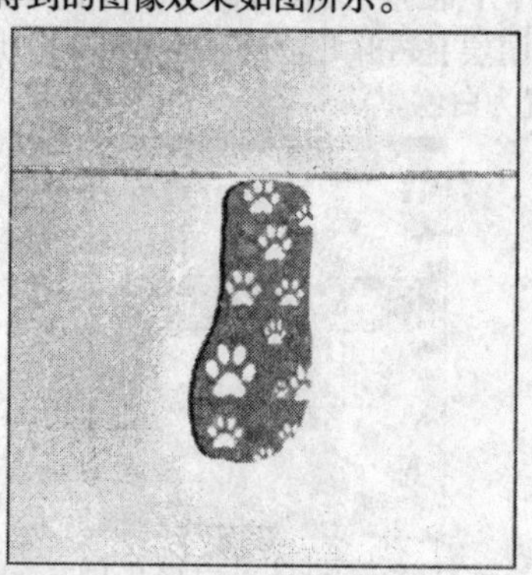

20.在工具箱中选择【钢笔】工具，工具选项栏中各参数的设置如图所示。

21.在图像中绘制如图所示的路径。

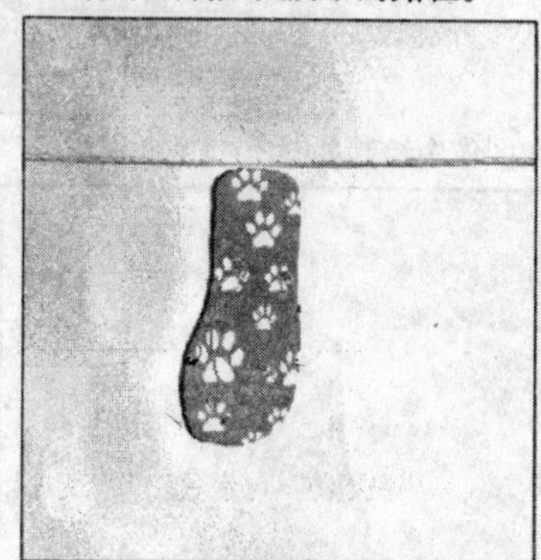

22.按下【Ctrl】+【Enter】组合键将路径转化为选区。

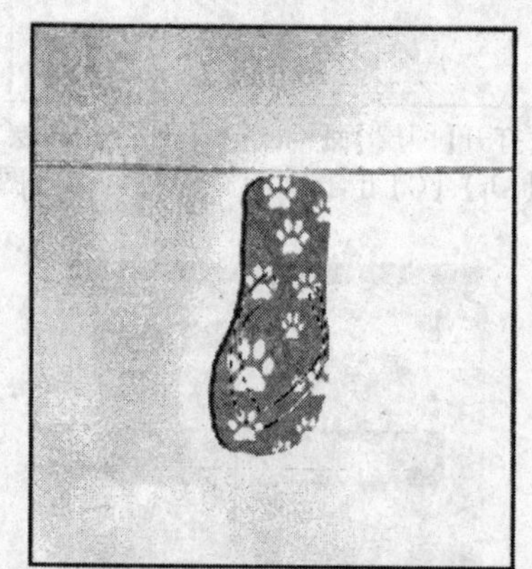

23.将前景色设置为“3f5e03”号色，打开【图层】面板，单击【创建新图层】按钮，新建【图层 4】图层。

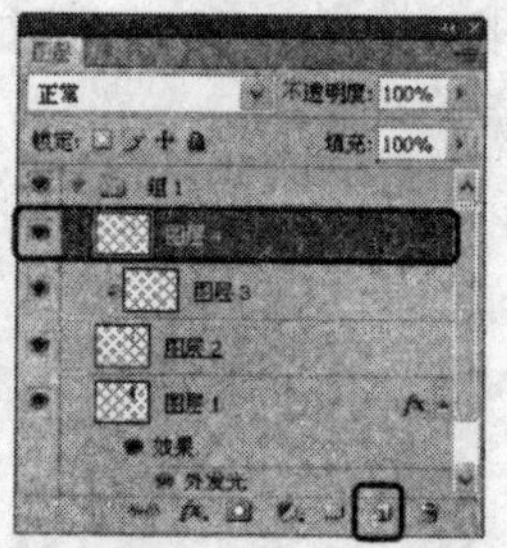

24.按下【Alt】+【Delete】组合键填充前景色.按下【Ctrl】+【D】组合键取消选区，得到的图像效果如图所示。

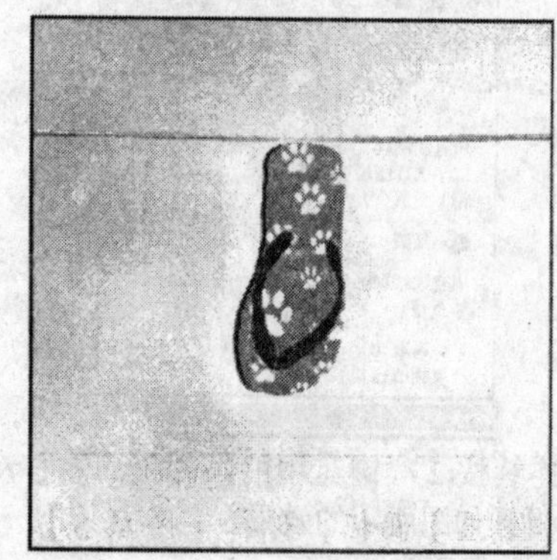

2.绘制夹子

1.打开【图层】面板，单击【创建新图层】按钮，新建【图层 5】图层。

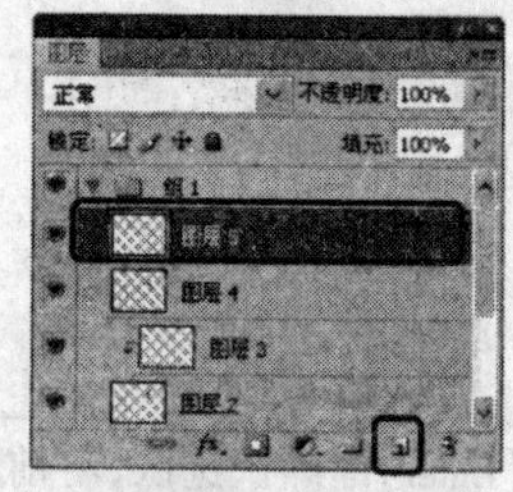

2.在工具箱中选择【钢笔】工具，绘制如图所示的路径。

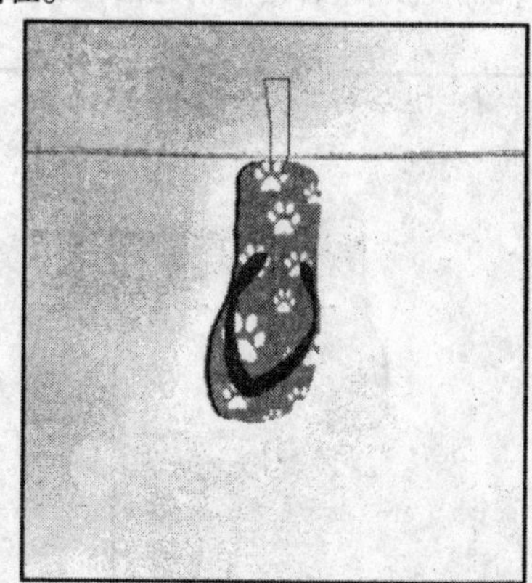

3.按下【Ctrl】+【Enter】组合键将路径转化为选区。将前景色设置为“674002”号色,按下【Alt H Delete】组合键填充前景色,按下【Ctrl】+【D】组合键取消选区,得到的图像效果如图所示。

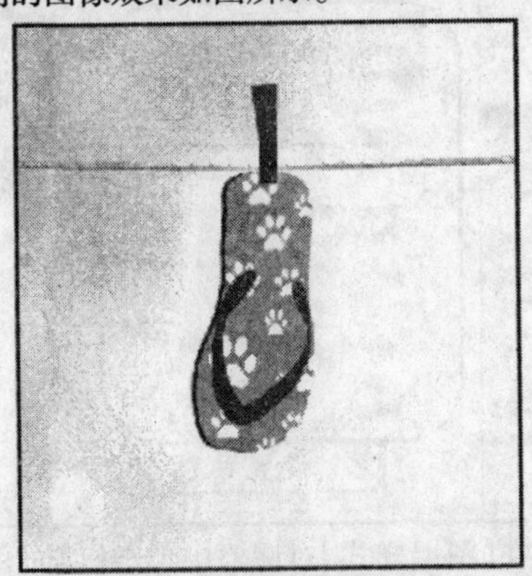

4.打开【图层】面板,选择【图层 5】图层,单击【添加图层样式】按钮 fx,在弹出的菜单栏中选择【斜面和浮雕】选项。

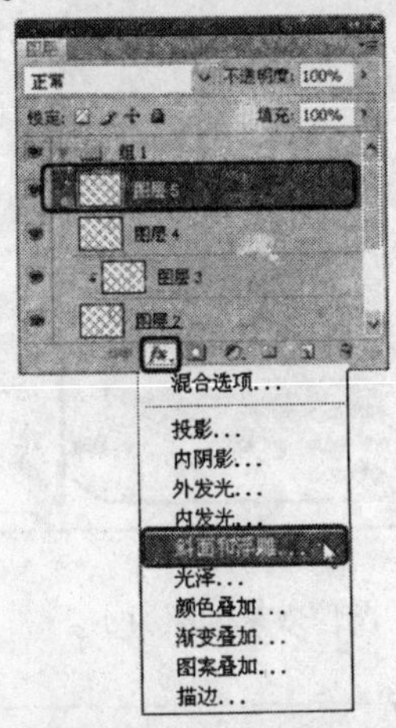

5.在弹出的【图层样式】对话框中设置如图所示的参数,单击 确定 按钮。

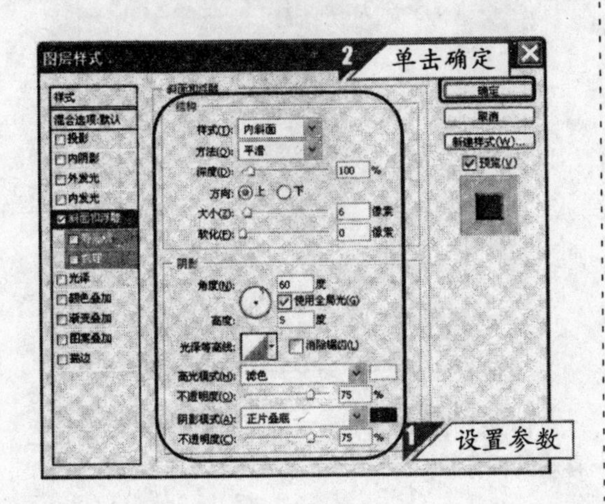

6.得到的图像效果如图所示。

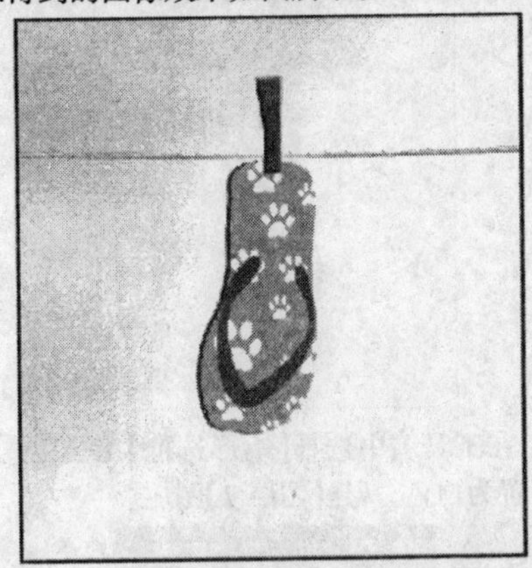

7.在工具箱中选择【矩形选框】工具,将前景色设置为“995f02”号色,新建【图层 6】图层。

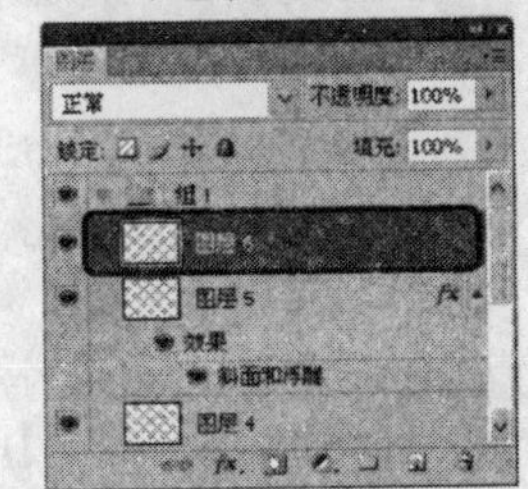

8.绘制如图所示的选区,按下【Alt】+【Delete】组合键填充前景色,按下【Ctrl】+【D】组合键取消选区。

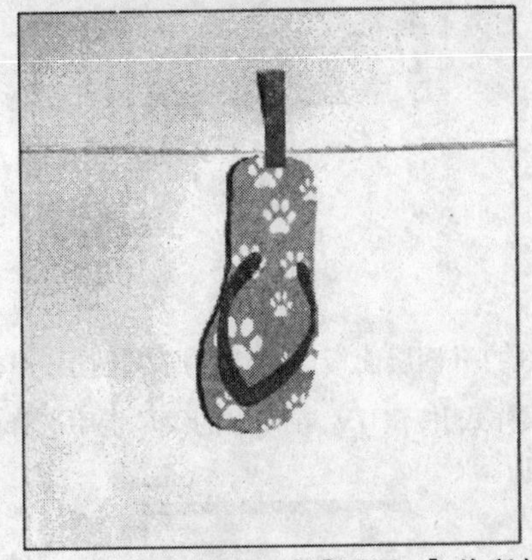

9.打开【图层】面板,选择【图层 5】,将鼠标放在右侧的 fx 图标上,按下【Ctrl】+【Alt】组合键的同时单击并将其拖动到【图层 6】图层上。

10.得到的图像效果如图所示。

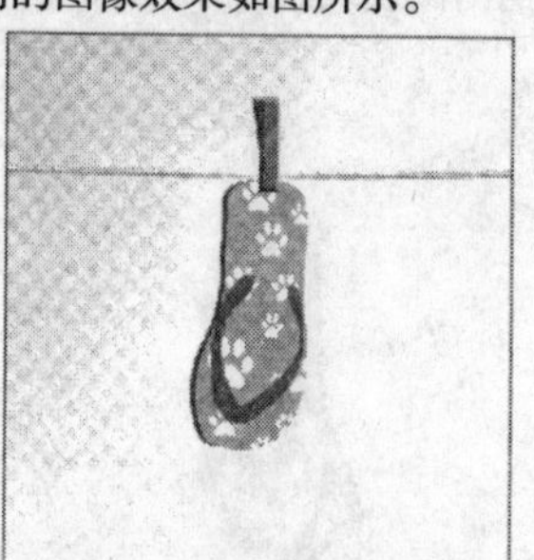

11.在工具箱中选择【矩形选框】工具，将前景色设置为白色，新建【图层 7】图层。

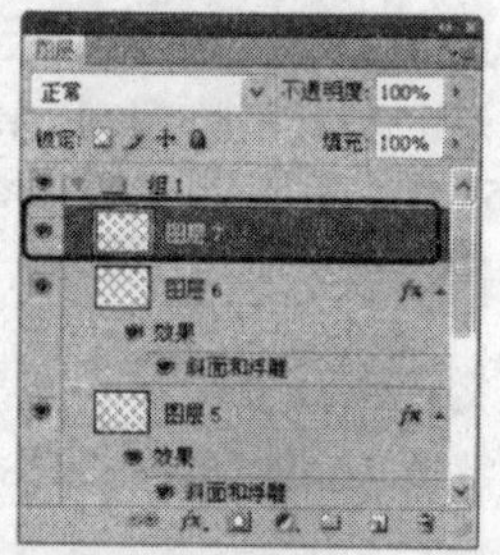

12.在图像中绘制如图所示的选区，按下【Alt】+【Delete】组合键填充前景色，按下【Ctrl】+【D】组合键取消选区。

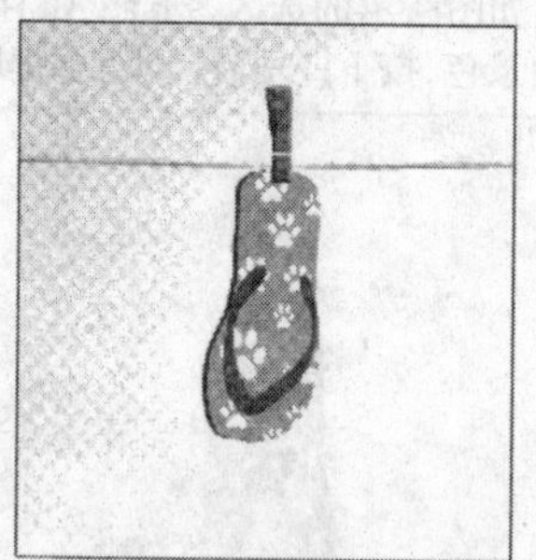

13.打开图层面板，选择【图层 7】图层，单击【添加图层样式】按钮，在弹出的菜单栏中选择【外发光】选项。

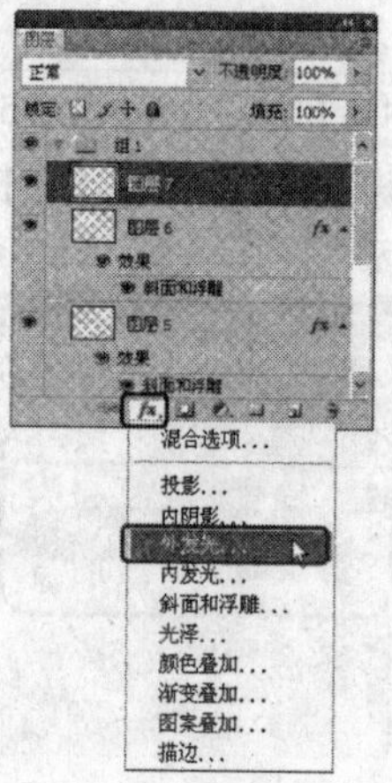

14.在弹出的【图层样式】对话框中设置如图所示的参数。

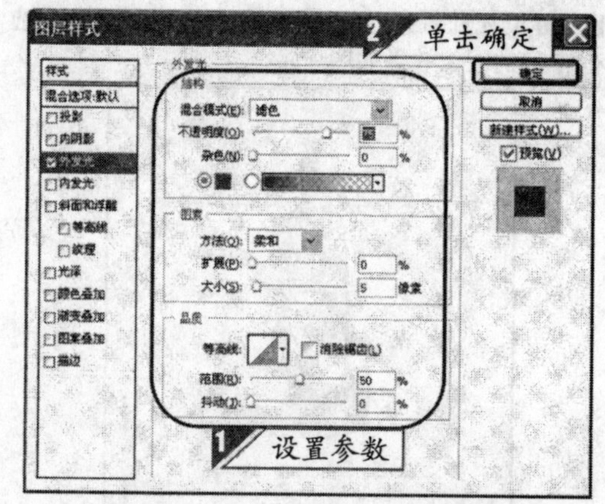

15.在【图层样式】对话框中单击【斜面和浮雕】选项，设置如图所示的参数，单击 确定 按钮。

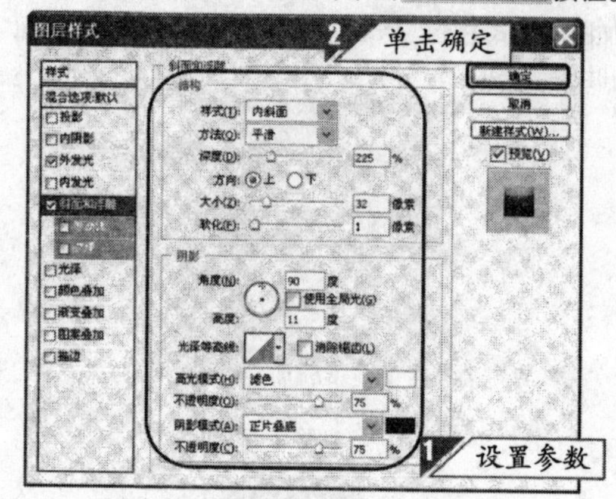

16.得到的图像效果如图所示。

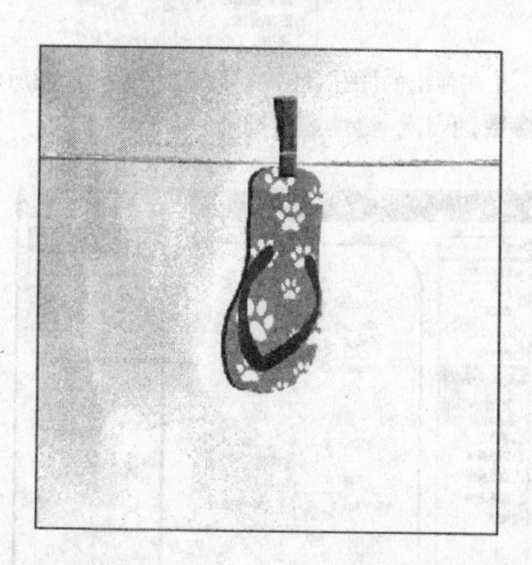

17.参照以上绘制鞋子和夹子的方法，绘制自己喜欢的图像。

3.添加脚印和文字

1.打开【图层】面板，新建【图层 8】图层，将前景色设置为“008ab7”号色。

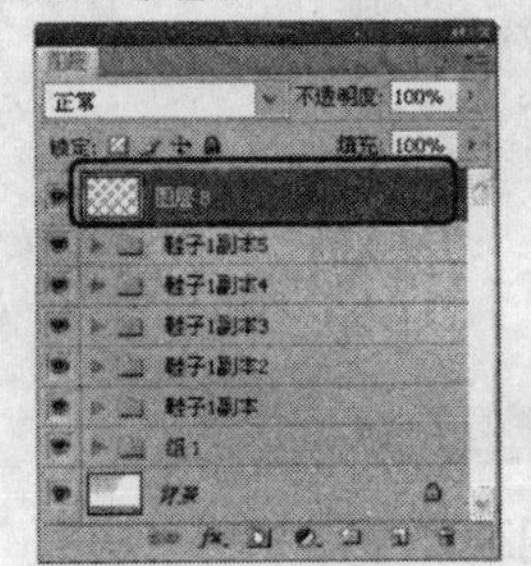

2.在工具箱中选择【自定形状】工具，在工具选项栏中设置如图所示的参数。

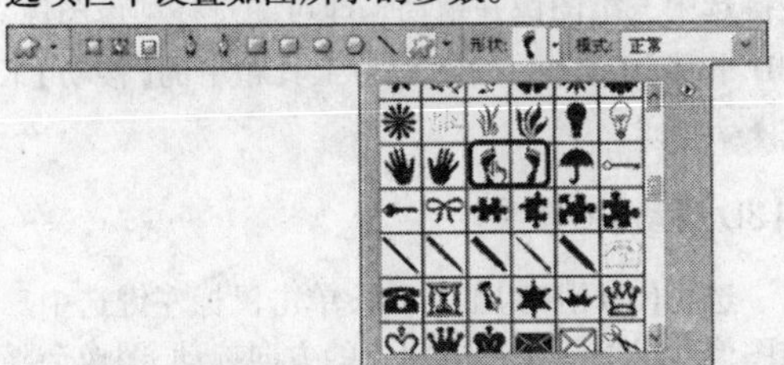

3.使用【自定形状】工具，分别选择【左脚】和【右脚】绘制如图所示的效果。

4.在工具箱中选择【横排文字】工具，设置合适的字体和字号，将前景色设置为“690146”号色，在图像中输入“Sunshine Day……”。

5.打开图层面板，按下【Ctrl】+【E】组合键向下合并图层，单击【添加图层样式】按钮，在弹出的菜单栏中选择【描边】选项。

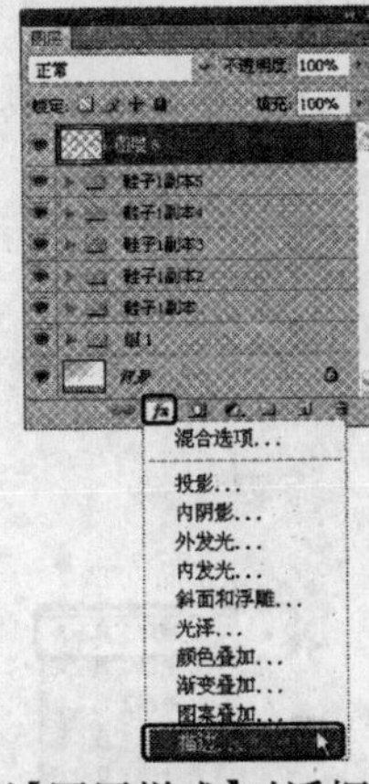

6.在弹出的【图层样式】对话框中设置如图所示的参数，单击 确定 按钮。

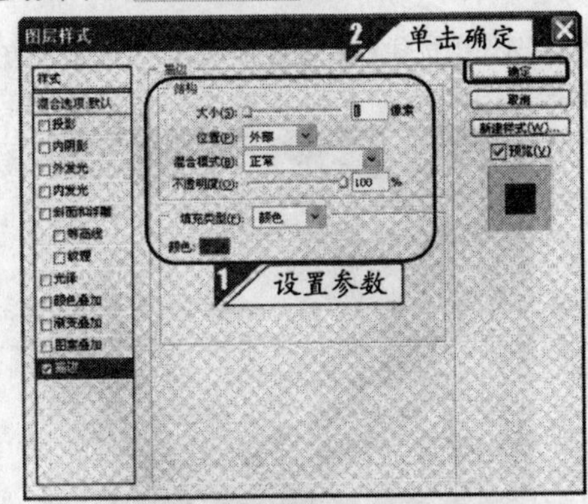

7.得到的图像效果如图所示。

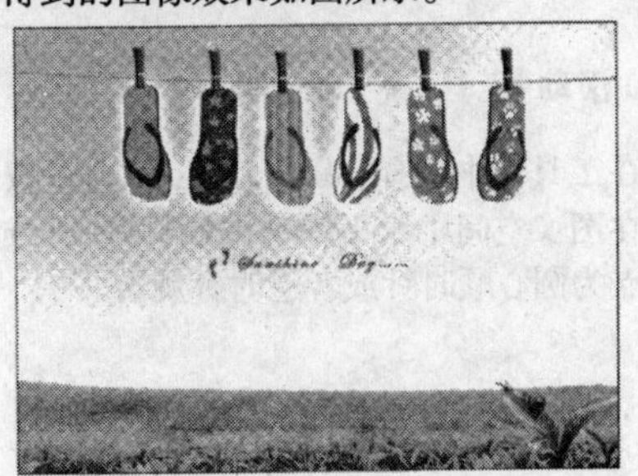

2.5 3D 辅助工具

3D 辅助工具是 Photoshop Cs4 新增的工具，该辅助工具是针对三维图像文件进行编辑和操作的智能化工具。

2.5.1 3D 旋转工具组

打开三维图像文件，选择需要调整的图像图层，使用 3D 旋转工具组中的工具可以进行旋转、滚动、平移、滑动或者按比例在三维空间内变换远近距离等操作。

1.【3D 旋转】工具

在工具箱中选择【3D 旋转】工具。

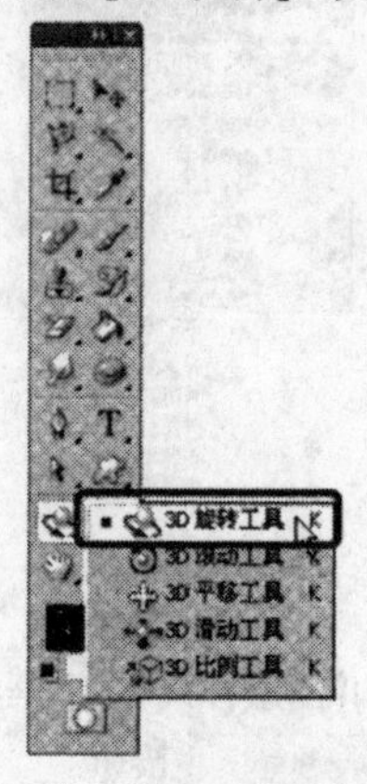

在图像中按住鼠标左键拖动，即可按某一方向旋转所选图像。

2.【3D 滚动】工具

在工具箱中选择【3D 滚动】工具，按住鼠标左键在图像空间中水平拖动鼠标，可使三维图像以中心点为圆心顺时针或者逆时针旋转。

3.【3D 平移】工具

在工具箱中选择【3D 平移】工具，单击鼠标左键选中三维图像并拖动，即可随意移动该图像。【3D 平移】工具的功能与工具箱中的【移动】工具相似。

4.【3D 滑动】工具

选择【3D 滑动】工具，单击鼠标左键选中三维图像并沿着除水平方向外的方向拖动，图像会随着鼠标指针的移动而逐渐靠近或远离。

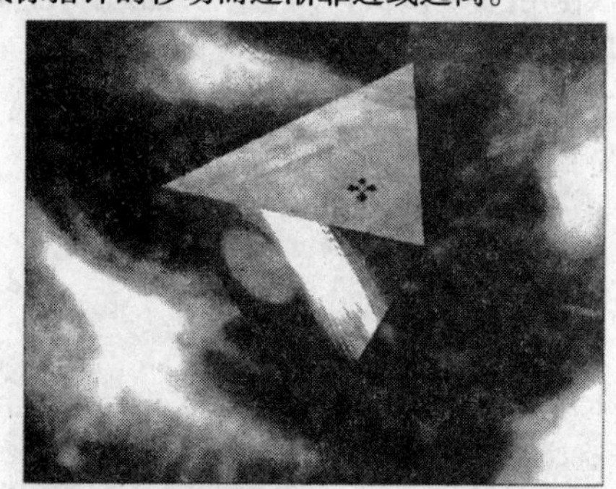

5.【3D 比例】工具

选择【3D 比例】工具，单击鼠标左键选中三维图像并沿着垂直方向拖动，即可按照一定的比例将图像在斜体轴方向上缩放。

2.5.2 3D 环绕工具组

1.【3D 环绕】工具

在工具箱中选择【3D 环绕】工具。

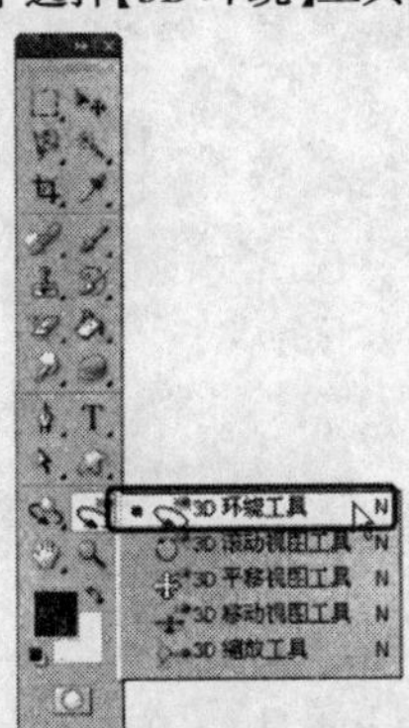

按住鼠标左键在图像空间中拖动，即可在某一方向上旋转图像。使用该工具进行旋转与使用【3D 旋转】工具旋转的操作方向是相反的。

2.【3D 滚动视图】工具

选择【3D 滚动视图】工具，按住鼠标左键在图像空间中水平拖动鼠标，可使三维图像以中心点为圆心进行顺时针或者逆时针方向旋转。使用该工具进行旋转与使用【3D 滚动】工具旋转的操作方向是相反的。

3.【3D 平移视图】工具

选择【3D 平移视图】工具，单击鼠标左键选中三维图像并拖动，即可随意移动该图像。该工具的功能与工具箱中的【移动】工具相似，使用该工具进行移动与使用【3D 平移】工具移动的操作方向是相反的。

4.【3D 移动视图】工具

选择【3D 移动视图】工具，单击鼠标左键选中三维图像并沿着除水平方向外的方向拖动，图像会随着鼠标指针的移动而逐渐靠近或远离，使用该工具进行移动与使用【3D 滑动】工具移动的操作方向是相反的。

5.【3D 缩放】工具

选择【3D 缩放】工具，单击鼠标左键选中三维图像并沿着垂直方向拖动，即可按照一定的比例将图像在斜体轴方向上移动。使用该工具进行缩放与使用【3D 比例】工具缩放的操作方向是相反的。

练兵场 闪亮魔方

按照 2.5 节介绍的方法，使用 3D 辅助工具制作漂亮的闪亮魔方。操作过程可参见配套光盘\练兵场\闪亮魔方。

素材文件与最终效果对比

2.6 其他工具

本节主要介绍【移动】工具、【缩放】工具、【注释】工具、【抓手】工具、【标尺】工具和【计数】工具的基本应用方法。

1.【移动】工具

【移动】工具主要用于移动图像。选择该工具，在工具选项栏中可以设置移动的对象等选项

自动选择: 组 显示变换控件

选中工具选项栏中的【自动选择】复选框，可以在图像窗口中单击选择需要移动的图像。

2.【缩放】工具

选择【缩放】工具，在图像窗口中连续单击鼠标左键，图像会按照一定的比例（25%、33.3%、50%、66.7%依次类推）进行放大，在工具箱中双击该工具，图像会以1000%的比例显示。

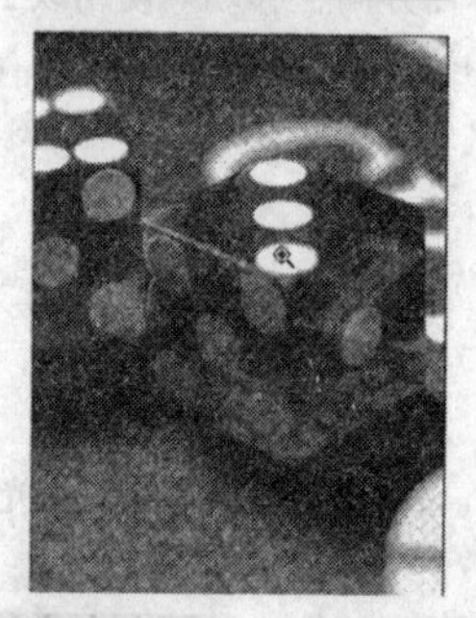

3.【注释】工具

选择【注释】工具，在图像中需要标记的位置单击鼠标左键，打开【注释】面板添加标注即可。当需要查看信息时，只需在相应图标上双击，即可在【注释】面板中显示出相关的文字信息。

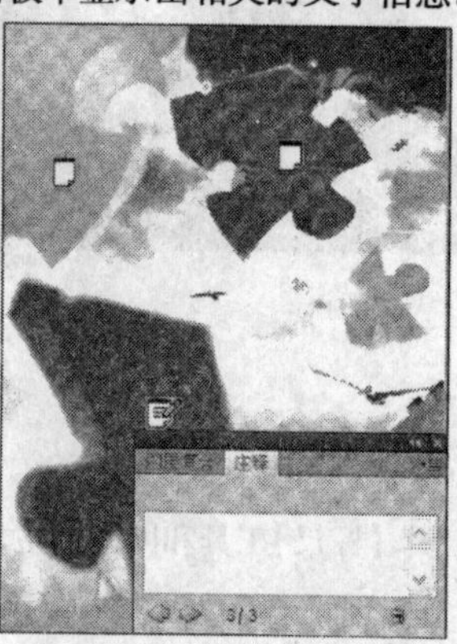

4.【抓手】工具

【抓手】工具主要用于在放大的图像窗口中寻找需要编辑的图像位置，按住鼠标左键拖动即可实现画布的平移。

5.【标尺】工具

使用【标尺】工具在图像中某两点之间拖动，可以测量该段图像的距离或者长度。

按住【Alt】键将鼠标指针移至端点处，待鼠标指针变为形状时，单击并拖至另一方向，然后释放【Alt】键，可以测量该处的角度，在工具选项栏中会显示相应数据。

6.【计数】工具

选择【计数】工具，在图像中需要标注的位置依次单击，系统会自动按照从小到大的顺序标注上数字。

第3章　图像的色彩与色调

色彩调整，是图像处理的一个重要方面。通过对图像的亮度、对比度、饱和度等参数进行调整，实现各种所需的效果，如明亮与暗淡、鲜艳与柔和等。对于色调、色阶、对比度、饱和度等概念，读者可以通过多观察、多分析、多思考，逐步体会，加深理解。

3.1　色彩的基础知识

本节主要介绍色彩的基础知识，如色彩的属性、三原色的概念等。

3.1.1　色彩的属性

要理解和运用色彩，就需要掌握色彩归纳的原则和方法，其中比较重要的是掌握色彩的属性。色彩可分为无彩色和有彩色两大类，无彩色如黑、白、灰，有彩色如红、黄、蓝、绿等七彩。

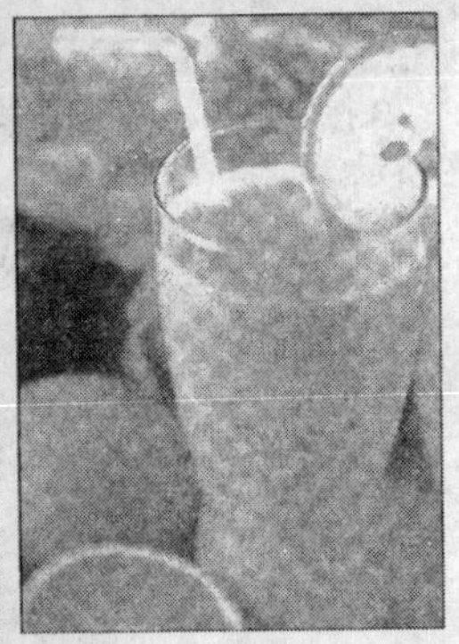

无彩色有明有暗，表现为白和黑，也称色调。有彩色表现很复杂，但可以用3组特征来确定。其一是色调，也就是色相；其二是明暗，也就是明度；其三是色强，也就是饱和度。以上3者又称为色彩的三属性。

(1)色相：表示颜色的特质，是区别色彩的必要名称，如红、橙、黄、绿、青、蓝和紫等。

(2)明度：表示色彩的强度，即色光的明暗度。不同的颜色，反射的光量强弱不一，因而会产生不同程度的明暗。

(3)饱和度：表示色的纯度，具体来说，就是一种颜色中是否含有白或黑的元素。当颜色中不含有白或黑的元素时，饱和度最高；当含有过多白或黑的元素时，饱和度会明显下降，最终会转换为黑白色。

3.1.2　色彩的三原色

自然界色彩的三原色分为物体三原色和光学三原色。

(1)物体三原色：分别为青蓝、洋红和黄3种颜色，三色相混，会得出黑色。物体不像霓虹灯，可以发出色光，它要靠光线照射，再反射出部分光线刺激人的视觉，使人产生颜色的感觉。

(2)光学三原色：分为红、绿和蓝3种颜色，将这3种色光混合，便可以得出白色光。霓虹灯所发出的光本身带有颜色，能直接刺激人的视觉神经而让人感觉到色彩。在电视荧光屏和电脑显示器上看到的色彩，均是由光学三原色组成的。

综上所述，色彩中存在3种最基本的色光，它们的颜色分别为红色、绿色和蓝色。这3种色光既是白光分解后得到的主要色光，又是混合色光的主要成分，并且能与人眼视网膜细胞的光谱响应区间相匹配，符合人眼的视觉生理效应。这3种色光以不同比例混合，几乎可以得到自然界中的一切色光，混合色域最大；而且这3种色光具有独立性，任何一种原色光均不能由另外两张原色光混合而成，由此称红、绿、蓝为色光三原色。

3.2 图像编辑

本节主要介绍如何对图像进行编辑。

3.2.1 裁剪和剪切图像

裁剪和剪切图像主要是通过【裁剪】工具和【矩形选框】工具来实现。

1.剪裁图像

素材文件与最终效果对比

1.打开本实例对应的素材文件301jpg。选择【裁剪】工具，在图像中按住鼠标左键拖动至合适位置后释放。

2.将鼠标指针移到定界框的控制点上，对所选的图像区域进行调节，直至合适。

3.按下【Enter】键确认操作，得到的图像效果如图所示。

2.剪切图像

素材文件与最终效果对比

1.打开本实例对应的素材文件 302.jpg，选择【矩形选框】工具 ，在图像中绘制如图所示的选区。

2.单击工具箱中的【设置背景色】颜色框，在弹出的【拾色器(背景色)】对话框中的【#】文本框中输入“ffffff，然后单击 确定 按钮。

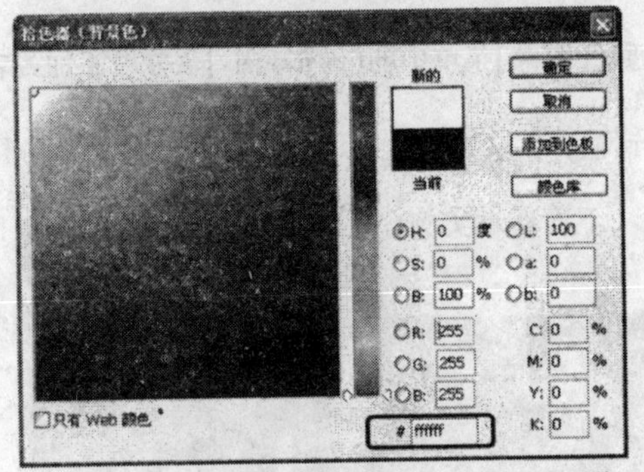

3.按下【Ctrl】+【X】组合键剪切选区中的图像。

4.按下【Ctrl】+【V】组合键粘贴，按下【Ctrl】+【T】组合键将粘贴的图像缩小，调整合适后按下【Enter】键确认操作。

5. 参照步骤 3 ~ 4 的操作方法再一次进行剪切操作，可以适当调整选区的角度，制作特殊效果，如图所示。

小提示　选择【选择】>【变换选区】菜单项，调整控制框的角度即可旋转选区的角度。

3.2.2 调整图像大小

本小节主要介绍如何调整图像大小。

调整图像的大小主要是通过【编辑】菜单中的【图像大小】菜单项实现的。打开一幅图像，选择【编辑】▶【图像大小】菜单项，弹出【图像大小】对话框。

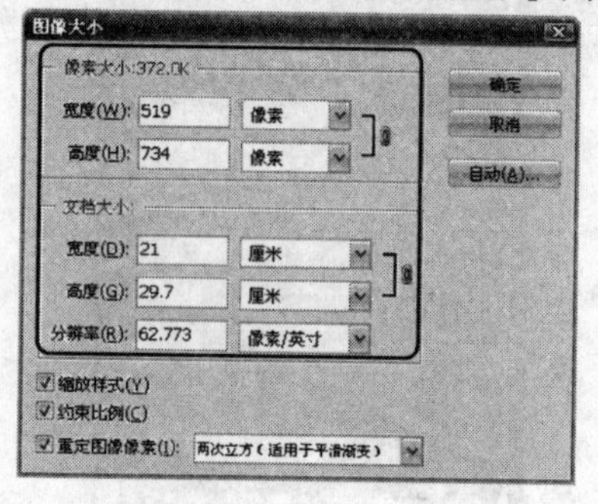

该对话框中各个选项的作用如下。

(1)【像素大小】和【文档大小】选项组：从中可以设置图像的宽度、高度和分辨率等参数。

(2)【约束比例】复选框：在调整宽度和高度中的某一个数值时，系统将按照一定的比例自动调整另一个数值，以保持图像的宽度和高度的比例不变。

(3)【重定图像像素】复选框：重定图像像素可增加图像中包含像素的数量，这样放大显示图像的时候就不容易产生模糊。

(4) 自动(A)... 按钮：单击该按钮，弹出【自动分辨率】对话框。

3.2.3 调整画布大小

本小节主要介绍如何调整画布大小。

调整画布大小与调整图像尺寸和分辨率类似，可以通过【图像】菜单中的【画布大小】菜单项添加或者移去现有图像周围的工作区，使用该命令还可以裁剪图像。

选择【图像】▶【画布大小】菜单项，弹出【画布大小】对话框。

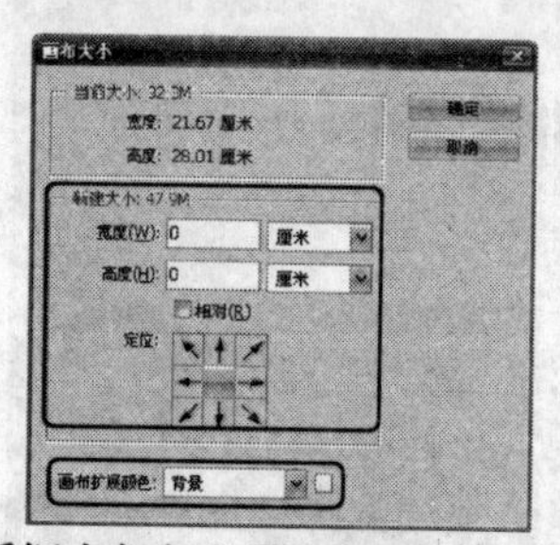

该对话框中各个选项的作用如下。

(1)【新建大小】选项组：在该选项组中可以设置增加或减少的画布尺寸(参照当前画布的尺寸)以及画布的定位。

(2)【画布扩展颜色】下拉列表：在该下拉列表中可以选择不同的选项设置画布的颜色。当撤选【相对】复选框，在【新建大小】选项组中设置小于原画布大小的参数时，该下拉列表不能显示，此时可以裁剪画布大小。

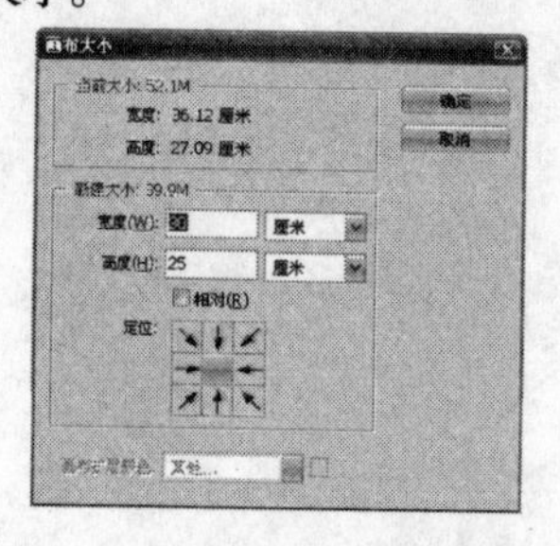

下面通过实例介绍调整画布大小的基本操作方法。

▲ 素材文件与最终效果对比

1.打开本实例对应的素材文件303.jpg。选择【图像】▶【画布大小】菜单项，弹出【画布大小】对话框，在该对话框中选中【相对】复选框，分别在【宽度】和【高度】文本框中输入“2”，在【画布扩展颜色】下拉列表中选择【灰色】选项，其他设置如图所示，然后单击 确定 按钮。

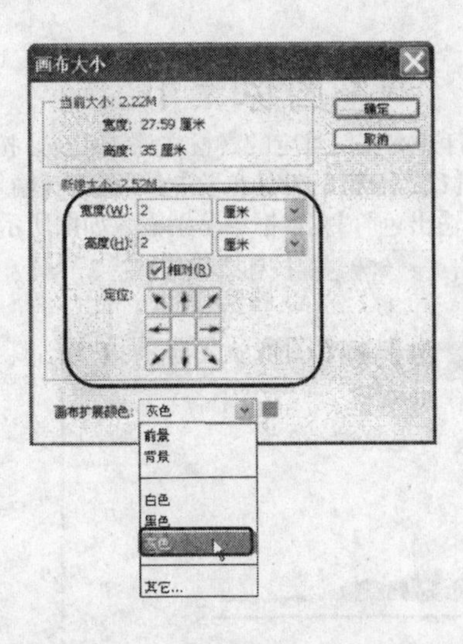

2.调整画布大小后的图像效果如图所示。

3.2.4 旋转画布

本小节主要介绍如何旋转画布。

选择【图像】➢【图像旋转】菜单项,在弹出的子菜单中选择所需的菜单项即可设置图像的旋转角度。

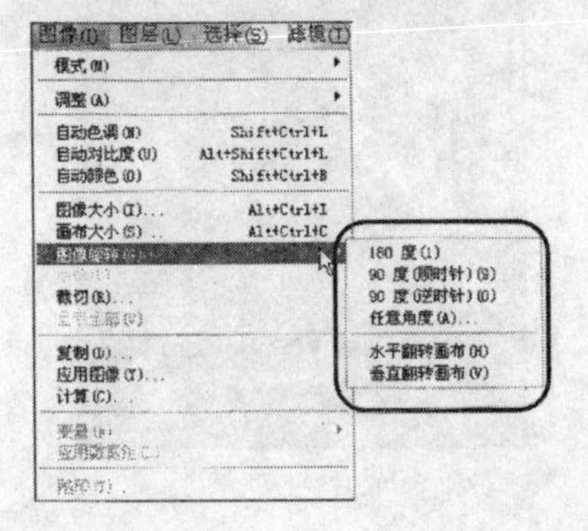

选择【任意角度】菜单项时,弹出【旋转画布】对话框。

在该对话框的【角度】文本框中输入指定的数值,选择旋转的方向,单击 确定 按钮即可。旋转任意角度后,多余的画布会自动添加上背景颜色。

3.3 调整图像色彩与色调

本节主要介绍如何调整图像色彩与色调。

3.3.1 【色阶】命令

本小节主要介绍如何使用【色阶】命令调整图像色彩与色调。

打开一幅图像,选择【图像】➢【调整】➢【色阶】菜单项,弹出【色阶】对话框(或按下【ctrl】+【L】组合键打开【色阶】对话框),在该对话框中以直方图的形式显示了色调的分布情况。

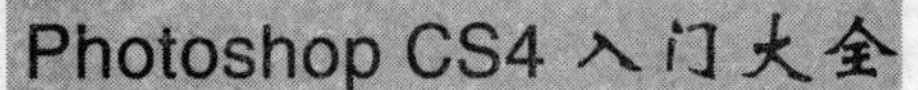

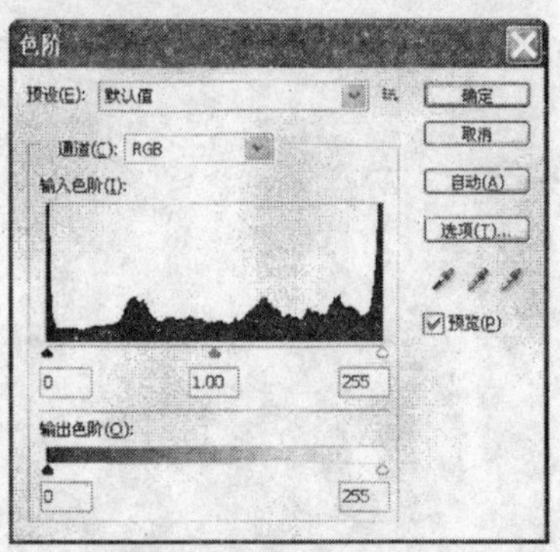

【色阶】对话框中提供的直方图可以作为调整图像基本色调的直观参考。使用【色阶】命令不仅可以调整图像中高光和阴影的强度,从而校正扫描输入图像时的偏差,还可以重新分布图像的色调来获得丰富的效果和图像层次。

在该对话框中的【输入色阶】和【输出色阶】文本框中输入数值,或者拖动其下方的滑块也可以达到改变图像色彩效果的目的。

下面通过实例介绍使用【色阶】命令调整图像色调的操作方法。

1.打开本实例对应的素材文件 304jpg。按下【Ctrl】+【L】组合键,弹出【色阶】对话框,在【输入色阶】和【输出色阶】文本框中分别输入如图所示的参数,单击 确定 按钮。

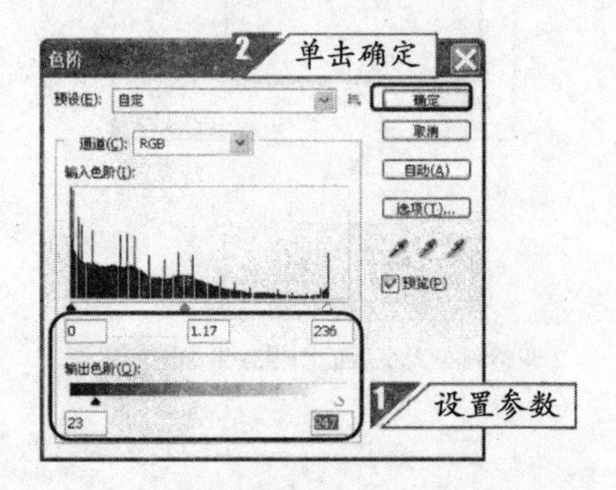

2.得到的图像效果如图所示。

3.3.2 自动命令

本小节介绍如何使用【自动色调】、【自动对比度】和【自动颜色】命令对图像进行调整。

1. 自动色调

选择【图像】>【自动色调】菜单项，系统会自动检索图像的亮部和暗部，并将黑白两种颜色定义为最暗和最亮的像素，重新分布图像的色阶。该命令运用在灰度图像中时效果比较明显。

下面介绍如何使用【自动色调】命令调整图像。

1.打开一张图片。

2.选择【图像】>【自动色调】菜单项，系统对图像的色调自动调整，得到的图像效果如图所示。

2. 自动对比度

选择【图像】>【自动对比度】菜单项，系统会对图像的对比度进行分析判断，分别将黑色和白色映射为图像中最暗和最亮的像素，进而增强图像的对比度。该命令运用到色彩层次丰富的图像中效果比较明显。

素材文件与最终效果对比

3. 自动颜色

选择【图像】>【自动颜色】菜单项，系统会分析判断图像的色相，然后对图像的色相自动调整，使色相变得更加均匀，该命令运用在偏色的图像中效果比较明显。

当运用【自动颜色】命令后，若图像效果不太明显，可以选择【编辑】>【渐隐自动颜色】菜单项，弹出【渐隐】对话框，在此对图像进行消褪处理。

下面通过实例介绍使用【自动颜色】命令调整图像色相的操作方法。

素材文件与最终效果对比

1. 打开本实例对应的素材文件 305.jpg。选择【图像】>【自动颜色】菜单项。

2.系统对图像的色相自动调整。

3.效果欠佳时,选择【编辑】>【渐隐自动颜色】菜单项。

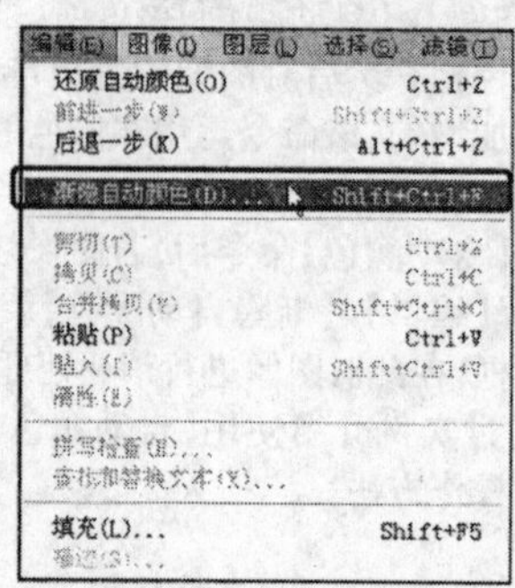

4.弹出【渐隐】对话框,在【不透明度】文本框中输入"45%",在【模式】下拉列表中选择【滤色】菜单项,单击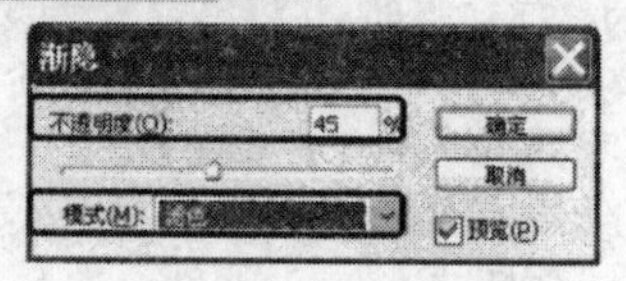按钮。

5.得到的图像效果如图所示。

3.3.3 【曲线】命令

本小节主要介绍如何使用【曲线】命令调整图像。

使用【曲线】命令可以调整图像的整个色调范围,也可以在图像的整个色调范围内调整14个不同点的色调和明暗,这样就可以对图像中的个别颜色通道进行精确的调整。

选择【图像】>【调整】>【曲线】菜单项,弹出【曲线】对话框。在坐标图中的线段上单击,创建节点,拖动节点即可改变图像的效果。

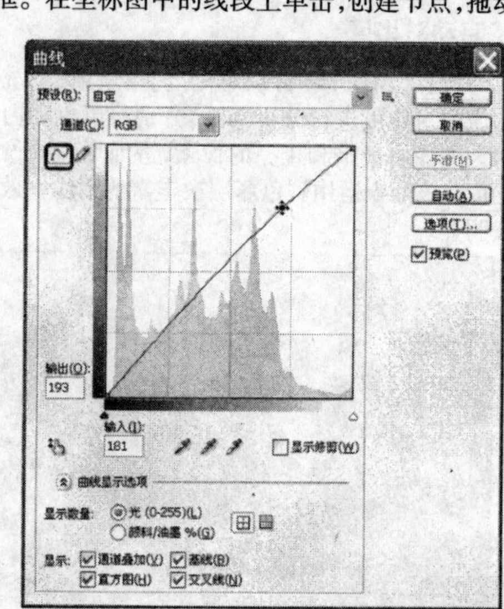

1.【曲线】对话框

该对话框中各个按钮的功能如下。

(1)【编辑点以修改曲线】按钮 :该按钮在默认情况下是处于选中状态的,用户可以直接在曲线上添加、移动或者删除控制点来调节图像的明暗。

(2)【通过绘制来修改曲线】按钮 ：单击该按钮可以在表格中绘制各种曲线。

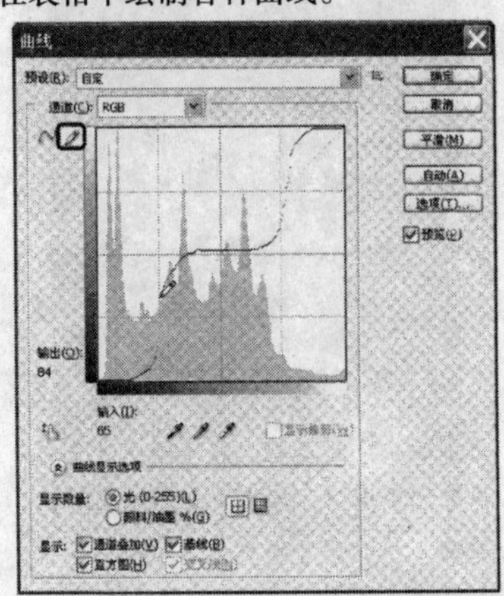

使用该按钮绘制完曲线后，单击【编辑点以修改曲线】按钮 ，绘制的曲线上会出现很多控制点，调节这些控制点可以重新设置曲线。

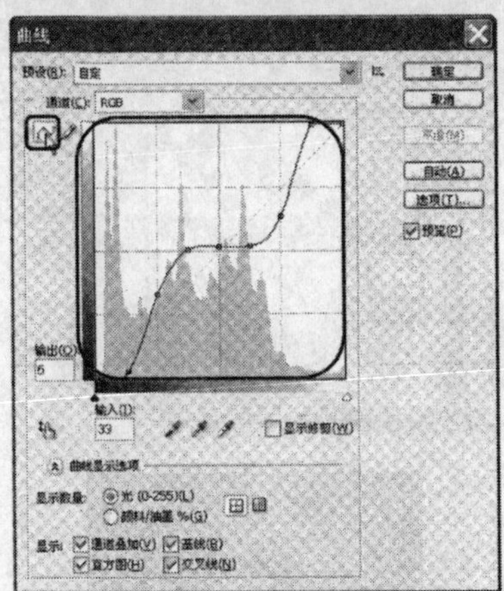

(3) 平滑(M) 按钮：该按钮在选中【通过绘制来修改曲线】按钮 绘制完曲线后才会显示出来，单击该按钮会使曲线变得平滑。

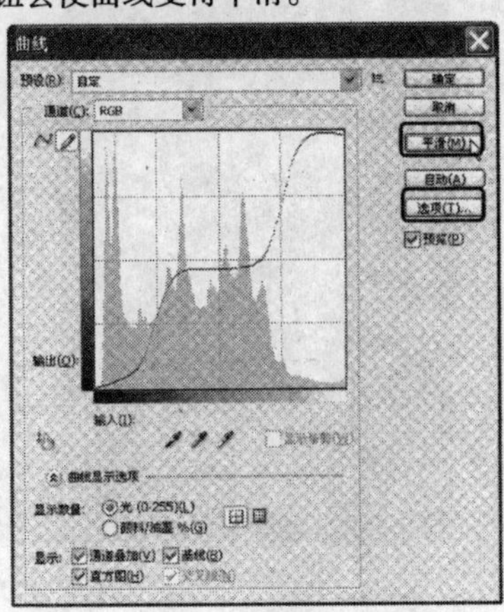

(4) 选项(T)... 按钮：单击该按钮，弹出【自动颜色校正选项】对话框，系统会对图像应用自动颜色校正。

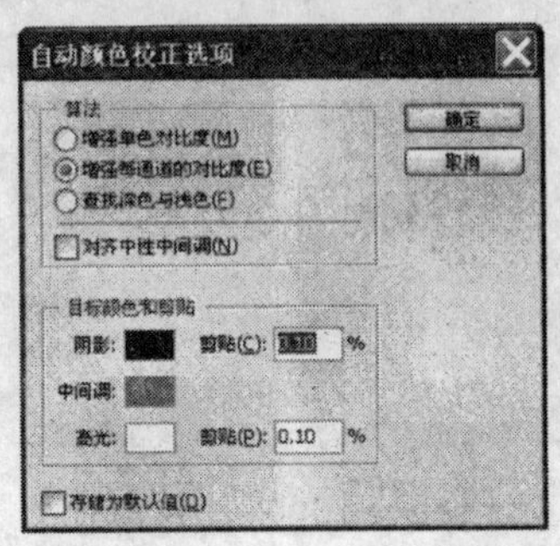

2.编辑节点

在【曲线】对话框中添加、删除和移动节点的方法如下。

(1)添加节点：在曲线上单击即可添加节点，最多可以添加16个。

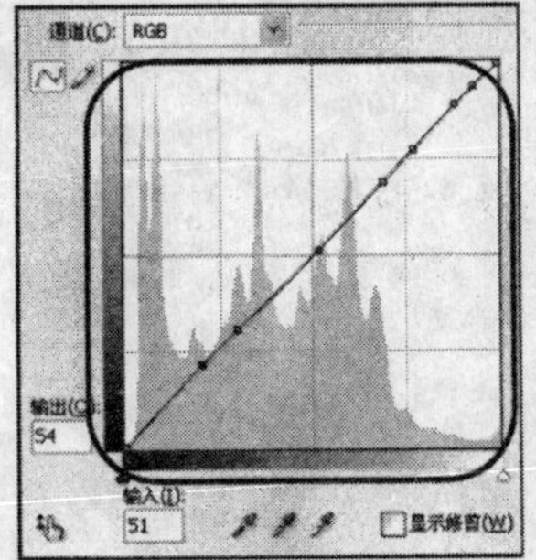

(2)删除节点：选中要删除的节点(除了端点以外)，按住鼠标左键拖动至表格外即可；或者选中节点，然后按下【Delete】键也可以删除节点。

(3)移动节点：选中需要移动的节点，当鼠标变成✣形状时按住鼠标左键移动节点，曲线的弯曲度便随之发生变化。

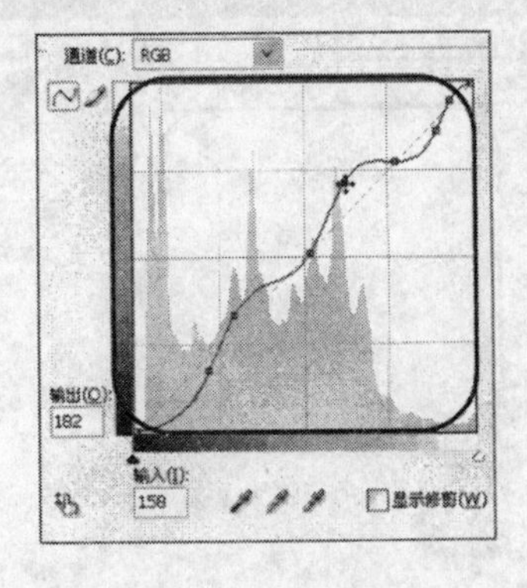

下面通过实例介绍使用【曲线】命令调整图像的操作方法。

▲素材文件与最终效果对比

1.打开本实例对应的素材文件 306.jpg。选择【图像】【调整】【曲线】菜单项。

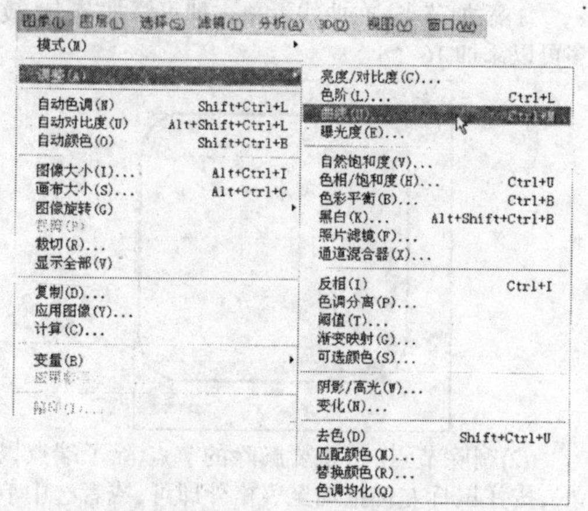

2.弹出【曲线】对话框，在【通道】下拉列表中选择【红】选项，在曲线上单击添加两个节点并拖动，此时在【输出】和【输入】文本框中会显示相应的数值。

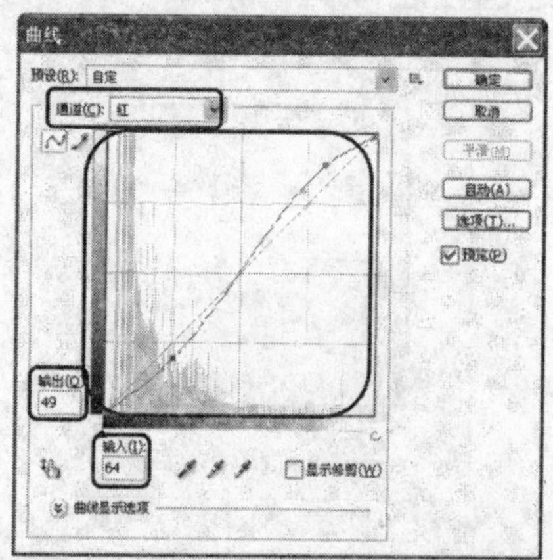

3.得到的图像效果如图所示。

4.在【通道】下拉列表中选择【绿】选项，设置如图所示的参数。

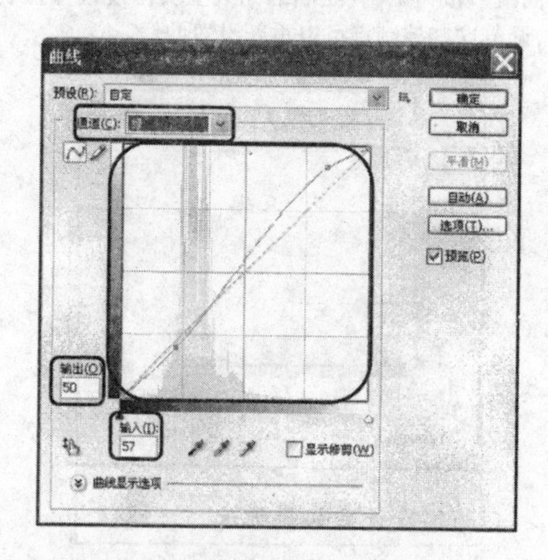

5.得到的图像效果如下图所示。

6.在【通道】下拉列表中选择【蓝】选项，设置如图所示的参数。

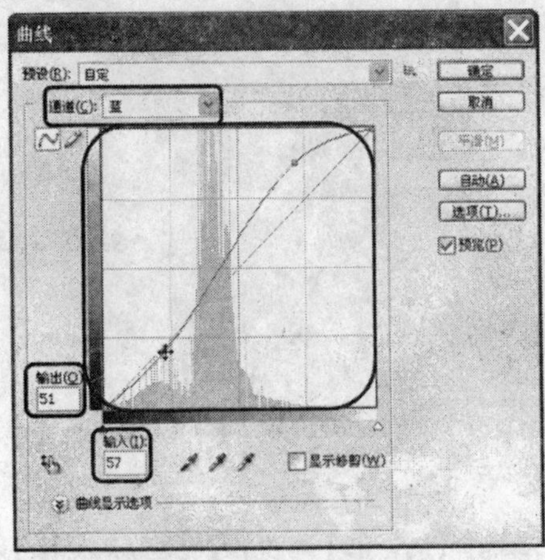

7.得到的图像效果如下图所示。

8.在【通道】下拉列表中选择【RGB】选项，设置如图所示的参数，单击 确定 按钮。

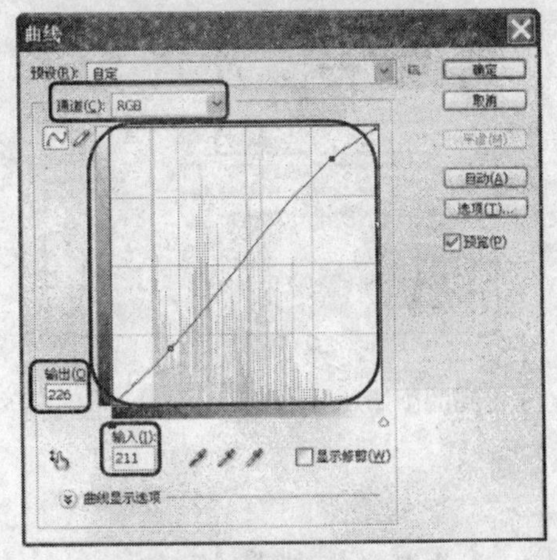

9.得到的图像效果如图所示。

3.3.4 【色彩平衡】命令

本小节主要介绍如何使用【色彩平衡】命令调整图像。

【色彩平衡】命令只有在【通道】面板选择复合通道的情况下才是可用的，该命令主要用于调整图像的整体颜色，校正偏色。

下面介绍如何使用【色彩平衡】命令调整图像色调。

1.打开一张图片。

2.选择【图像】>【调整】>【色彩平衡】菜单项，弹出【色彩平衡】对话框，设置如图所示的参数，单击 确定 按钮。

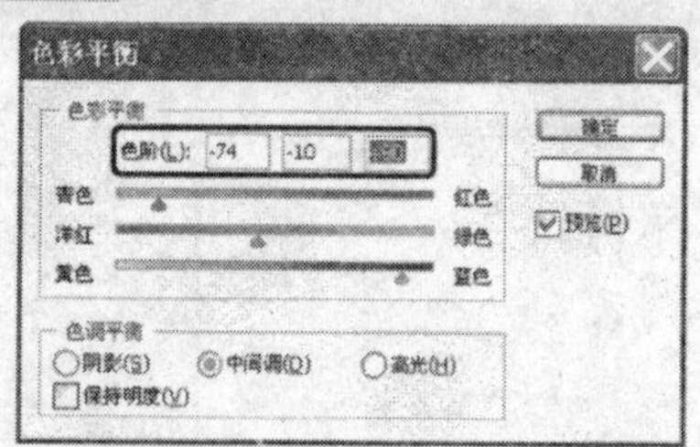

3.得到的图像效果如图所示。

3.3.5 【亮度 / 对比度】命令

【亮度 / 对比度】命令主要是针对图像的色调范围做简单的调整，该命令不适宜高端输出的作品，因为有可能造成图像细节的丢失。

下面介绍如何使用【亮度 / 对比度】命令调整图像色调。

1.打开一张图片。

2.选择【图像】>【调整】>【亮度 / 对比度】菜单项，弹出【亮度 / 对比度】对话框，设置如图所示的参数，单击 确定 按钮。

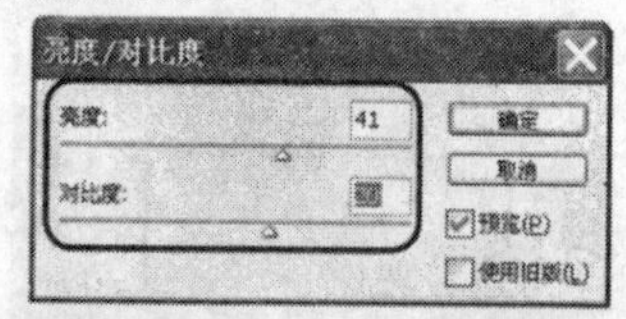

3.得到的图像效果如图所示。

3.3.6 【色相 / 饱和度】命令

【色相 / 饱和度】命令主要用于调整图像整体或者单个颜色的色相、饱和度和亮度值，还可以同时调整图像中的所有颜色。

下面介绍如何使用【色相 / 饱和度】命令调整图像色调。

1.打开一张图片。

2.选择【图像】>【调整】>【色相/饱和度】菜单项，或者按下【Ctrl】+【u】组合键，弹出【色相/饱和度】对话框，设置如图所示的参数，单击 确定 按钮。

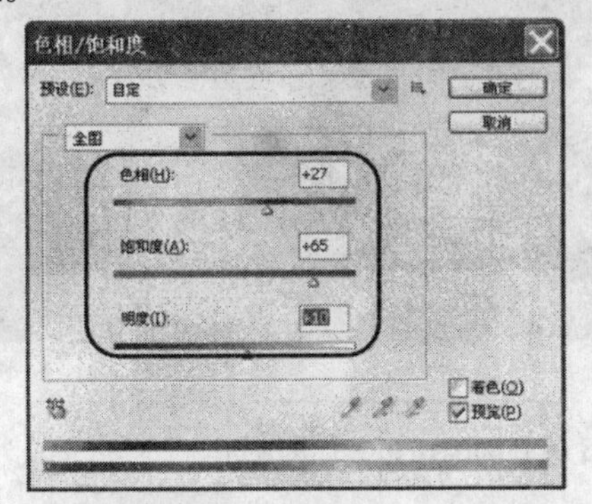

3.得到的图像效果如图所示。

3.3.7 实例——梦境

▲素材文件与最终效果对比

1.打开本实例对应的素材文件307jpg。单击【创建新的填充或调整图层】按钮，在弹出的菜单中选择【自然饱和度】菜单项。

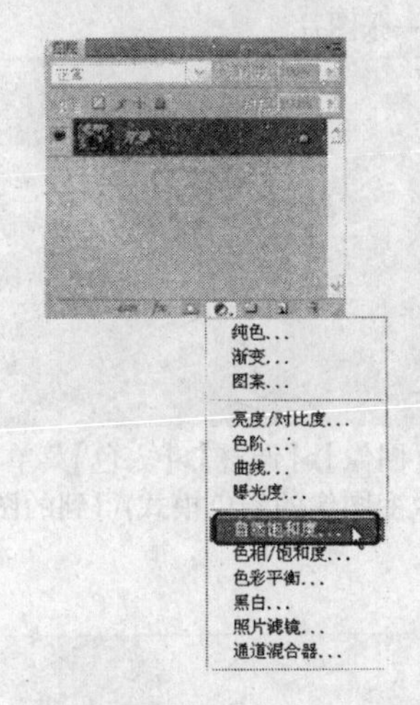

2.在【自然饱和度】调板中设置如图所示的参数。

3.将前景色设置为黑色，选择【画笔】工具，在工具选项栏中设置如图所示的参数。

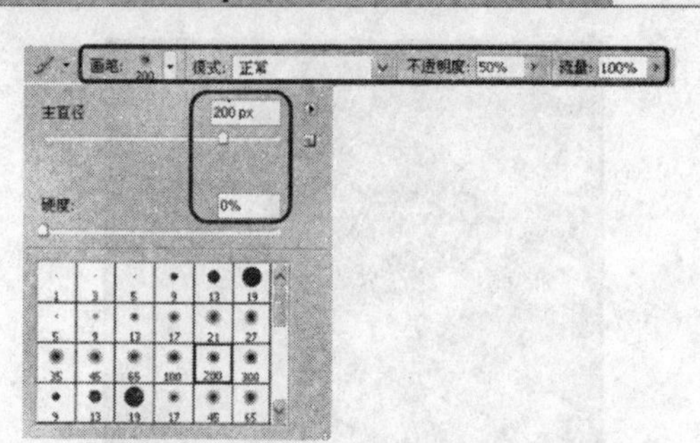

4.在图像中适当涂抹人物部分,得到如图所示的效果。

3.3.8 将彩色图像转变为灰度图像

本小节主要介绍将彩色图像转变为灰度图像的方法。

1.打开一张图片。

2.选择【图像】▶【调整】▶【去色】菜单项,将图像去色(不会改变图像的颜色模式)得到的图像效果如图所示。

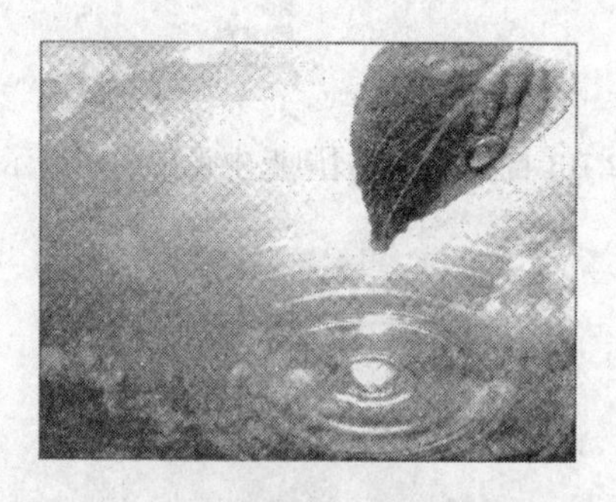

3.选择【图像】▶【模式】▶【灰度】菜单项,弹出【信息】对话框,单击 扔掉(D) 按钮,图像的颜色模式随即发生变化。

4.得到的图像效果如图所示。

5.选择【图像】▶【调整】▶【黑白】菜单项,弹出【黑白】对话框,预设调整的颜色变化范围,以及整个图像色调的色相和饱和度。

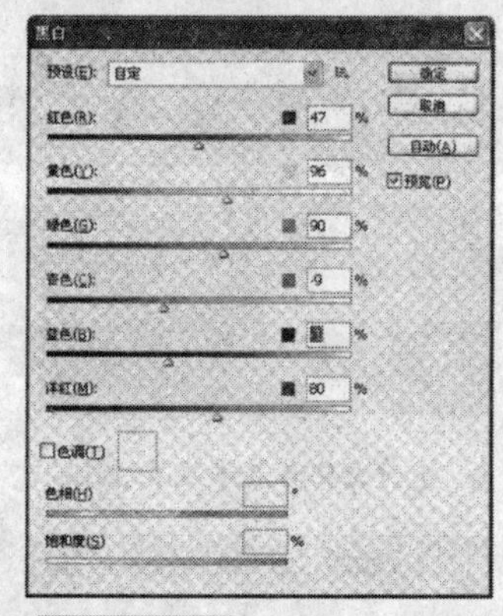

6.单击 确定 按钮,得到的图像效果如图所示。

3.3.9 【匹配颜色】命令

应用【匹配颜色】命令可以对两张图片的颜色进行匹配，也可以对两个图层的颜色进行匹配，还可以对两个选区的颜色进行匹配，并且能够调整亮度和颜色范围，不过该命令只适用于RGB模式的图像。

下面通过实例介绍使用【匹配颜色】命令调整图像的操作方法。

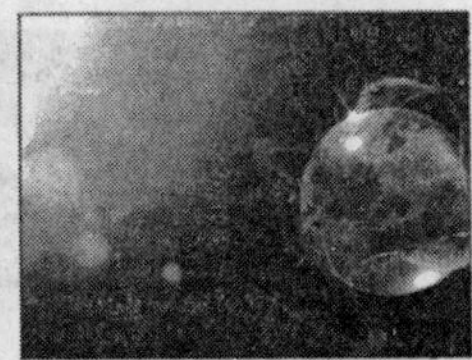

▲素材文件与最终效果对比

1.打开本实例对应的素材文件308ajpg和308b.jpg。选中素材文件308a.jpg，选择【图像】➢【调整】➢【匹配颜色】菜单项。

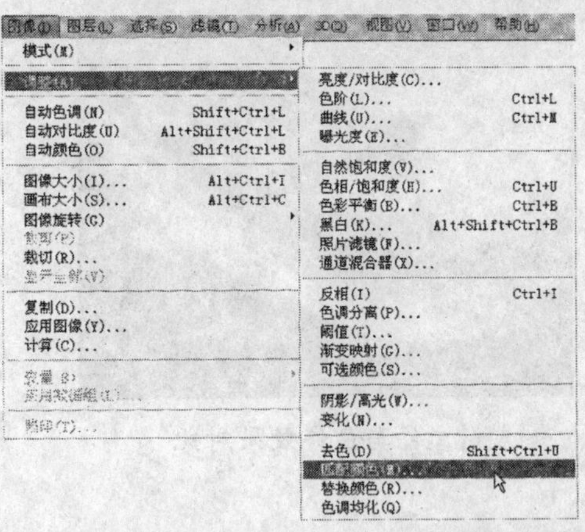

2.弹出【匹配颜色】对话框，在【源】下拉列表中选择【308b.jpg】选项，在【图像选项】选项组中设置如图所示的参数，然后单击 确定 按钮，即可得到图像最终效果。

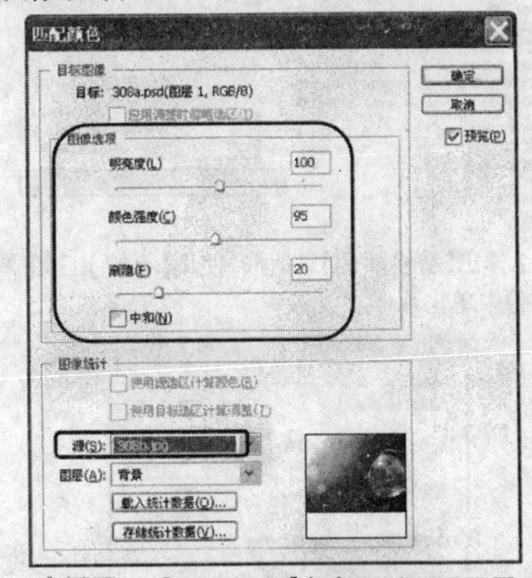

小提示 【匹配颜色】命令可以匹配不同对象中的颜色，例如匹配两个图像之间的颜色或同一图像中两个图层之间的颜色，以及进行相对或绝对的颜色调整。

3.3.10 【替换颜色】命令

本小节主要介绍如何使用【替换颜色】命令。

下面通过实例介绍使用【替换颜色】命令调整图像的操作方法。

素材文件与最终效果对比

1.打开本实例对应的素材文件309jpg。选择【图像】>【调整】>【替换颜色】菜单项。

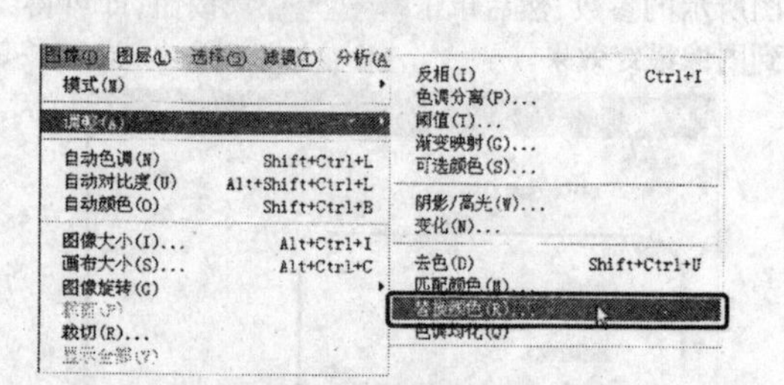

2.弹出【替换颜色】对话框，使用【吸管】工具在图像中单击取样。

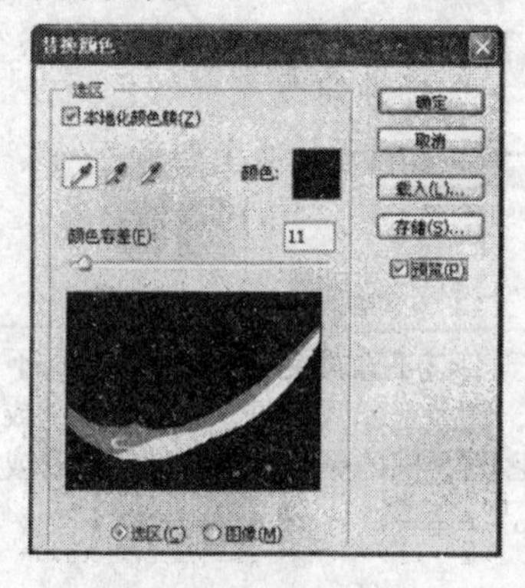

3.选中【本地化颜色簇】复选框(选中该复选框可以渐进地选中颜色比较接近的区域)，设置如图所示的参数，然后单击 确定 按钮。

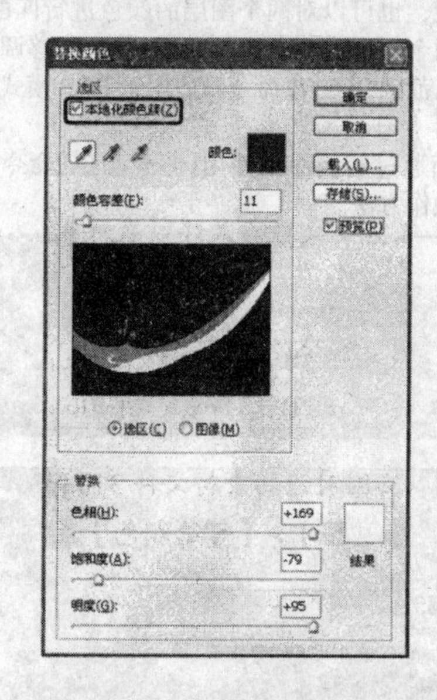

4.得到的图像效果如图所示。

3.3.11 【可选颜色】命令

本小节主要介绍如何使用【可选颜色】命令，该命令用于选择性修改主要颜色中的印刷色数量，但是不会影响到其他主要颜色的表现。可选颜色的调整不能应用到单通道模式中。

下面通过实例介绍使用【可选颜色】命令调整图像的操作方法。

▲素材文件与最终效果对比

1.打开本实例对应的素材文件310jpg。选择【图像】▶【调整】▶【可选颜色】菜单项。

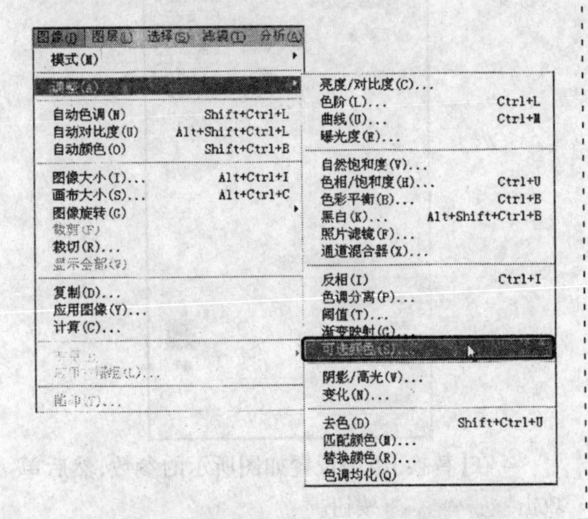

2.弹出【可选颜色】对话框，在【颜色】下拉列表中选择【红色】选项。

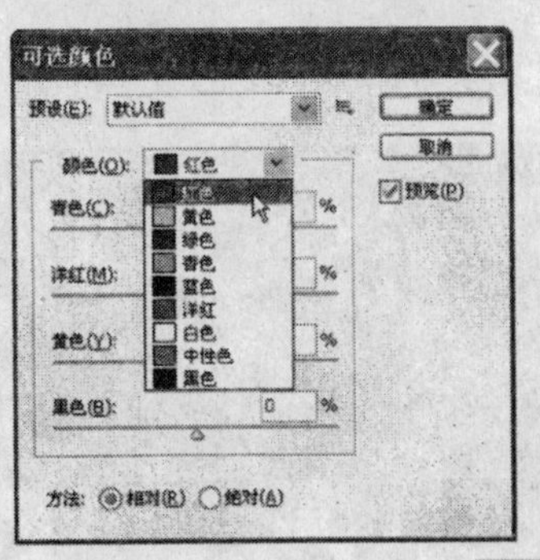

3.设置如图所示的参数，然后单击 确定 按钮。

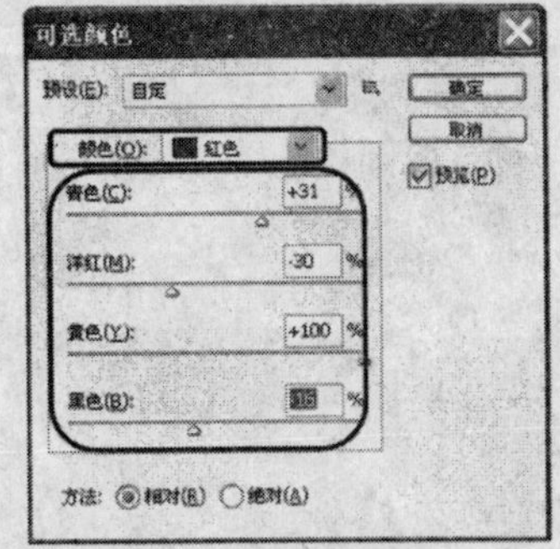

4.得到的图像效果如图所示。

3.3.12 实例——金色麦田

▲素材文件与最终效果对比

1.打开本实例对应的素材文件 311.jpg，选择【图像】▶【调整】▶【替换颜色】菜单项。

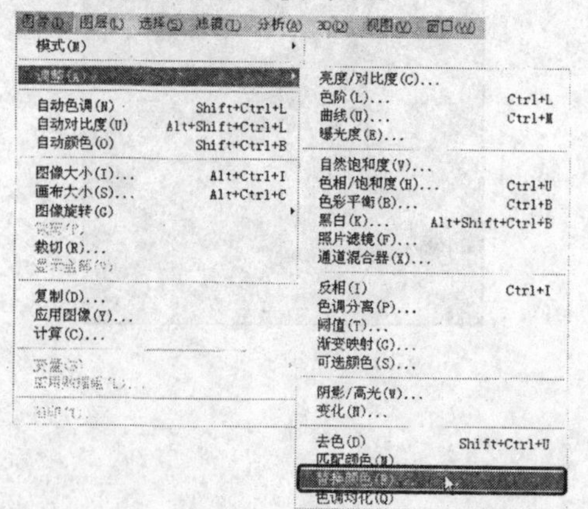

2.在弹出的【替换颜色】对话框中选择【添加到取样】工具，在图像中连续单击鼠标左键吸取颜色。

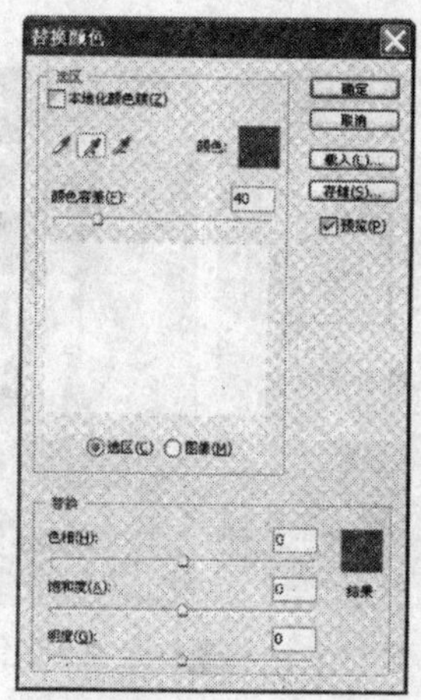

3.选中【本地化颜色簇】复选框，并设置【颜色容差】参数，如图所示。

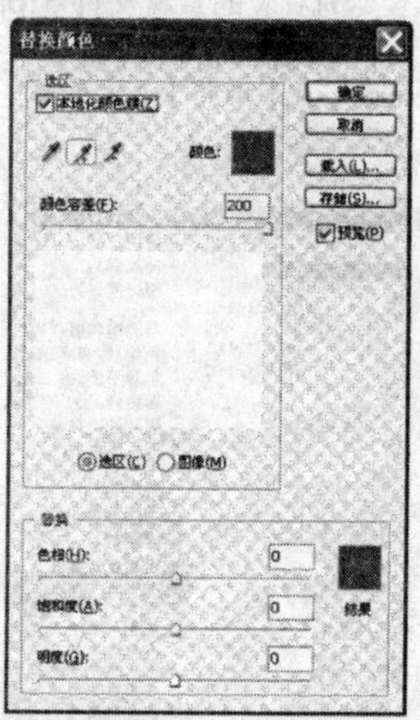

4.在【替换】组中设置如图所示的参数，然后单击 确定 按钮。

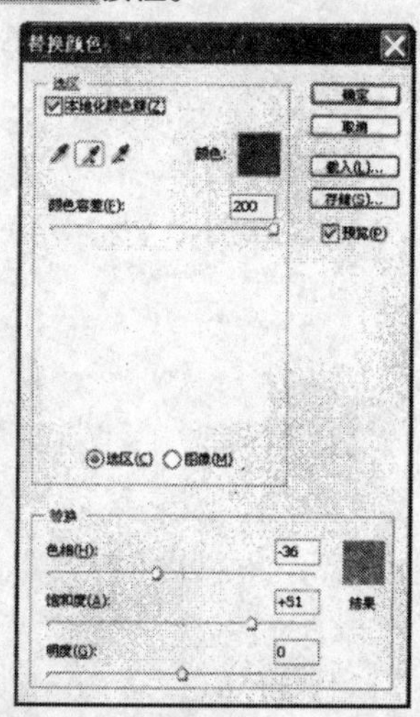

5.得到如图所示的效果。

6.选择【图像】▶【调整】▶【色彩平衡】菜单项。

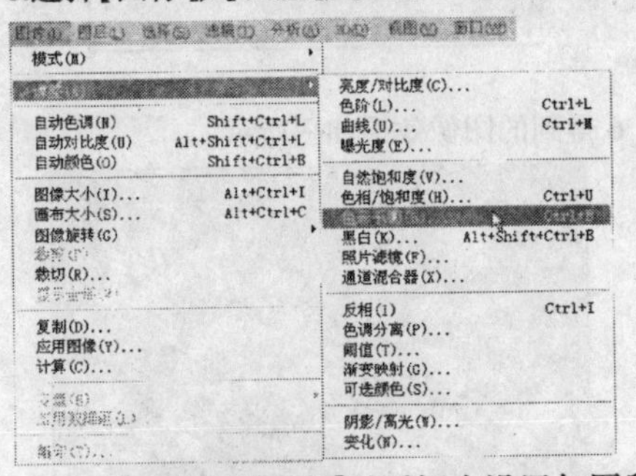

7.在弹出的【色彩平衡】对话框中设置如图所示的参数，然后单击 确定 按钮。

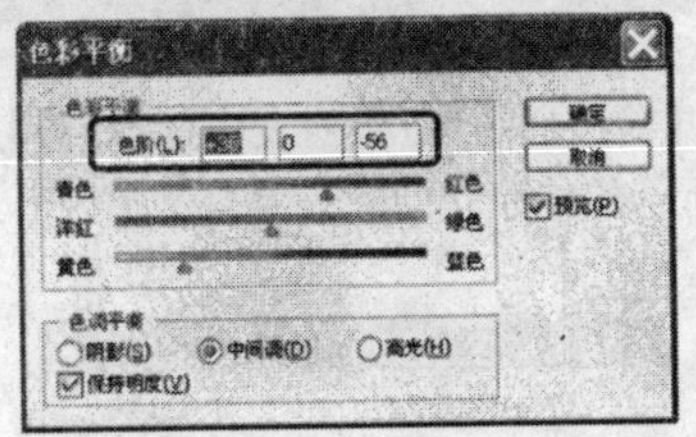

3.3.13 【通道混合器】命令

【通道混合器】命令可以对各个通道的颜色分别进行调整，本小节将主要介绍如何应用该命令调整图像。

下面通过实例介绍使用【通道混合器】命令调整图像的操作方法。

8.选择【图像】▶【调整】▶【亮度/对比度】菜单项。

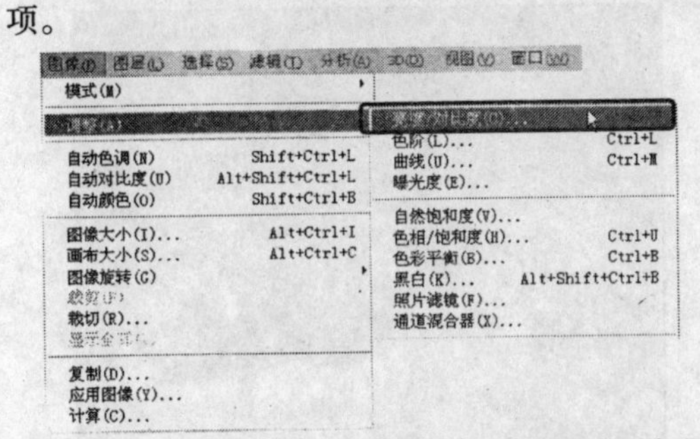

9.在弹出的【亮度/对比度】对话框中设置如图所示的参数，然后单击 确定 按钮。

10.最终得到如图所示的效果。

▲素材文件与最终效果对比

1.打开本实例对应的素材文件 312.jpg。

2.选择【图像】▶【调整】▶【通道混合器】菜单项。

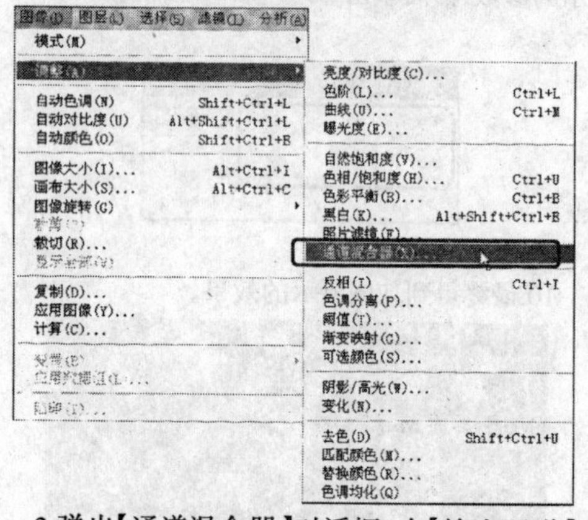

3.弹出【通道混合器】对话框,在【输出通道】下拉列表中选择【红】选项,设置如图所示的参数。

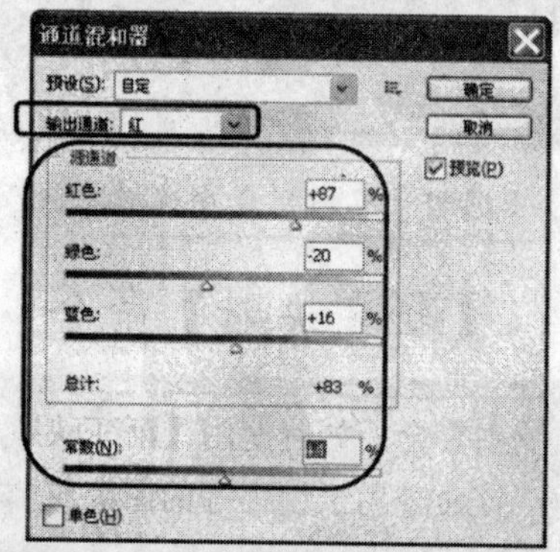

4.得到的图像效果如图所示。

5.在【输出通道】下拉列表中选择【绿】选项,设置如图所示的参数。

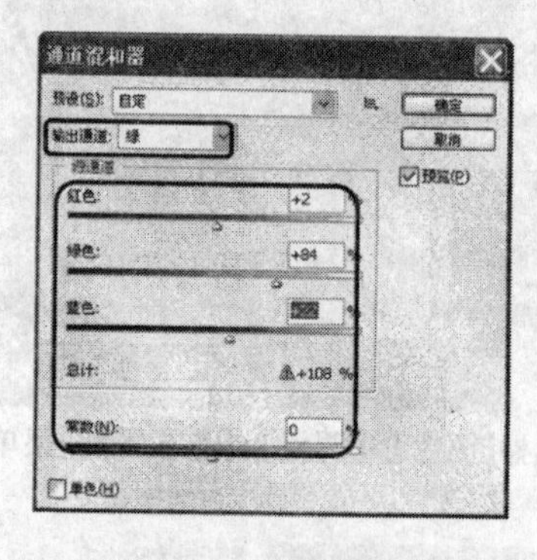

6.得到的图像效果如图所示。

7.在【输出通道】下拉列表中选择【蓝】选项,设置如图所示的参数,单击 确定 按钮。

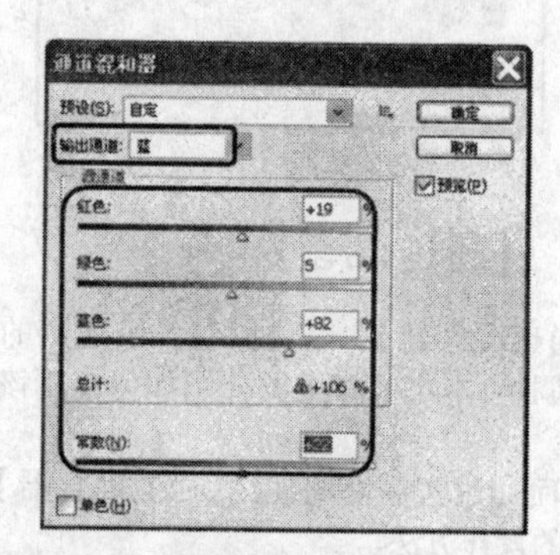

8.得到的图像效果如下图所示。

3.3.14 【渐变映射】命令

本小节主要介绍如何使用【渐变映射】命令处理图像,该命令用于使相等的图像灰度范围映射到指定的渐变填充色。

下面通过实例介绍使用【渐变映射】命令调整图像的操作方法。

▲素材文件

▲ 最终效果

1. 打开本实例对应的素材文件 313.jpg。单击【设置前景色】颜色框,弹出【拾色器(前景色)】对话框,在【#】文本框中输入“0018ff”,然后单击 确定 按钮。

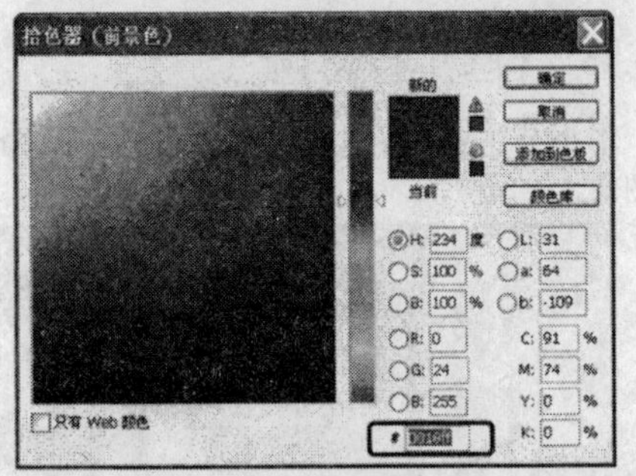

2.选择【图像】➢【调整】➢【渐变映射】菜单项,弹出【渐变映射】对话框,单击【灰度映射所用的渐变】颜色条。

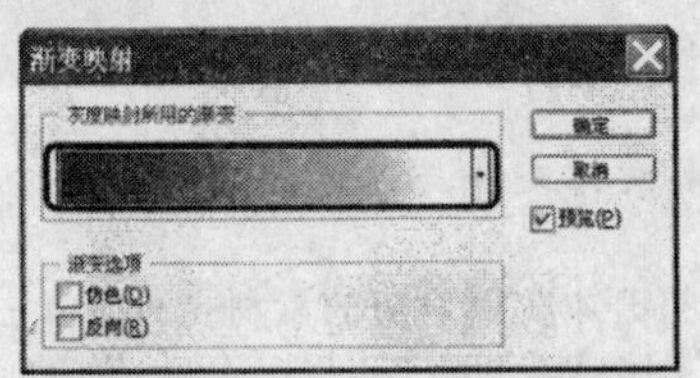

3.弹出【渐变编辑器】对话框,单击渐变颜色条下方的 ◇ 滑块,然后在【位置】文本框中输入“84”,单击 确定 按钮。

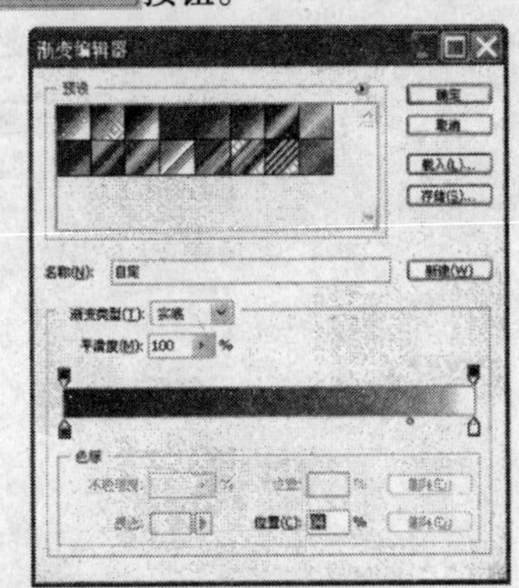

4.得到的图像效果如图所示。

3.3.15 【照片滤镜】命令

本小节主要介绍如何使用【照片滤镜】命令处理图像。

▲素材文件与最终效果对比

1. 打开本实例对应的素材文件 314.jpg。选择【图像】▶【调整】▶【照片滤镜】菜单项。

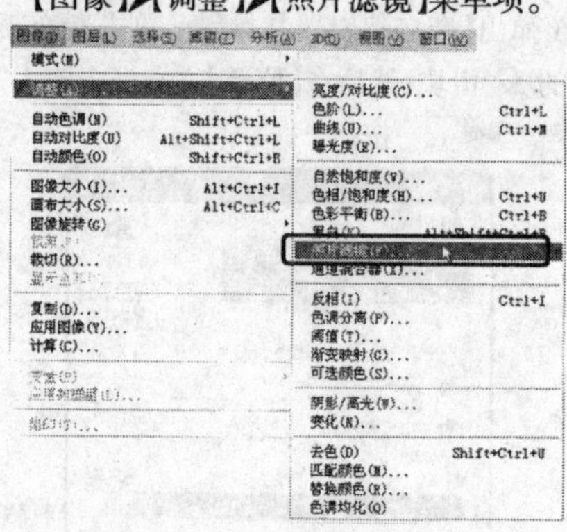

2.弹出【照片滤镜】对话框，选中【滤镜】单选钮，在与其对应的下拉列表中选择【冷却滤镜 (82)】选项，在【浓度 1 文本框中输入“60”，然后单击 确定 按钮。

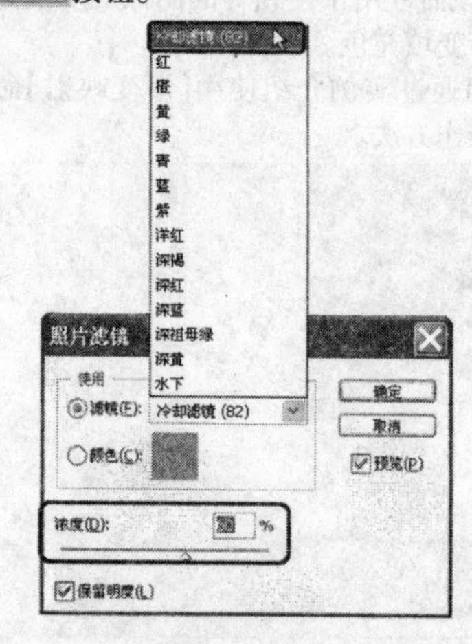

3.得到的图像效果如图所示。

3.3.16 【阴影 / 高光】命令

【阴影 / 高光】命令是基于阴影或者高光周围的每个像素进行调亮或者调暗，并不是单纯地使图像整体变亮或者变暗。

1.打开一张图片。

2.选择【图像】>【调整】>【阴影/高光】菜单项，弹出【阴影/高光】对话框，设置如图所示的参数，单击 确定 按钮。

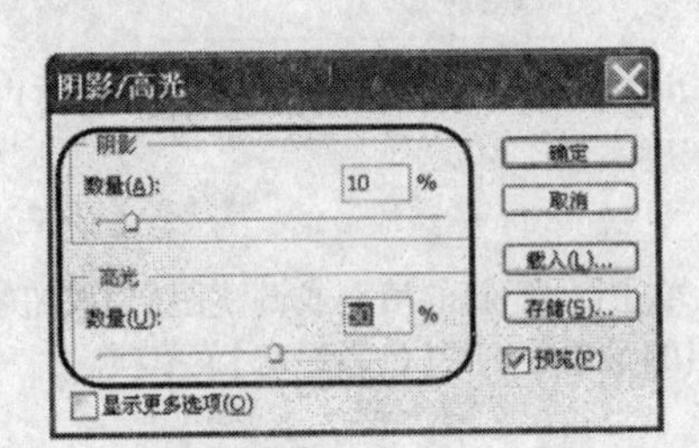

3.3.17 【曝光度】命令

【曝光度】命令主要用于在线性颜色空间进行计算，从而调节图像的色调。该命令专门用于调整HDR图像色调，也可以用于8位和16位图像。

下面通过实例介绍使用【曝光度】命令调整图像的操作方法。

▲素材文件与最终效果对比

1. 打开本实例对应的素材文件315.jpg。选择【图像】>【调整】>【曝光度】菜单项。

3.得到的图像效果如图所示。

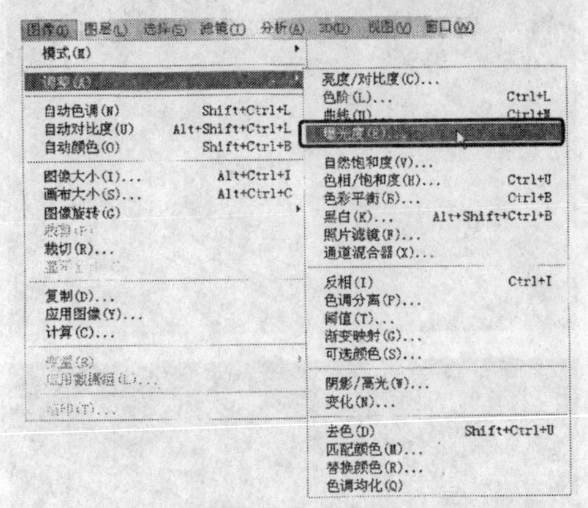

2.弹出【曝光度】对话框，具体的参数设置如图所示，然后单击 确定 按钮。

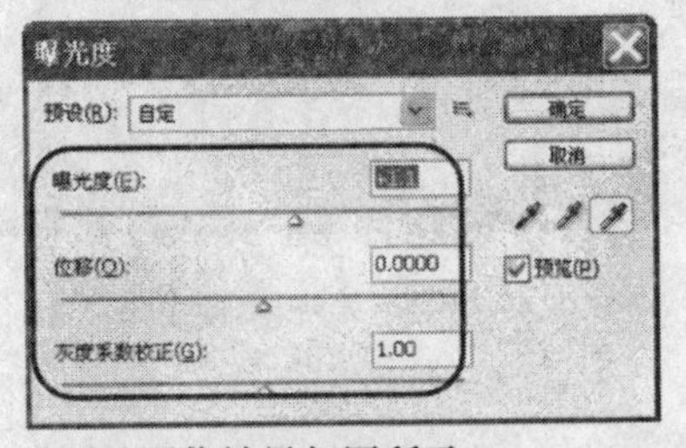

3.得到的图像效果如图所示。

【曝光度】对话框中各个滑块作用如下。

【曝光度】滑块：调整色调的高光端，对极限阴影的影响较轻。

【位移】滑块：调节该滑块，可以使阴影和中间调变暗或变亮。

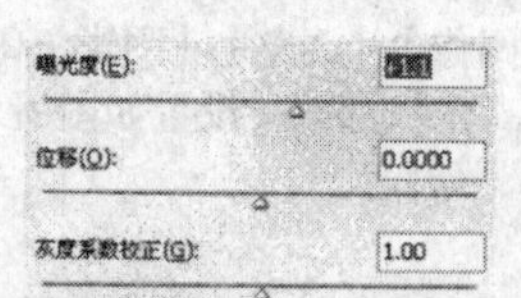

【灰度系数校正】滑块：调节该滑块，可以诟整图像灰度系数。

3.3.18 实例——多彩数码影像

本小节主要通过实例介绍应用【色彩调整】命令对图像进行相关设置的操作步骤。

▲素材文件与最终效果对比

1. 打开本实例对应的原始文件 316.psd，选择【图层 1】图层。

2.单击【创建新的填充或调整图层】按钮 ，在弹出的菜单中选择【色彩平衡】菜单项。

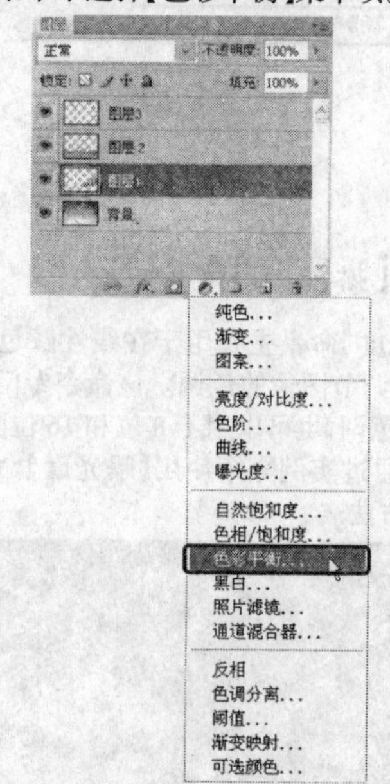

3.在【色彩平衡】调板中设置如图所示的参数。

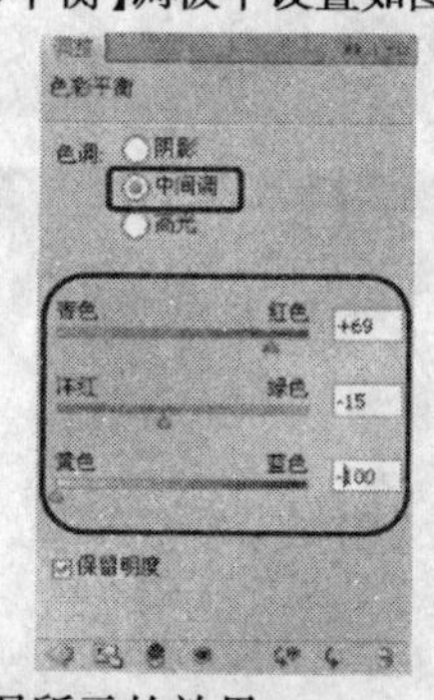

4.得到如图所示的效果。

5.按下【Ctrl】+【Alt】+【G】组合键将调整图层嵌入到【图层 1】图层中。

6.在【图层】面板中选择【图层 2】图层。

7.单击【创建新的填充或调整图层】按钮 ，在弹出的菜单中选择【亮度 / 对比度】菜单项。

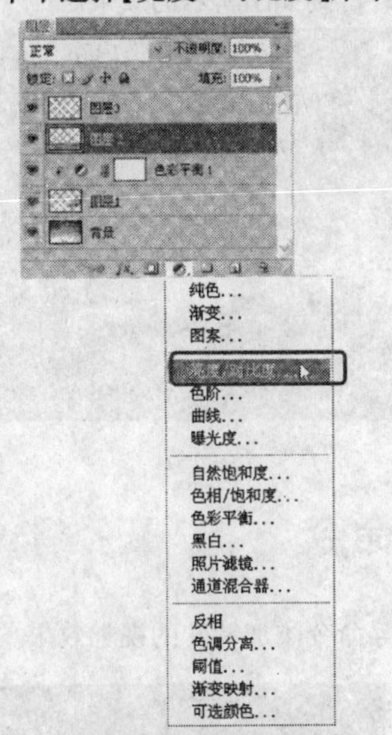

8.在【亮度 / 对比度】调板中设置如图所示的参数。

9.得到如图所示的效果。

10.按下【Ctrl】+【Alt】+【G】组合键将调整图层嵌入到【图层 2】图层中。

11.在【图层】面板中选择【图层 3】图层。

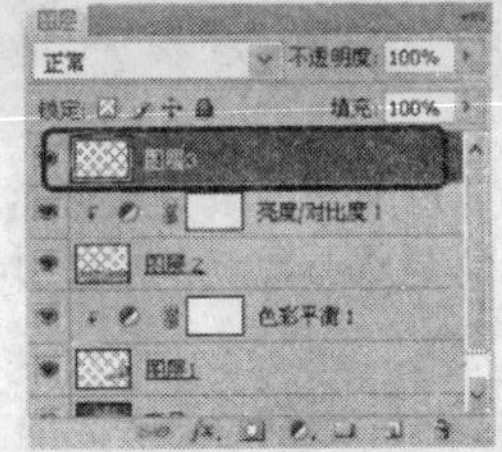

12. 单击【创建新的填充或调整图层】按钮 ，在弹出的菜单中选择【亮度 / 对比度】菜单项。

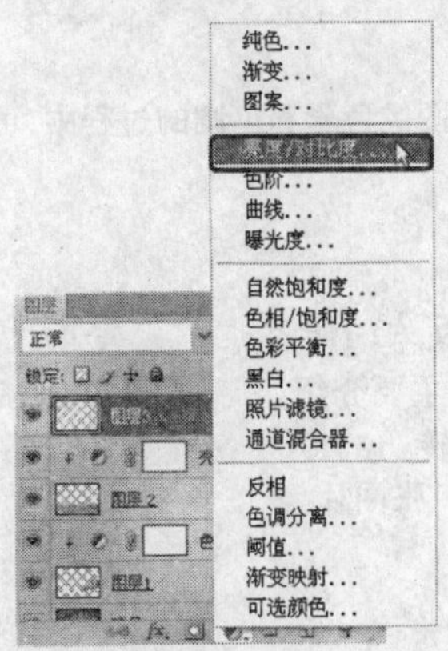

13.在【亮度 / 对比度 1 调板中设置如图所示的参数。

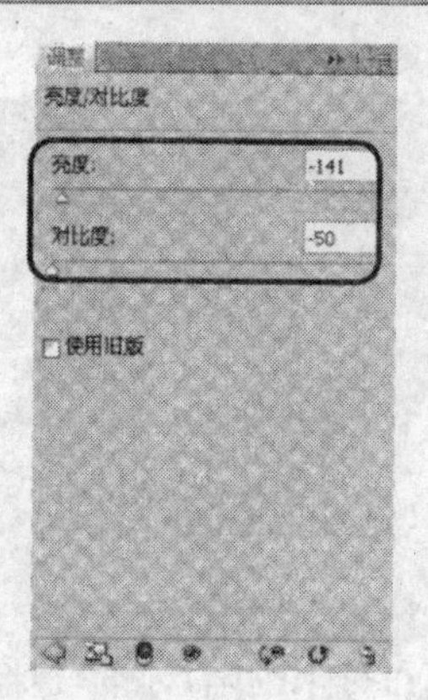

14.按下【Ctrl】+【Alt】+【G】组合键将调整图层嵌入到【图层 3】中。

15. 单击【创建新的填充或调整图层】按钮 ，在弹出的菜单中选择【亮度 / 对比度】菜单项。

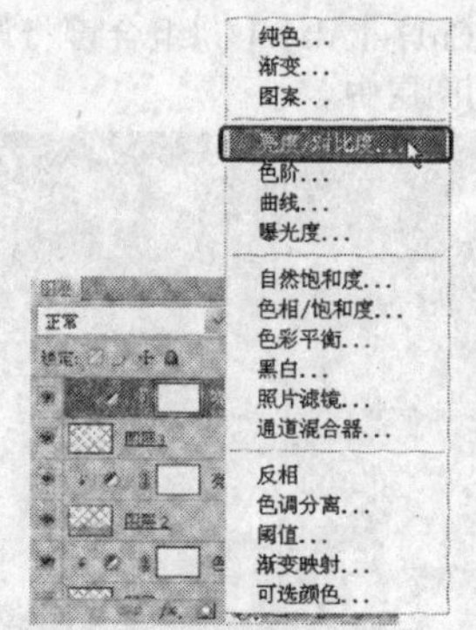

16.在【亮度 / 对比度】调板中设置如图所示的参数。

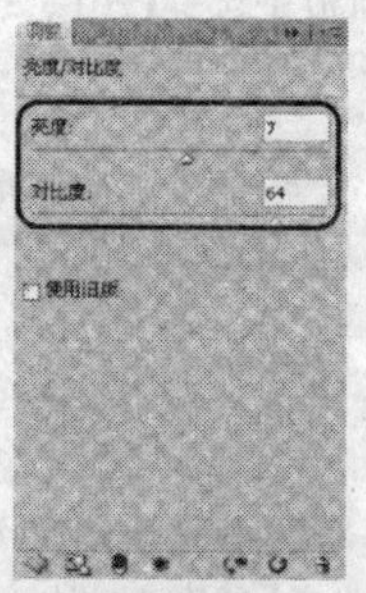

17.最终得到如图所示的效果。

3.4 其他色调控制命令

在调整图像色彩和色调的过程中，可以使用【反相】、【阈值】等命令添加特殊的视觉效果。

3.4.1 【反相】命令

本小节主要介绍如何使用【反相】命令将图像中的颜色反转。

1.打开一张图片。

2.选择【图像】▷【调整】▷【反相】菜单项，或者按下【ctrl】+【I】组合键。

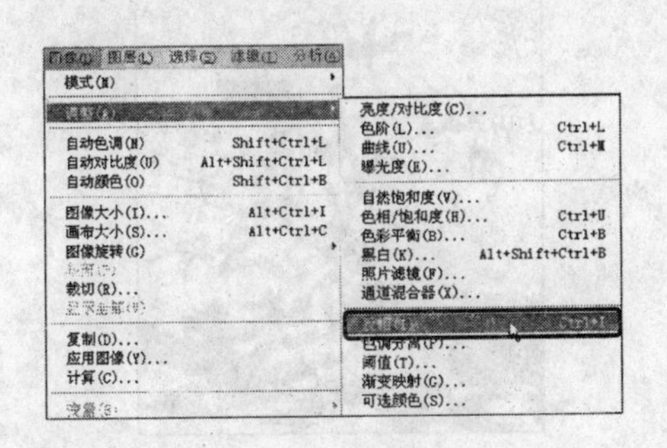

3.得到的图像效果如图所示。

3.4.2 【色调均化】命令

【色调均化】命令用于对图像或者选区中的像素重新分配，使图像中最亮的像素值呈现为白色，最暗的像素值呈现为黑色，中间值则均匀地分布在整个灰度中。

1.打开一张图片。

2.选择【图像】▷【调整】▷【色调均化】菜单项，得到的图像效果如图所示。

3.4.3 【阈值】命令

使用【阈值】命令可以在颜色转换的过程中，将比参考值大的像素转换成白色，比参考值小的像素转换成黑色。

1.打开一张图片。

2.选择【图像】➢【调整】➢【阈值】菜单项，弹出【阈值】对话框，设置如图所示的参数。

3.单击 确定 按钮，得到的图像效果如图所示。

3.4.4 【色调分离】命令

使用【色调分离】命令可以指定通道的亮度值的数目，然后将像素映射为最接近的匹配级别。

1.打开一张图片。

2.选择【图像】➢【调整】➢【色调分离】菜单项，弹出【色调分离】对话框，设置如图所示的参数。

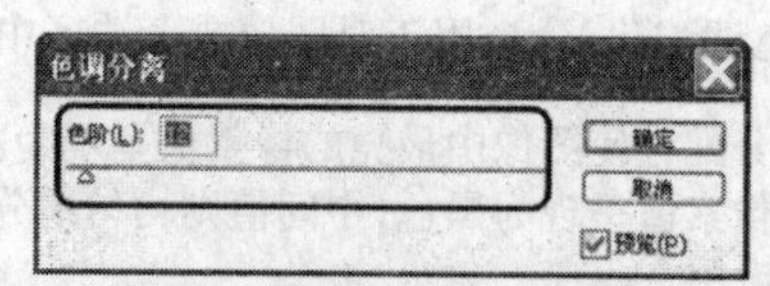

3.单击 确定 按钮，得到的图像效果如图所示。

3.4.5 【变化】命令

使用【变化】命令可以通过缩览图调整图像的色彩平衡、饱和度以及对比度。该命令最适合应用于不需要精确调整颜色的平均色调图像，但不能应用于索引颜色图像或者 16 位 / 通道图像。

1.打开一张图片。

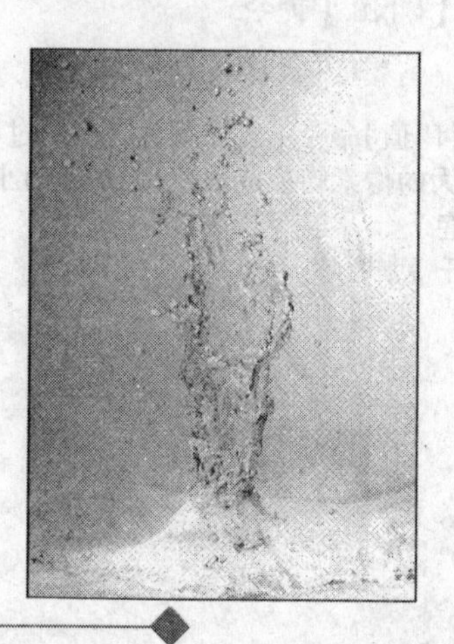

2.选择【图像】➢【调整】➢【变化】菜单项。

图像(I) 图层(L) 选择(S) 滤镜(T) 分析(A)
模式(M)
调整(A)
自动色调(N) Shift+Ctrl+L
自动对比度(U) Alt+Shift+Ctrl+L
自动颜色(O) Shift+Ctrl+B
图像大小(I)... Alt+Ctrl+I
画布大小(S)... Alt+Ctrl+C
图像旋转(G)
裁剪(P)
裁切(R)...
显示全部(V)
复制(D)...
应用图像(Y)...
计算(C)...
变量(B)
应用数据组(L)...
陷印(T)...

亮度/对比度(C)...
色阶(L)... Ctrl+L
曲线(U)... Ctrl+M
曝光度(E)...
自然饱和度(V)...
色相/饱和度(H)... Ctrl+U
色彩平衡(B)... Ctrl+B
黑白(K)... Alt+Shift+Ctrl+B
照片滤镜(F)...
通道混合器(X)...
反相(I) Ctrl+I
色调分离(P)...
阈值(T)...
渐变映射(G)...
可选颜色(S)...
阴影/高光(W)...
变化(N)...
去色(D) Shift+Ctrl+U
匹配颜色(M)...
替换颜色(R)...
色调均化(Q)

3.弹出【变化】对话框，选中【中间色调】单选钮，单击要加深的颜色。

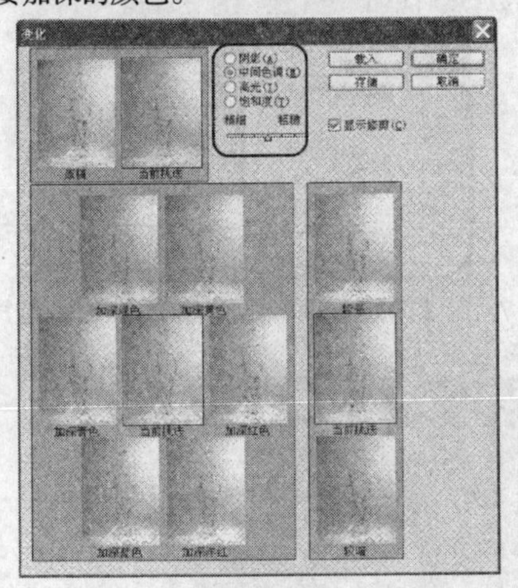

4.单击 确定 按钮，得到的图像效果如图所示。

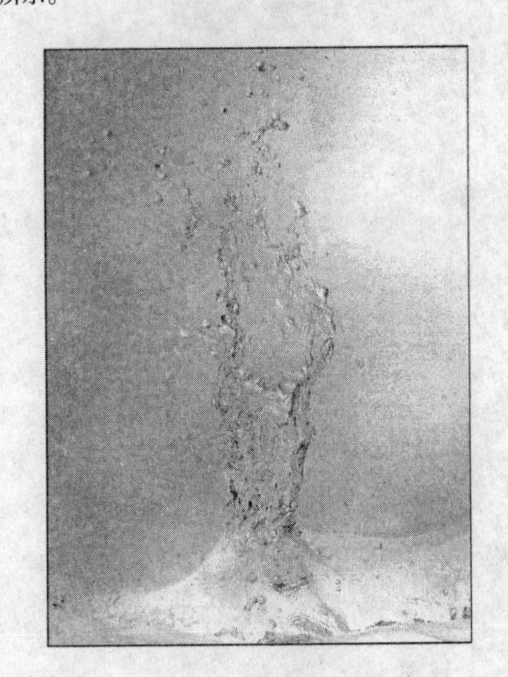

3.4.6 实例——视觉效果的制作

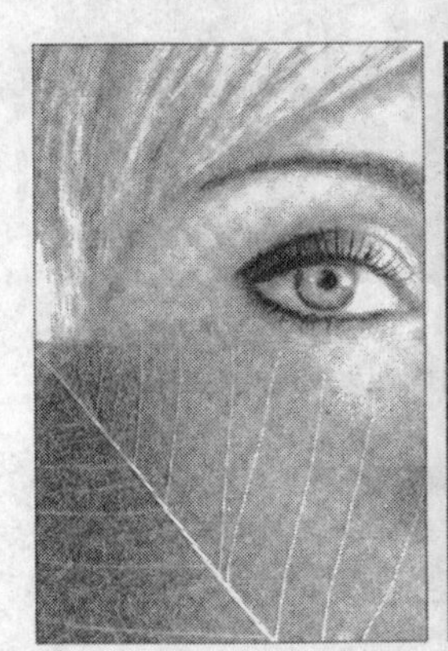

▲素材文件与最终效果对比

1.打开本实例对应的素材文件 317.jpg，单击【创建新的填充或调整图层】按钮，在弹出的菜单中选择【阈值】菜单项。

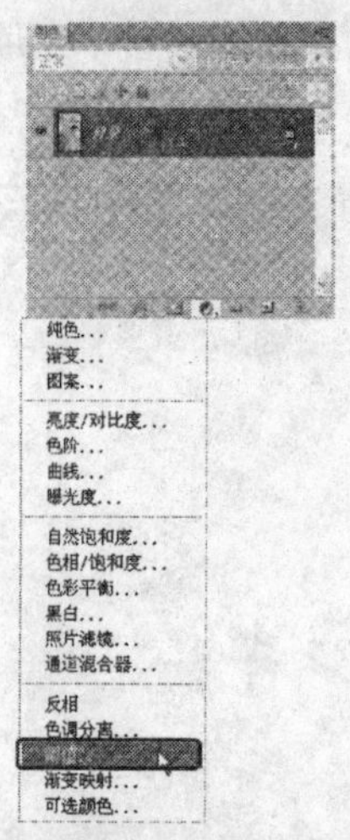

2.在【阈值】调板中设置如图所示的参数。

3.得到如图所示的效果。

4.按下【Ctrl】+【Alt】+【Shift】+【E】组合键盖印图层,得到如图所示的效果。

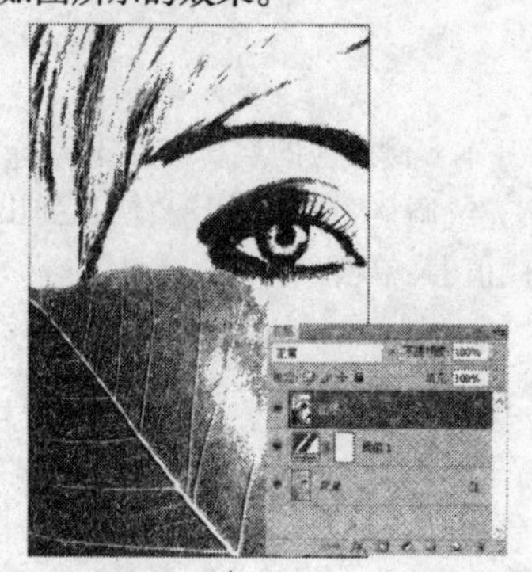

5.将前景色设置为黑色,单击【创建新的填充或调整图层】按钮 ,在弹出的菜单中选择【渐变】菜单项。

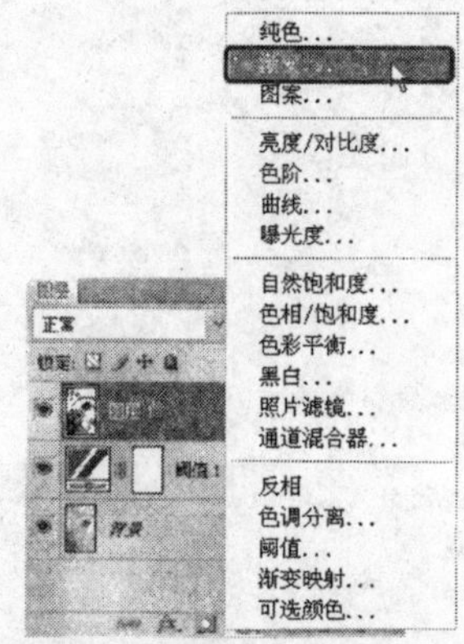

6.在【渐变填充】对话框中设置如图所示的选项及参数,然后单击 确定 按钮。

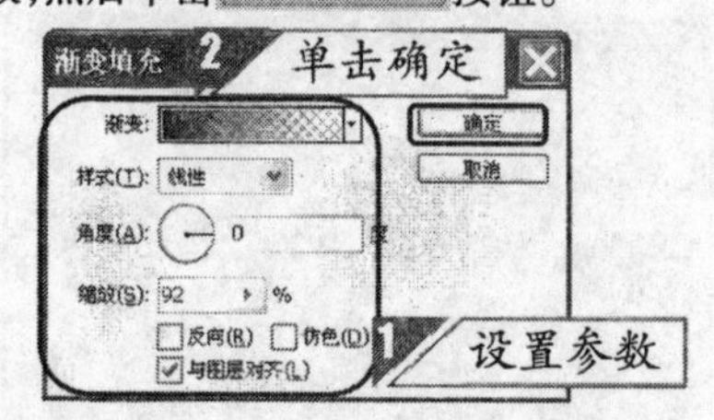

7. 在【图层】面板的【填充】文本框中输入“62%”。

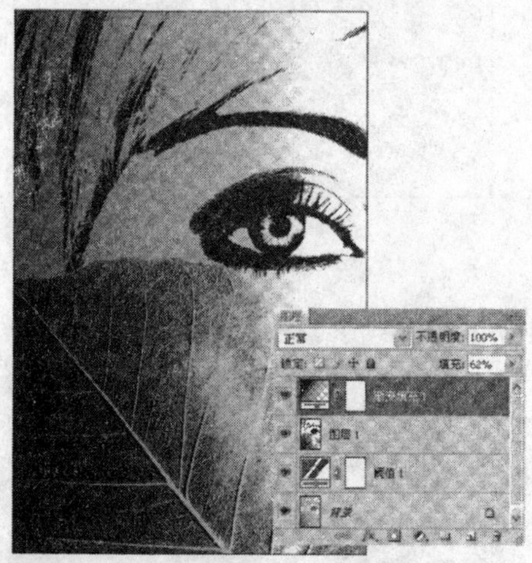

8.单击【创建新图层】按钮 ,新建图层。

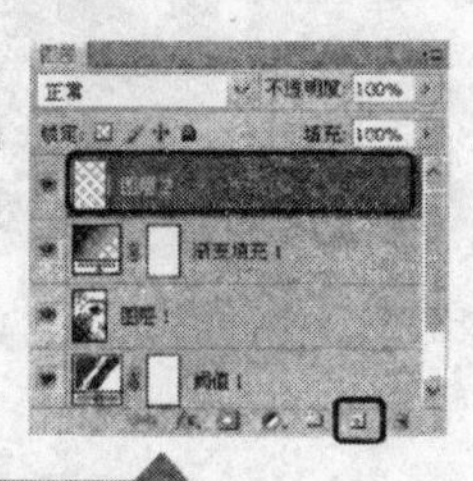

9.单击【设置前景色】颜色框，在弹出的【拾色器（前景色）】对话框中设置如图所示的参数，然后单击 确定 按钮。

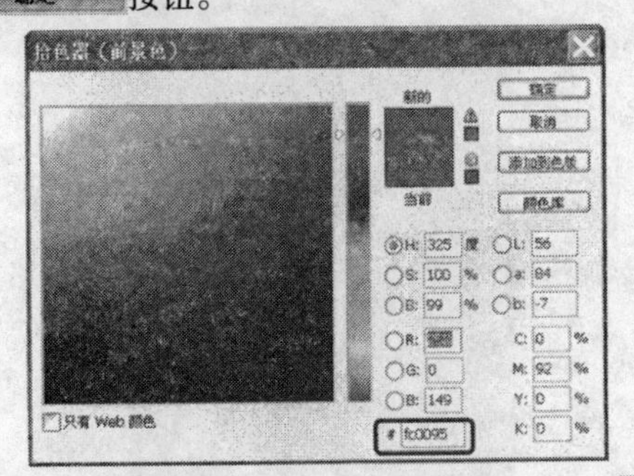

10.将背景色设置为黑色，选择【渐变】工具，在工具选项栏中设置如图所示的选项。

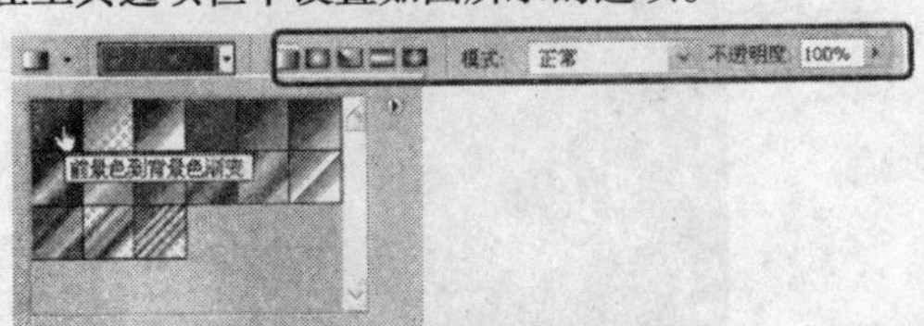

11.按住【Shift】键在图像中由上至下拖动鼠标，添加渐变，效果如图所示。

12.在【设置图层的混合模式】下拉列表中选择【线性加深】选项。

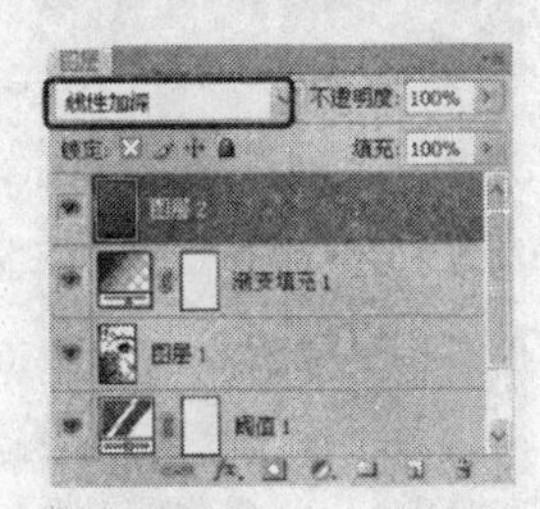

13.效果如图所示。

14.将前景色设置为“450000”号色，选择【自定形状】工具，在工具选项栏中设置如图所示的选项。

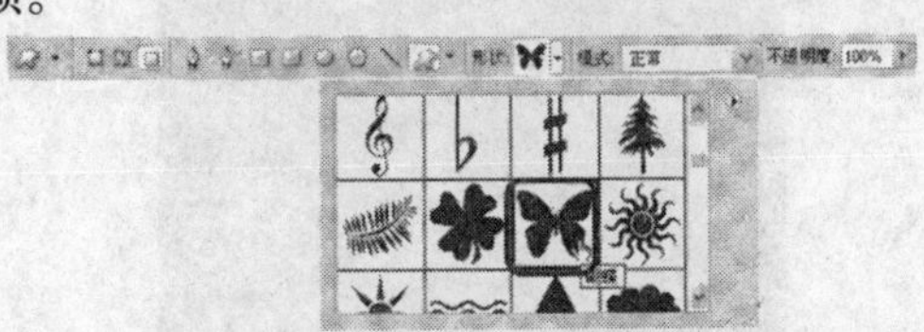

15.单击【创建新图层】按钮，新建图层。

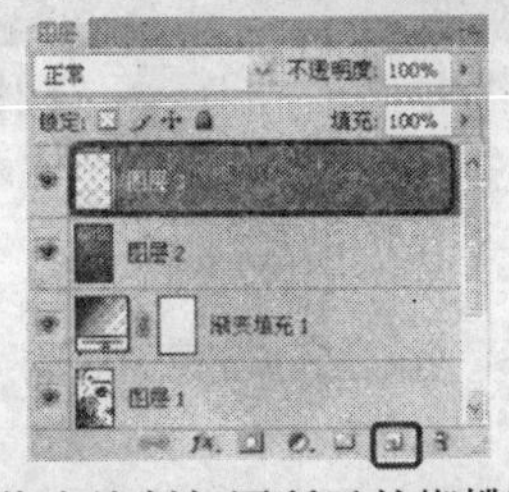

16.在图像中绘制如图所示的蝴蝶群组。

17.按下【Ctrl】+【T】组合键调出调整控制框，将鼠标指针移至控制框的角点位置，灵活拖动鼠标，旋转图像的角度。

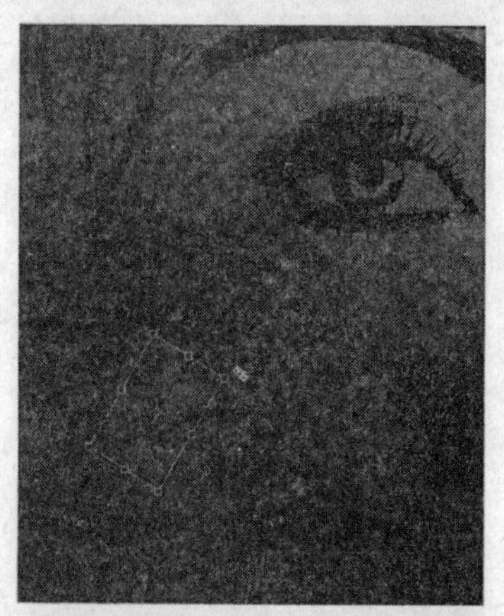

18.调整合适后按下【Enter】组合键确认操作。

19.选择【直排文字】工具，分别在工具选项栏中的【设置字体系列】和【设置字体大小】下拉列表中选择合适的字体和字号。

20.单击工具选项栏中的【设置文本颜色】颜色框，在弹出的【选择文本颜色】对话框中设置如图所示的参数，然后单击 确定 按钮。

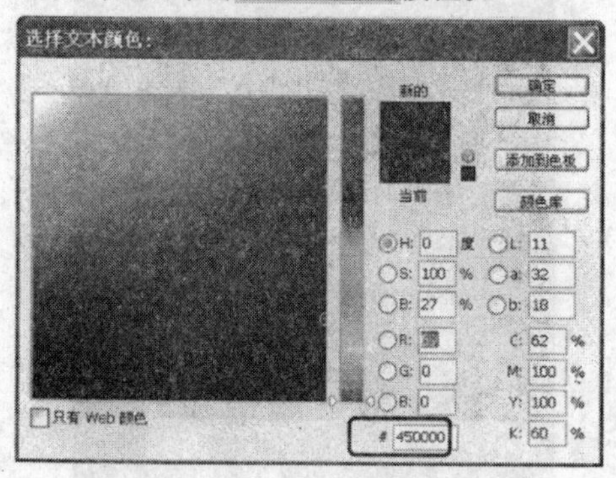

21.在图像中单击鼠标左键，插入输入点。

22.在图像中输入如图所示的文字。

23.选中输入的所有文字，打开【字符】面板，设置如图所示的参数。

24.设置字符参数后，被选中的文字间距缩小。

25.设置完成后单击工具选项栏右侧的【提交所有当前编辑】按钮，确认操作。

26.选择【移动】工具，移动文字的位置，最终得到如图所示的效果。

第 4 章　文字编辑

文字的基本操作包括文字的创建、文字基本属性的设置以及文字图层与普通图层的相互转换等。

4.1　文字工具组及其属性栏

在 Photoshop 中的文字工具选项栏中可以设置或者更改文字的颜色、大小和字距等属性。

输入和编辑文字，熟悉文字工具组及其属性是十分重要的。

文字工具组包括【横排文字】工具、【直排文字】工具、【横排文字蒙版】工具和【直排文字蒙版】工具。

【横排文字】工具

使用【横排文字】工具可以在图像中输入横排文字。

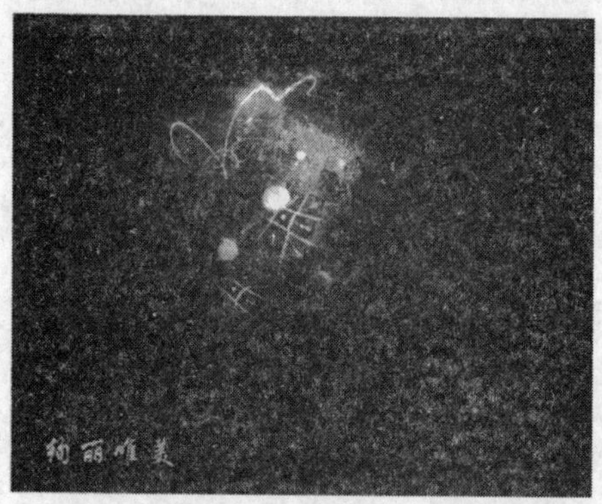

【直排文字】工具

使用【直排文字】工具可以在图像中输入直排文字。

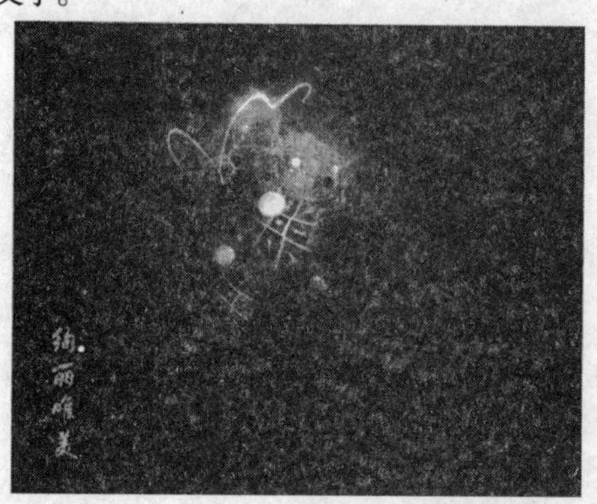

【横排文字蒙版】工具

使用【横排文字蒙版】工具可以在图像中创建文字蒙版，并且可以将其转换为横排文字选区。

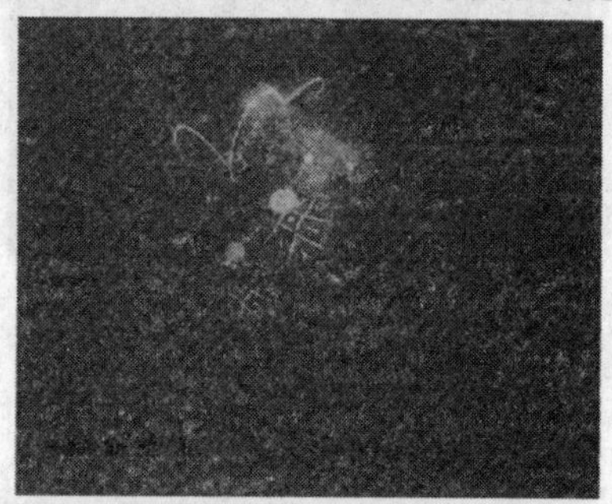

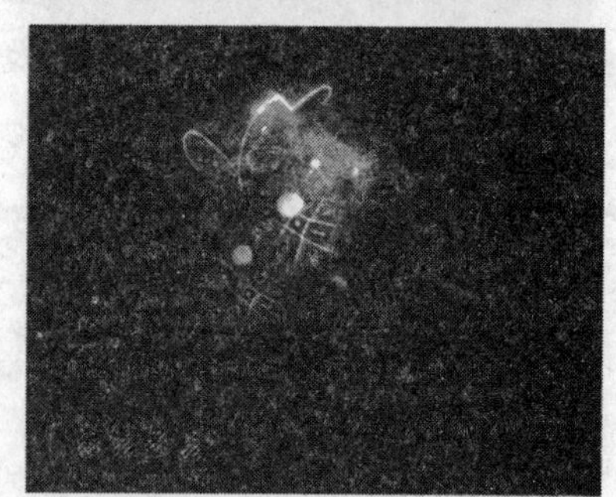

【直排文字蒙版】工具

使用【直排文字蒙版】工具可以在图像中创建文字蒙版，并且可以将其转换为直排文字选区。

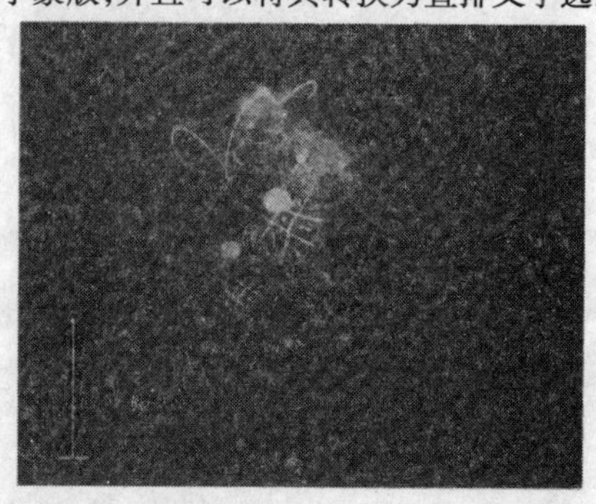

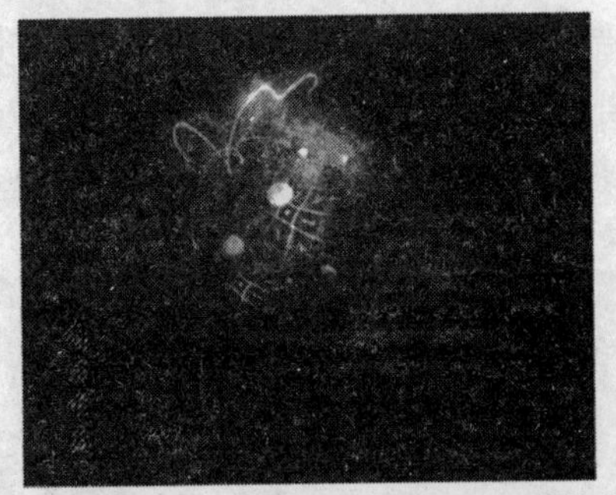

编辑文字时，常需要结合工具选项栏进行操作。例如选择【横排文字】工具，工具选项栏如下图所示。

各选项功能如下。

(1)【更改文本方向】按钮：该按钮的功能主要是更改文字的输入方向。

(2)【设置字体系列】下拉列表：该下拉列表的功能主要是设置输入文字的字体样式。

(3)【设置字体大小】下拉列表：该下拉列表的功能主要是设置输入文字的字体大小。

(4)【设置消除锯齿的方法】下拉列表..该下拉列表的功能主要是设置输入文字的边缘锯齿的样式。

(5)【对齐文本】按钮：该系列按钮的功能主要是设置输入文字的对齐方式。

(6)【设置文本颜色】颜色框：该颜色框的功能主要是设置输入文字的颜色。

(7)【创建文字变形】按钮，该按钮的功能主要是变换文字的形状。

(8)【切换字符和段落面板】按钮：该按钮的功能主要是打开或者关闭【字符】和【段落】面板。

【字符】面板

使用【字符】面板可以更加精确地为输入的文字设置各种参数。

选择文字工具后单击工具选项栏中的【切换字符和段落面板】按钮，或者单击工作区中的图标，打开【字符】面板。

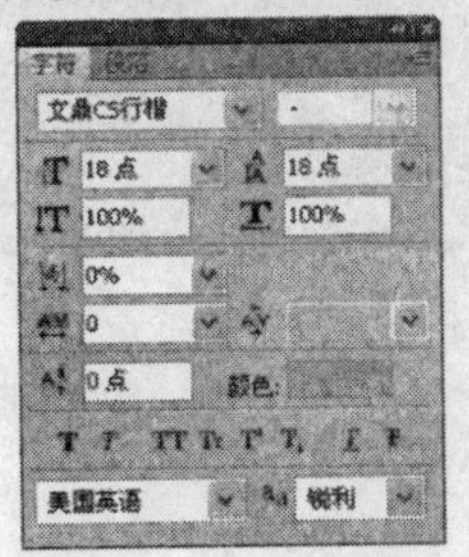

【段落】面板

在【段落】面板中可以设置段落文本的对齐方式和缩进方式。

输入段落文字后单击工具选项栏中的【切换字符和段落面板】按钮，或者单击工作区中的图标打开【段落】面板。

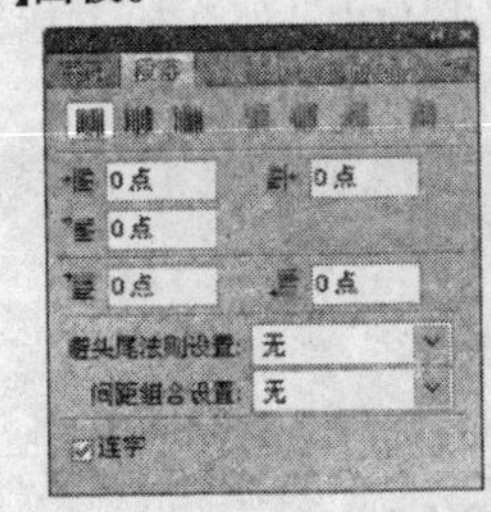

4.2 创建文字

本节主要介绍点文字、段落文字以及沿路径绕排文字的创建方法。

4.2.1 创建点文字

点文字是一种不会自动换行的文字形式，一般用于创建较短的文本。

输入横排文字文本的具体步骤如下。

1.打开需要添加文字的素材图片，选择【横排文字】工具，在工具选项栏中设置相关参数及选项。

2.将鼠标指针移动到图像中，待鼠标指针变为形状时在图像中单击，插入文本输入光标。

3.在图像中输入文字(如果文本太长,可以在一行写完后按下【Enter】键换行,然后继续输入文字)。

4.输入完文字后,单击工具选项栏右侧的【取消所有当前编辑】按钮,将取消当前的文字操作;单击【提交所有当前编辑】按钮,将确定当前的文字操作。

4.2.2 创建段落文字

在 Photoshop 中,段落文本是一种可以在设定的区域中自动换行的文字,适用于创建大段文字。输入段落文本的具体步骤如下。

1.打开需要添加文字的素材图片,选择【横排文字】工具 T,在图像中某处单击,并拖动鼠标,拉出一个文字定界框。

2.创建完定界框后,可以根据需要拖动定界框的 8 个节点调整其大小。

3.在定界框内输入文字,并可以观察到输入的文字会自动换行。

4.拖动定界框的节点或者一务边,可以任意调整段落文本的排列形态。输入完成后,单击工具选项栏中的【提交所有当前编辑】按钮,即可确认操作。

4.2.3 沿路径创建文字

沿路径创建文字是指沿着使用【钢笔】工具 等路径工具创建的任意形状的路径的趋向进行排列的文字。

沿路径创建文字的具体步骤如下。

▲ 素材文件与最终效果对比

1.打开本实例对应的素材文件601.jpg。选择【钢笔】工具 ,在工具选项栏中选择【路径】按钮 。

2.在图像中单击一点,移动鼠标到另一处单击并按住鼠标左键不放以调整线段的弧度。接下来在按住【Alt】键的同时单击锚点,去除一侧的控制手柄。

3.按照上述方法继续创建路径。

4.选择【横排文字】工具 T ,将鼠标指针移动到绘制的路径附近,待光标变为 形状时在路径上单击一次。

5.输入文字即可得到沿路径排列的效果。

6.设置完成后单击工具选项栏中的【提交所有当前编辑】按钮 ,即可确认操作。

4.2.4 创建文字选区

使用【横排文字蒙版】工具 或者【直排文字蒙版】工具 可以创建文字蒙版，并且可以将其转换为文字选区。

创建文字选区的具体步骤如下。

1.打开一张需要编辑的图片，选择【横排文字蒙版】工具 ，在图像中单击一点，创建快速蒙版。

2.输入文字后，单击工具选项栏中的【提交所有当前编辑】按钮 ，确认操作，得到相应的文字选区。

4.3 调整文字

在 Photoshop 文字工具选项栏中，可以设置和更改文字及其段落的格式等相关属性。

4.3.1 设置文字格式

设置文字格式主要包括设置文字的大小、样式等。

选择文字工具后，单击工具选项栏中的【设置字体系列】后面的 按钮，在弹出的下拉列表的左侧列出了字体名称，右侧则显示相应的字体形态，从中可以预览并选择一种需要的字体。

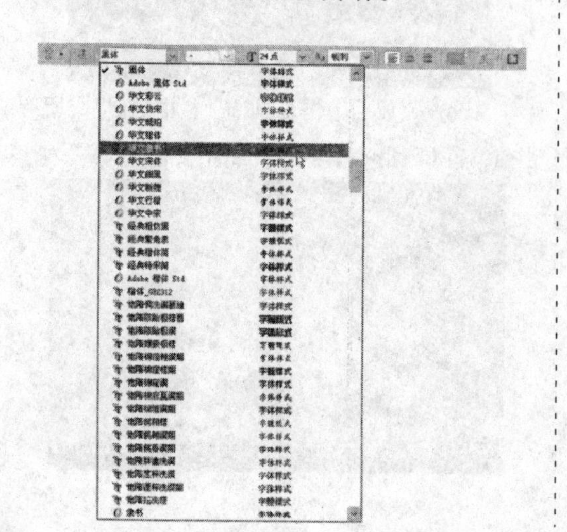

选择不同文字样式，可以输入不同风格的字体。

1.设置字体的大小

文字的大小与图像的尺寸密切相关,应根据需要设置文字的大小。

文字属性的设置可以在输入前进行,也可以在输入后进行。

文字字号大小的设置方法如下。

单击工具选项栏中的【设置字体大小】后面的▼按钮,在弹出的【设置字体大小】下拉列表中选择不同的选项,可以设置或者更改文字的大小。

2.设置文字的颜色

选择文字工具,然后单击工具箱中的【设置前景色】颜色框,弹出【拾色器(前景色)】对话框,从中选择一种颜色作为文字的颜色。

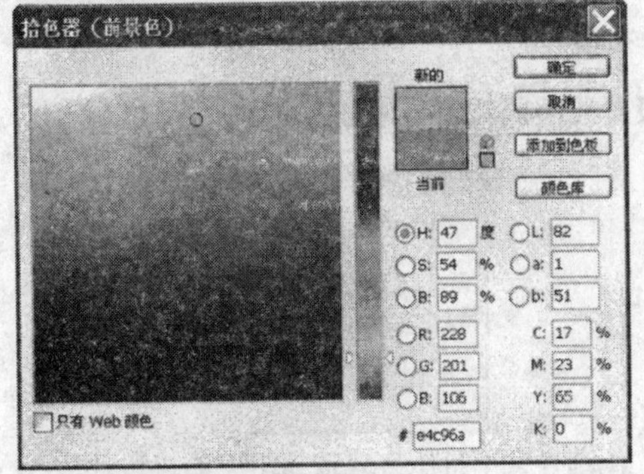

还可以选中已输入的文字,单击工具选项栏中的【设置文本颜色】颜色框,设置文字的颜色。

(1)消除锯齿

单击工具选项栏中的【设置消除锯齿的方法】下拉列表框后面的圈按钮,弹出相应的下拉列表。

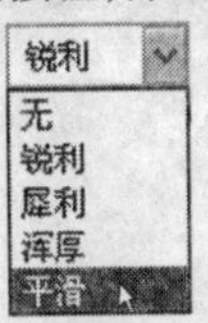

在该下拉列表中选择相应的选项,即可为文字设置不同的消除文字边缘锯齿的形态。

(2)文字的对齐方式

选择【横排文字】工具,在工具选项栏中有【左对齐】按钮、【居中对齐】按钮和【右对齐】按钮,选择相应的按钮可以初步设置段落文字的不同对齐方式。

4.3.2 设置段落格式

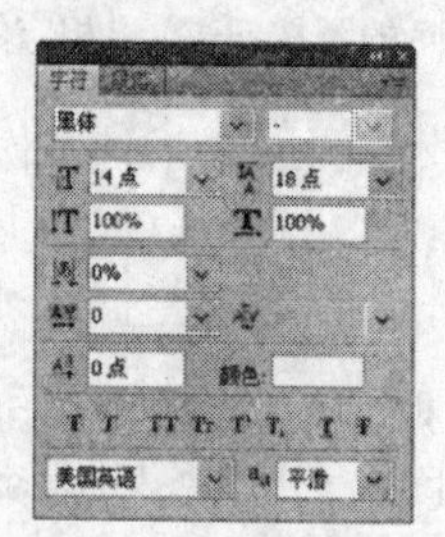

1.设置行距

选择【设置行距】下拉列表中的选项可以设置两行文字之间的距离。选择不同行距的文字对比效果如图所示。

有朋自远方来
不亦乐乎。

有朋自远方来
不亦乐乎。

2.垂直缩放和水平缩放

在【垂直缩放】和【水平缩放】文本框中输入数值，可以设置相应的缩放比例。

3.调整所选字符的字距

选择【设置所选字符的字距调整】下拉列表中的选项可以设置所选字符的间距。

有朋自远方来
不亦乐乎。

有朋自远方来
不 亦 乐 乎 。

4.设置基线偏移

在【设置基线偏移】文本框中输入数值，可以调整字符与基线之间的距离。

有朋自远方来不亦乐乎。

5.设置字体特殊样式

T T TT Tt T¹ T, T T

选择【设置字体特殊样式】按钮组中的不同按钮可以设置文字特殊的显示样式。

6.设置文本排版方式

输入文字的排列方向可以相互转换，可以通过以下方式进行。

(1)使用按钮

输入文字后，单击工具选项栏中的【更改文本方向】按钮，可快速地更改文字的排列方向。

(2)使用菜单

在文本处于水平状态时选择【图层】>【文字】>【垂直】菜单项，可以将文字转换为垂直状态；当文本处于垂直状态时选择【图层】>【文字】>【水平】菜单项，可以将文字转换为水平状态。

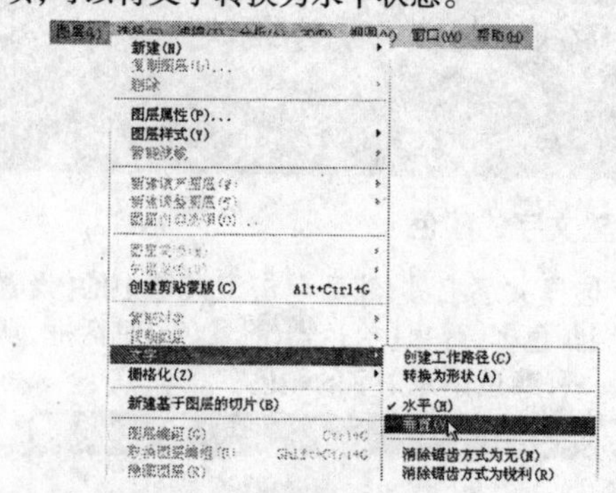

7.设置段落的对齐与缩进

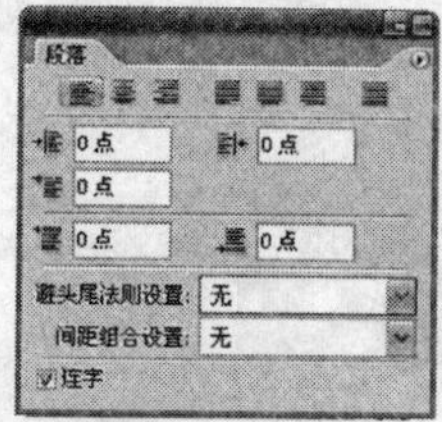

(1)选择文本排版方式按钮组中的按钮，可以设置各种文本的对齐方式。

①.左对齐文本：文字靠左对齐，段落右端参差不齐。

任夕阳的余辉闪动着金色的光彩柔柔的撒向我的窗棂，暖暖的融入我的心灵深处，一缕思绪环绕着我，使我无法不去回忆那些友情融融，流水缓缓，优美如歌的日子。任夕阳的余辉闪动着金色的光彩柔柔的撒向我的窗棂，暖暖的融入我的心灵深处，一缕思绪环绕着我，使我无法不去回忆那些友情融融，流水缓缓，优美如歌的日子。

②.居中对齐文本：文字居中对齐，段落两端参差不齐。

任夕阳的余辉闪动着金色的光彩柔柔的撒向我的窗棂，暖暖的融入我的心灵深处，一缕思绪环绕着我，使我无法不去回忆那些友情融融，流水缓缓，优美如歌的日子。任夕阳的余辉闪动着金色的光彩柔柔的撒向我的窗棂，暖暖的融入我的心灵深处，一缕思绪环绕着我，使我无法不去回忆那些友情融融，流水缓缓，优美如歌的日子。

③.右对齐文本：文字靠右对齐，段落左端参差不齐。

任夕阳的余辉闪动着金色的光彩柔柔的撒向我的窗棂，暖暖的融入我的心灵深处，一缕思绪环绕着我，使我无法不去回忆那些友情融融，流水缓缓，优美如歌的日子。任夕阳的余辉闪动着金色的光彩柔柔的撒向我的窗棂，暖暖的融入我的心灵深处，一缕思绪环绕着我，使我无法不去回忆那些友情融融，流水缓缓，优美如歌的日子。

④.最后一行左对齐：最后一行靠左对齐，其他行左右两端强制对齐。

任夕阳的余辉闪动着金色的光彩柔柔的撒向我的窗棂，暖暖的融入我的心灵深处，一缕思绪环绕着我，使我无法不去回忆那些友情融融，流水缓缓，优美如歌的日子。任夕阳的余辉闪动着金色的光彩柔柔的撒向我的窗棂，暖暖的融入我的心灵深处，一缕思绪环绕着我，使我无法不去回忆那些友情融融，流水缓缓，优美如歌的日子。

⑤.最后一行居中对齐：最后一行居中对齐，其他行左右两端强制对齐。

任夕阳的余辉闪动着金色的光彩柔柔的撒向我的窗棂，暖暖的融入我的心灵深处，一缕思绪环绕着我，使我无法不去回忆那些友情融融，流水缓缓，优美如歌的日子。任夕阳的余辉闪动着金色的光彩柔柔的撒向我的窗棂，暖暖的融入我的心灵深处，一缕思绪环绕着我，使我无法不去回忆那些友情融融，流水缓缓，优美如歌的日子。

⑥.最后一行右对齐.最后一行靠右对齐，其他行左右两端强制对齐。

任夕阳的余辉闪动着金色的光彩柔柔的撒向我的窗棂，暖暖的融入我的心灵深处，一缕思绪环绕着我，使我无法不去回忆那些友情融融，流水缓缓，优美如歌的日子。任夕阳的余辉闪动着金色的光彩柔柔的撒向我的窗棂，暖暖的融入我的心灵深处，一缕思绪环绕着我，使我无法不去回忆那些友情融融，流水缓缓，优美如歌的日子。

⑦.全部对齐：在字符间添加额外的间距，使文本左右两端强制对齐。

任夕阳的余辉闪动着金色的光彩柔柔的撒向我的窗棂，暖暖的融入我的心灵深处，一缕思绪环绕着我，使我无法不去回忆那些友情融融，流水缓缓，优美如歌的日子。任夕阳的余辉闪动着金色的光彩柔柔的撒向我的窗棂，暖暖的融入我的心灵深处，一缕思绪环绕着我，使我无法不去回忆那些友情融融，流水缓缓，优美如歌的日子。

(2)设置文本缩进方式

①在【左缩进】文本框中输入数值将会使文本向右移动，增加文本左侧的空白。

②在【右缩进】文本框中输入数值将会使文本向左移动，增加文本右侧的空白。

③在【首行缩进】文本框中输入数值将会调整段落文本第1行的缩进量。

8.设置段落前后间距

在【段前添加空格】和【段后添加空格】文本框中输入数值，可以设置选中的段落文字与前段文字的间距。

4.4 编辑文字

在Photoshop软件中可以对输入的文字进行查找、替换、变形等操作。

4.4.1 文本文字基本编辑

在为图片编辑文字的过程中，为了方便操作，可以通过快捷途径进行。

1.点文字与段落文本的转换

输入文字后，单击工具选项栏中【提交所有当前编辑】按钮确认操作，然后选中文本图层。

(1)将点文字转换为段落文本时，选择【图层】▶【文字】▶【转换为段落文本】菜单项。

(2)将段落文本转换为点文字时，选择【图层】▶【文字】▶【转换为点文本】菜单项。

2.文字的查找和替换

在输入的大段文本中，如果需要更改多次出现的某个词语，可以使用 Photoshop 中的查找和替换功能。

下面通过实例介绍查找和替换文字的方法。

▲ 素材文件与最终效果对比

1. 打开本实例对应的原始文件 602.psd。选择【编辑】▶【查找和替换文本】菜单项，弹出【查找和替换文本】对话框。在【查找内容】文本框中输入需要查找的文字，然后在【更改为】文本框中输入用于替换的文字，激活对话框中相关的按钮。

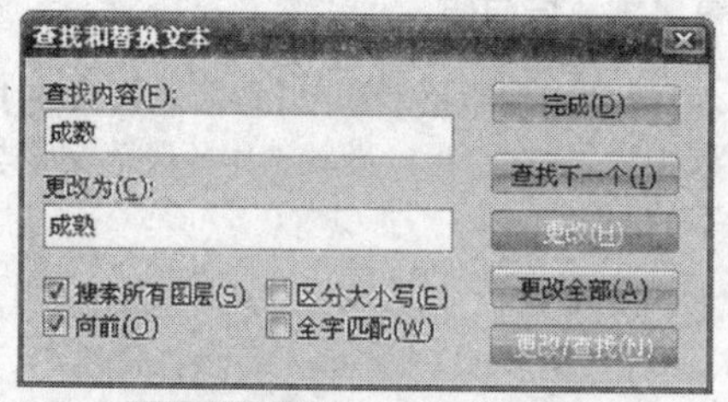

2.单击 查找下一个(I) 按钮，将选中文本中的第 1 个需要替换词语。

3.单击 更改(H) 按钮，可完成替换。

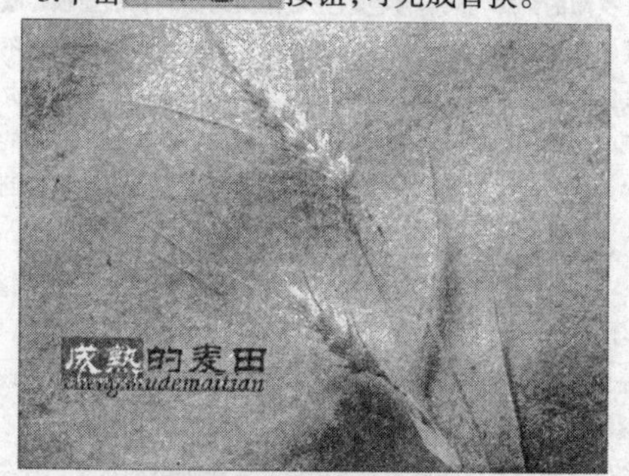

4.单击 更改全部(A) 按钮，弹出提示对话框，提示替换的文字数量，单击 确定 按钮。

5.最终得到如图所示的文字效果。

4.4.2 变形文字

使用 Photoshop 中的【文字变形】命令，可以添加各种扭曲的文字效果。

在图像文件中输入文字，单击工具选项栏中的【创建文字变形】按钮，弹出【变形文字】对话框。

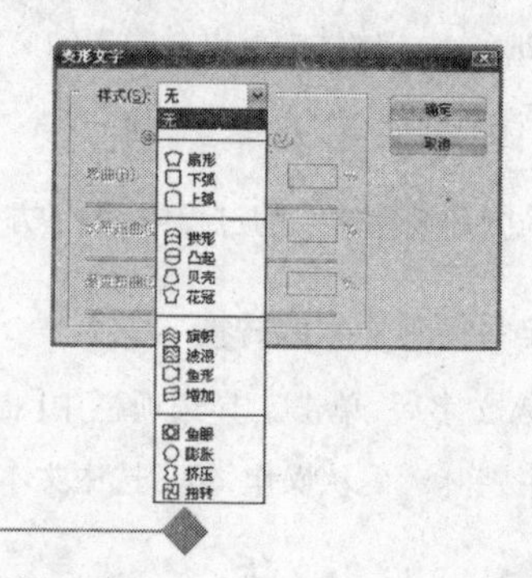

该对话框中各个选项的作用如下。

(1)【样式】下拉列表：在该下拉列表中选择不同的选项可以为文字添加不同的效果。

(2)【水平】和【垂直】单选钮：在【样式】下拉列表中选择一种样式后，将激活【水平】和【垂直】单选钮。选中【水平】单选钮，将按照水平方向创建文字效果，选中【垂直】单选钮将按照垂直方向创建文字效果。

(3)滑块组：在设置好【样式】和【弯曲】方向后，拖动相关滑块可以进一步调整变形文字的扭曲程度。

1.打开一张图片，选择【横排文字】工具，在编辑区中输入文字。

2.单击工具选项栏中的【创建文字变形】按钮，在弹出的【变形文字】对话框样式下拉列表中选择合适的选项对文字进行变形。

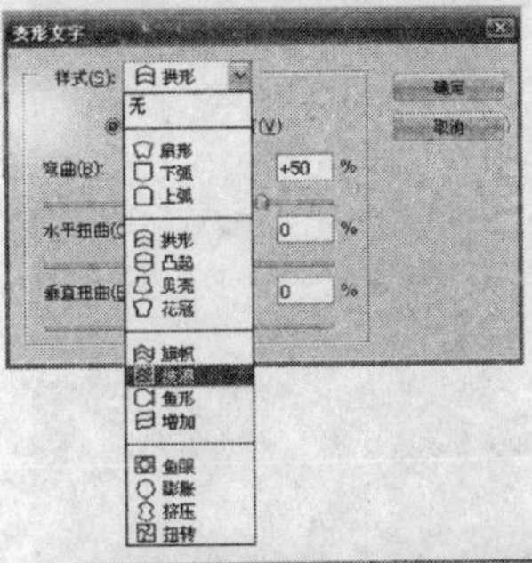

4.4.3 基于文字创建路径

将文字转变为路径和形状的基本操作如下。

1.基于文字创建路径

1.打开一张图片，选择【横排文字蒙版】工具，在编辑区中输入文字。

2.单击【提交所有当前编辑】按钮，确认操作，文字变换成了选区。

3.打开【路径】面板，单击【从选区中生成工作路径】按钮。

4.文字就转换成了路径，如图所示。

2.基于文字创建形状

1.打开一张图片，选择【横排文字】工具T，在编辑区中输入文字。

2.选择【音】文本图层。

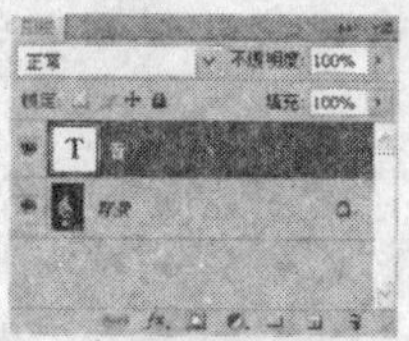

3.选择【图层】▶【文字】▶【转换为形状】菜单项，将【音】文本图层转换为具有矢量蒙版的形状图层，如图所示。

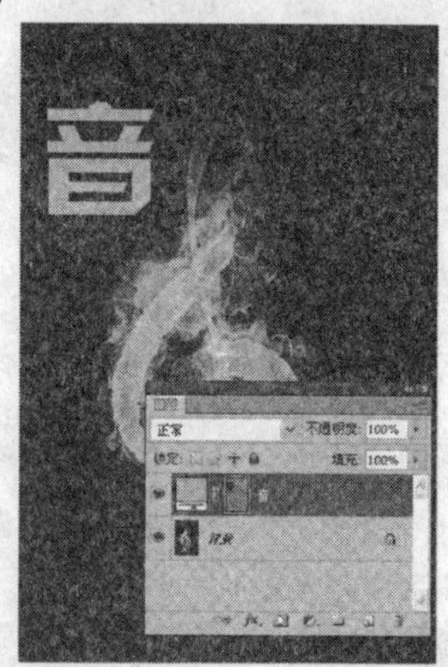

4.5 实例——音乐海报

本实例主要介绍应用文字工具以及渐变等功能制作漂亮的音乐海报效果。

▲ 最终效果

1.按下【Ctrl】+【N】组合键弹出【新建】对话框，设置如图所示的参数，然后单击 确定 按钮。

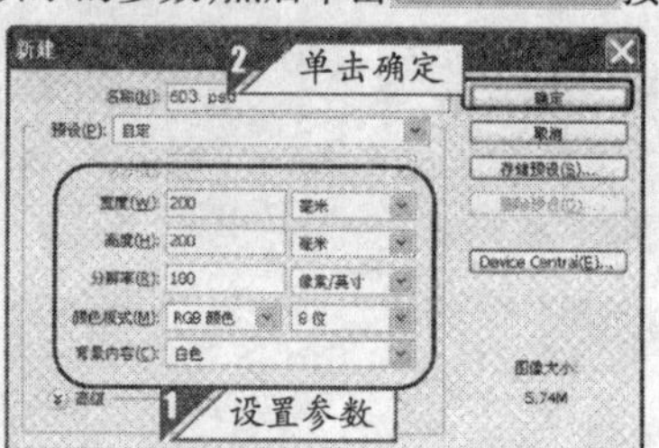

2.单击【创建新图层】按钮，新建【图层 1】图层。在工具箱中选择【渐变】工具，设置参数，单击【渐变编辑器】按钮。

3.弹出【渐变编辑器】对话框，参数设置如图所示，单击 确定 按钮。

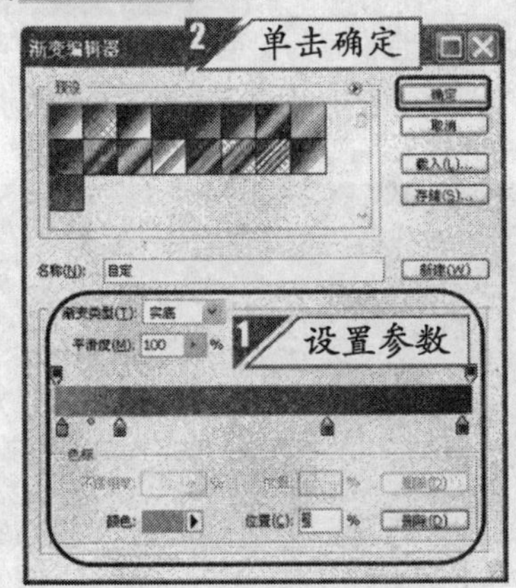

4.在画布中由右上角向左下角拖动鼠标绘制渐变。

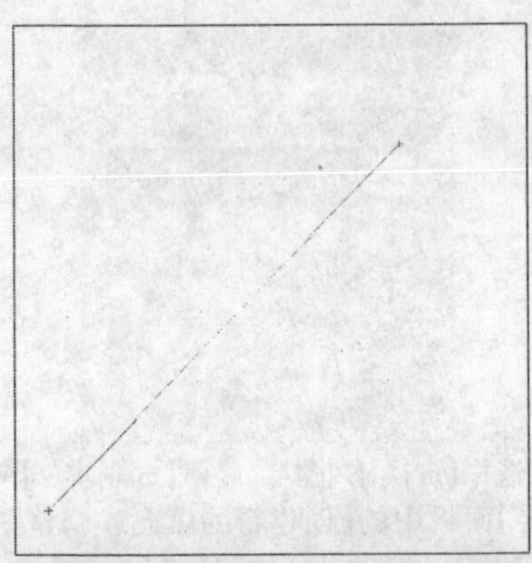

5.将前景色设置为“65449a”号色，选择【钢笔工具】，在工具选项栏中设置如图所示的参数。

6.在画布下方绘制如图所示的形状，得到【形状1】图层。

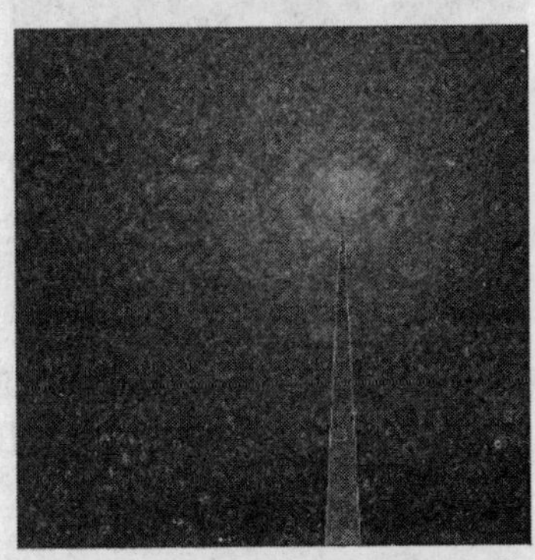

7.按下【Ctrl】+【Alt】+【T】组合键执行【自由变换并复制】命令，弹出自由变换控制框，将控制框的旋转中心点拖动至图像的顶端。

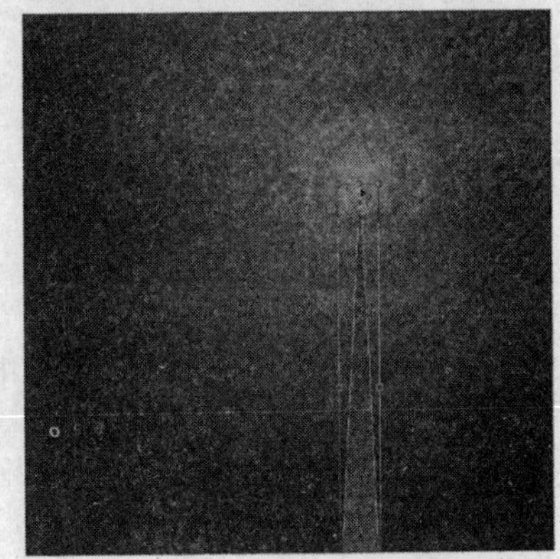

8.在工具选项栏中设置如图所示的参数。

9.按下【Enter】键确认操作，得到如图所示的图像效果。

10.连续按下【Shift】+【Ctrl】+【Alt】+【T】组合键重复执行【连续变换并复制】操作，直至得到如图所示的效果为止。

11.单击【图层】面板中的【创建新的填充或调整图层】按钮 ，在弹出菜单中选择【渐变】菜单项。

12.弹出【渐变填充】对话框，在该对话框中设置如图所示的参数。

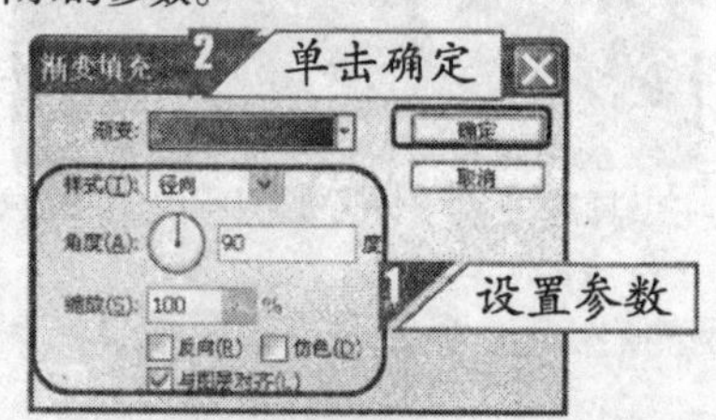

13.单击 确定 按钮，得到图层【渐变填充1】图层。按【Ctrl】+【Alt】+【G】组合键，执行【创建剪贴蒙版】命令。

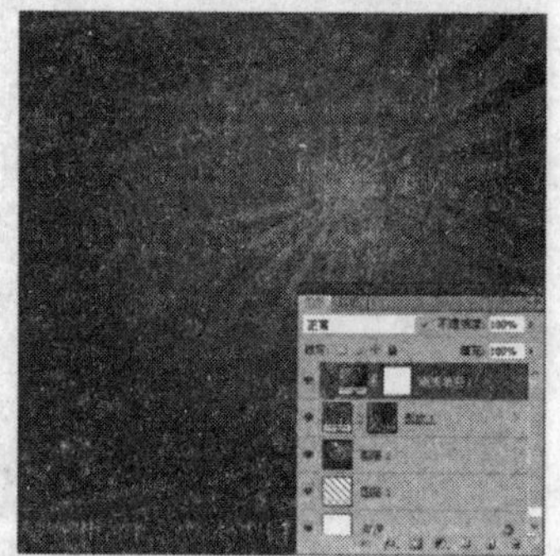

14.打开素材文件 603.tiff，选择【music 素材】图层，将其移动到 603.psd 文件中，调整合适的位置和大小，得到图像效果如图所示。

15.将前景色设置为黑色，选择【横排文字工具】 T ，在工具选项栏中设置合适的字体和大小，在画布中单击并输入“m”。

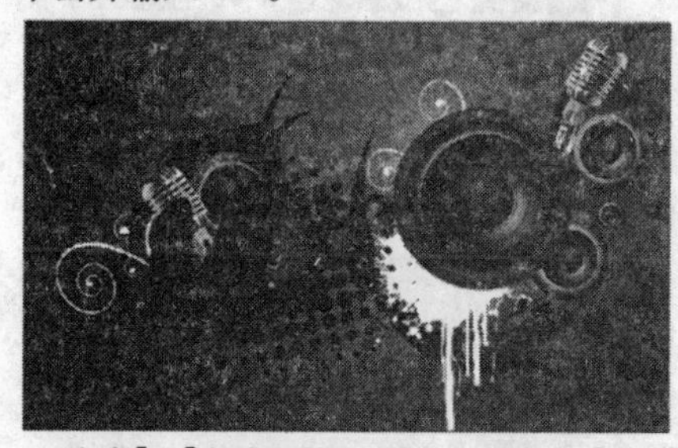

16.选中【m】文本图层，连续 2 次按下【Ctrl】+【J】组合键复制图层，得到【m 副本】图层和【m 副本 2】图层。

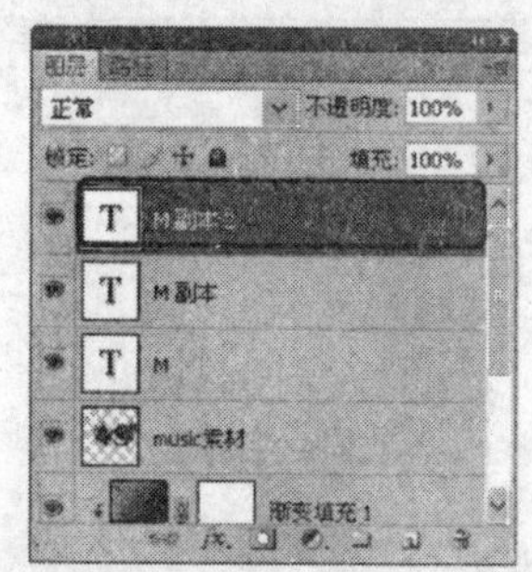

17.选中【m 副本】图层，隐藏【m 副本 2】图层，单击【图层】面板中的【创建新的填充或调整图层】按钮 ，在弹出的菜单中选择【渐变】菜单项。

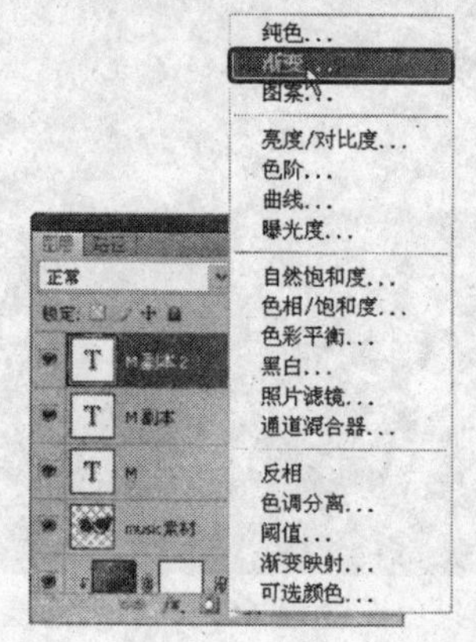

18.在弹出的【渐变填充】对话框中设置如图所示的参数。

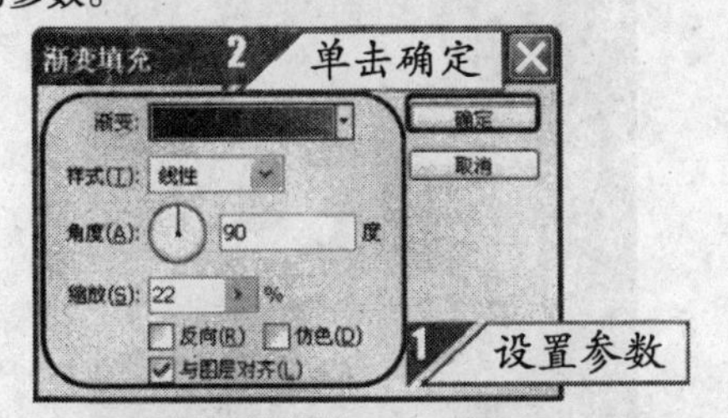

19.单击 确定 按钮,得到【渐变填充 2】图层。按下【Ctrl】+【Alt】+【G】组合键执行【创建剪贴蒙版】命令,得到图像效果如图所示。

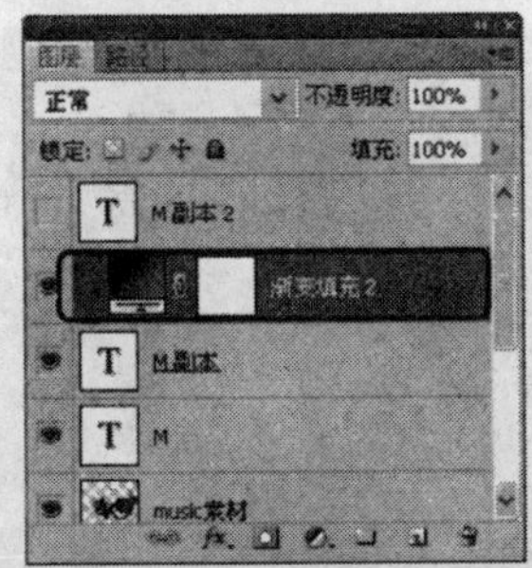

20.显示【m 副本 2】图层,在工具选项栏中将字体的颜色改为“f5821f”号色。

21.按下【Ctrl】+【T】组合键调整字体大小和位置,得到如图所示的图像效果后按下【Enter】键确认操作。

22.单击【图层】面板中的【添加图层样式】按钮 fx,在弹出的菜单中选择【内发光】菜单项。

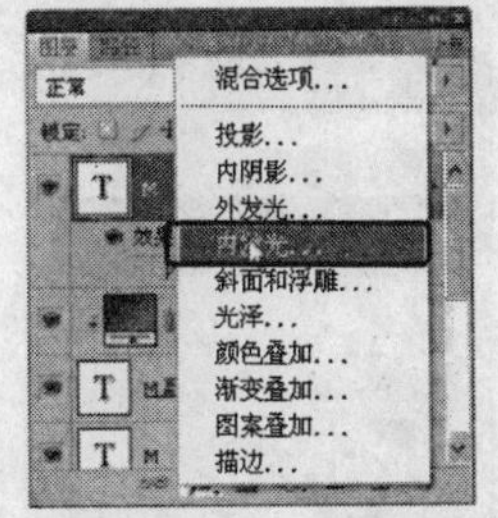

23.弹出【内发光】对话框,在该对话框中设置如图所示的参数,然后单击 确定 按钮。

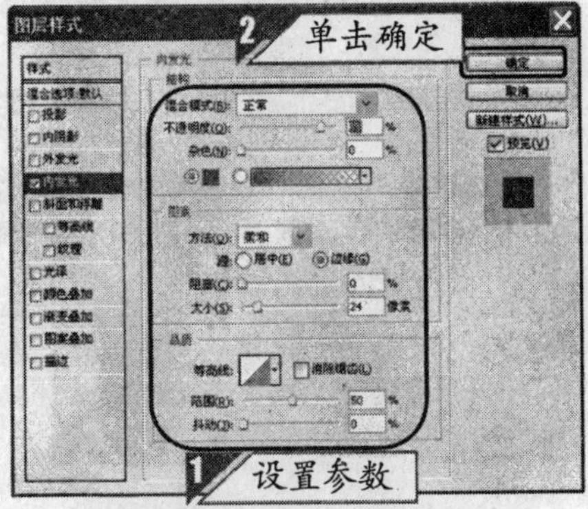

24.得到如图所示的图像效果。

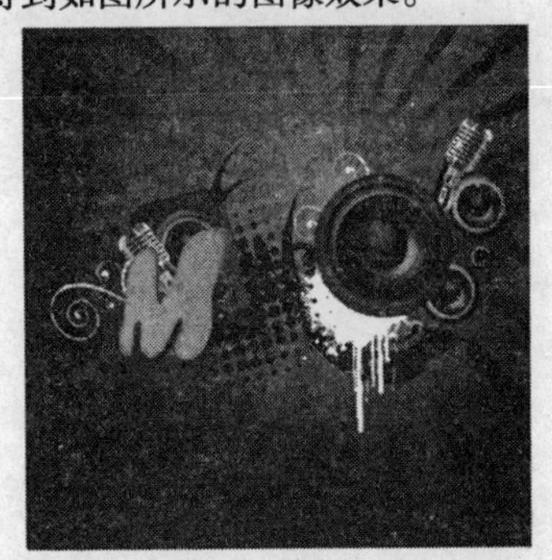

25.选择【钢笔】工具,绘制如图所示的闭合路径。

26.单击【创建新图层】按钮，新建【图层 2】图层，按下【Ctrl】+【Enter】组合键将路径转化为选区。

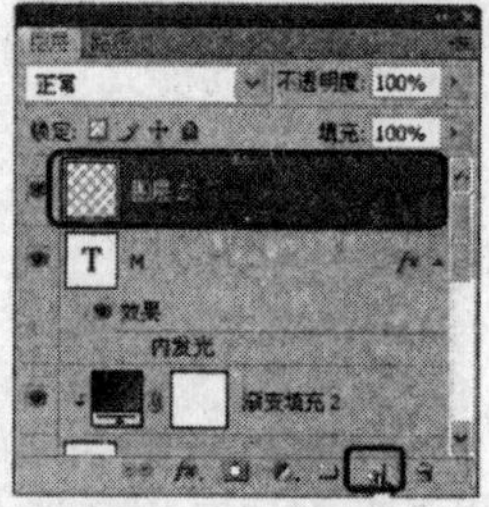

27.将前景色设置为白色，选择【渐变】工具，在工具选项栏中设置从白色到透明色的渐变。

28. 在选区中从左向右绘制渐变，然后按下【Ctrl】+【D】组合键取消选区，得到如图所示的图像效果。

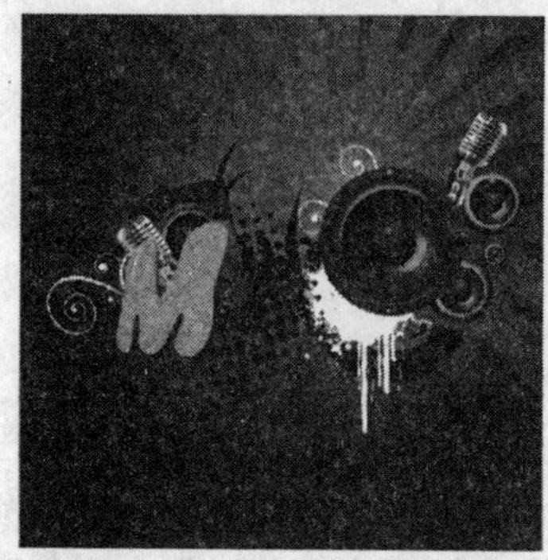

29.参照前面 15 ~ 28 的操作步骤制作其他文字的效果，最终效果如图所示。

第5章 通道和蒙版

在 Photoshop 中，如果想要将几个图像合成在一起，就需要使用通道和蒙版。通道用于保存选区和颜色信息，蒙版用来遮蔽图层或图层组，它们都是 Photoshop 的重要功能，在这一章我们就详细对其进行介绍。

5.1 通道的基本操作

通道主要用于存储图像的颜色和选区信息，操作方法和图层相似，可以进行新建、复制、移动、显示和隐藏等操作，下面分别进行介绍。

5.1.1 【通道】面板

【通道】面板用来创建、保存和管理通道。当打开一幅新的图像时，Photoshop 会在【通道】面板中自动创建该图像的颜色信息通道。

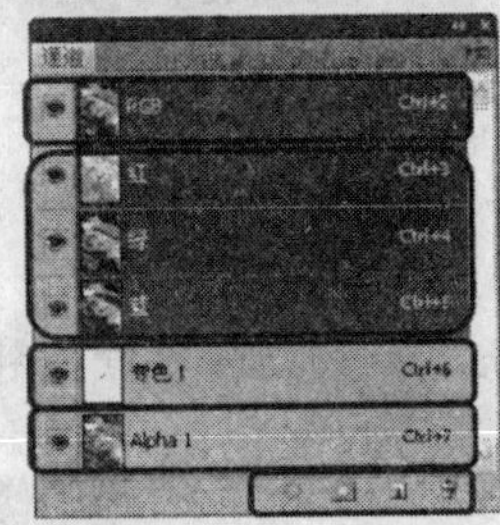

1.认识【通道】面板

复合通道

面板中最先列出的通道是复合通道，在复合通道下可以同时预览和编辑所有颜色的通道。

颜色通道

用于记录图像颜色信息的通道。

专色通道

用来保存专色油墨的通道。

Alpha 通道

用来保存和修改选区的通道。

【将通道作为选区载入】按钮

单击该按钮可以载入所选通道中的选区。

【将选区存储为通道】按钮

单击该按钮，可以将图像中的选区保存在通道内。

【创建新通道】按钮

单击该按钮，可以新建 Alpha 通道。

【删除当前通道】按钮

用来删除当前选择的通道，复合通道不能删除。

2.通道的基本操作

单击一个颜色通道即选中该通道，图像中会显示所选通道的灰度图像。

按住【shift】键单击其他通道，可以同时选择多个通道，此时窗口中将显示所选颜色通道的复合信息，通道名称的左侧显示了通道的缩览图，在编辑通道时缩览图会自动更新。

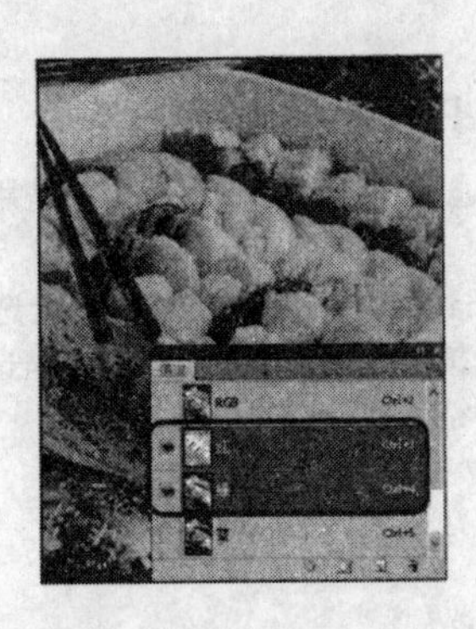

单击【RGB】复合通道,可以重新显示其他颜色通道,在复合通道下可以同时预览和编辑所有的颜色通道。

小提示 按下【Ctrl】+【2】组合键选择RGB通道,按下【Ctrl】+【3】组合键选择【红】通道,按下【Ctrl】+【4】组合键选择【绿】通道,按下【Ctrl】+【5】组合键选择【蓝】通道。

5.1.2 颜色通道

颜色通道是打开新图像时自动创建的通道,它记录了图像的颜色信息。图像的颜色模式不同,颜色通道的数量也不同。

RGB图像包括红、绿、蓝和一个复合通道。

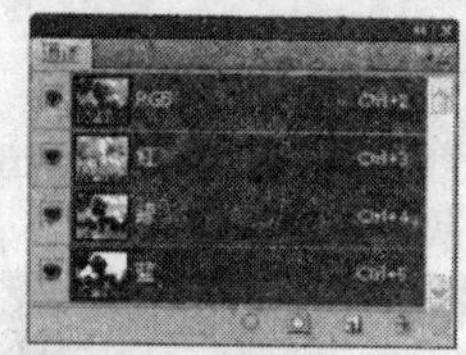

CMYK图像包括含青色、洋红、黄色、黑色和一个复合通道。

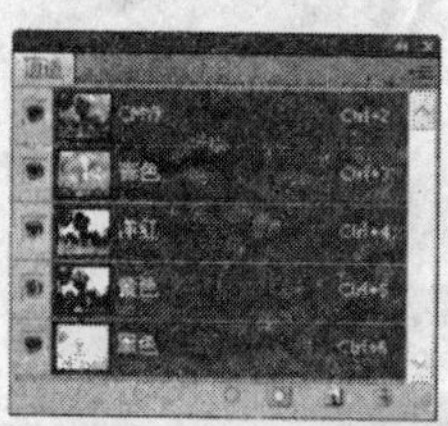

Lab图像包含明度、a、b和一个复合通道。

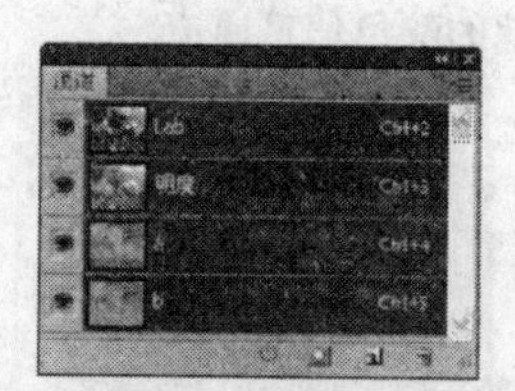

位图、灰度、双色调和索引颜色图像都只有一个通道。

5.1.3 Alpha通道

Alpha通道与颜色通道不同,它是用来保存选区的,可以将选区保存为灰度图像,但不会直接影响源图像颜色。

在Alpha通道中,白色代表被完全选择的区域,灰色代表被部分选择的区域,即羽化的区域。用白色涂抹通道可以扩大选区,用黑色涂抹收缩选区,用灰色涂抹则可以增加羽化范围。

下面介绍如何使用Alpha通道。

1.打开一张图片。

2.打开【通道】面板，单击【创建新通道】按钮到，创建【Alphal】通道。

3.将前景色设置为黑色，背景色设置为白色，选择【渐变】工具，按下【Shift】键从左向右拖动鼠标进行填充。

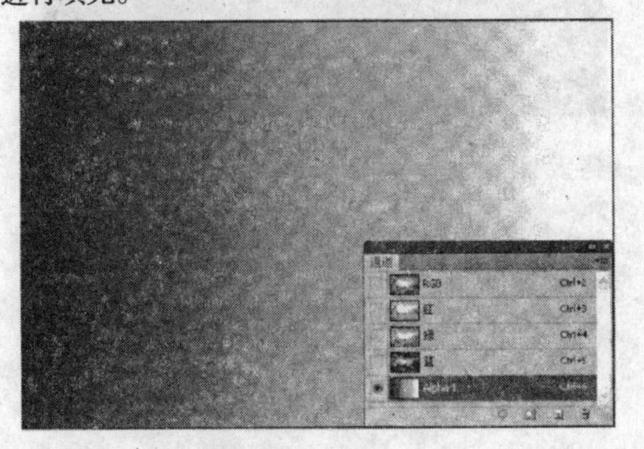

4.按下【Ctrl】键的同时单击【Alphal】通道，载入选区。

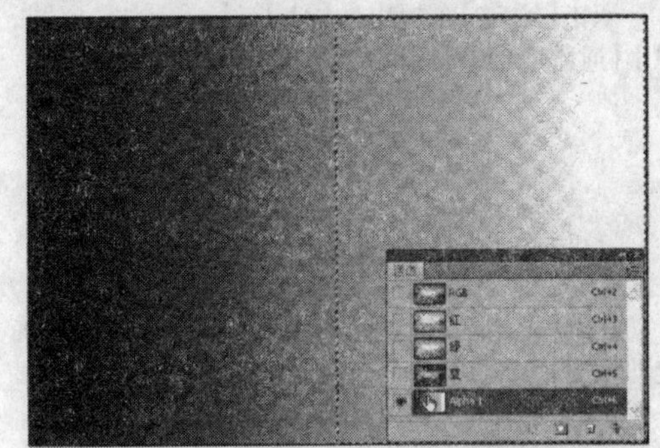

5.单击【RGB】通道，按下【ctrl】+【C】组合键复制选区，按下【Ctrl】+【v】组合键粘贴该选区。

6.打开【图层】面板，隐藏【背景】图层，得到的效果如图所示。

5.1.4 专色通道

专色通道是一种特殊的通道，它用来存储专色。专色是用来替代或补充印刷色(cMYK)的特殊的预混油墨、荧光油墨等。通常情况下，专色通道都是以专色的名称来命名的。

5.1.5 Alpha 通道转换为专色通道

下面介绍将 Alpha 通道转换为专色通道的方法。

1.方法一

双击【通道】面板中的【Alphal】通道的空白区，弹出【通道选项】对话框。

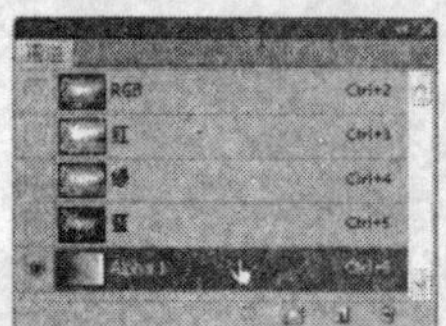

在【色彩指示】选项组中选中【专色】单选钮，确定即可。

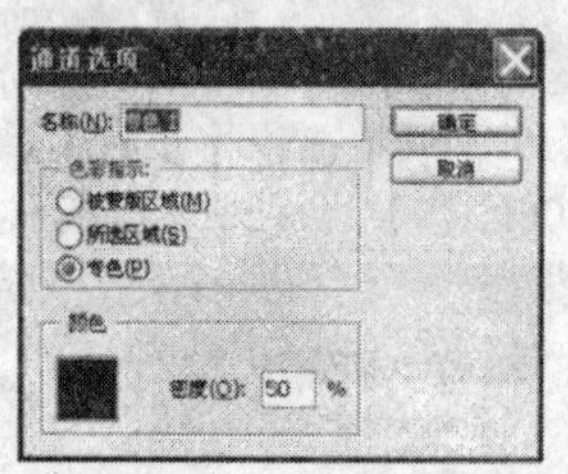

2.方法二

选中要转换的【Alphal】通道，单击该面板右上角的按钮，在弹出的菜单中选择【通道选项】菜单项。

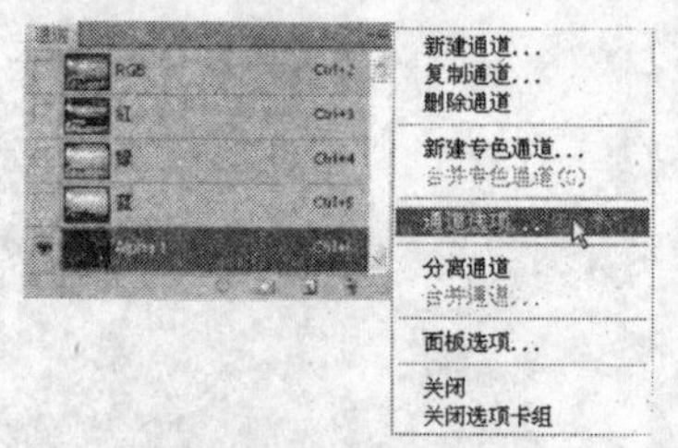

弹出【通道选项】对话框，在该对话框中选中【专色】单选钮，即可转换为专色通道。

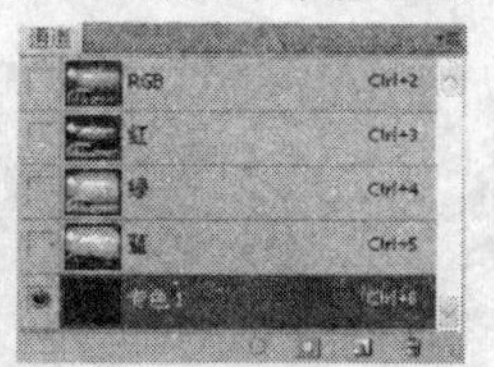

5.1.6 实例——抽象艺术

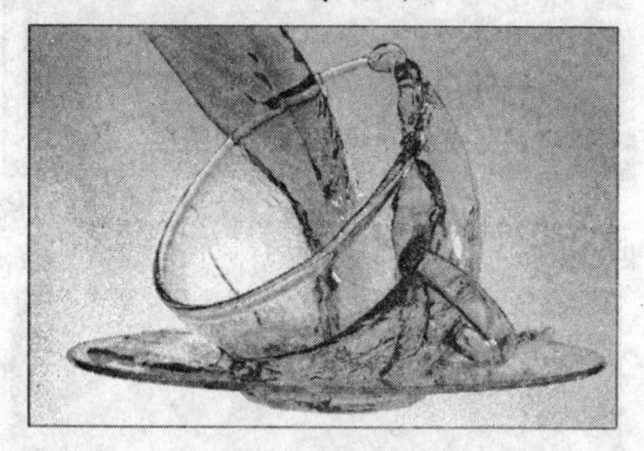

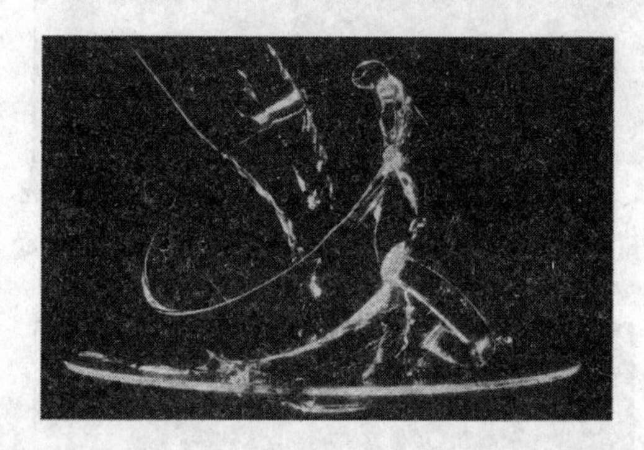

▲ 素材文件与最终效果对比

1.打开本实例对应的素材文件 701.jpg，在【通道】面板中选中【红】通道，单击鼠标右键，在弹出的菜单中选择【复制通道】菜单项。

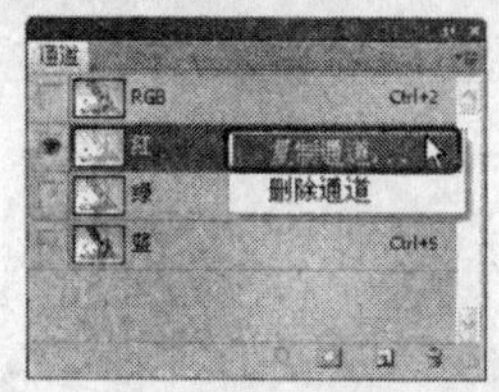

2.弹出【复制通道】对话框，单击 确定 按钮。

3.复制【红】通道，得到【红副本】通道，隐藏其他通道，选中并显示该通道。

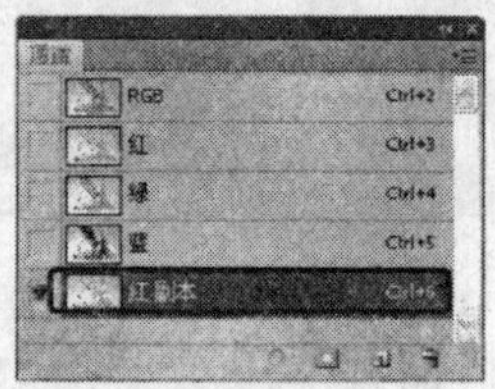

4.选择【图像】▶【调整】▶【色阶】菜单项。

5.弹出【色阶】对话框，设置如图所示的参数，单击 确定 按钮。

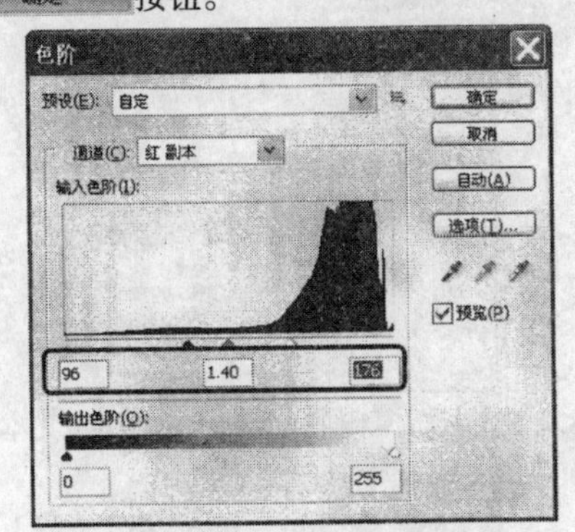

6.得到的图像效果如图所示。

7.选择【图像】▶【调整】▶【反相】菜单项。

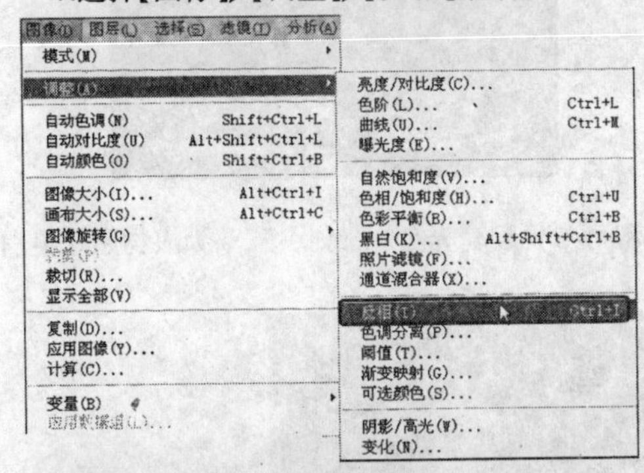

8.得到的图像效果如图所示。

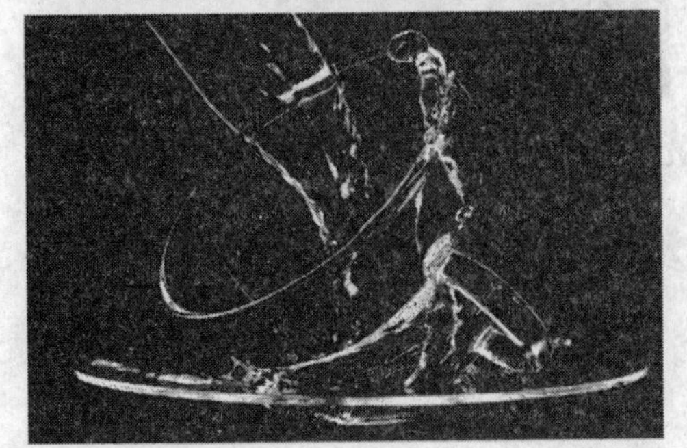

9.打开【图层】面板，单击【创建新图层】按钮 ，新建【图层 1】。

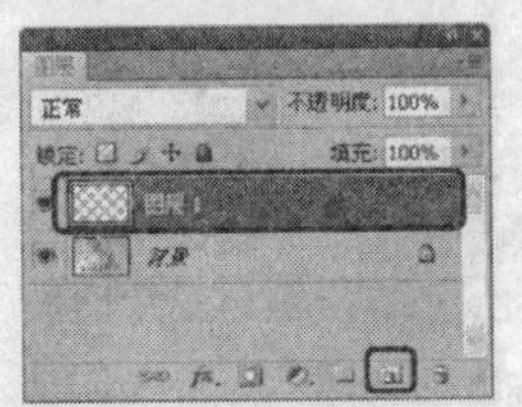

10.将前景色设置为黑色，按下【Alt】+【Delete】组合键进行填充。

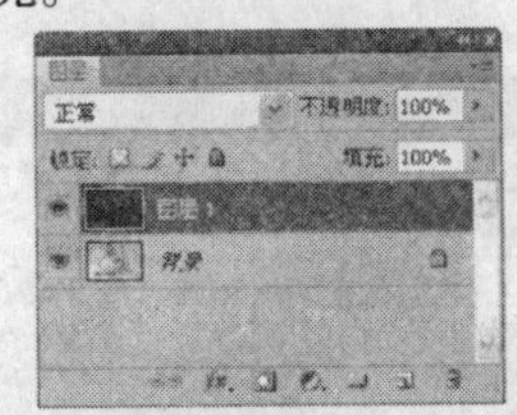

11.打开【通道】面板，按住【Ctrl】键单击【红副本】通道，载入选区后按下【Ctrl】+【c】组合键复制选区。

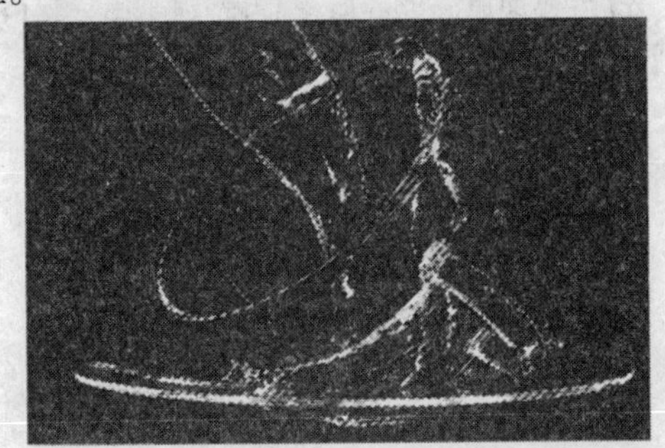

12.打开【通道】面板，先选中【红】通道，然后按下【shift】键的同时单击并选中【绿】通道，再按下【Ctrl】+【V】组合键粘贴。

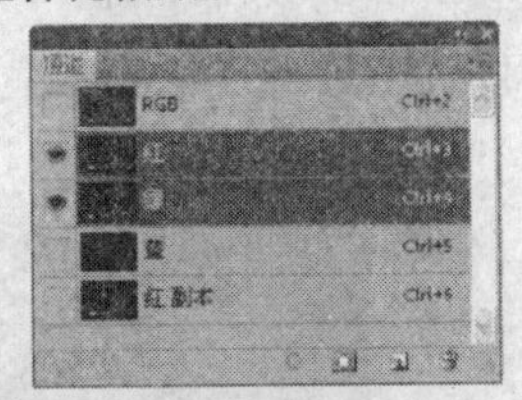

13.得到的图像效果如图所示。

14.打开【图层】面板，选择【图层 1】图层，按下【Ctrl】+【D】组合键取消选区。在该图层上单击鼠标右键，在弹出的菜单中选择【复制图层】菜单项。

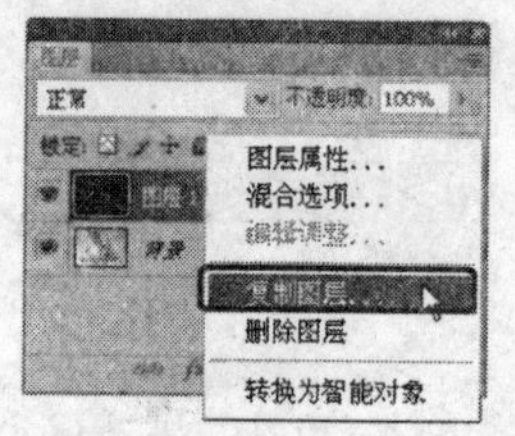

15.弹出【复制图层】对话框，单击 确定 按钮。

16.复制【图层 1】图层，得到【图层 1 副本】图层，在【设置图层的混合模式】下拉列表中选择【滤色】选项。

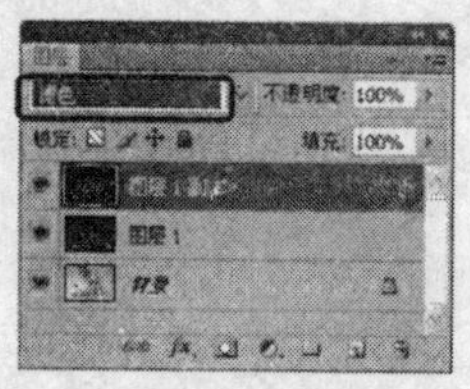

17.选择【滤镜】▶【模糊】▶【高斯模糊】菜单项。

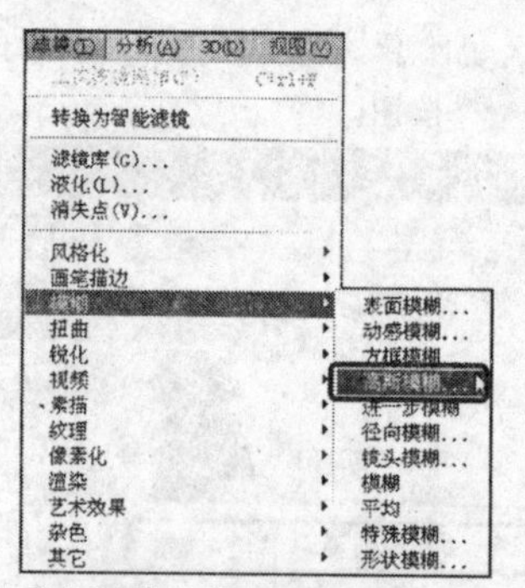

18.弹出【高斯模糊】对话框，在【半径】文本框内输入“50”，单击 确定 按钮。

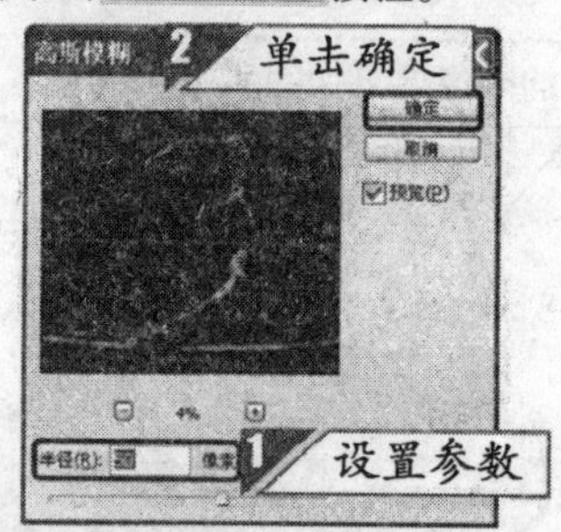

19.得到的图像效果如图所示。

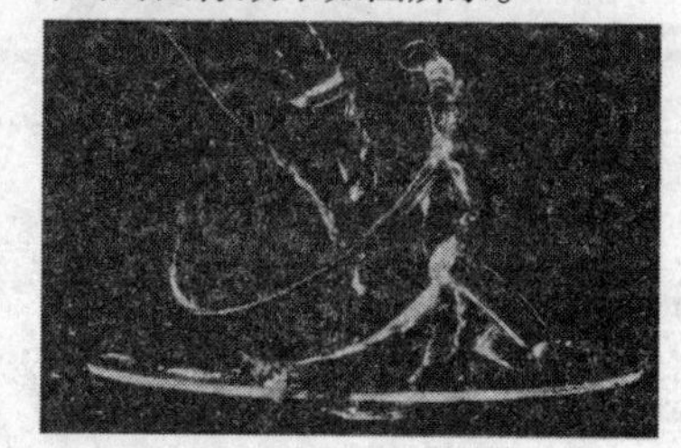

练兵场 为人物照片美白肌肤

参照前面介绍的内容，为人物照片美白肌肤。操作过程可参见配套光盘 \ 练兵场 \ 为人物照片美白肌肤。

▲ 素材文件与最终效果对比

5.2 创建和编辑通道

本节主要介绍通道的新建、复制、删除、分离和合并。

5.2.1 新建通道

创建新通道包括创建【Alpha】通道和创建【专色】通道。可以通过使用【新建通道】按钮 或面板菜单实现。标，即可复制选中的通道。

本小节主要介绍如何新建通道。

创建【Alpha】通道

(1)单击【通道】面板右下方的【新建通道】按钮，新建【Alpha】通道。

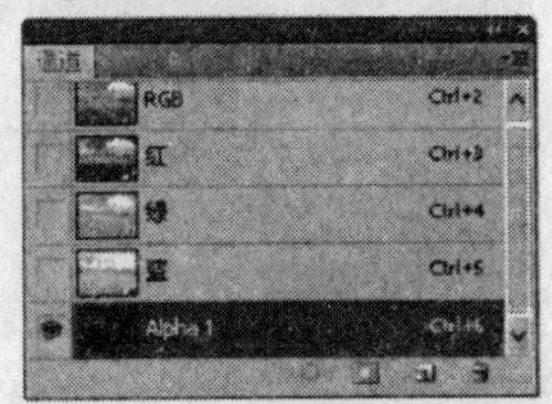

(2)单击通道右上角的按钮，在弹出的菜单栏中选择【新建通道】菜单项。

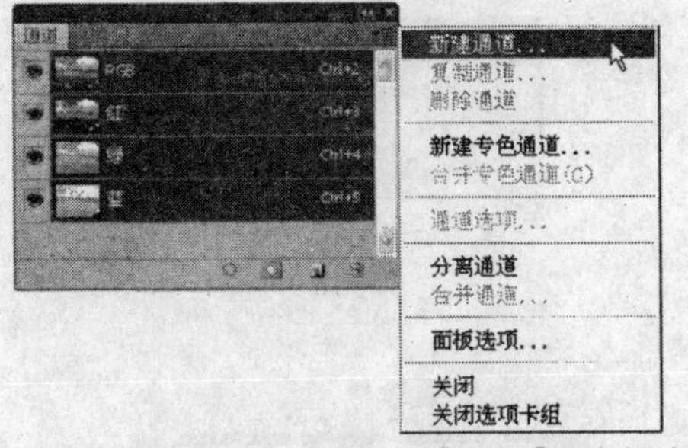

弹出【新建通道】对话框，在【名称】文本框中输入所建通道的名称，单击 确定 按钮，即可新建【Alpha】通道。

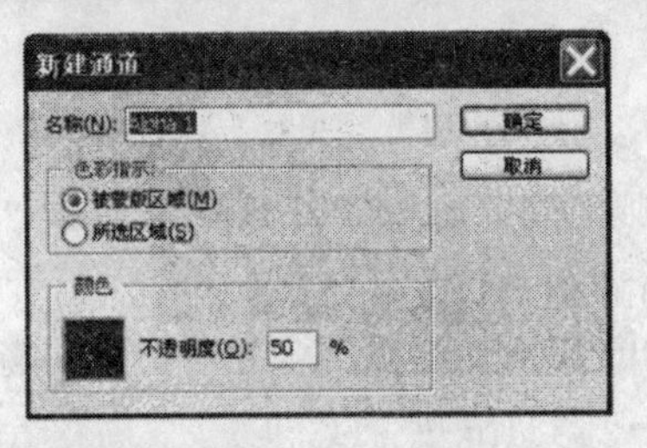

创建【专色】通道

单击【通道】面板右上角的按钮，在弹出的菜单栏中选择的【新建专色通道】菜单项。

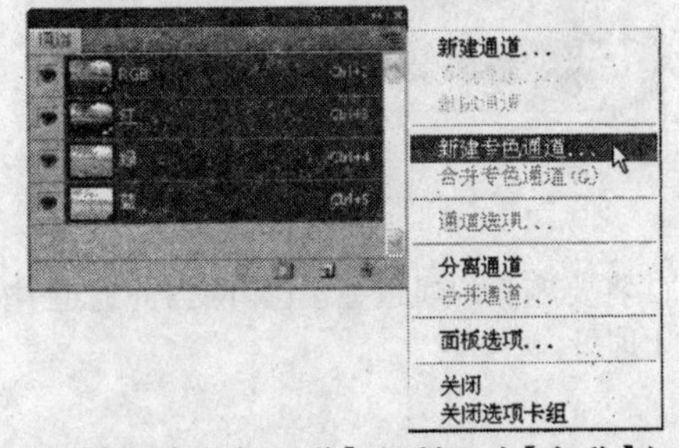

弹出【新建专色通道】对话框，在【名称】文本框中输入所建通道的名称，单击 确定 按钮，即可新建专色通道。

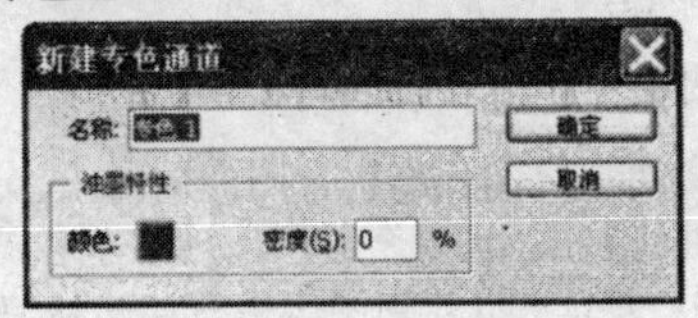

5.2.2 复制通道

本小节主要介绍如何复制通道。

选择【通道】面板中的【蓝】通道，单击右上角的按钮，在弹出的菜单中选择【复制通道】菜单项。

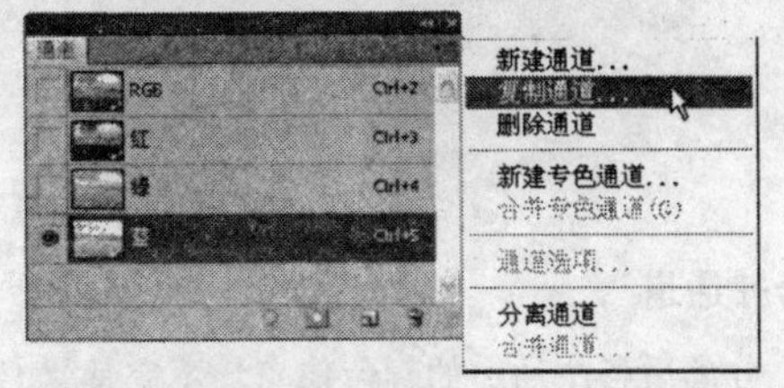

弹出【复制通道】对话框，在【为】文本框中输入指定名称，单击 确定 按钮，即可复制该通道。

还可以选中需要复制的通道，按住鼠标左键不放将其拖动到【创建新通道】按钮上释放鼠标，即可复制选中的通道。

如图，得到【蓝副本】通道。

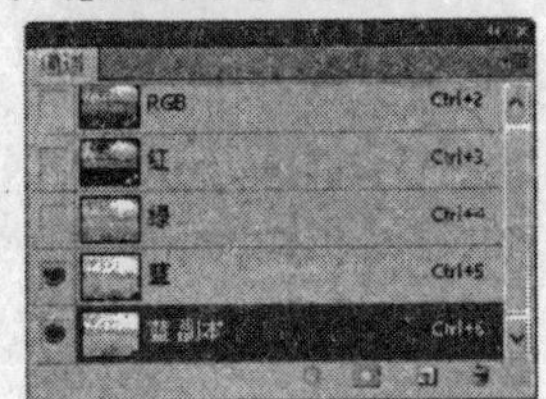

5.2.3 删除通道

删除通道的方法有以下几种。

(1)在【通道】面板中选择要删除的通道，单击右上角的按钮，在弹出的菜单中选择【删除通道】菜单项，即可将其删除。

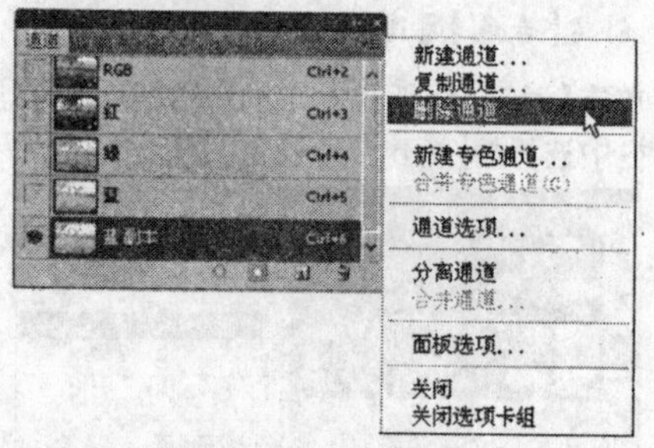

(2)将要删除的通道拖至【删除当前通道】按钮上即可。

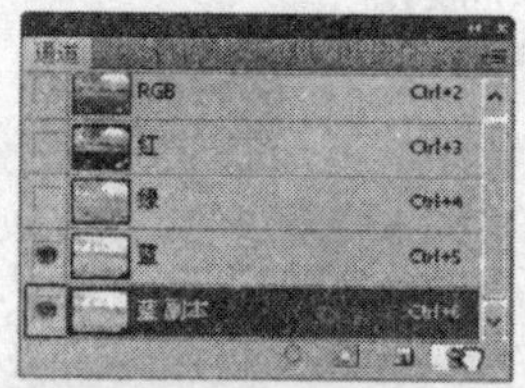

(3)选中要删除的通道，单击【删除当前通道】按钮，在弹出的提示对话框中单击 是(Y) 按钮，即可将该通道删除。

5.2.4 分离和合并通道

1.分离通道

分离通道只能分离拼合图像的通道，分离通道后原文件将被关闭，单个通道出现在单独的灰度图像窗口中，并且可以对新图像进行存储和编辑。

选择【通道】面板菜单中的【分离通道】菜单项就可以将图像中的各个通道分离出来，成为单独的灰度图像文件。

单击【通道】面板右上角的按钮，在弹出的菜单中选择【分离通道】菜单项。

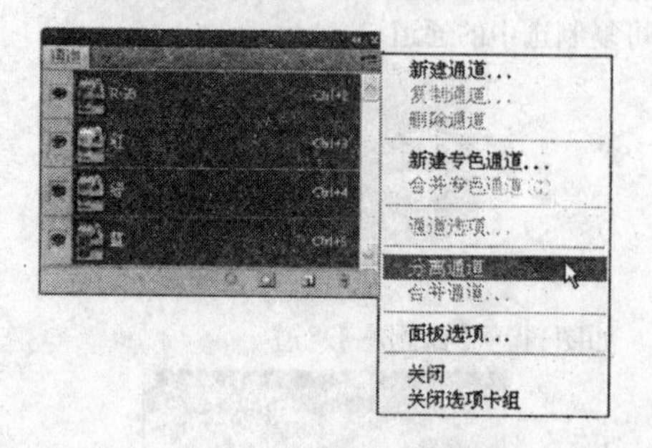

即可分离出如下图所示的 3 个单独的灰度图像文件。

对一幅 RGB 模式的图像进行通道分离后的效果如图所示。

2.合并通道

分离后各个通道的颜色信息均不完整，如果想要将其恢复成分离前的颜色，可以合并通道。

合并通道可以将多个灰度图像的通道合并为一个图像的通道。要合并的图像必须是在高灰度模式下，具有相同的像素尺寸并且处于打开状态的图像，已打开的灰度图像的数量决定了合并通道可用的颜色模式。

如打开了 3 个灰度图像，可以将它们合并为一个 RGB 图像；打开了 4 个灰度图像，则可将它们合并为一个 CMYK 图像。下面将介绍如何合并一个

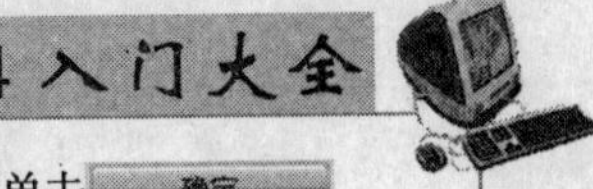

RGB 图像。

打开【通道】面板，单击右上角的按钮，在弹出的菜单中选择【合并通道】菜单项。

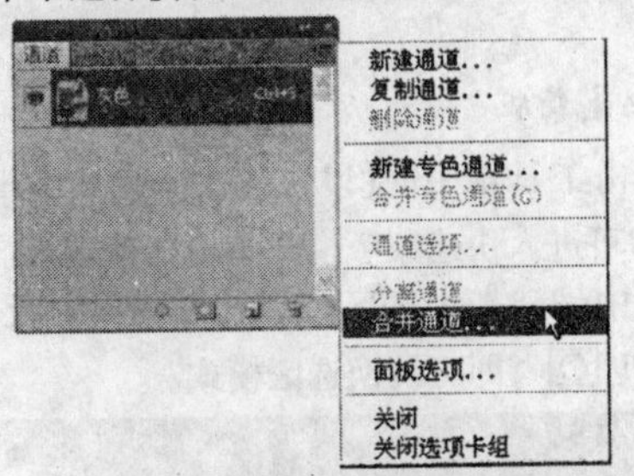

弹出【合并通道】对话框，在【模式】下拉列表中选择【RGB 颜色】选项，单击 确定 按钮。

弹出【合并 RGB 通道】对话框，单击 确定 按钮。

即可合并为一个 RGB 图像。

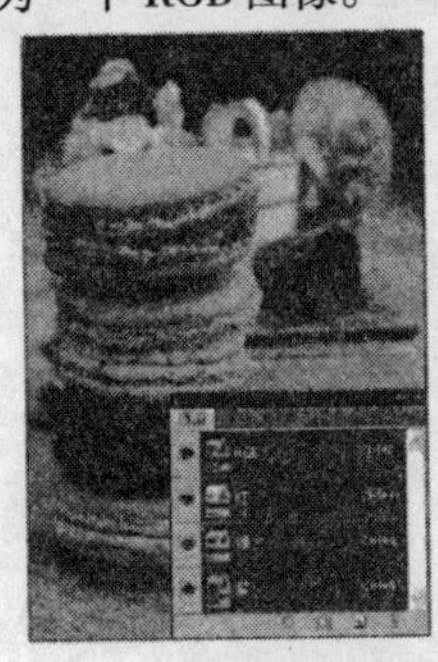

练兵场 童话高尔夫

参照通道的相关内容，灵活应用通道功能制作卡通的高尔夫画报效果。操作过程可参见配套光盘 \ 练兵场 \ 童话高尔夫。

▲ 素材文件与最终效果对比

5.3 蒙板

图层蒙版可以用来遮蔽整个图层组，或者只遮蔽半个图层。蒙版图像是 256 色灰度图像，在蒙版图像中黑色的区域为隐藏区域，白色的区域为显示区域，而灰色的区域则为透明区域。另外，还可以对图层蒙版进行各种编辑，因此通过添加图层蒙版可以合成各种神奇的图像效果。

5.3.1 蒙版的类型

Photoshop 中提供了 4 种类型的蒙版：【图层蒙版】、【剪切蒙版】、【矢量蒙版】和【快速蒙版】。

【图层蒙版】通过蒙版中的灰度信息控制图像的显示区域。

【剪切蒙版】通过某一对象的形状控制其他图层的显示区域。

【矢量蒙版】通过路径和矢量形状控制图像的显示区域。

5.3.2 创建蒙版

下面介绍比较常用的图层蒙版和快速蒙版的创建方法。

图层蒙版

打开【图层】面板，单击【添加图层蒙版】按钮 ，即可创建图层蒙版。

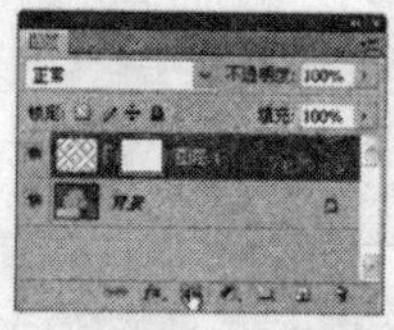

应用图层蒙版功能可以制作特殊的图像合成效果。

快速蒙版

单击工具箱中的【以快速蒙版模式编辑】按钮 即可进入快速蒙版模式编辑任何选区。例如，在图像中创建一个选区，单击【以快速蒙版模式编辑】按钮 ，即可转换选区模式。

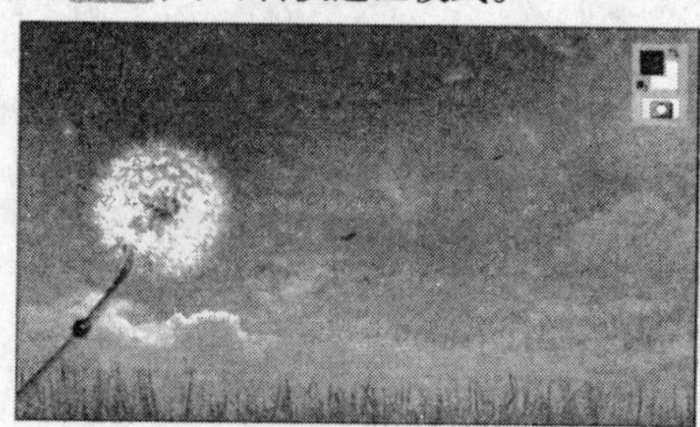

5.3.3 利用蒙版进行图像融合

▲ 素材文件与最终效果对比

1. 打开本实例对应的素材文件 702ajpg，打开【图层】面板，按下【Ctrl】+【J】组合键复制【背景】图层，得到【图层 1】图层。

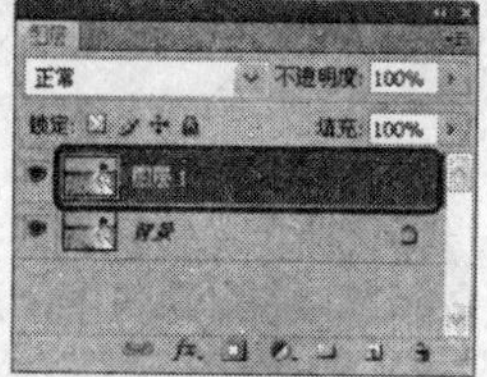

2.选择【背景】图层，将前景色设置为白色，按下【Alt】+【Delete】组合键填充该图层。

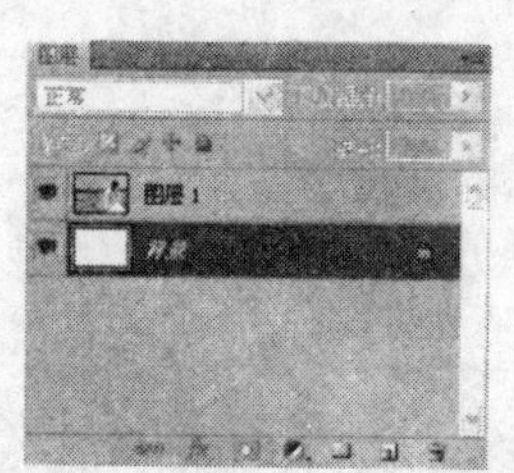

3.选择【图层 1】图层，打开本实例对应的素材文件 702bjpg。

4.选择【移动】工具 ，将素材文件 702.jpg 拖动到素材文件 702ajpg 中。

5.单击【添加图层蒙版】按钮，为【图层 2】图层添加图层蒙版。

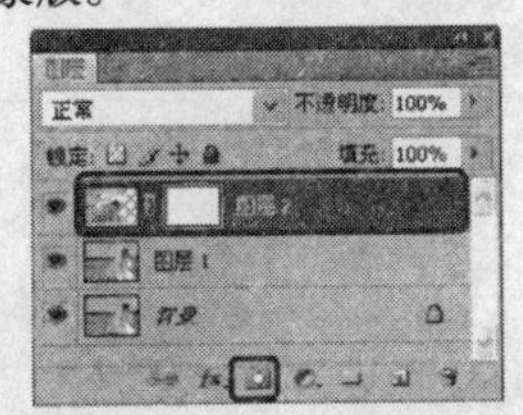

6.将前景色设置为黑色，选择【画笔】工具，在工具选项栏中设置如图所示的参数。

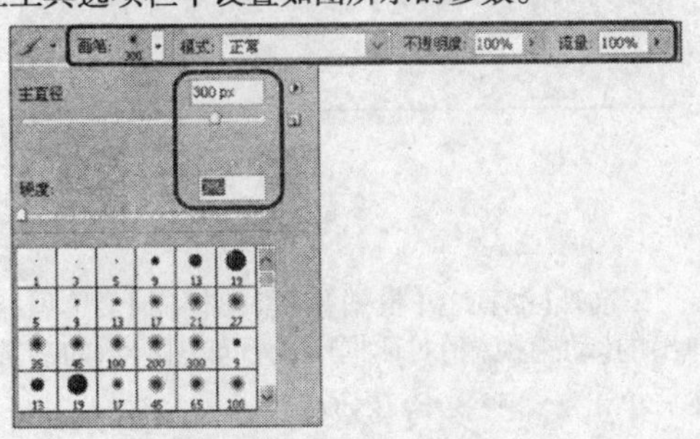

7. 在图像中涂抹两张照片相交的边缘部分，隐藏部分图像，效果如图所示。

5.3.4 使用快速蒙版工具

快速蒙版主要用于创建蒙版选区以便对图像进行精确地编辑操作。
下面介绍如何使用快速蒙版工具。

1.打开一张图片。

2.在【工具箱】中单击【以快速蒙版模式编辑】按钮，进入快速蒙版模式。

3.将前景色设置为黑色，选择【画笔】工具，在工具选项栏中设置如图所示的参数。

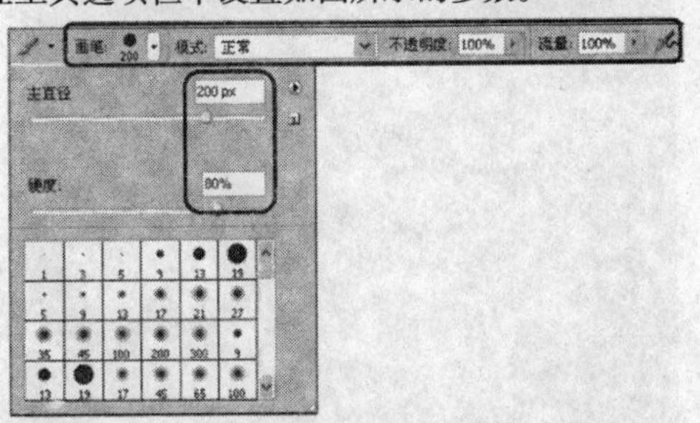

4.在图像中涂抹天空和花草的部分。

5.涂抹图像完成后，单击工具箱中的【以标准模式编辑】按钮 ，将没有被涂抹的区域载入选区。

6.按下【Ctr】+【J】组合键复制选区，得到【图层1】图层，隐藏【背景】图层，得到的图像效果如图所示。

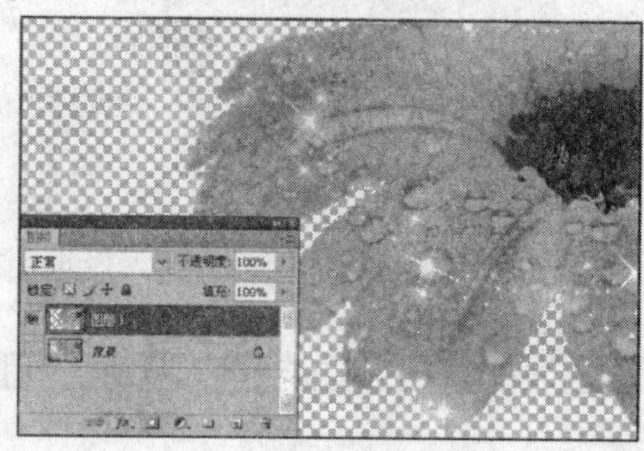

5.3.5 实例——胶片效果

素材文件与最终效果对比

1.胶片的制作

1.打开本实例对应的素材文件 703.jpg，按下【Ctrl】+【J】组合键复制【背景】图层，得到【图层 1】图层。

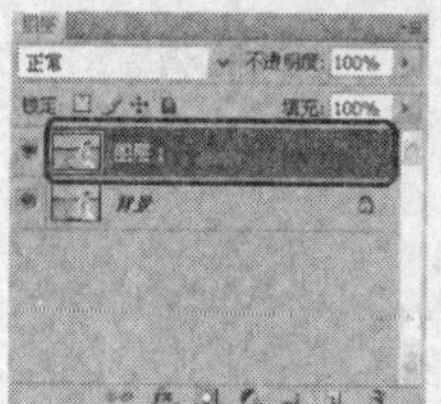

2.选择【滤镜】>【模糊】>【动感模糊】菜单项，在弹出的【动感模糊】对话框中设置如图所示的参数，然后单击 确定 按钮。

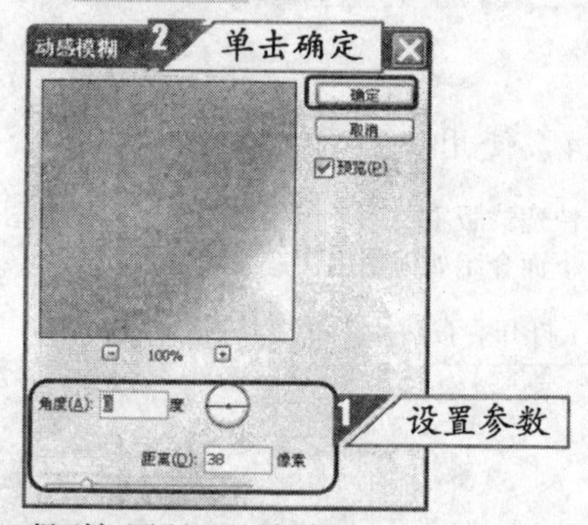

3.得到如图所示的效果。

4.在【设置图层的混合模式】下拉列表中选择【正片叠底】选项。

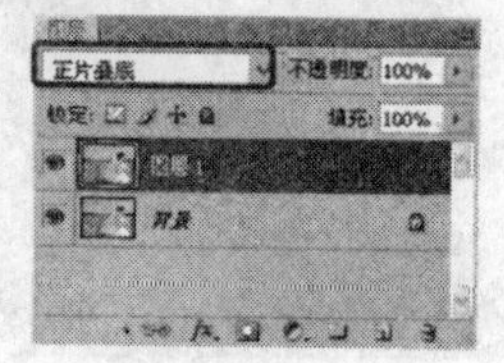

5.设置混合模式后得到如图所示的效果。

6.将前景色设置为黑色,单击【创建新的填充或调整图层】按钮 ,在弹出的菜单中选择【渐变】菜单项。

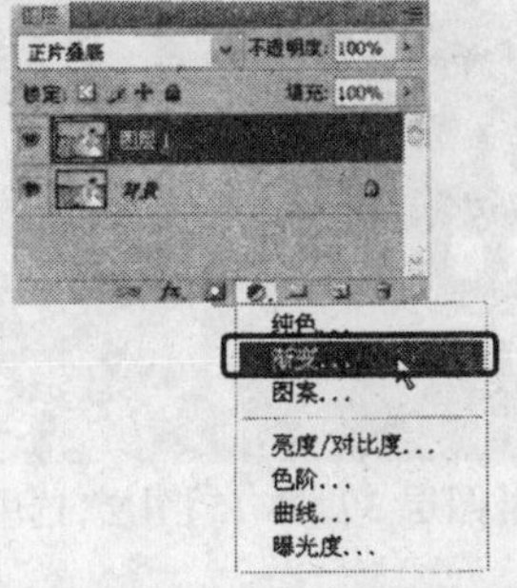

7.在弹出的【渐变填充】对话框中设置如图所示的参数及选项,然后单击 确定 按钮。

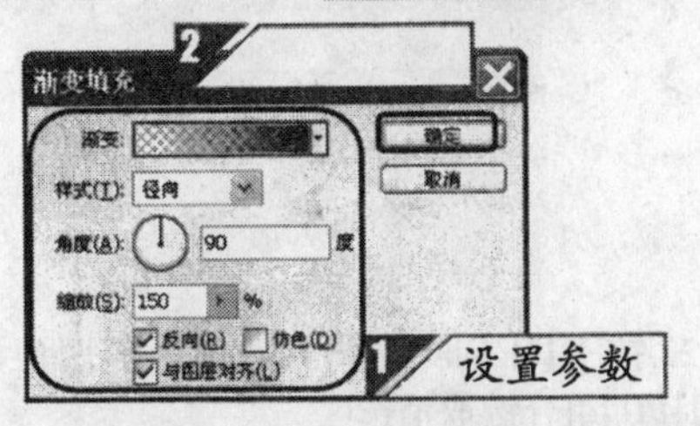

8.添加渐变后得到如图所示的效果。

9.在【填充】文本框中输入"46%"。

10.单击【创建新图层】按钮 ,新建图层。

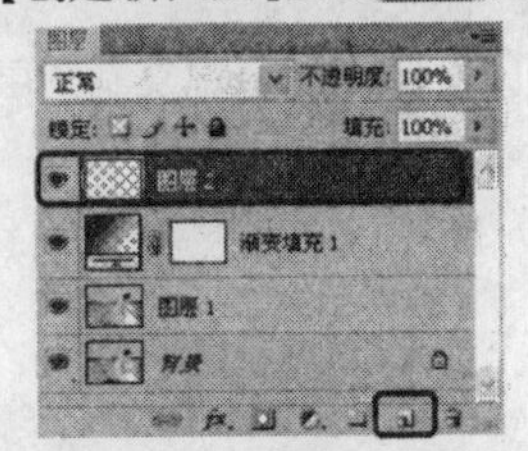

11.选择【矩形】工具 ,在工具选项栏中设置如图所示的选项。

12.将前景色设置为黑色,使用【矩形】工具 ,在图像中绘制如图所示的矩形。

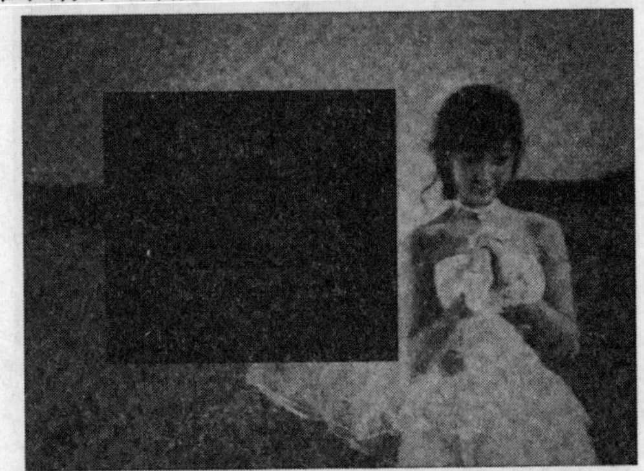

13.选择【圆角矩形】工具 ,在工具选项栏中设置如图所示的选项及参数。

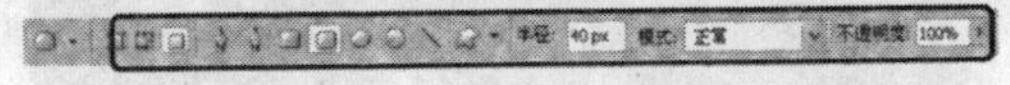

14.单击【创建新图层】按钮 ,新建图层。

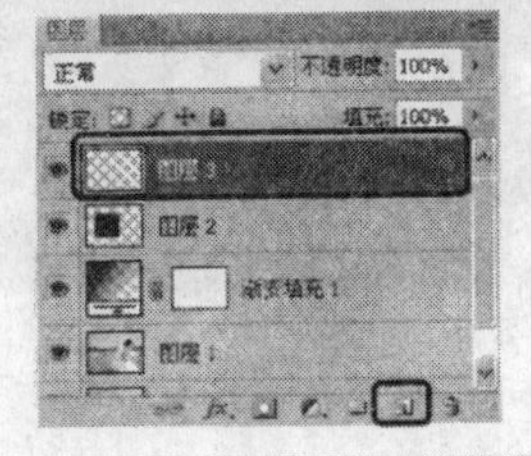

15.将前景色设置为白色,在图像中绘制如图所示的圆角矩形。

16.按下【Ctrl】+【J】组合键复制图层,得到【图层3副本】图层。

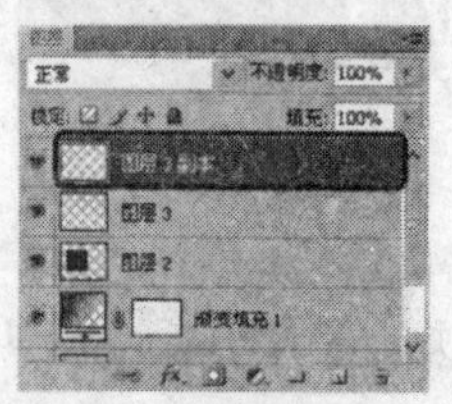

17.选择【移动】工具,水平向右移动所复制的图层图像的位置。

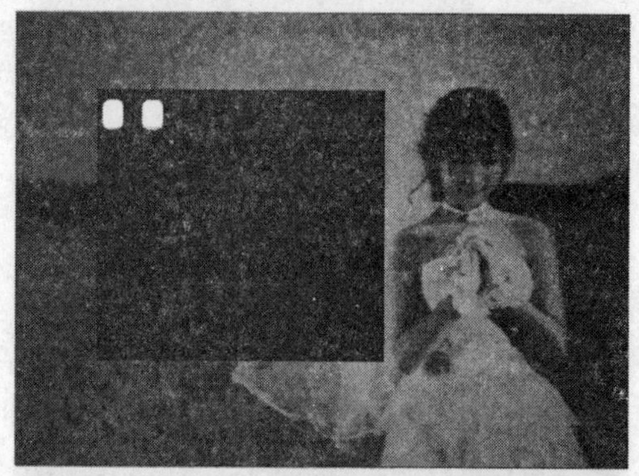

18.参照上述方法,编辑其他圆角矩形,并调整其位置,得到如图所示的效果。

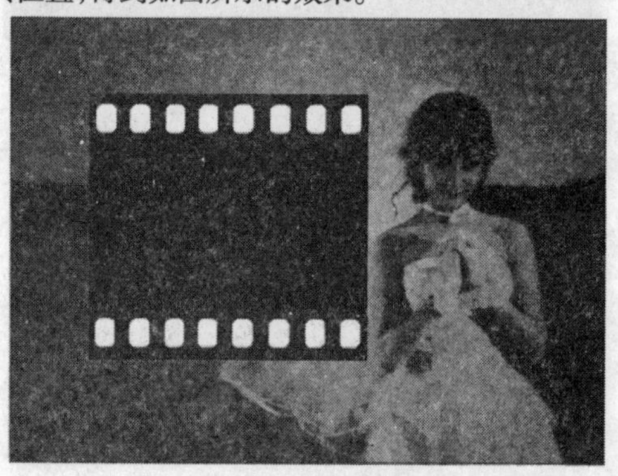

19.选中【图层】面板中的所有圆角矩形图层,按下【Ctrl】+【E】组合键进行合并。

20.按住【Ctrl】键单击【图层3副本15】图层的缩览图,将该图层的图像载入选区。

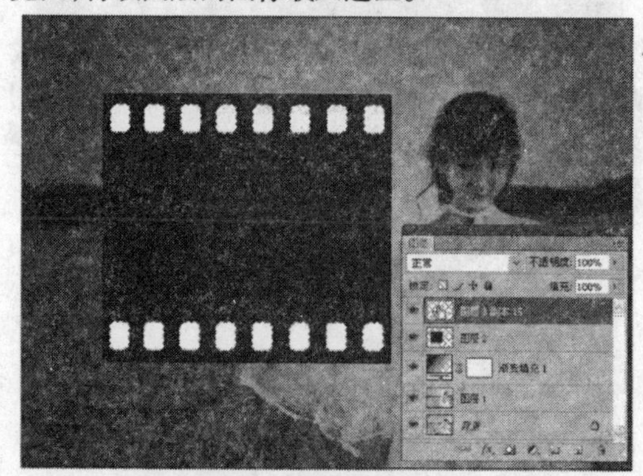

21.隐藏【图层3副本15】图层,选中【图层2】图层。

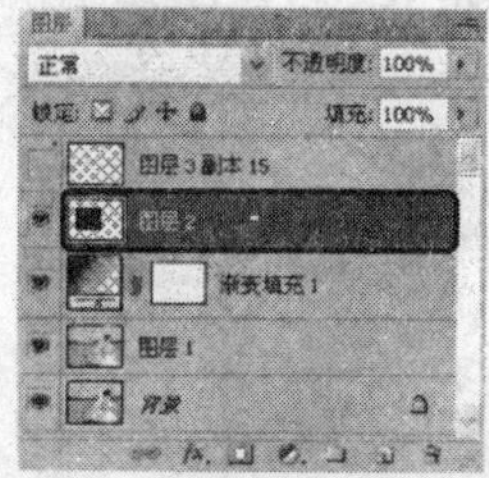

22.按下【Delete】键删除选区内的图像,按下【Ctrl】+【D】组合键取消选区。

23.按住【Ctrl】键单击【图层2】图层缩览图,将该图层的图像载入选区。

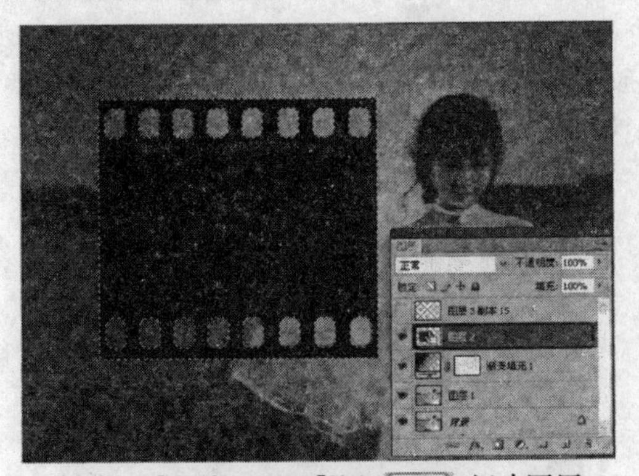

24.单击【创建新图层】按钮，新建图层。

25.将前景色设置为白色，按下【Alt】+【Delete】组合键填充选区，按下【Ctrl】+【D】组合键取消选区。

26.选择【矩形选框】工具，在工具选项栏中设置如图所示的选项及参数。

27.在图像中绘制如图所示的矩形选区。

28.单击【添加图层蒙版】按钮，隐藏选区外的图像。

2.嵌入照片

1.在【图层】面板中同时选中【图层 3】图层和【图层 2】图层。

2.按下【CM】+【T】组合键调出调整控制框，旋转胶片图像的角度，并适当移动其位置，调整合适后按下【Emer】键确认操作。

3.选择【背景】图层，按下【CM】+【J】组合键进行复制，得到【背景副本】图层。

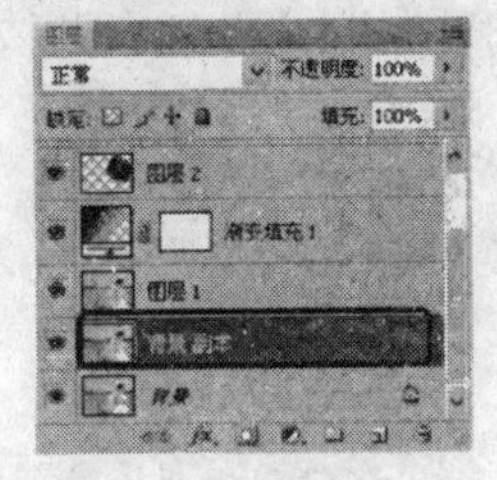

4.将【背景副本】图层移至【图层 3】图层的上万。

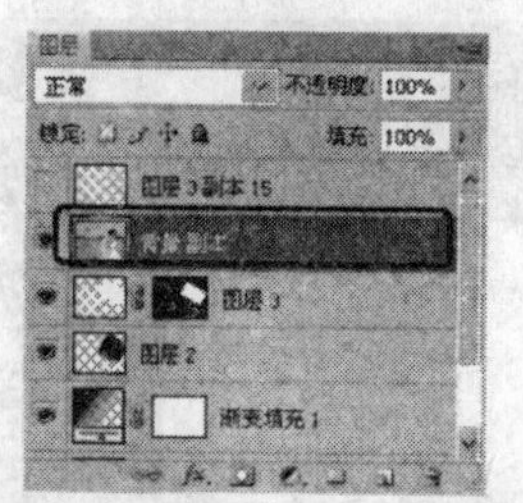

5.按下【CM】+【AR】+【G】组合键将照片嵌入到【图层 3】图层中。

6.在【图层】面板中同时选中【图层 2】图层、【图层 3】图层和【背景副本】图层。

7. 将选中的图层拖动到【创建新图层】按钮上,进行复制。

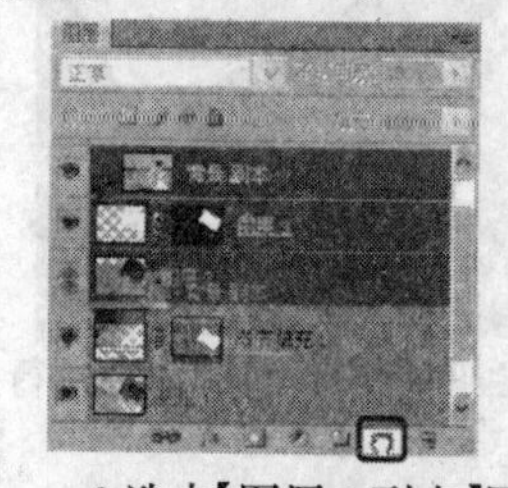

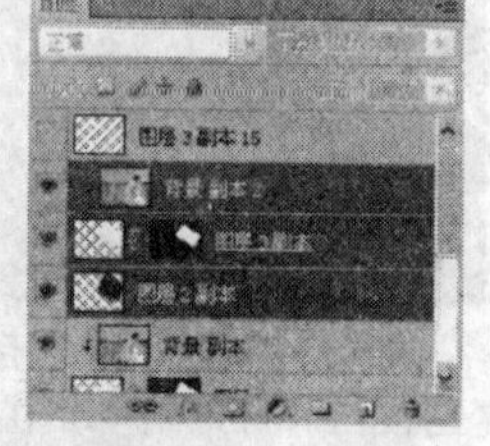

8.选中【图层 3 副本】图层和【图层 2 副本】图层。

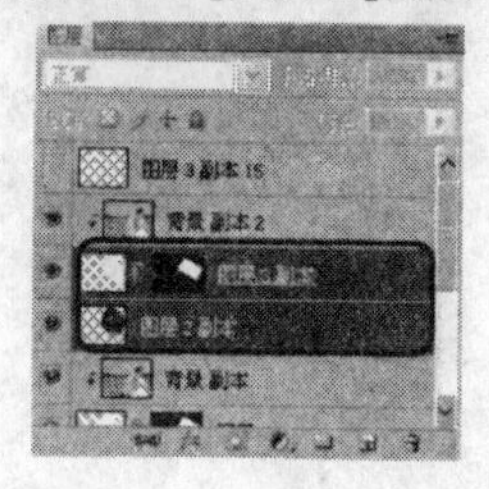

9.按下【Ctrl】+【T】组合键调出调整控制框,调整胶片图像的角度及大小,并适当移动其位置,调整合适后按下【Enter】键确认操作。

3.添加文字

1.将前景色设置为白色,选择【横排文字】工具,在工具选项栏的【设置字体系列】下拉列表中选择合适的字体,在【设置字体大小】下拉列表中选择合适的字号。

2.在图像中输入如图所示的文字。

3.在工具选项栏的【设置字体系列】下拉列表中选择合适的字体,在【设置字体大小】下拉列表中选择合适的字号。

4.在图像中输入其他文字,输入完成后单击工具选项栏中的【提交所有当前编辑】按钮,确认操作,最终得到如图所示的效果。

第6章　图层的应用

在图像处理的过程中，图层编辑是必不可少的操作，因此，熟练掌握图层的基础知识是比较重要的。

6.1　图层基础知识

图层是 Photoshop 最为核心的功能之一，它承载了几乎所有的编辑操作。如果没有图层，所有的图像都将在一个平面上，对于图像的编辑是无法胜利的，在这里我们就讲一些关于图层的知识。

6.1.1　认识图层

图层就如同堆叠在一起的透明纸，每一张上都保存着不同的图像信息，我们可以透过上面图层的透明区看到下面图层的内容。

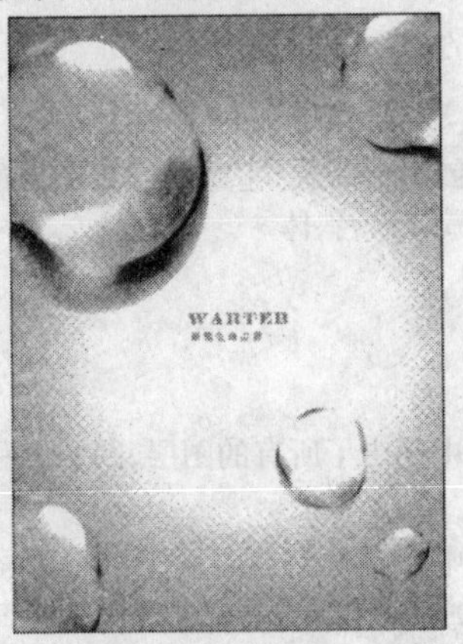

每个图层中的图像都可以单独处理而不会影响其他图层中的内容。图层可以移动，也可以调整堆叠的顺序。调整图层的不透明度，可以使图像内容变得透明。

编辑图层前，首先要在【图层】面板中单击该图层，将其选中，称之为当前图层。绘画颜色和色调调整只能在一个图层中进行，而移动、对齐、变换或应用图层样式则可以同时在多个图层间进行。

6.1.2　图层的类型

在 Phocoshop 中可以创建多种类型的图层，每一种的功能和用途都不同，显示的状态也不同。

当前图层

当前选择的图层。在对图层进行处理时，编辑操作将在当前图层中进行。

中性色图层

填充了中性色的特殊图层，结合特定的混合模式可用于承载滤镜或在上面绘画。

链接图层

保持链接状态的多个图层。

智能对象图层

包含有智能对象的图层。

剪贴蒙版

蒙版的一种，可以使用下方图层中的图像控制上面多个图层内容的显示范围。

调整图层

可以调整图像的色彩，但不会彻底改变像素值。

填充图层

通过填充纯色、渐变或图案而创建特殊效果的图层。

图层蒙版图层

添加了图层蒙版的图层，蒙版可以控制图层中图像的显示范围。

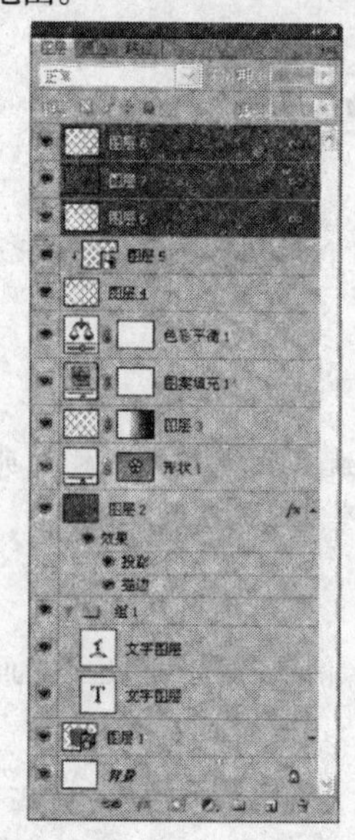

矢量蒙版图层

带有矢量形状的蒙版图层。

图层样式图层

添加了图层样式的图层，通过图层样式可以快速创建特效。

图层组

用来组织和管理多个图层，以便于编辑查找图层。

变形文字图层

进行了变形处理的文字图层。

文字图层

使用文字工具输入文字时创建的图层。

视频图层

包含有视频文件帧的图层。

3D 图层

包含有置入的 3D 文件的图层。

背景图层

新建文档时创建的图层，它始终位于图层的最下面，名字为“背景”且为斜体。

6.1.3 【图层】面板和菜单

【图层】面板用于创建、编辑和管理图层，以及为图层添加样式。面板中列出了所有的图层、图层组和图层效果。

选择【窗口】▶【图层】菜单项，或按下【F7】键，或在工作区中单击【图层】按钮，都可以打开【图层】面板。

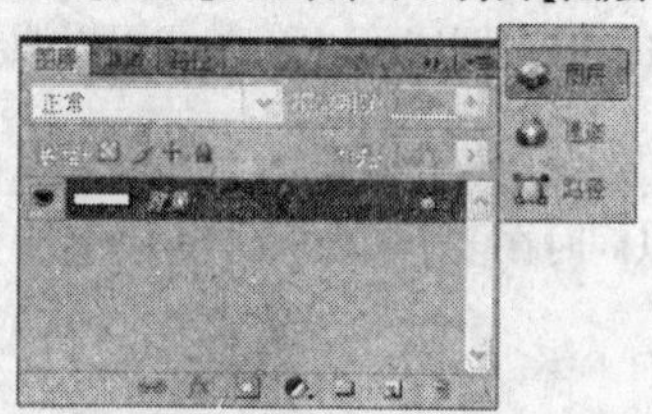

单击【图层】面板右侧的面板菜单按钮，弹出图层面板菜单，选择该菜单中的菜单项可以进行图层的各项操作。

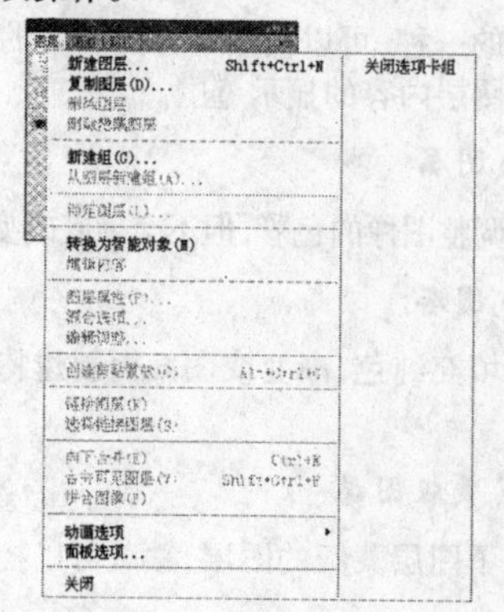

【图层】面板中存在两个或者两个以上的图层时，从【设置图层的混合模式】下拉列表中选择其中的选项可以设置图层的混合模式。

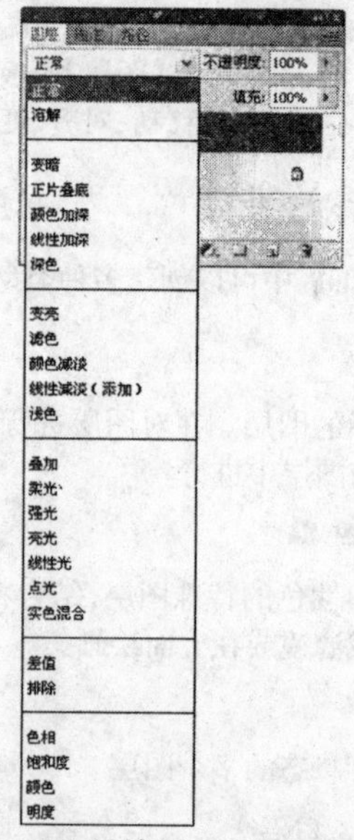

Photoshop CS4 延续了 Photoshop CS3 的图层组管理功能。图层组是多个图层的组合，将多个相关

的图层加入到一个图层组中，便于进行管理和操作。

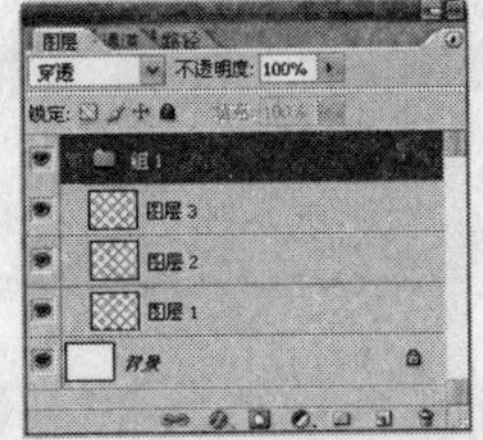

【图层】面板的下方排列有 7 个面板按钮，下面分别介绍各个按钮的作用。

【链接图层】按钮

在【图层】面板中，按住【Ctrl】键的同时选中两个或两个以上的图层将激活【链接图层】按钮，单击该按钮将链接所选图层。

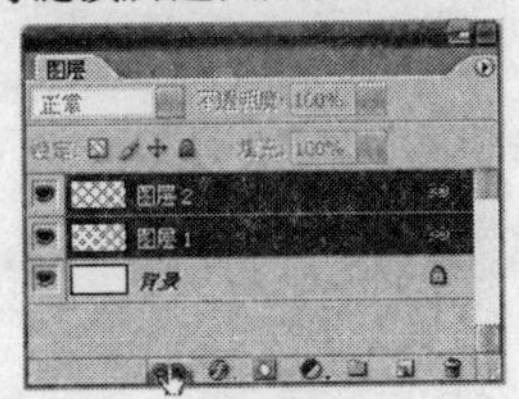

【添加图层样式】按钮

选中一个图层后单击该按钮打开【添加图层样式】菜单，选择其中的选项可以为当前图层添加不同的图层效果。

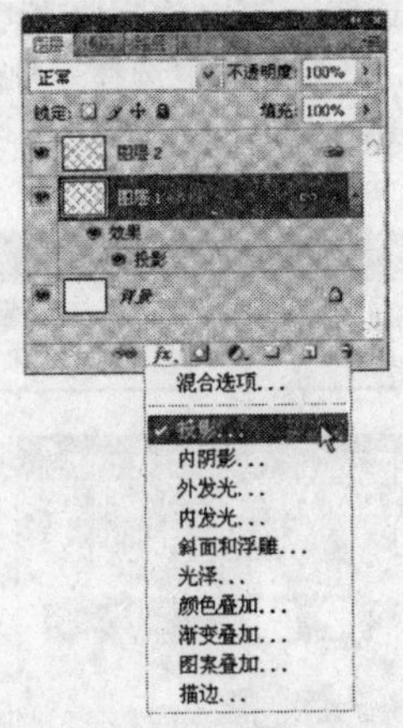

【添加图层蒙版】按钮

单击该按钮将为当前图层添加图层蒙版效果。

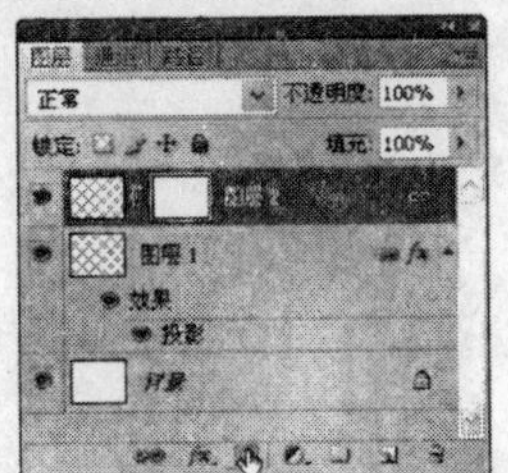

【创建新的填充或调整图层】按钮

单击该按钮将在当前图层上新建一个填充或者调整图层，创建填充或者调整效果。

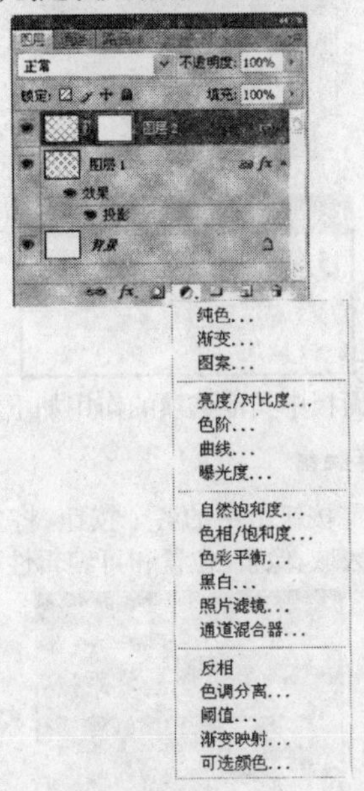

【创建新组】按钮

单击该按钮将创建一个以系统默认名称命名的图层组。

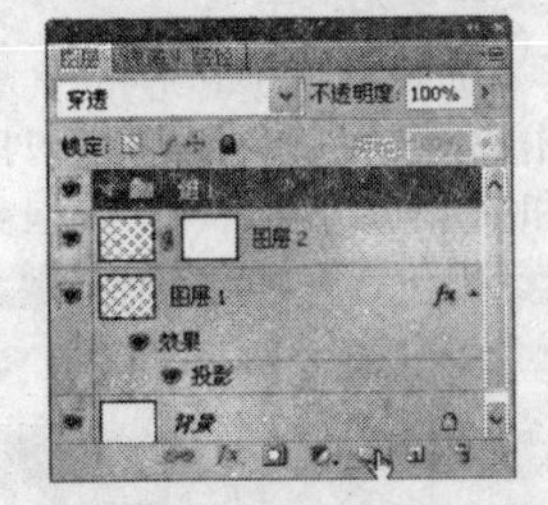

【创建新图层】按钮

单击该按钮将创建一个以系统默认名称命名的新图层。

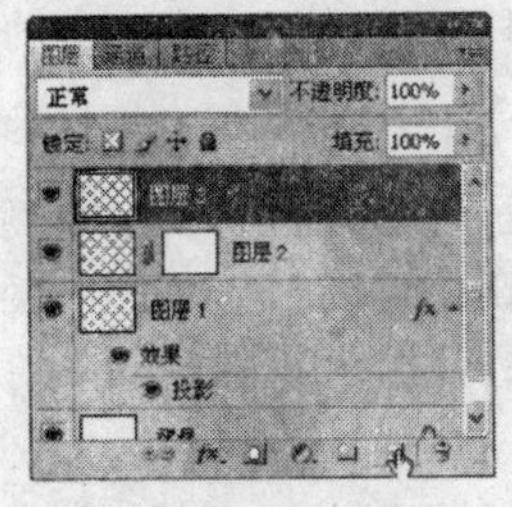

【删除图层】按钮

选中一个图层后单击该按钮将弹出提示对话框，单击 是(Y) 按钮即可删除所选图层。

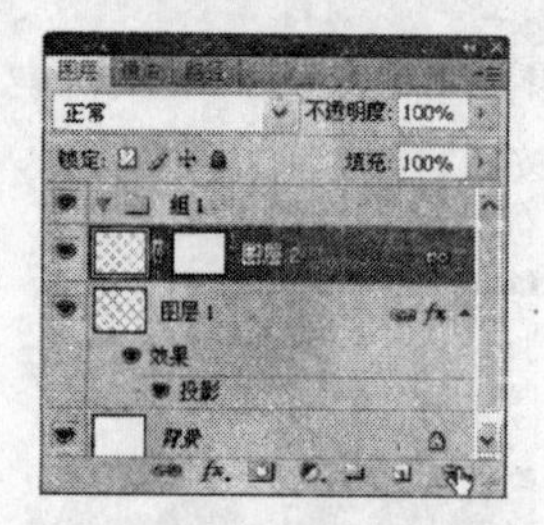

【图层】面板中其他选项的作用如下。

锁定按钮组

单击锁定按钮组中的各个按钮，将分别锁定图层的不透明区域、像素、位置和可编辑性等属性。

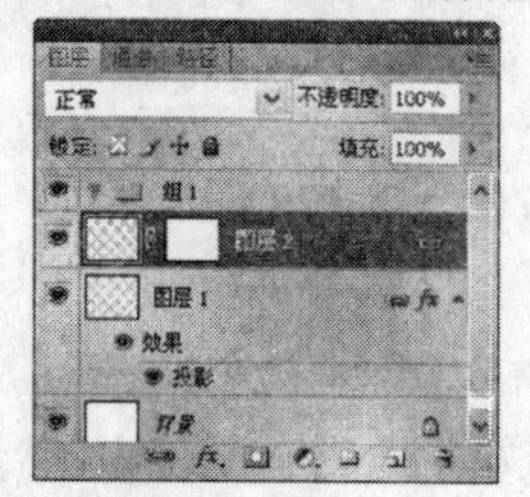

不透明度和填充文本框

分别在【不透明度】和【填充】的文本框中输入数值或者单击按钮拖动弹出的滑块，可以设置图层的不透明度和填充程度。

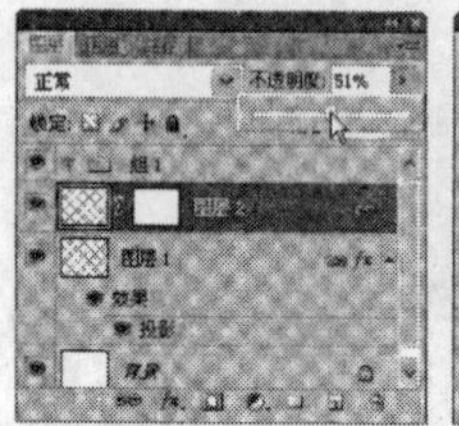

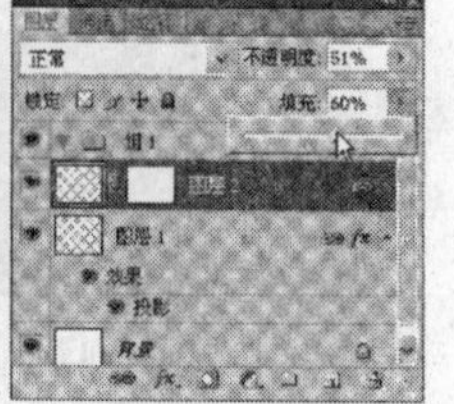

图标

当【图层】面板中的图层左侧显示图标时，表示该图层处于显示状态。单击图标将隐藏该图层，图标也随之隐藏。再次单击图标将重新显示该图层，图标将切换回显示状态。

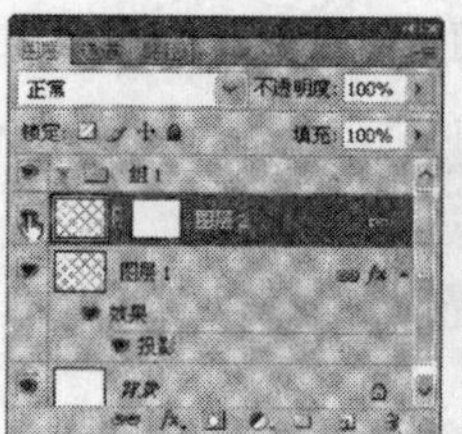

图层缩览图

打开一幅图像后，【图层】面板中将显示其图层缩览图。在图层缩览图上单击鼠标右键弹出快捷菜单，从中可以进行缩览图的精确设置。

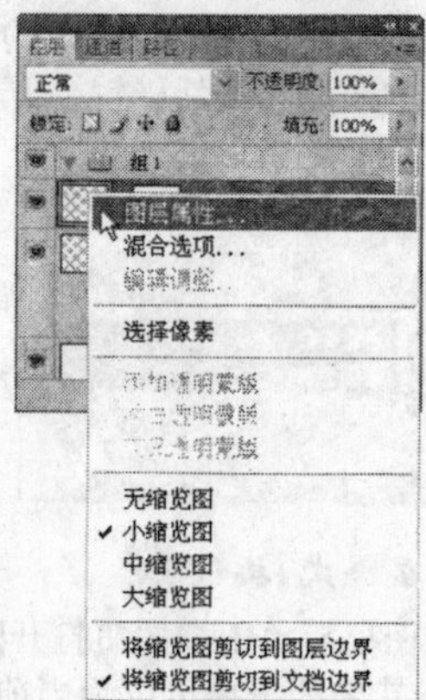

在快捷菜单中选择【图层属性】菜单项，弹出【图层属性】对话框。在【名称】文本框中可以重命名图层，在【颜色】下拉列表中选择一种颜色，然后单击确定按钮。

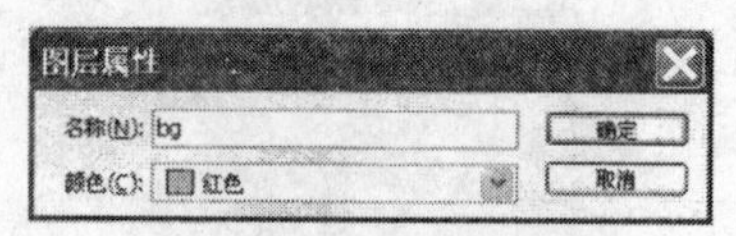

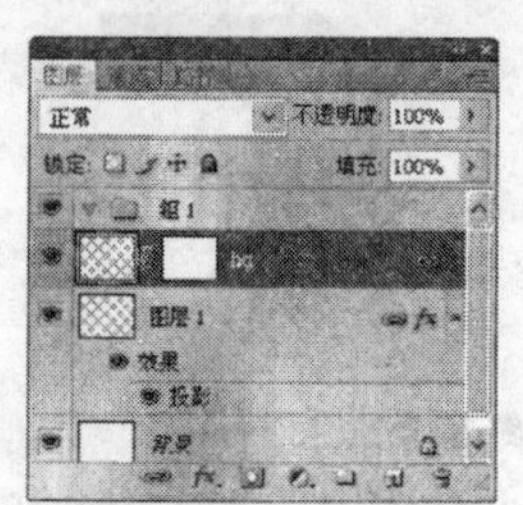

6.2 新建图层

创建图层的方法有很多种，包括在【图层】面板中创建和使用命令创建等，下面我们就介绍不同类型图层的创建方法。

6.2.1 创建普通图层

(1)单击【图层】面板中的【创建新图层】按钮，即可在当前图层上面新建一个图层，新建的图层会自动成为当前图层。

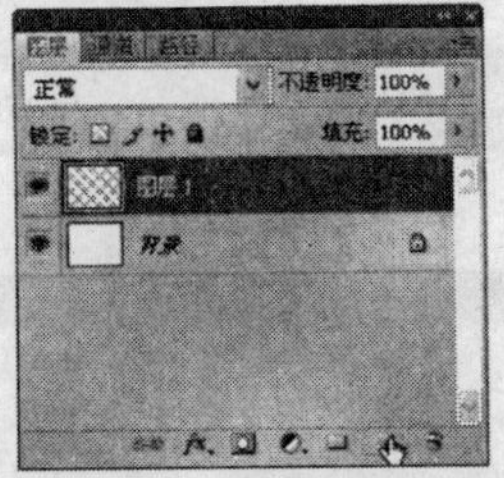

(2)选择【图层】▷【新建】▷【图层】菜单项。

随即弹出【新建图层】对话框，设置各参数完成创建。

(3)按住【Alt】键的同时单击【图层面板】中的【创建新图层】按钮，弹出【新建图层】对话框，设置各参数，设置完毕单击确定按钮即可创建图层。

6.2.2 创建调整图层

调整图层是一种特殊的图层，它可以将颜色和色调应用于图像，但不会改变原图像的像素，因此不会对原图像产生实质的破坏，下面就介绍创建调整图层的方法。

(1)选择【图层】▷【新建调整图层】菜单项，弹出【新建调整图层】菜单，然后从中设置相关的调整命令。使用这种操作会直接修改所选图层中的像素数据。

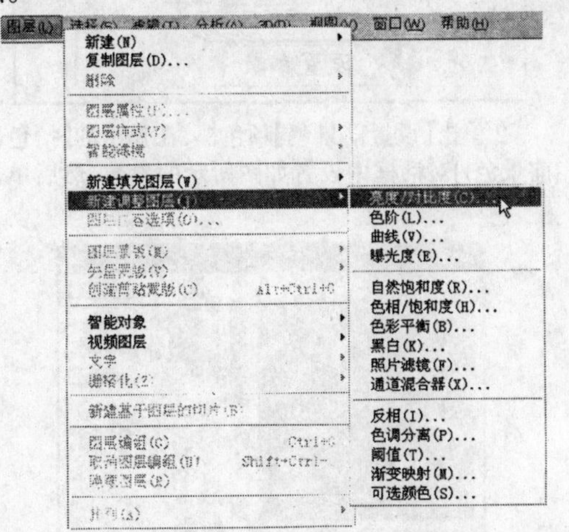

(2)直接单击图层面板中的【创建新的填充或调整图层】按钮，然后在弹出的菜单项中选择相关的调整命令。

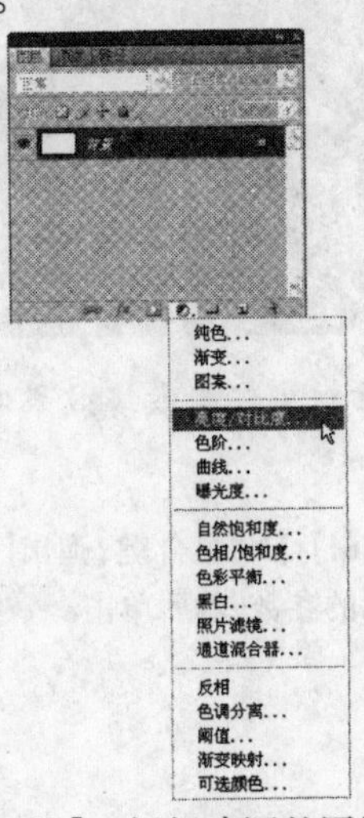

(3)使用【调整】面板新建调整图层不会修改像素，是一种非破坏性的图像调整功能。

6.2.3 创建文本图层

文本图层是用来输入文字的，只有在选中了【文字】工具T的情况下，才可以新建文本图层。

选中【文字】工具T后在编辑区直接输入文字，【图层】面板中就会相应地出现【文本】图层。

6.2.4 创建形状图层

选择工具箱中的【矩形】工具，在工具选项栏中单击按钮。

在编辑区进行绘制，在【图层】面板中就会出现相应的形状图层。

6.2.5 实例——色旋风

素材文件与最终效果对比

1.背景设计

1.按下【Ctrl】+【N】组合键，弹出【新建】对话框，设置如图所示的参数，然后单击 确定 按钮。

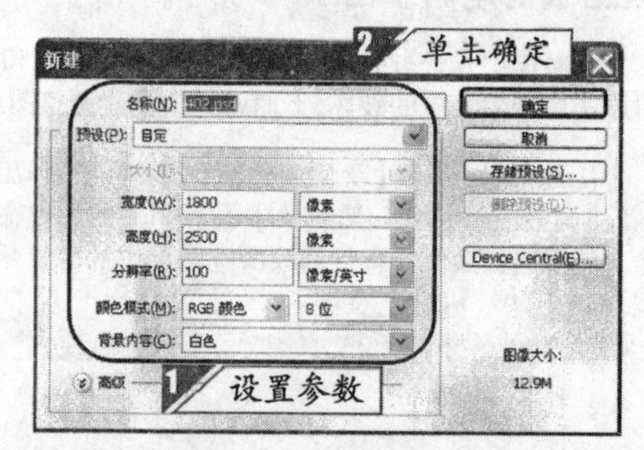

2.单击【设置前景色】颜色框，在弹出的【拾色器(前景色)】对话框中设置如图所示的参数，然后单击 确定 按钮。

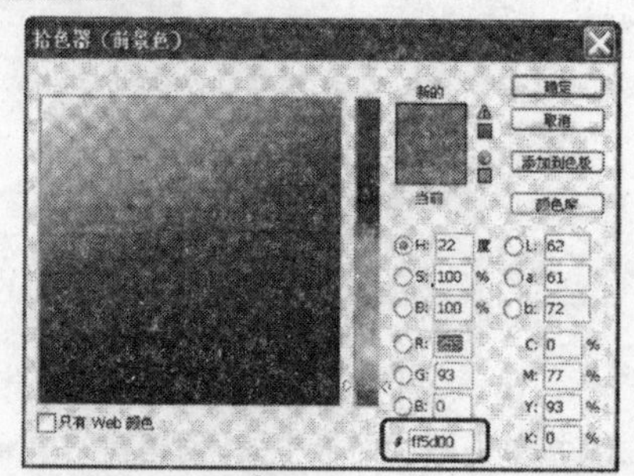

3.单击【设置背景色】颜色框,在弹出的【拾色器(背景色)】对话框中设置如图所示的参数,然后单击 确定 按钮。

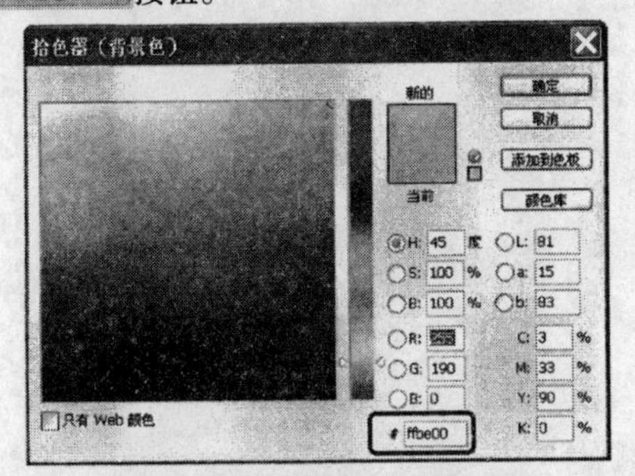

4.选择【渐变】工具,在工具选项栏中设置如图所示的选项。

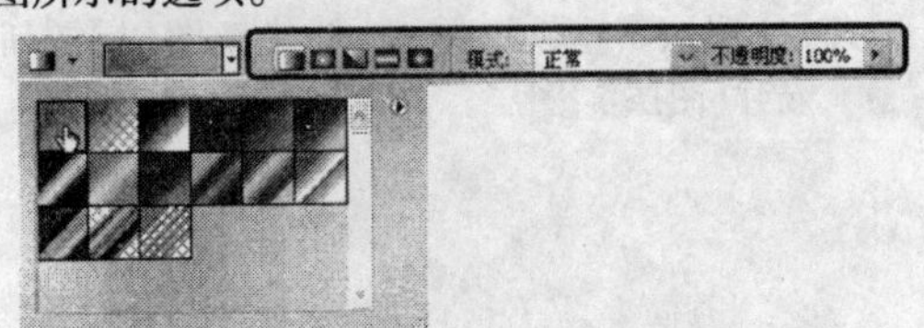

5.在图像中由右下角向左上角拖动鼠标,添加渐变效果。

6.选择【椭圆】工具,在工具选项栏中设置如图所示的选项。

7.按住【Shift】键在图像中绘制如图所示的圆形路径。

8.按下【Ctrl】+【Enter】组合键将路径转换为选区。

9.单击【创建新图层】按钮,新建【图层 1】图层。

10.选择【渐变】工具,由右向左拖动鼠标添加渐变效果。

11.按下【Ctrl】+【D】组合键取消选区,单击【矢量蒙版缩览图】,选中路径。

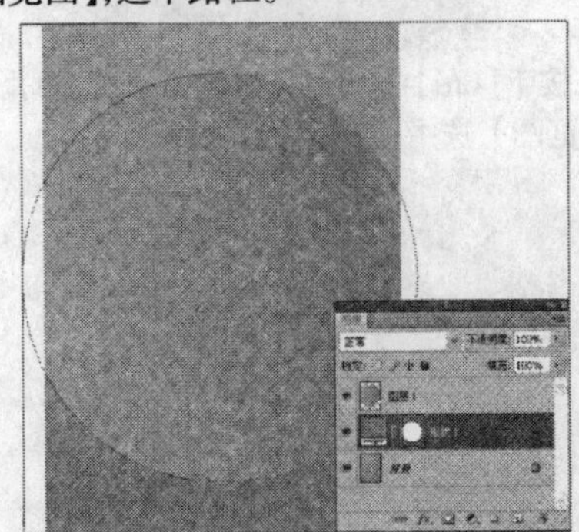

12.按下【Ctrl】+【T】组合键调出调整控制框,按住【Shift】键调整形状路径的大小,合适后按下【Enter】键确认操作。

13.按下【Ctrl】+【Enter】组合键将路径转换为选区，新建【图层 2】图层，并将其移至顶层。

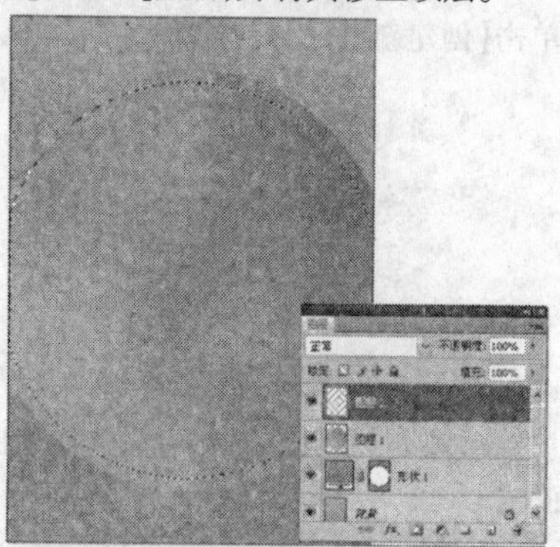

14.选择【渐变】工具，由右向左拖动鼠标添加渐变效果。

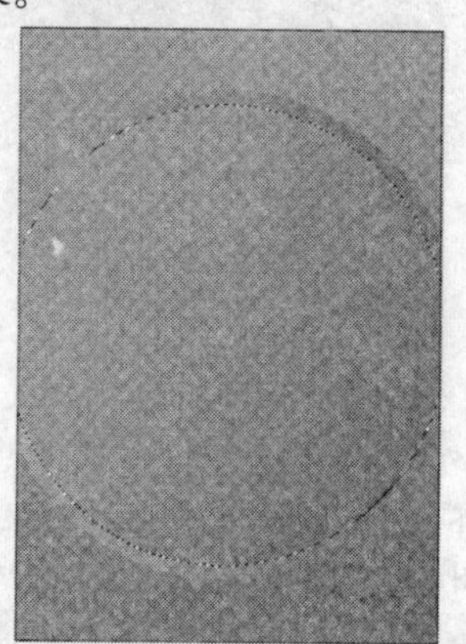

15.按下【Ctrl】+【D】组合键取消选区，单击【矢量蒙版缩览图】，选中路径。

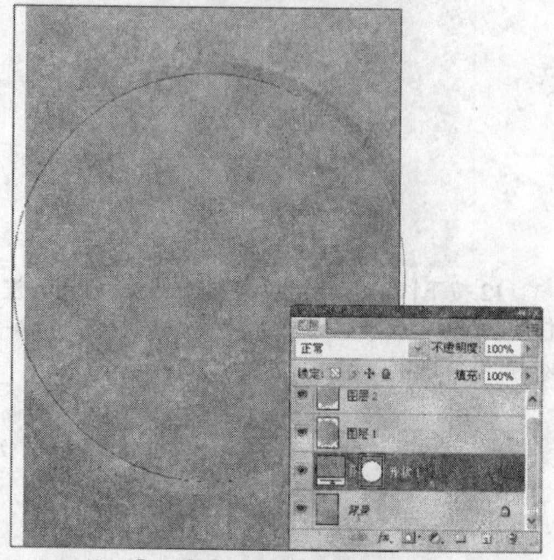

16.按下【Ctrl】+【T】组合键调出调整控制框，按住【Shift】键调整形状路径的大小，调整合适后按下【Enter】键确认操作。

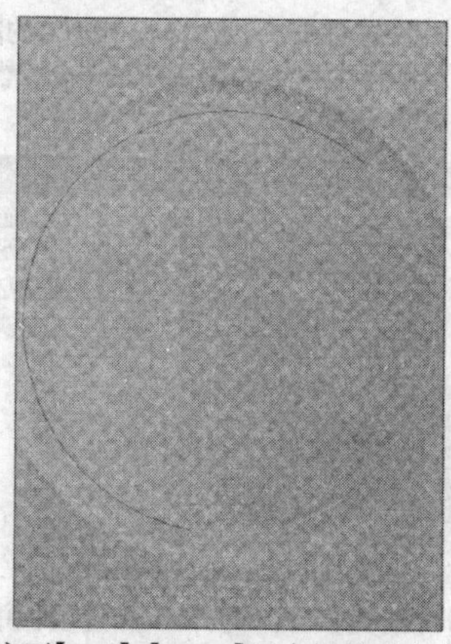

17.按下【Ctrl】+【Enter】组合键将路径转换为选区，选择【图层 2】图层，单击【创建新图层】按钮，新建【图层 3】图层。

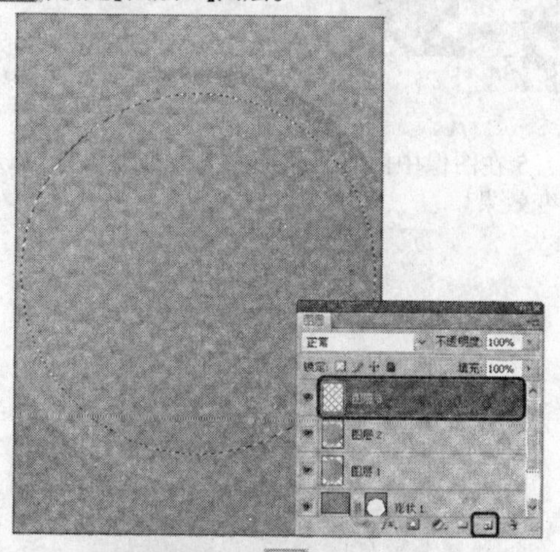

18.选择【渐变】工具，由右向左拖动鼠标添加渐变效果。

19.按下【Ctrl】+【D】组合键取消选区，按下【Ctrl】+【J】组合键复制图层，得到【图层 3 副本】图层。

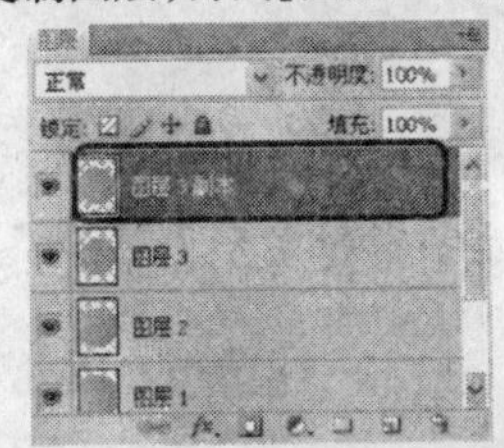

20.按下【Ctrl】+【T】组合键调出调整控制框，按住【Shift】键调整图像的大小，并适当旋转图像的角度，调整合适后按下【Enter】键确认操作。

21.参照上述方法编辑其他圆形，得到如图所示的效果。

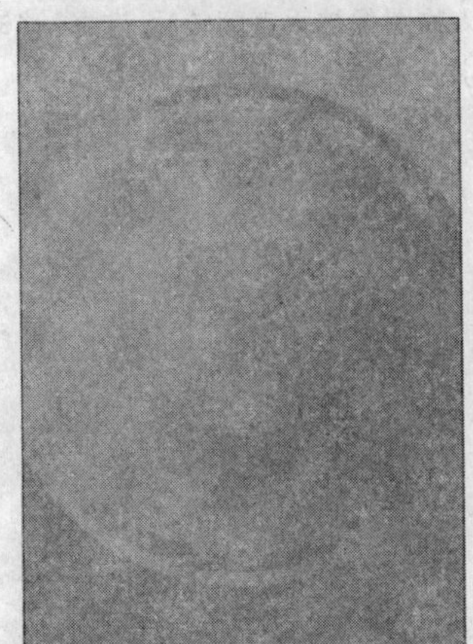

2.细节设计

1.将前景色设置为“f71d18”号色，选择【横排文字】工具，分别在工具选项栏中的【设置字体系列】和【设置字体大小】下拉列表中选择合适的字体和字号。

2.在图像中输入如图所示的文字，输入完成后单击工具选项栏中的【提交所有当前编辑】按钮确认操作。

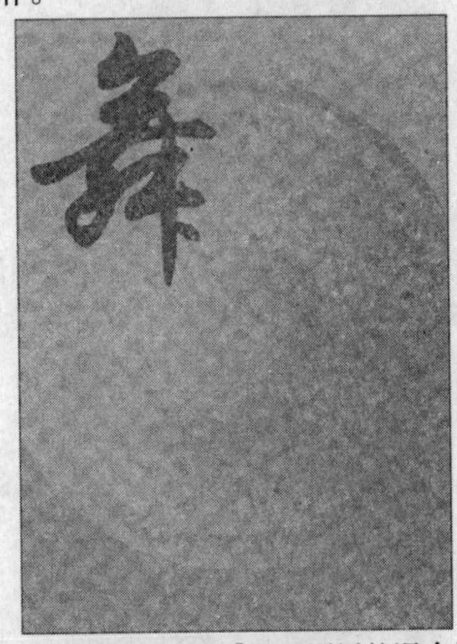

3.在【图层】面板中的【设置图层的混合模式】下拉列表中选择【叠加】选项，在【填充】文本框中输入“65%”。

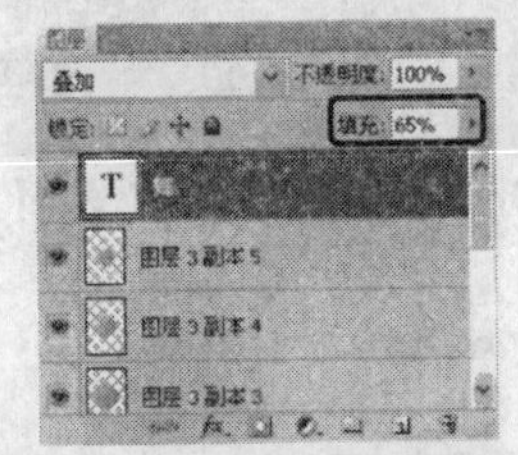

4.设置混合模式后得到如图所示的效果。

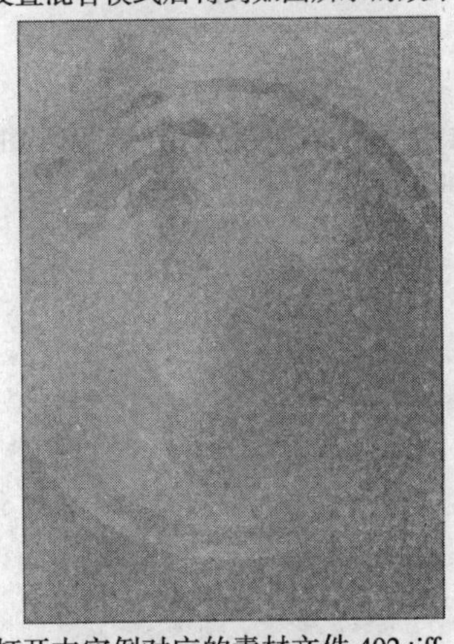

5.打开本实例对应的素材文件 402.tiff，选择【火焰】图层。

6.选择【移动】工具，将【火焰】图层图像拖动到文件 402.psd 中，并适当调整其位置。

7.返回打开的素材文件 402.tiff，选择【人物】图层。

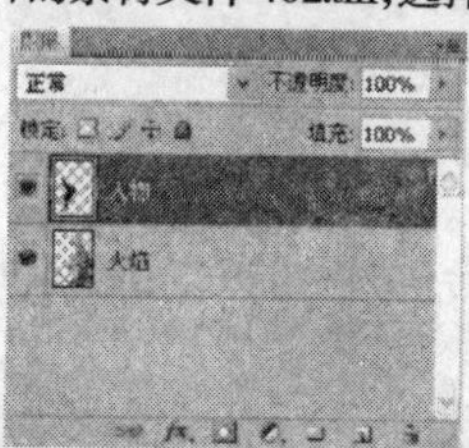

8.选择【移动】工具，将【人物】图层图像拖动到文件 402.psd 中，并适 "-3 调整其位置。

9.按下【Ctrl】+【J】组合键复制图层，得到【人物副本】图层。

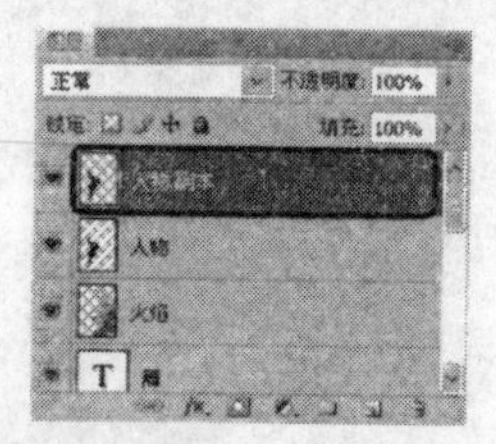

10.选择【编辑】≫【变换】≫【垂直翻转】菜单项。

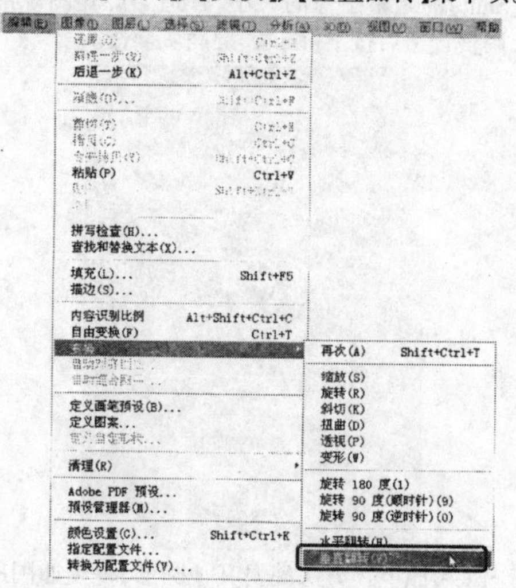

11.人物图像被垂直翻转后，选择【移动】工具调整其位置，得到如图所示的效果。

12.选择【编辑】≫【变换】≫【扭曲】菜单项，将人物副本的形状扭曲，调整合适后得到如图所示的效果。

13.将【人物副本】图层移至【火焰】图层的下方,单击【添加图层蒙版】按钮,为该图层添加图层蒙版。

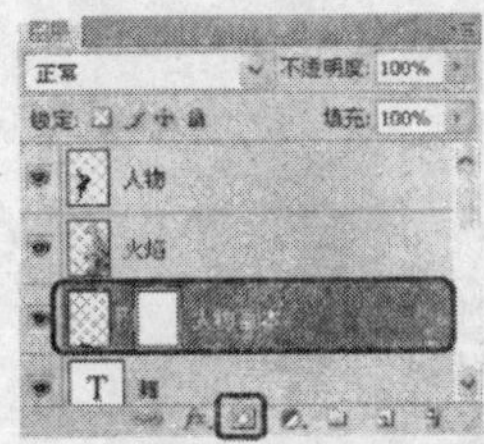

14.将前景色设置为黑色,选择【渐变】工具,在工具选项栏中设置如图所示的选项。

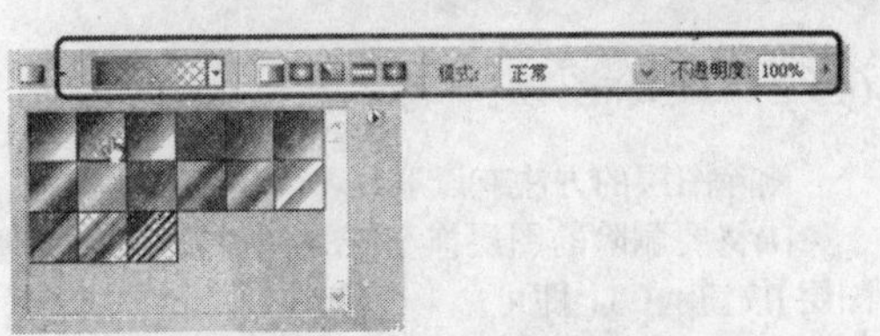

15.在图像中由下向上拖动鼠标添加渐变,最终得到如图所示的效果。

6.3 图层的基本操作

在编辑图像的过程中,图层是必不可少的,本节介绍如何通过对图层进行复制、变换、合并以及连接等操作,制作特殊的图像效果。

6.3.1 复制图层

复制图层是图层编辑中的一项常用的操作,方法有以下几种。

使用【创建新图层】按钮

将需要复制的一个或者几个图层直接拖到【图层】面板下方的【创建新图层】按钮上,即可复制所选的图层。

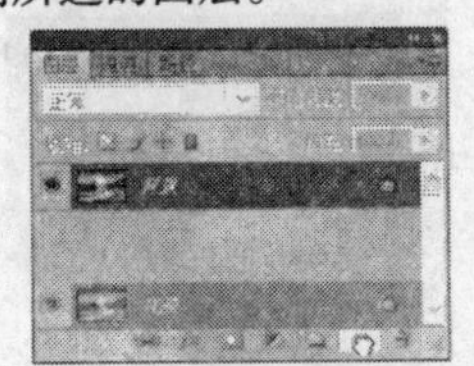

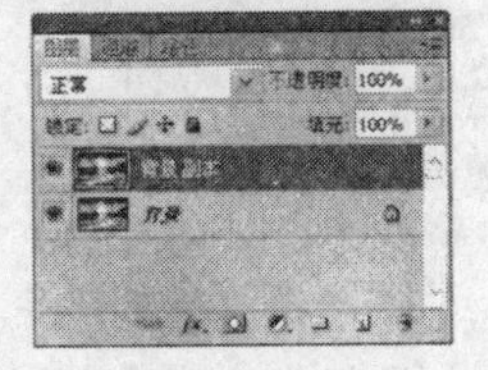

使用菜单

选中需要复制的图层,然后选择【图层】>【复制图层】菜单项,或者在【图层】面板中该图层的名称上单击鼠标右键,在弹出的快捷菜单中选择【复制图层】菜单项,弹出【复制图层】对话框,设置完成后单击确定按钮即可复制该图层。

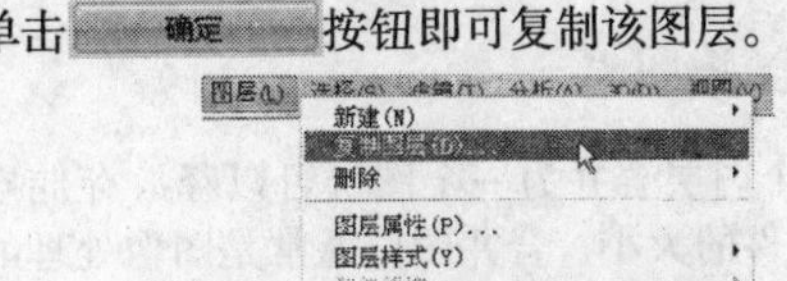

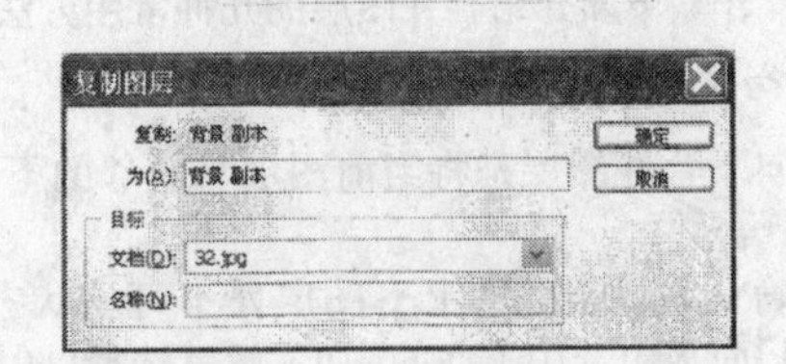

使用快捷键

按下【Ctrl】+【J】组合键复制图层。

6.3.2 删除图层

删除图层的方法有以下几种。

(1)将要删除的图层拖至【图层】面板中的【删除图层】按钮 上即可。

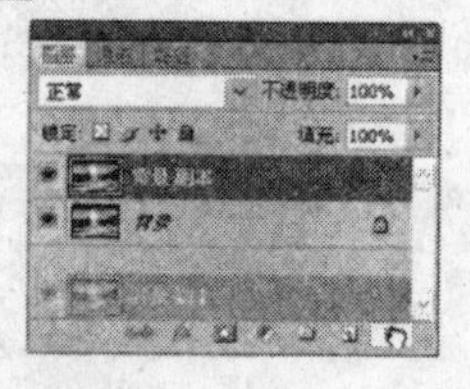

(2)选中要删除的图层，选择【图层】▶【删除】▶【图层】菜单项，删除图层。

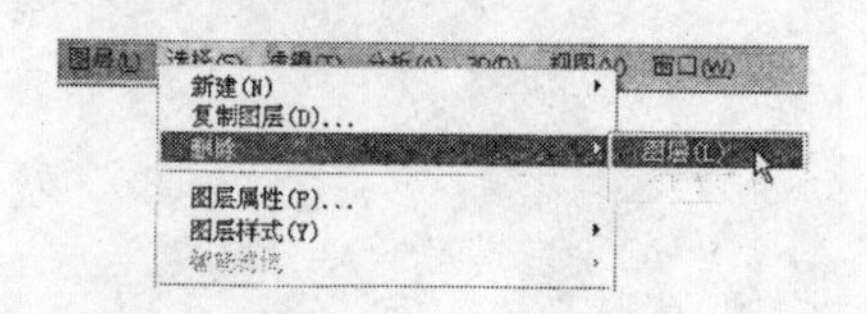

(3)选择要删除的图层，按下【Delete】键删除图层。

6.3.3 移动图层的位置

复杂的图像文件是由一层层的图层排列而成的，调整图层的排列顺序可以改变图像的效果。下面介绍调整图层顺序的几种方法。

(1)在【图层】面板中可以快捷准确地更改图层的排列顺序。单击【图层】面板中的图层，然后按住鼠标左键不放并移动到目标位置处释放，即可改变该图层在【图层】面板中的排列顺序。

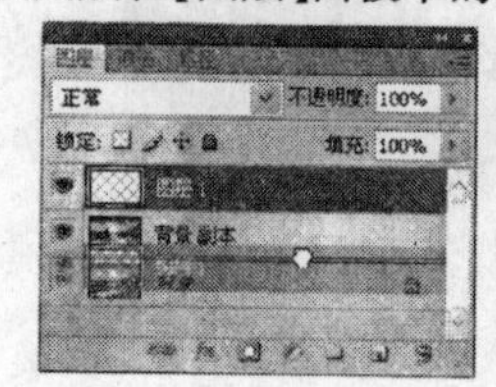

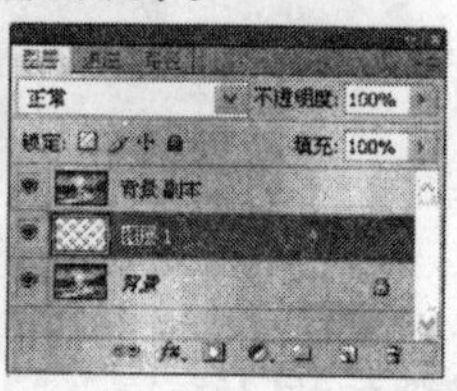

(2)选中一个图层后，选择【图层】▶【排列】菜单项，在弹出的子菜单中选择相应的菜单项即可。

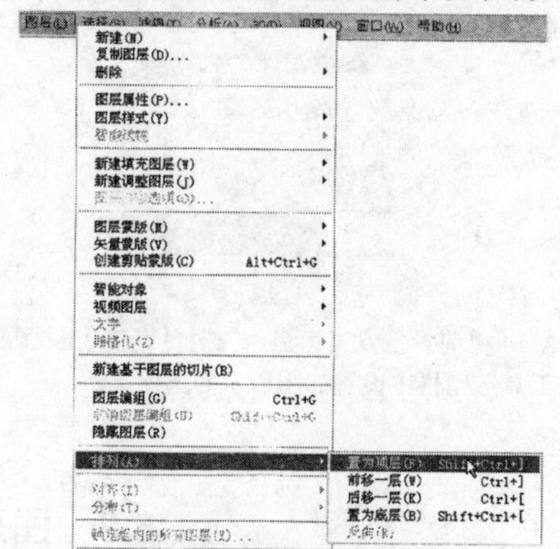

6.3.4 链接图层

如果要同时处理多个图层中的内容，按住【Ctrl】键的同时在【图层】面板中选中两个或两个以上的图层，激活【链接图层】按钮，单击该按钮链接所选图层即可。

6.3.5 合并图层

将多个图层合并为一个图层可以释放存储空间，减小文件的大小。合并图层通常是图像处理的后期操作。下面介绍合并图层的几种常用方法。

向下合并图层

向下合并图层是将当前图层与紧邻的下方图层进行合并。

确认需要合并的上下图层处于可见状态，在【图层】面板中选中上面的图层，然后选择【图层】▶【向下合并】菜单项(或者按下【Ctrl】+【E】组合键)，也可以在【图层】面板菜单中选择【向下合并】菜单项，即可将该图层与下方的图层合并为一个图层。合并后的图层名称将以下方图层的名称命名。

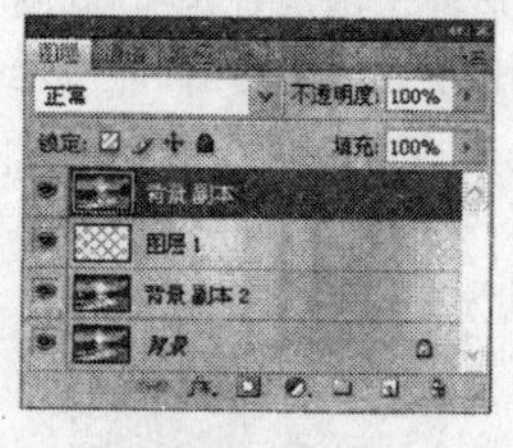

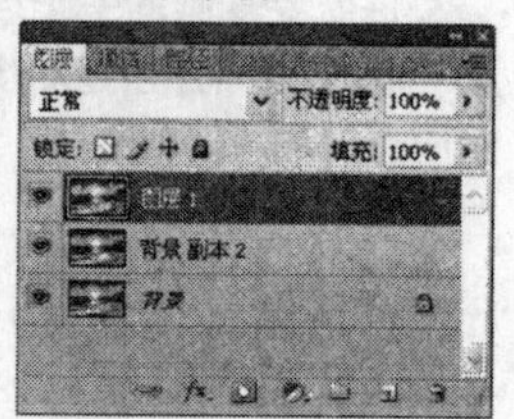

合并所有可见图层

将所有可见图层进行合并应先将所有需要的图层都设置为可见状态，然后选择【图层】▶【合并可见图层】菜单项(或者按下【Shift】+【Ctrl】+【E】组合键)，也可以单击【图层】面板的 按钮，在弹出的菜单中选择【合并可见图层】菜单项，即可合并所有可

见图层。

盖印图层

盖印图层是指在【图层】面板中将选中的图层或者所有图层中的内容合并，并在所有图层的最上方创建一个新图层，原始图层不受影响。选中需要创建盖印图层的多个图层，然后按下【Shift】+【Ctrl】+【Alt】+【E】组合键为所选图层创建盖印图层。选中任意一个图层，按下【Shift】+【Ctrl】+【Alt】+【E】组合键则可为【图层】面板中的所有图层创建盖印图层。

6.3.6 对齐和分布链接图层

对齐和分布图层是将多个图层按照图层边缘或者是中轴线等规律或标准排列，以免发生偏差的一种操作。

图层和图层之间、图层和选区之间都可以进行对齐或分布操作，其操作方法大致相同。

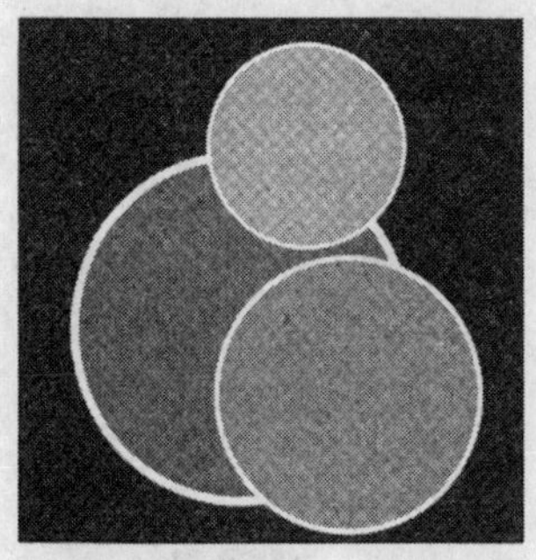

对齐图层的具体步骤如下。

1.打开本实例对应的原始文件 401.psd，按住【Ctrl】键的同时在【图层】面板中单击【图层 1】、【图层 2】和【图层 3】图层将其选中，然后单击面板下方的【链接图层】按钮链接需要对齐的图层。

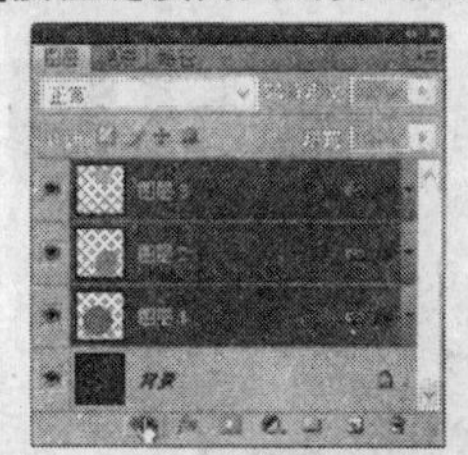

2.选中【图层 2】图层，选择【图层】▶【对齐】▶【水平居中】菜单项，即可对图层进行相应的对齐排列。

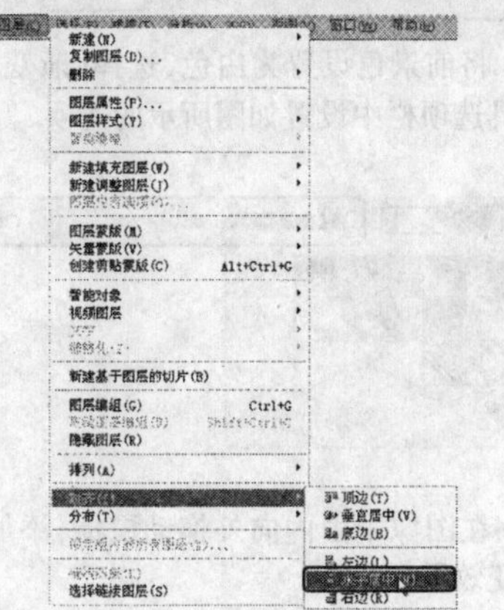

3.使用【移动】工具调整图像位置，得到图像效果如图所示。

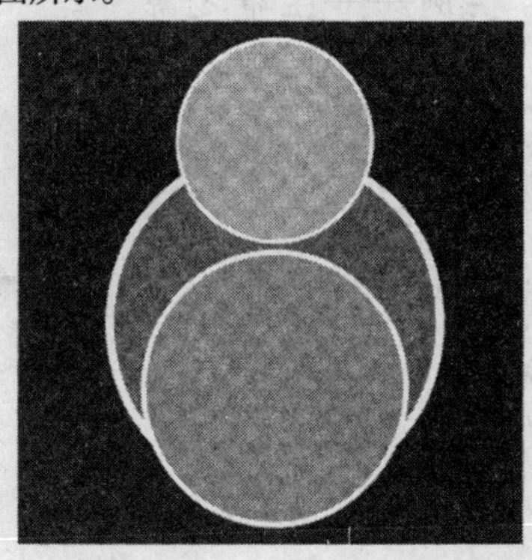

4.选择【图层】▶【对齐】▶【垂直居中】菜单项，即可对图层进行相应的对齐排列。

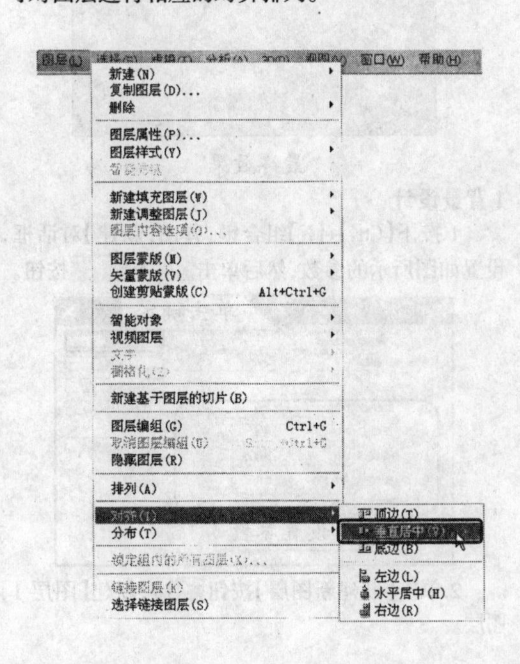

5.使用【移动】工具调整图像位置，得到图像的最终效果如图所示。

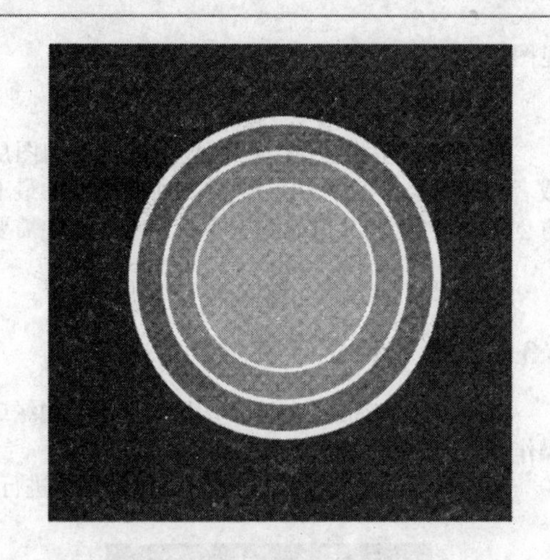

6.3.7 实例——生命之源

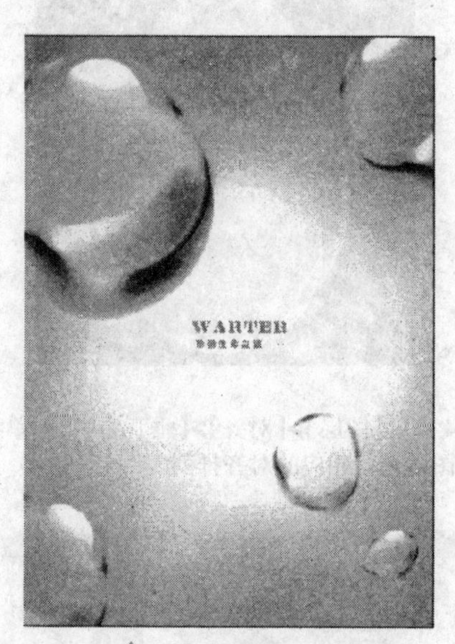

▲ 最终效果

1.背景设计

1.按下【Ctrl】+【N】组合键，弹出【新建】对话框，设置如图所示的参数，然后单击 确定 按钮。

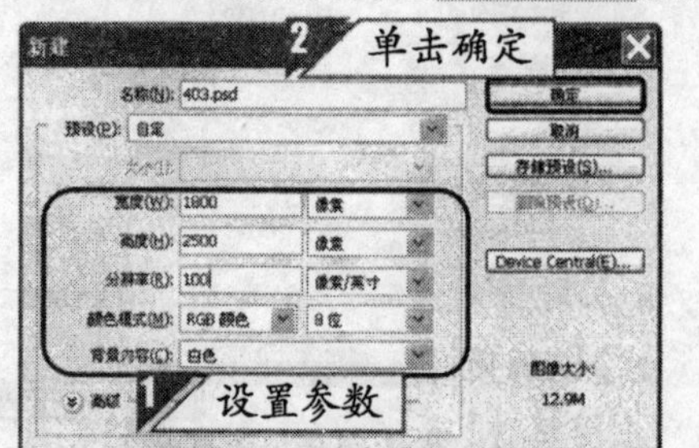

2.单击【创建新图层】按钮，新建【图层 1】图层。

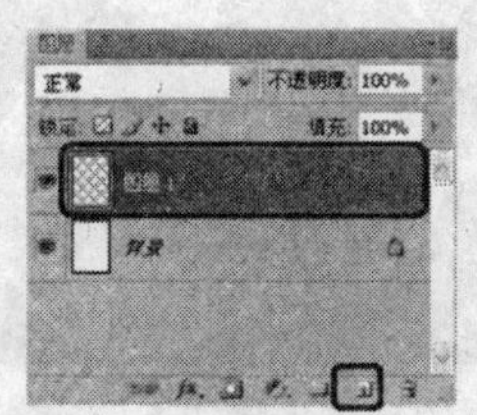

3.单击【设置背景色】颜色框，在弹出的【拾色器(背景色)】颜色框中设置如图所示的参数，然后单击 确定 按钮。

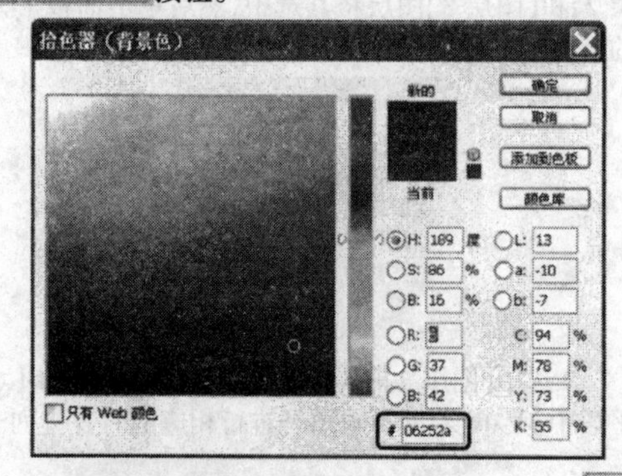

4.将前景色设置为白色，选择【渐变】工具，在工具选项栏中设置如图所示的选项。

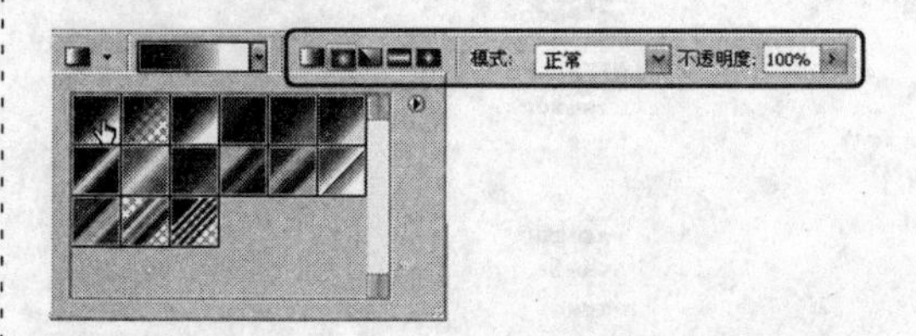

5.在图像中由内向外拖动鼠标，添加如图所示的渐变效果。

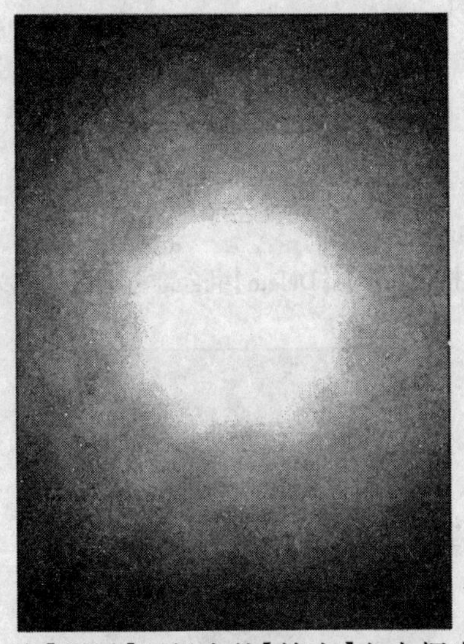

6.在【图层】面板中的【填充】文本框中输入“43%”。

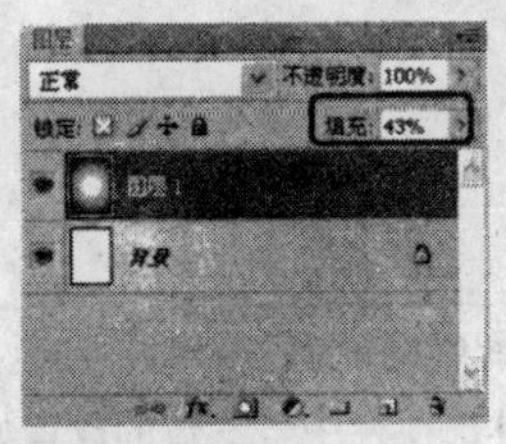

7.得到如图所示的效果。

2.水珠设计

1.选择【钢笔】工具，在工具选项栏中设置如图所示选项。

2.在图像中单击鼠标左键，创建一点作为路径的起点。

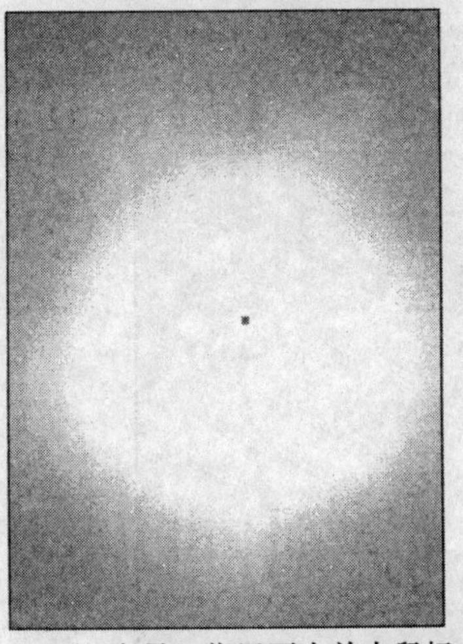

3. 在另一位置再次单击鼠标左键拉出一段线段.按住鼠标左键不放并向外拖动该段路径，灵活移动鼠标调整曲线的弧度。

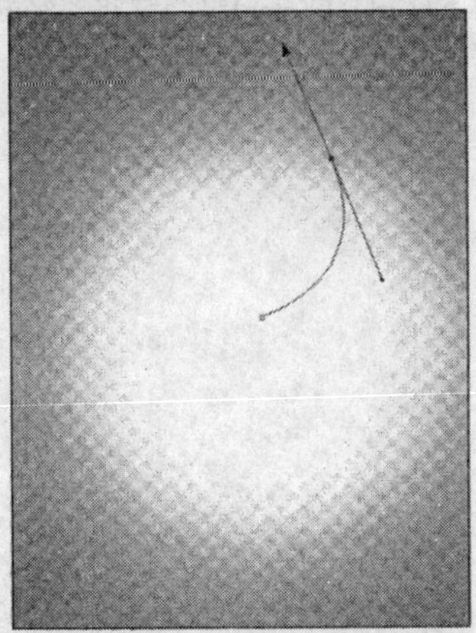

4.按住【Alt】键的同时单击控制点，去除一侧的控制手柄。

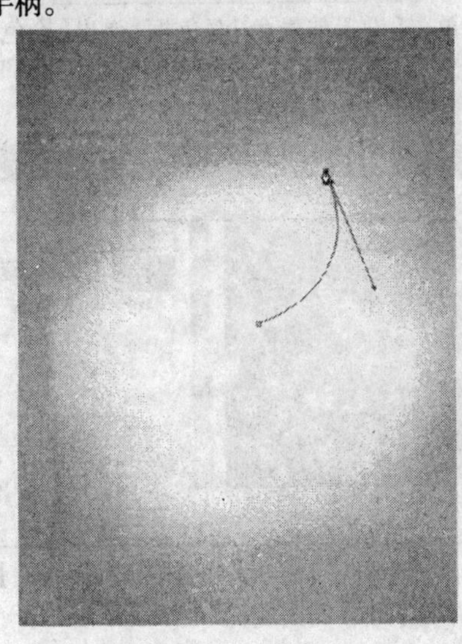

5.参照上述方法绘制其他路径，创建完路径后光标回到起点。待光标呈现形状时单击即可闭合路径，图像效果如图所示。

6.按下【Ctrl】+【Enter】组合键将路径转换为选区。

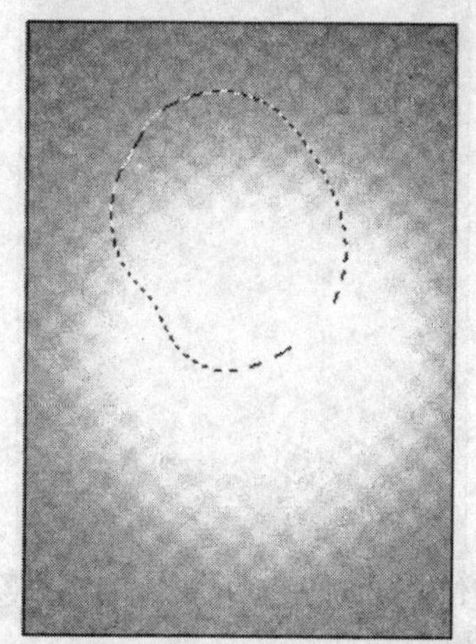

7.单击【设置前景色】颜色框，弹出【拾色器(前景色)】对话框，在【#】文本框中输入“8b8b8b”.然后单击 确定 按钮。

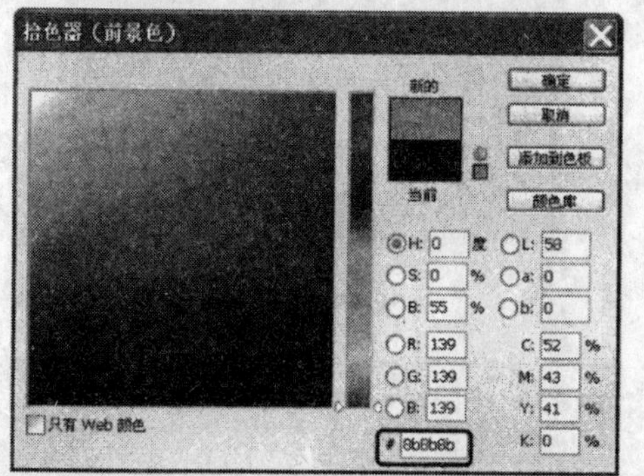

8.单击【图层】面板中的【创建新图层】按钮，新建【图层 2】图层。

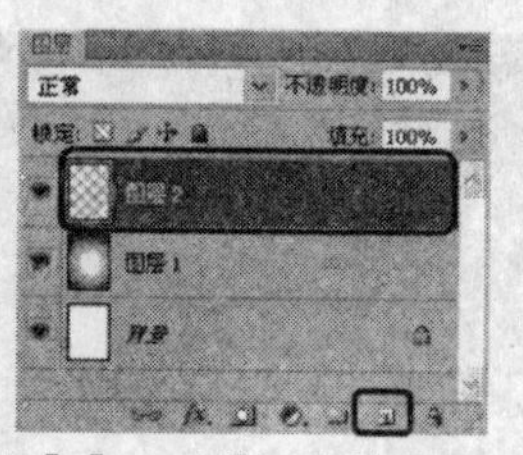

9.按下【Alt】+【Delete】组合键将选区填充为前景色。

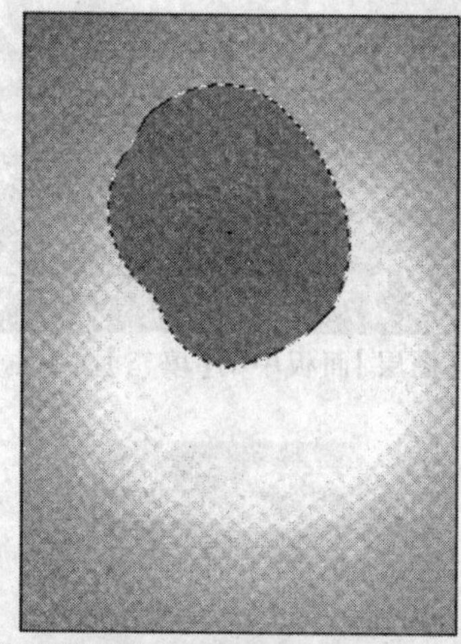

10.将前景色设置为“d9d9d9”号色，选择【画笔】工具，工具选项栏中各参数的设置如图所示。

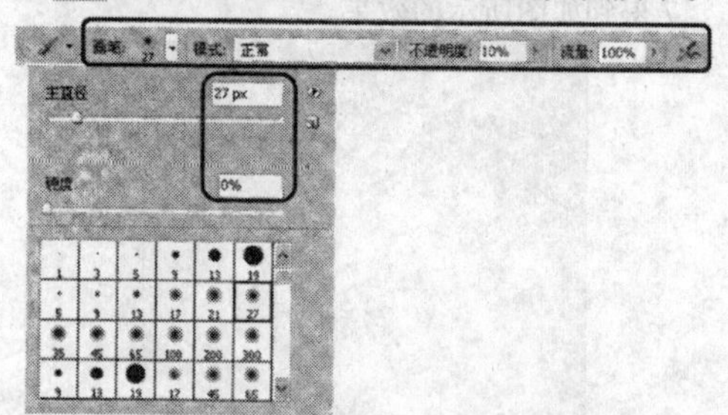

11.使用【画笔】工具，按下【[】或【]】键调节画笔大小，在选区内涂抹，得到如图所示的效果。

12.将前景色设置为白色,选择【画笔】工具,在工具选项栏中设置如图所示的参数。

13.按下【[】或【]】键调节画笔大小,在亮部涂抹,按下【Ctrl】+【D】组合键取消选区,得到的效果如图所示。

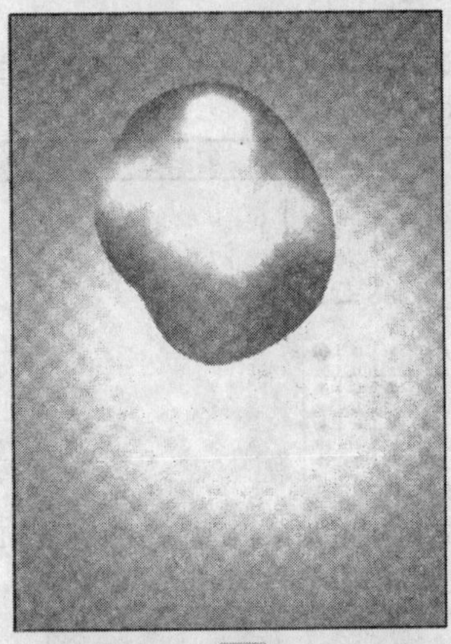

14.选择【钢笔】工具,在图像中绘制如图所示的路径。

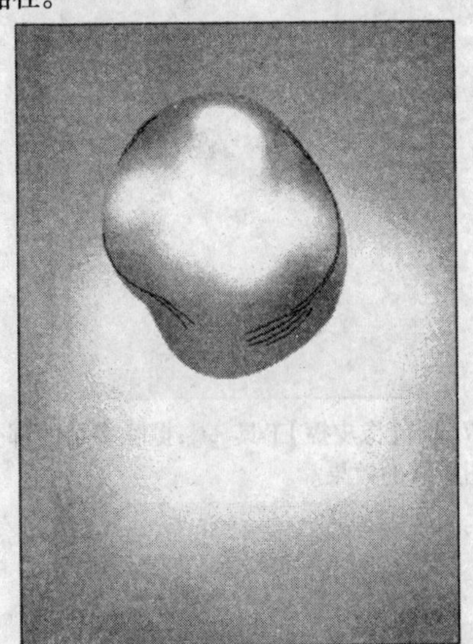

15.选择【画笔】工具,在工具选项栏中设置如图所示的参数。

16.将前景色设置为黑色,按住【Alt】键的同时,在【路径】面板中单击【用画笔描边路径】按钮,弹出【描边路径】对话框,设置如图所示的选项,然后单击确定按钮。

17.选择【滤镜】▶【模糊】▶【高斯模糊】,弹出【高斯模糊】对话框,设置如图所示的参数,然后单击确定按钮。

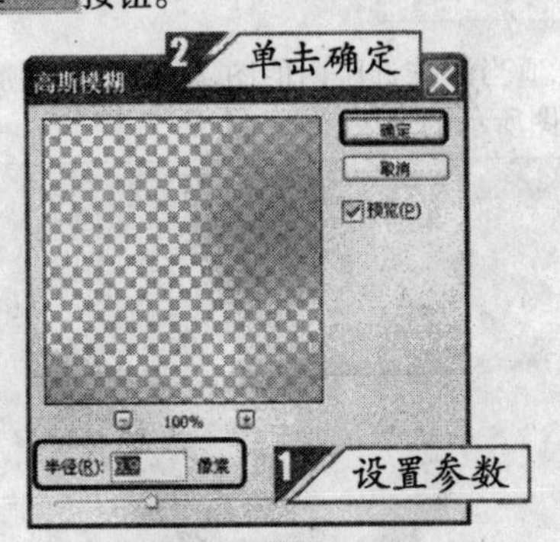

18.选择【钢笔】工具,在图像中绘制如图所示的路径。

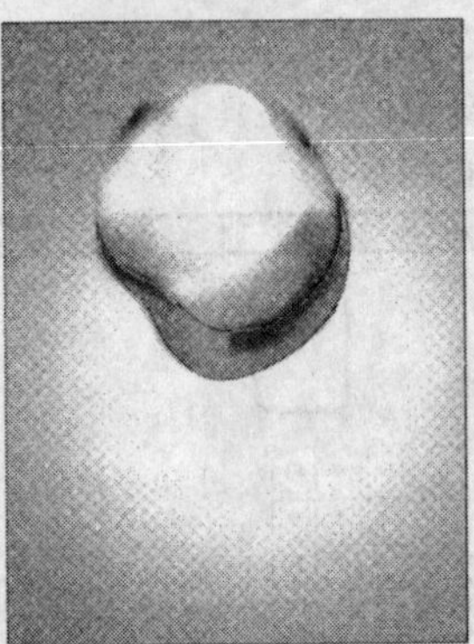

19.按下【Ctrl】+【Enter】组合键将路径转换为选区。

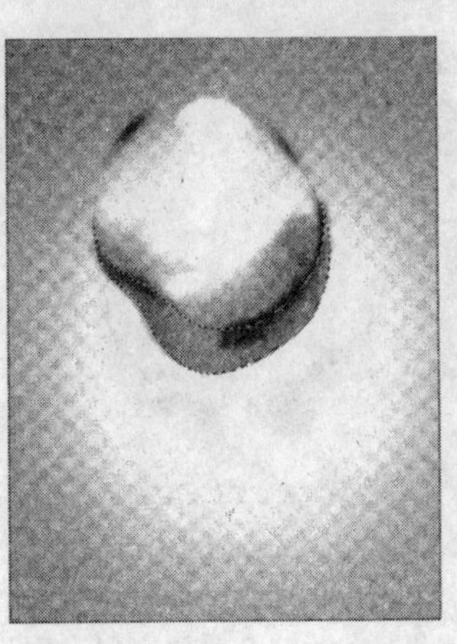

20.选择【画笔】工具，在工具选项栏中设置如图所示的参数。

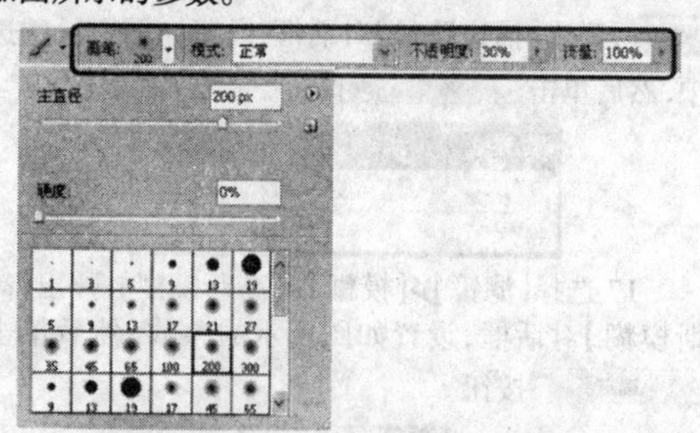

21.适当涂抹选区内的图像，为水珠添加阴影，得到如图所示的效果。

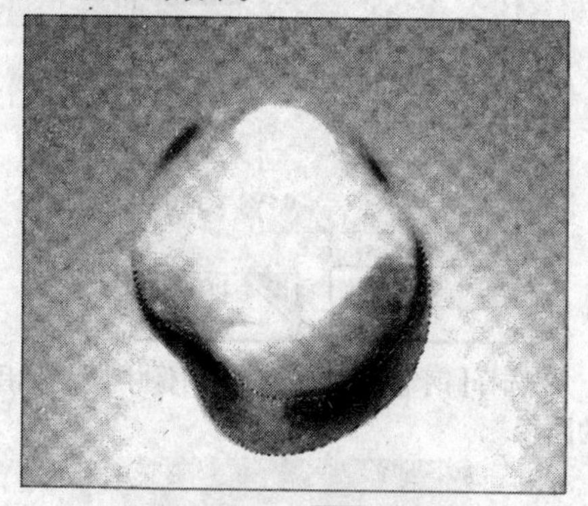

22.选择【橡皮擦】工具，在工具选项栏中设置如图所示的参数。

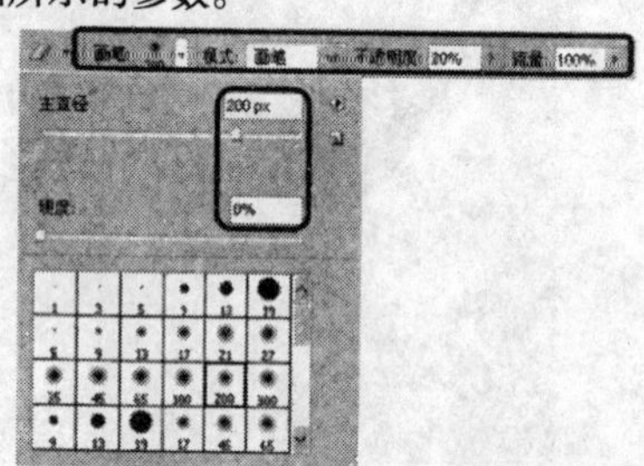

23. 擦除多余的部分，得到如图所示的图像效果。

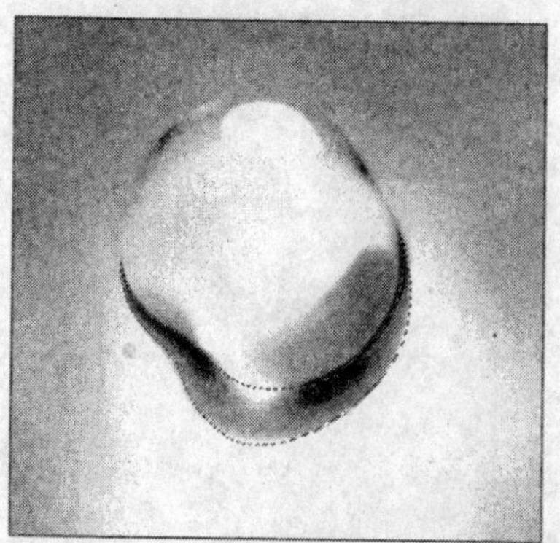

24.选择【加深】工具，在工具选项栏中设置如图所示的参数。

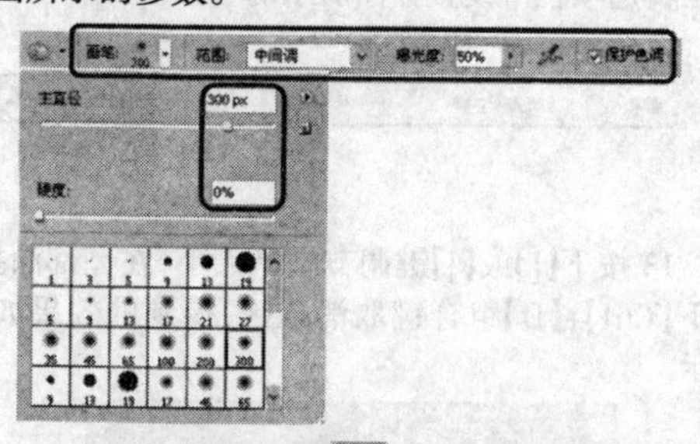

25.选择【减淡】工具，在工具选项栏中设置如图所示的参数。

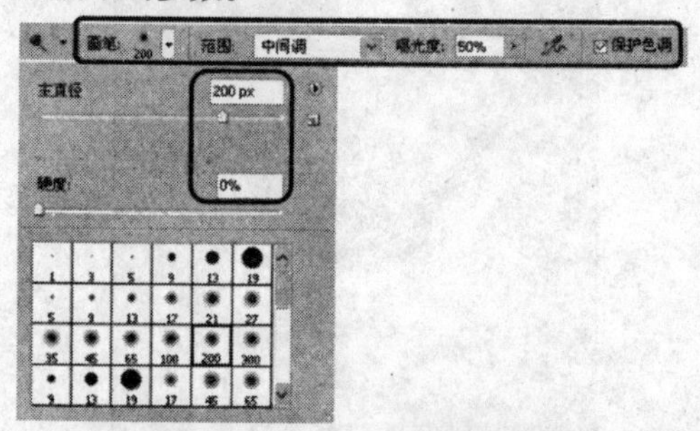

26.交替应用【加深】工具和【减淡】工具在图像中进行细化，得到如图所示的效果。

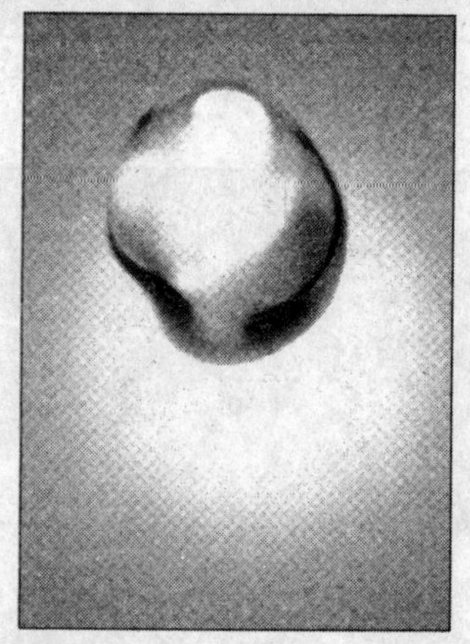

27.选择【橡皮擦】工具，擦除多余的部分，得到如图所示的效果。

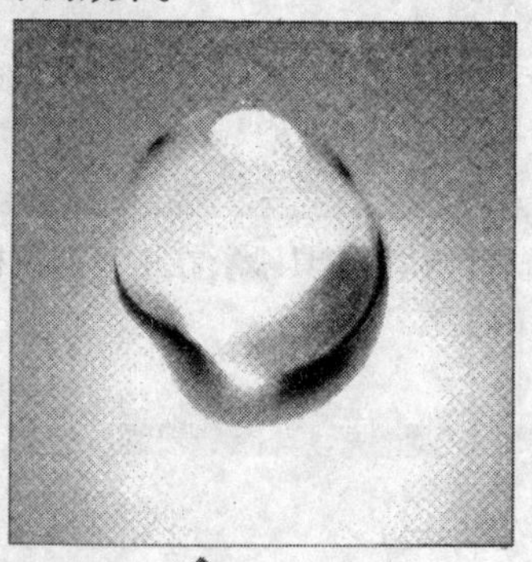

3.内容设计

1.选择【移动】工具，将水珠移动到如图所示的位置。

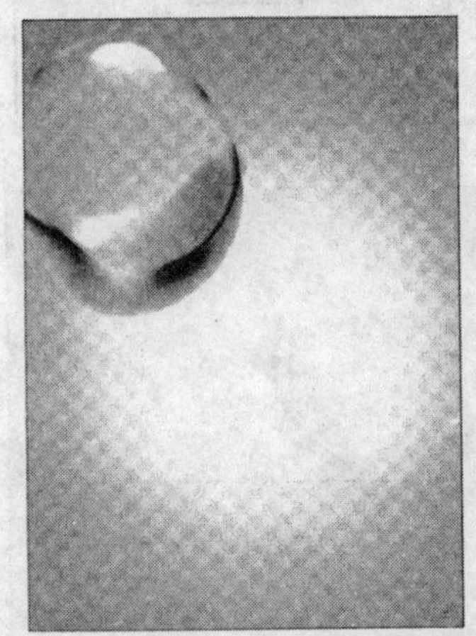

2.按下【Ctrl】+【J】组合键复制图层，得到【图层 2 副本】图层。

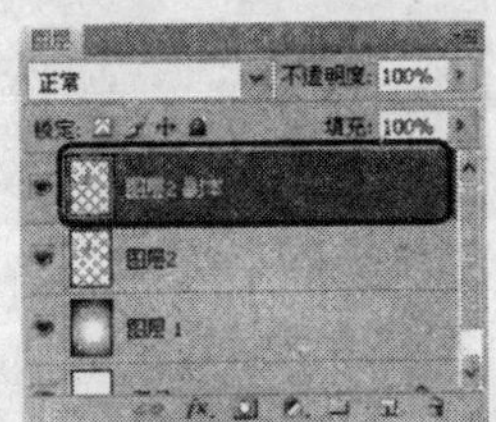

3.选择【移动】工具，将水珠副本图像移动到如图所示的位置。

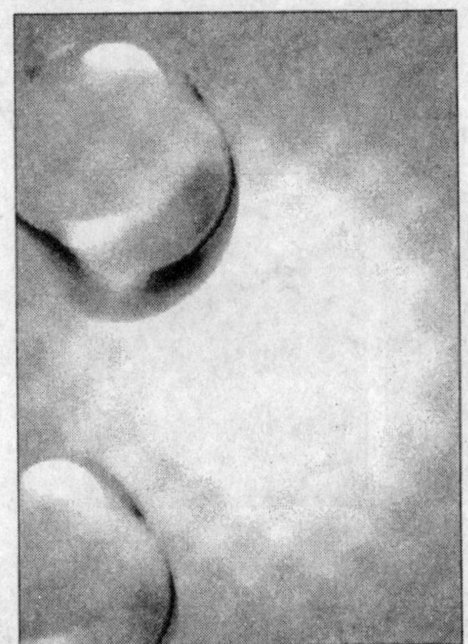

4.按下【Ctrl】+【T】组合键调出调整控制框，按住【Shift】键调整图像的大小，调整合适后按下【Enter】键确认操作。

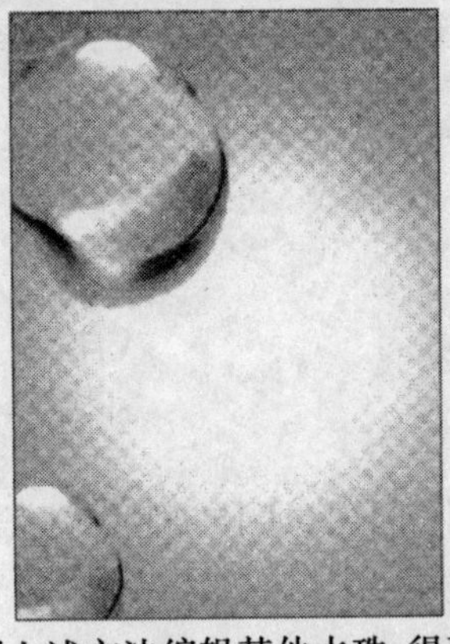

5.参照上述方法编辑其他水珠，得到如图所示的效果。

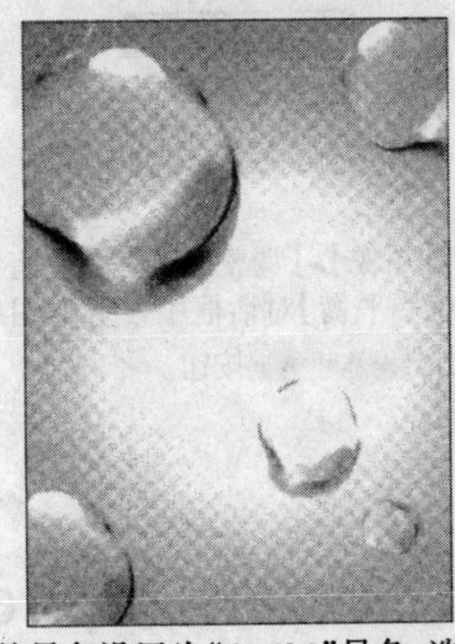

6.将前景色设置为“7ca8b9”号色，选择【横排文字】工具，分别在工具选项栏中的【设置字体系列】和【设置字体大小】下拉列表中设置合适的字体和字号。

7.在图像中输入如图所示的文字，输入完成后单击工具选项栏中的【提交所有当前编辑】按钮确认操作。

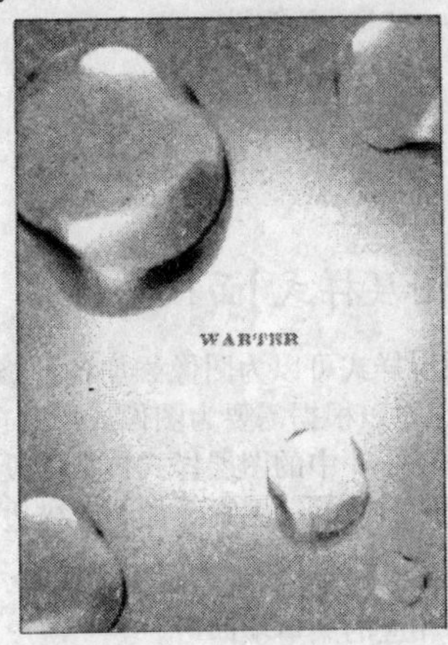

8.参照上述方法输入其他文字,得到如图所示的效果。

9.按下【Ctrl】+【Alt】+【Shift】+【E】组合键盖印图层。

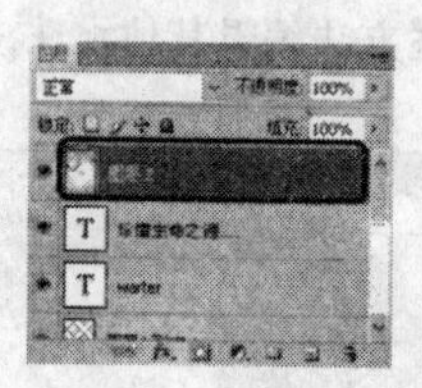

10.选择【图像】>【调整】>【色彩平衡】菜单项,在弹出的【色彩平衡】对话框中设置如图所示的参数,然后单击 确定 按钮。

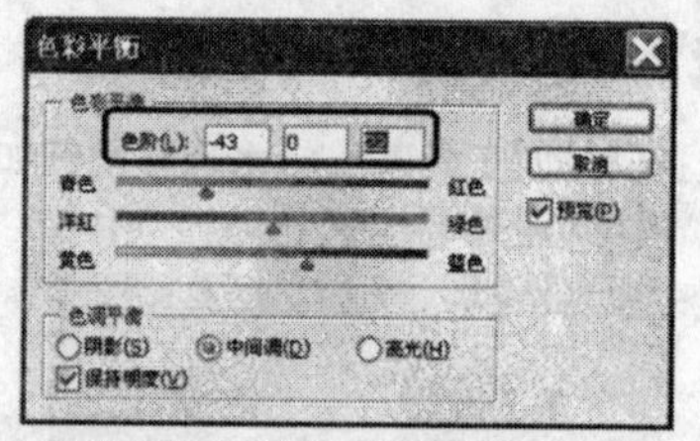

11.最终得到如图所示的效果。

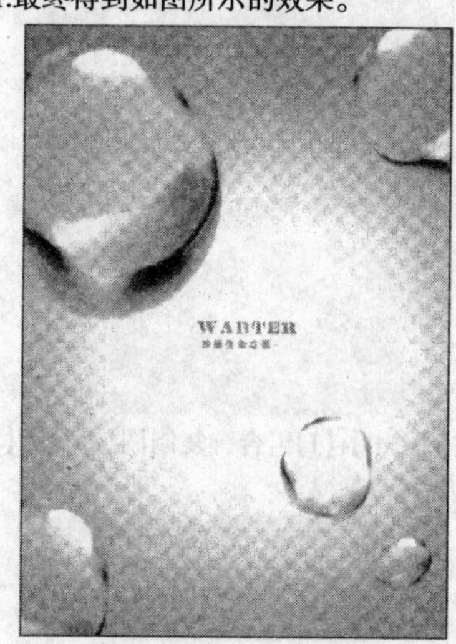

6.4 图层样式

6.4.1 【样式】调板

【样式】调板提供了预设样式。

选择一个图层,单击【样式】调板中的一个样式,图层将被添加所选的样式。

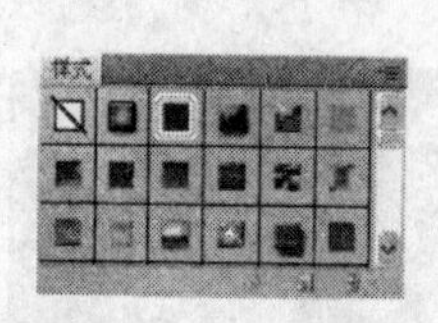

6.4.2 【图层样式】面板

使用图层样式可以为图像添加各种修饰属性,以制作特殊的效果。Photoshop 中提供了系统预设样式集合,用户也可以根据需要为图像或形状自行添加样式并对各种样式进行相关编辑。

PhotoshDp cs4 中的图层样式包括【投影】、【内阴影】、【外发光】、【内发光】、【斜面和浮雕】、【光泽】、【颜色叠加】、【渐变叠加】、【图案叠加】和【描边】等。图层效果的不同特点在数码照片的制作合成中起到很大作用。为图层、选区或形状添加图层样式时,单击【图层】面板下方的【添加图层样式】按钮 fx,在弹出的下拉菜单中选择相应的菜单项即可。

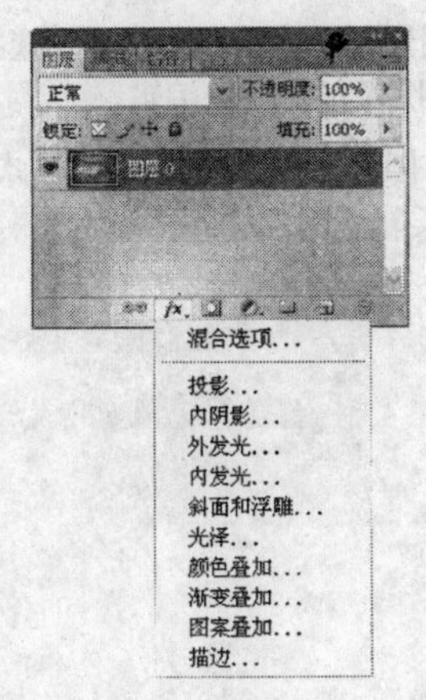

1.默认样式

单击【图层】面板下方的【添加图层样式】按钮 *fx*，在弹出的下拉菜单中选择【混合选项】菜单项；或者选择【图层】▷【图层样式】▷【混合选项】菜单项，即可打开【图层样式】对话框。

打开【图层样式】对话框后直接单击 确定 按钮即可应用默认的图层样式。【图层样式】对话框的组成如下图所示。

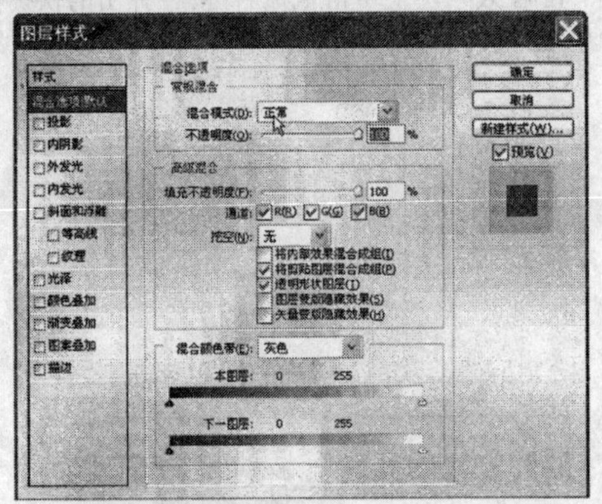

各个选项的作用如下。

【样式】选项组

该选项组中包括各种图层样式，默认状态下系统选择的是【混合选项：默认】选项。

【混合选项】选项组

(1)【常规混合】选项组：该选项组用于设置图层的混合模式和不透明度等参数。

(2)【高级混合】选项组：该选项组用于设置图层的填充不透明度、通道的颜色模式、混合模式的特殊设置等参数。其中，在【挖空】下拉列表中选择【无】选项，将不会创建挖空效果；选择【深】选项，将创建挖空到背景或透明的深层挖空效果；选择【浅】选项，则可创建到下一图层的浅层挖空效果。

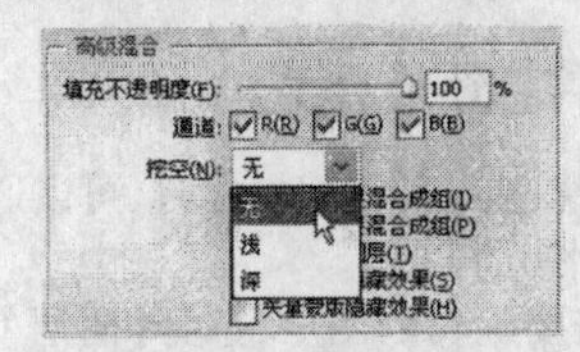

(3)【混合颜色带】选项组：该选项组用于调整颜色通道及混合颜色的范围大小。

【新建样式】按钮

单击 新建样式(W)... 按钮，即可弹出【新建样式】对话框，从中进行具体的设置后单击 确定 按钮即可将该设置保存为样式文件，以便以后重复使用。

【预览区】

选中【预览】复选框可以在图像中预览添加的图层样式效果，而下方的预览缩览图则为样式效果的缩览图。

2.其他样式

【投影】：使用【投影】样式将为背景层之外的图层添加与图层内容相同的阴影，以产生影子效果。

【内阴影】：使用【内阴影】样式可以为背景层之外的图层边缘内侧添加与图层内容相同的阴影，以产生内陷效果。

【外发光】：使用【外发光】样式可以在背景层之外的图层内容外侧制造出各种发光效果。

【内发光】：使用【内发光】样式可以在背景层之外的图层内容内侧制作出各种发光效果。

【斜面和浮雕】：使用【斜面和浮雕】样式可以在背景层之外的图层内容的边缘设置高光和阴影等特殊的修饰效果。

【光泽】：使用【光泽】样式可以在背景层之外的图层和图像内部基于图层内容，应用阴影创建出类似绸缎或者金属的磨光效果。

【颜色叠加】：使用【颜色叠加】样式可以在背景层之外的图层内容中叠加颜色。

【渐变叠加】：使用【渐变叠加】样式可以在背景层之外的图层内容中叠加渐变颜色。

【图案叠加】：使用【图案叠加】样式可以在背景层之外的图层内容中叠加系统预设的各种图案。

【描边】：使用【描边】样式可以描绘背景层之外的图层内容的边缘，该样式经常应用于文字或形状特效。

为图层添加图层样式后，接下来可以对其进行复制、粘贴、显示、隐藏、缩放、删除以及转换等操作。下一小节将介绍图层样式常见的几种编辑操作。

6.4.3 新建图层样式

在需要添加某种图层样式时，可以通过以下几种方法新建图层样式。

(1)单击要编辑的图层，选择【图层】➢【图层样式】菜单项，弹出【图层样式】子菜单。

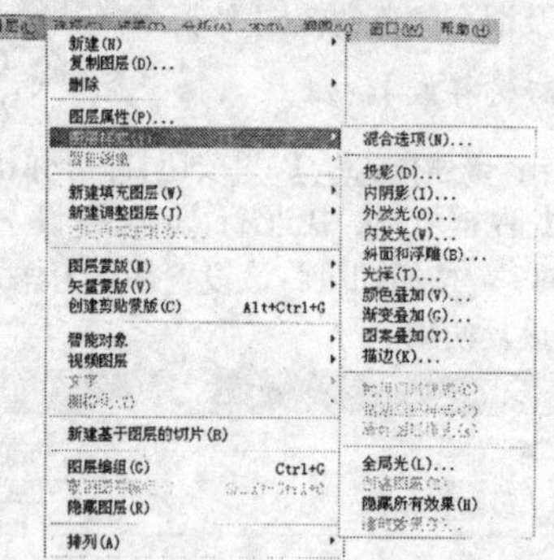

(2)在【图层样式】子菜单中可以选择不同的样式菜单项，对图像进行相关编辑。

(3)选择【图层】面板中的【图层样式】按钮 fx，也可以为图层新添图层样式。

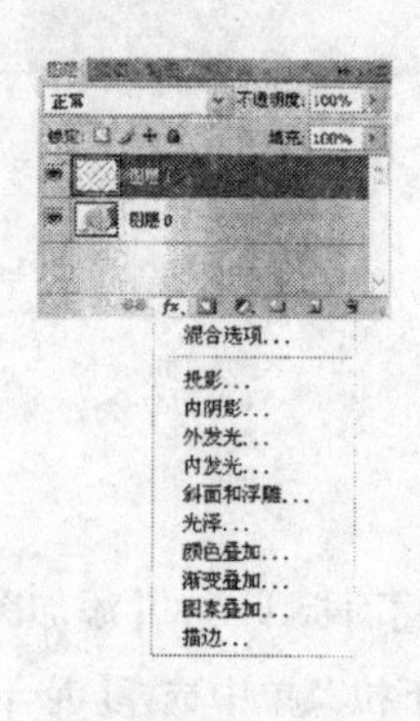

6.4.4 复制图层样式

对创建的图层样式进行复制和粘贴操作，可以节省工作量，提高工作效率。

复制已创建的图层样式的方法主要有以下两种。

(1)选择【图层】➢【图层样式】➢【拷贝图层样式】菜单项。

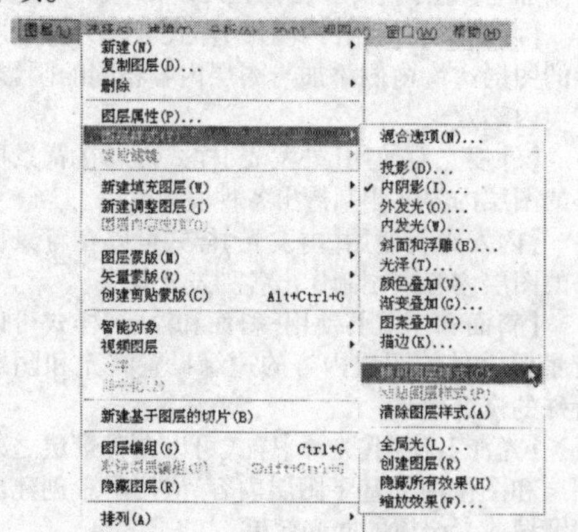

(2)在效果层上单击鼠标右键，在弹出的快捷菜单中选择【拷贝图层样式】菜单项。

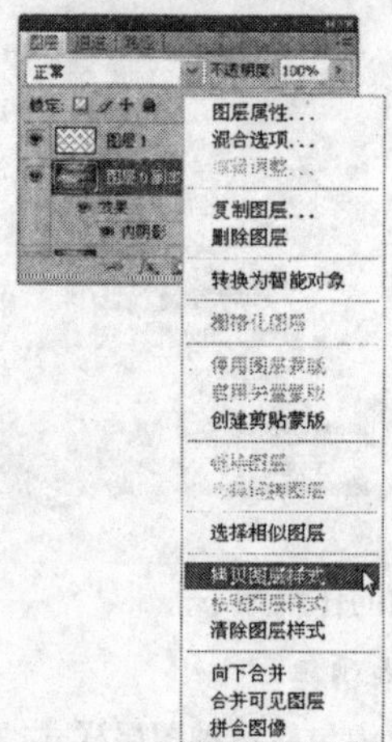

4.4.5 实例——绿色琴键

▲素材文件与最终效果对比

1.编辑琴键

1.打开本实例对应的素材文件 404bjpg。

2.选择【钢笔】工具，在工具选项栏中设置如图所示的选项。

3.在图像中绘制如图所示的闭合路径。

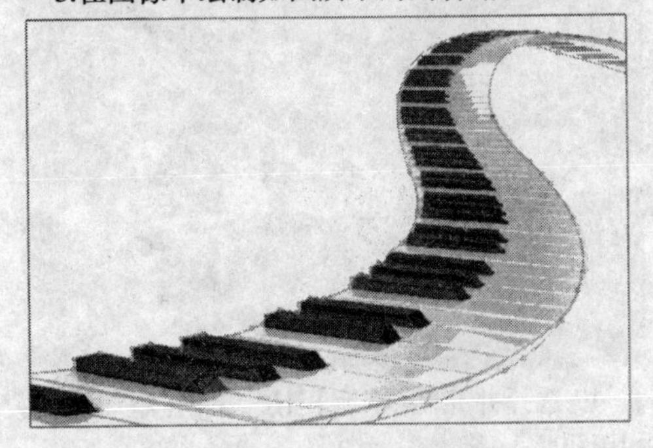

4.按下【Ctrl】+【Enter】组合键将路径转换为选区。

5.按下【Ctrl】+【J】组合键复制选区内的图像，得到【图层 1】图层。

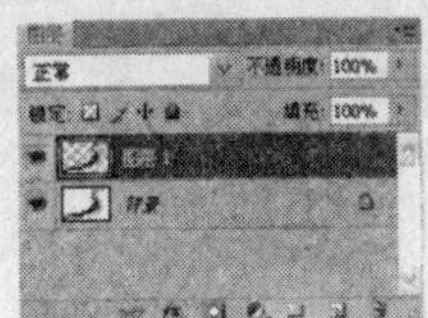

6.打开本实例对应的素材文件 404a.jpg。

7.选择【移动】工具，将【图层 1】图层的图像拖动到素材文件 404a.jpg 中。

8.使用【移动】工具调整琴键的位置。

9.打开本实例对应的素材文件 404.tiff，选择【草地】图层。

10.选择【移动】工具，将【草地】图层的图像拖动到素材文件 404a.jpg 中。

11.按下【Ctrl】+【Aft】+【G】组合键将【草地】图层嵌入到下一图层中。

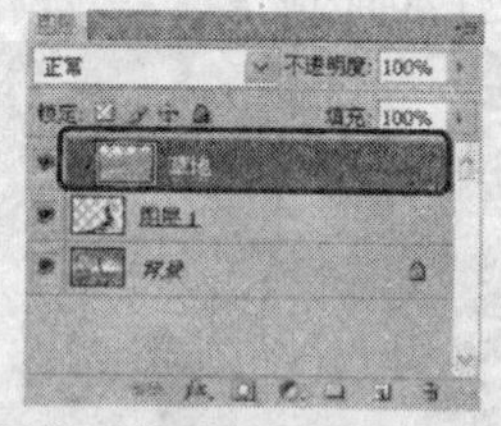

12.嵌入图像后得到如图所示的效果。

13.在【图层】面板中隐藏【草地】图层，选中【图层1】图层。

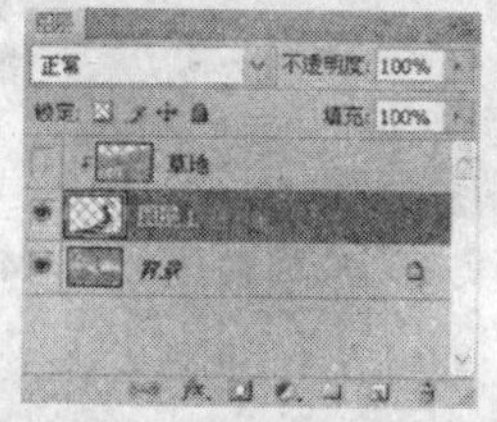

14.选择【选择】▶【色彩范围】菜单项，在弹出的【色彩范围】对话框中选择【吸管】工具，在图像中黑色琴键的位置单击鼠标左键吸取颜色。

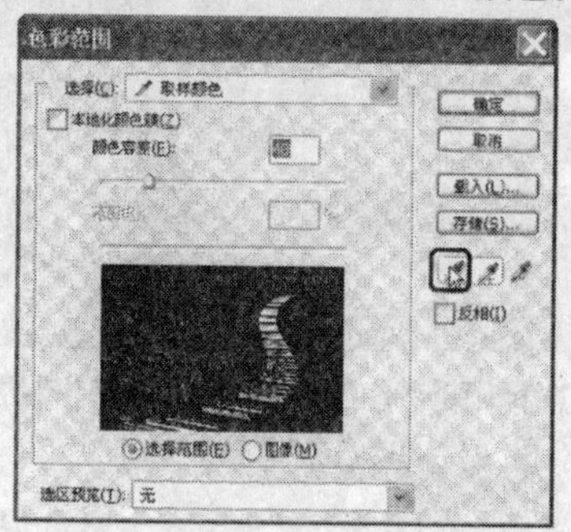

15.在该对话框中设置如图所示的参数，然后单击 确定 按钮。

16.部分图像被载入选区后，按下【Ctrl】+【Shift】+【I】组合键反选选区。

17.选择并显示【草地】图层，单击【添加图层蒙版】按钮，隐藏多余图像。

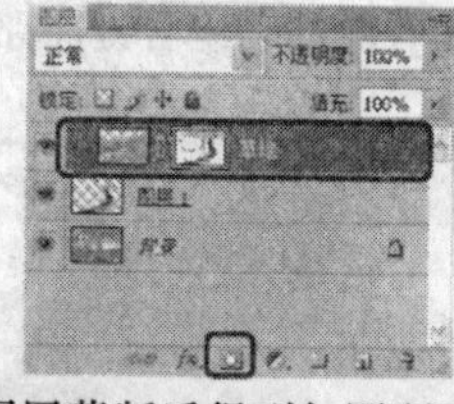

18.添加图层蒙版后得到如图所示的效果。

19.在【设置图层的混合模式】下拉列表中选择【线性加深】选项。

20.选择【图层 1】图层，单击【添加图层样式】按钮 fx，在弹出的菜单中选择【外发光】菜单项。

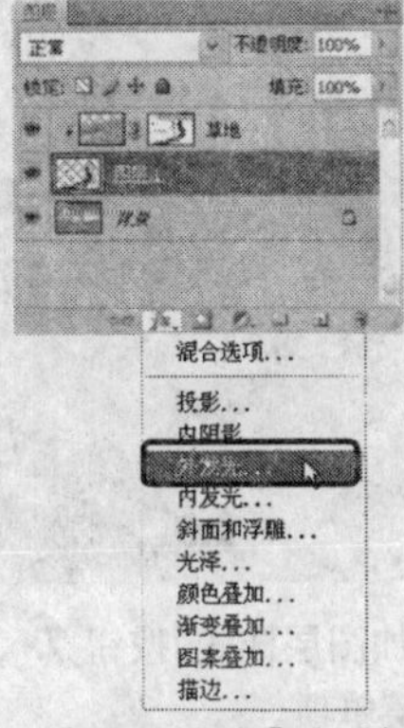

21.在弹出的【图层样式】对话框中设置如图所示的参数，然后单击 确定 按钮。

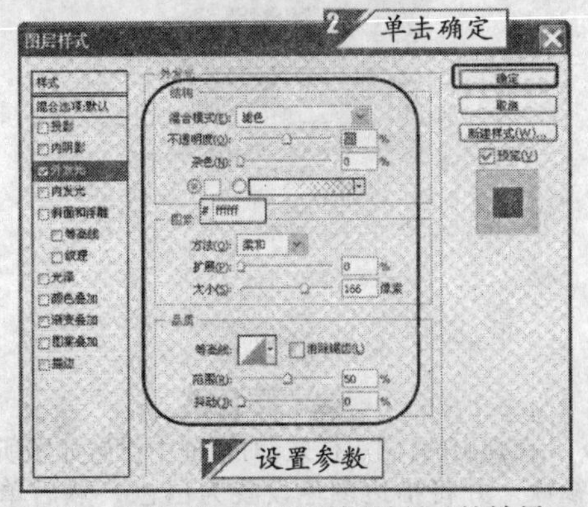

22.添加图层样式后得到如图所示的效果。

23.选择【草地】图层，单击【创建新的填充或调整图层】按钮，在弹出的菜单中选择【亮度 / 对比度】菜单项。

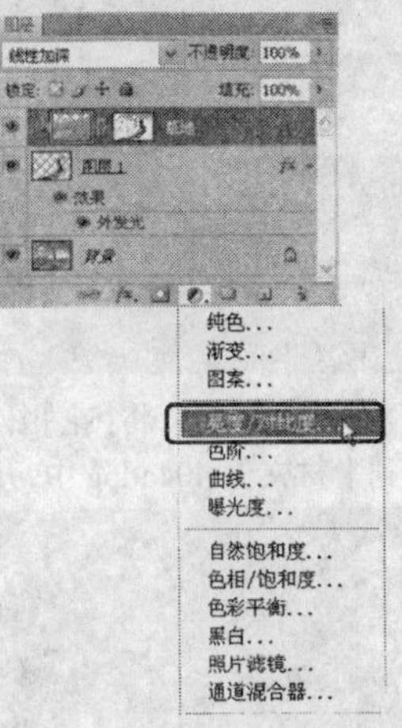

24.在【亮度 / 对比度】调板中设置如图所示的参数。

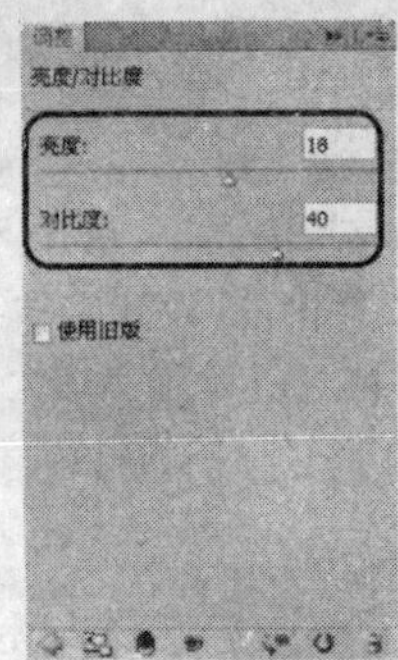

25.按下【Ctrl】+【Alt】+【G】组合键，将调整图层嵌入到下一图层中。

2.添加装饰及文字

1. 打开本实例对应的素材文件 404.tiff，选择【花】图层和【气泡】图层。

2.选择【移动】工具，将【花】图层和【气泡】图层图像拖动到素材文件 404adpg 中，并调整其位置。

3.将前景色设置为黑色，选择【横排文字】工具，在工具选项栏中的【设置字体系列】下拉列表中选择合适的字体，在【设置字体大小】下拉列表中选择合适的字号。

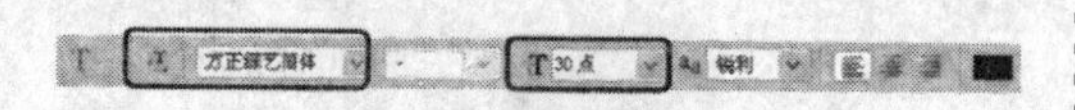

4.在图像中输入如图所示的文字。

5.选中文字“音”，打开’【字符】面板，设置如图所示的参数。

6.输入完成后单击工具选项栏中的【提交所有有当前编辑】按钮确认操作。

7.单击【添加图层样式】按钮，在弹出的菜单中选择【描边】菜单项。

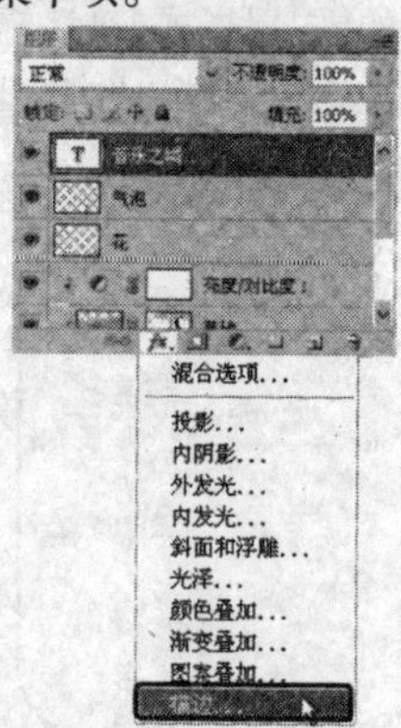

8.在弹出的【图层样式】对话框中设置如图所示的参数，并将描边颜色设置为白色，然后单击 确定 按钮。

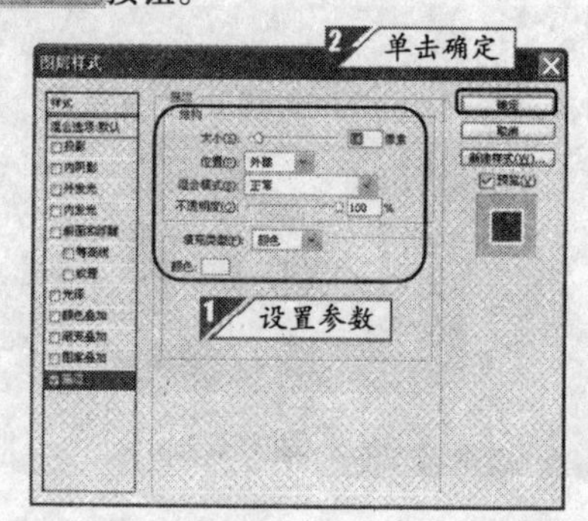

9.按下【Ctrl】+【Alt】+【Shift】+【E】组合键盖印图层,得到【图层 2】图层。

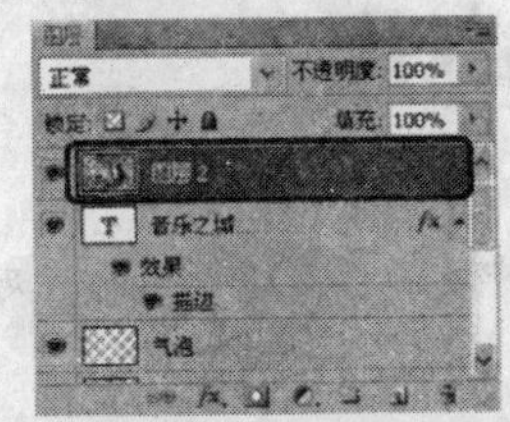

10.选择【滤镜】>【渲染】>【镜头光晕】菜单项。

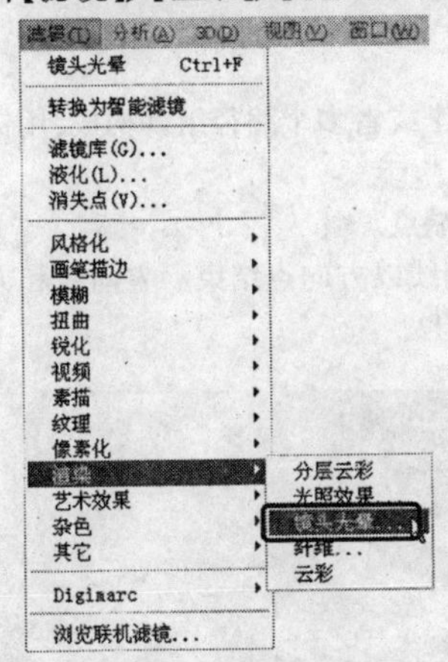

11.在弹出的【镜头光晕】对话框中设置如图所示的参数,然后单击 确定 按钮。

12.添加光晕滤镜后得到如图所示的效果。

13. 单击【创建新的填充或调整图层】按钮 ,在弹出的菜单中选择【亮度/对比度】菜单项。

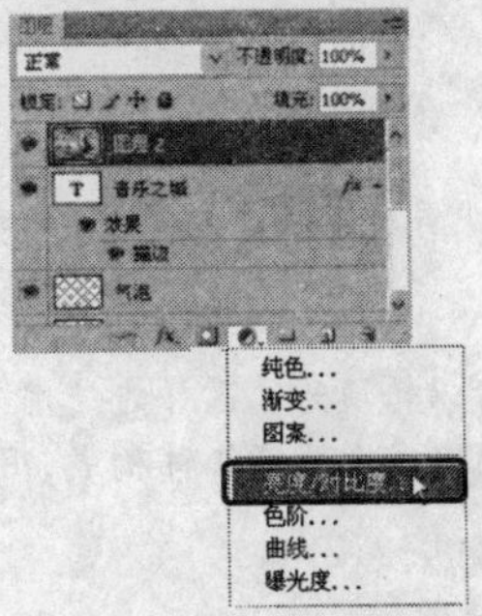

14.在【亮度/对比度】调板中设置如图所示的参数。

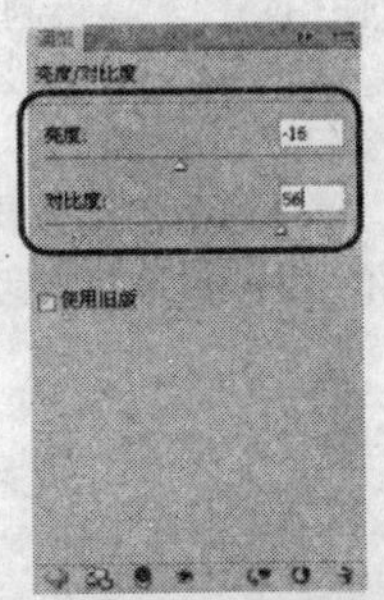

15. 单击【创建新的填充或调整图层】按钮 ,在弹出的菜单中选择【自然饱和度】菜单项。

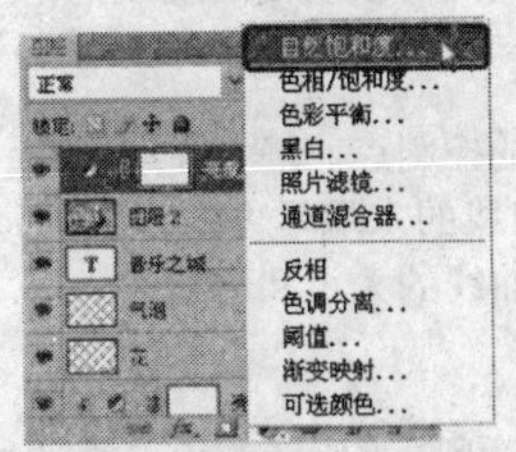

16.在【自然饱和度】调板中设置如图所示的参数。

17.最终得到如图所示的效果。

第7章　路径的应用

路径是可以转换为选区并能使用颜色填充描边的轮廓，它包括开放式路径、闭合式路径两种。路径也可以由一个或者多个路径组件构成，用锚点来标记路径段的端点。

7.1　路径的概念

路径是用户使用路径工具绘制出来的线条或者形状，它由一个或者多个路径组件构成，用锚点来标记路径段的端点。

路径由一个或者多个路径组件构成，用锚点来标记路径段的端点。

在曲线段上，每个选中的锚点均显示一条或两条方向线，方向线以方向点结束。方向线和方向点的位置决定了曲线段的大小和形状，移动这些元素将会使曲线相应变化。

1.路径包含的元素

曲线段

由一个或者两个锚点确定的一段路径曲线。

方向点

移动方向点可以改变曲线段的角度和形状。

锚点

路径上的控制点。每个锚点都有一个或者两个方向线，方向线的末端是方向点。移动方向点的位置可以改变曲线的大小和形状。

方向线

延长或者缩短方向线可以改变曲线段的曲度。

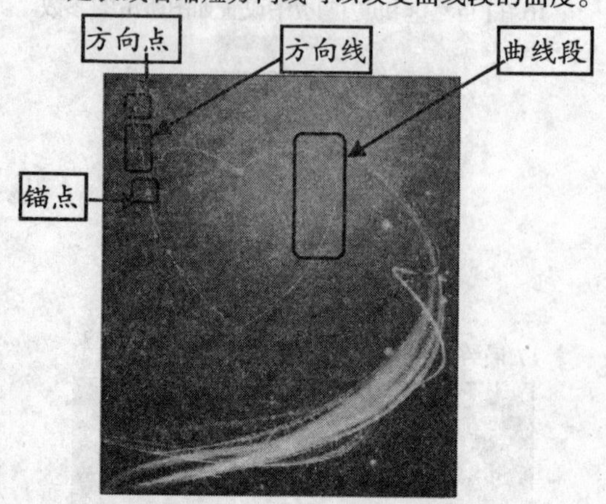

2.路径的分类

路径可以是开放的，有明显的终点，例如波浪形路径。

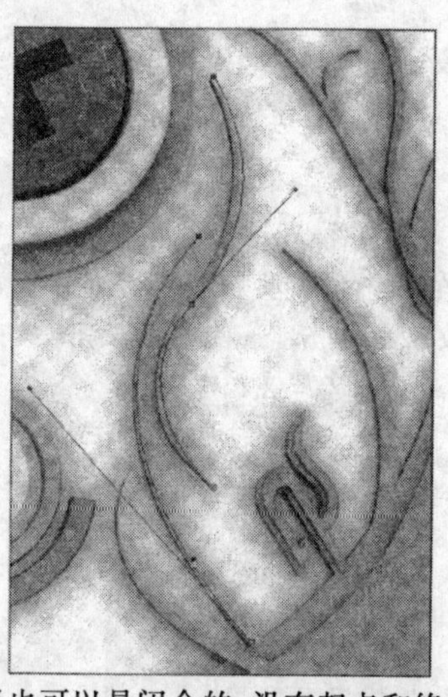

路径也可以是闭合的，没有起点和终点，例如圆形路径。

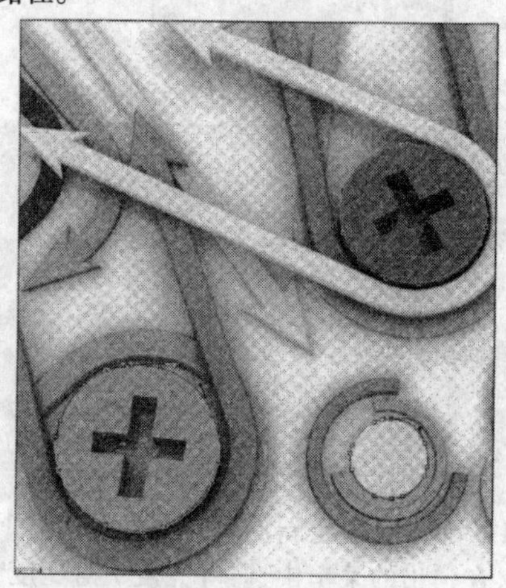

7.2 形状工具组与路径的关系

形状工具组可以创建不同类型的形状，了解其中的各个工具的使用是非常重要的。

7.2.1 认识形状工具组

Photoshop 中的形状工具组包括【矩形工具】、【椭圆工具】、【圆角矩形工具】、【多边形工具】、【直线段工具】、【自定形状工具】，使用形状工具时，首先要在工具选项栏中选择一种绘图模式，不同的绘图模式所包含的选项也有所不同。

1.【矩形】工具

使用【矩形】工具可以绘制矩形和矩形形状的路径选区。

选择【矩形】工具，其工具选项栏如图所示。

该工具选项栏中各个选项的作用如下。

【形状图层】按钮

【形状图层】按钮的主要作用是创建形状层，并在路径包含区域内填充前景色。

新创建的形状层可以看作一个不受分辨率影响的矢量图层，同时在工具选项栏中还可以为该图层添加不同的样式效果。

在工具选项栏中单击【样式】后面的下三角按钮，弹出【样式】面板，在面板中选择合适的样式。

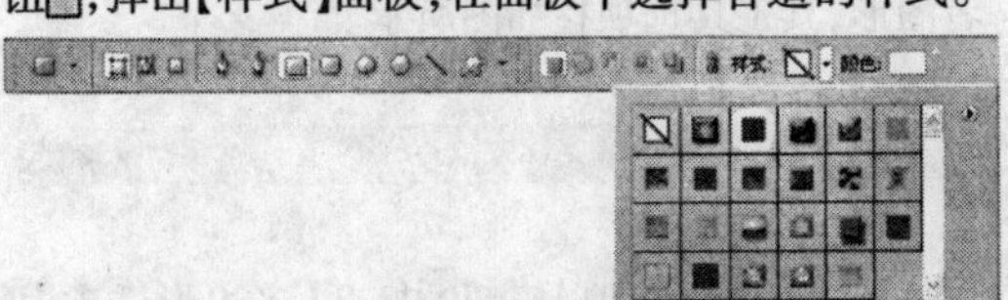

此时图像中绘制完成的矩形会被添加上相应的效果。

【路径】按钮

【路径】按钮的主要作用是在图像上绘制路径。

选择【路径】按钮，在图像中绘制形状，则【路径】面板中就会建立该形状图层的工作路径。

【填充像素】按钮

【填充像素】按钮的主要作用是在当前图层中绘制以前景色填充的图形。

在绘制图形前，可通过工具选项栏中的【模式】下拉列表选择合适的图像混合模式。

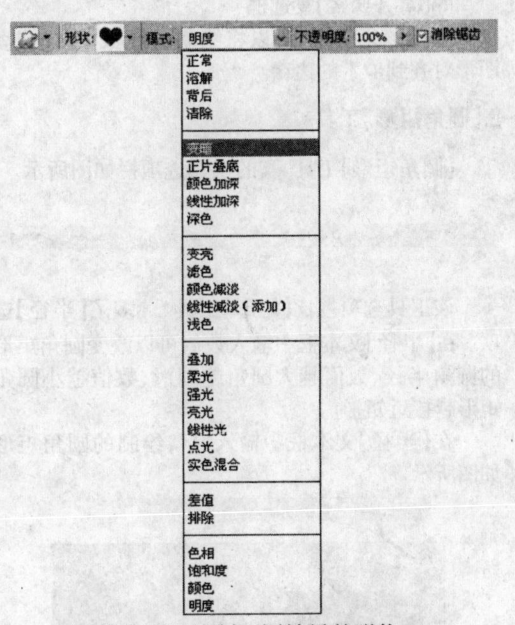

在图像中可以绘制不同效果的形状。

【矩形选项】面板

单击工具选项栏中的【几何选项】按钮打开【矩形选项】面板。

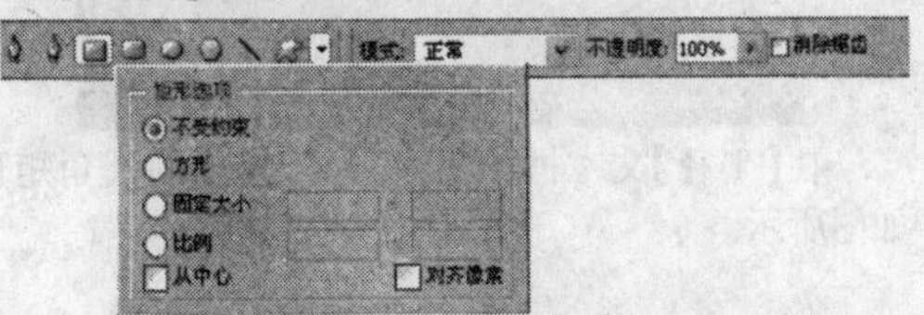

该面板中各个选项的功能如下。

(1)【不受约束】单选钮

选中该单选钮，可以绘制矩形形状的路径或者图形，尺寸比例均不会受到约束。

(2)【方形】单选钮

选中该单选钮可以绘制正方形。

(3)【固定大小】单选钮

选中该单选钮，然后在【W】和【H】文本框中输入数值，可以绘制出相应大小的路径或者矩形。

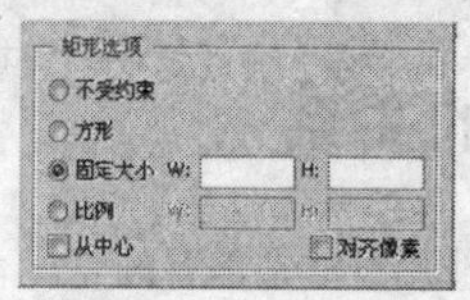

(4)【比例】单选钮

选中该单选钮，然后在【W】和【H】文本框中输入数值，可以限制矩形的宽度和高度的比例。

(5)【从中心】复选框

选中该复选框，可以绘制以中心为基点向外扩散的路径或矩形。

(6)【对齐像素】复选框

选中该复选框，可以将绘制的形状、路径或者图形对齐到像素的边缘。

2.【圆角矩形】工具

【圆角矩形】工具的工具选项栏如图所示。

该工具选项栏比【矩形】工具多了【半径】选项。在【半径】文本框中输入数值可以改变圆角矩形的圆角半径，数值越大圆角越圆滑，数值越小圆角矩形越接近矩形。

在【半径】文本框中输入“1”，绘制的圆角矩形如图所示。

在【半径】文本框中输入“10”，绘制的圆角矩形如图所示。

3.【椭圆】工具

使用该工具可以绘制圆或者椭圆路径及图形，其工具选项栏如图所示。

单击工具选项栏中的【几何选项】按钮，打开【椭圆选项】面板。

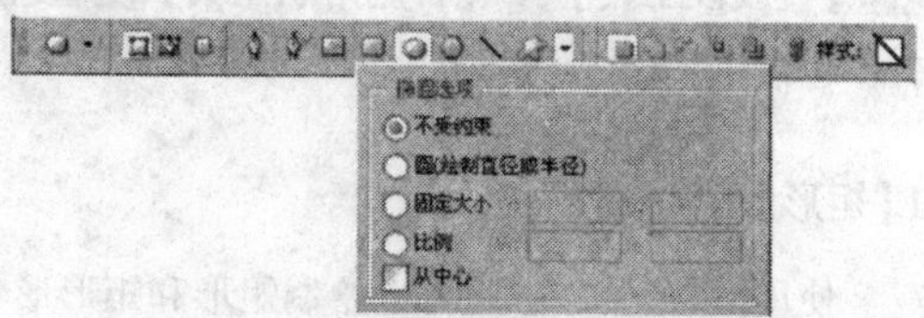

在该面板中可以设置椭圆的样式及大小。

(1)【不受约束】单选钮

选中该单选钮，可以绘制椭圆或者圆形形状或路径。

(2)【圆(绘制直径或半径)】单选钮

选中该单选钮可以绘制圆形形状或路径。

(3)【固定大小】单选钮

选中该单选钮，然后在【W】和【H】文本框中输入数值，可以绘制出相应的路径或者图形。

(4)【比例】单选钮

选中该单选钮，然后在【w】和【H】文本框中输入数值，可以限制椭圆的宽度和高度的比例。

4.【多边形】工具

使用【多边形】工具可以绘制多边形路径或者图形，其工具选项栏如图所示。

单击【几何选项】按钮打开【多边形选项】面板。

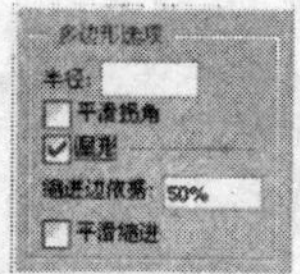

该面板中各个选项的功能如下。

(1)【半径】文本框

在该文本框中输入数值可以设置多边形外接圆的半径。

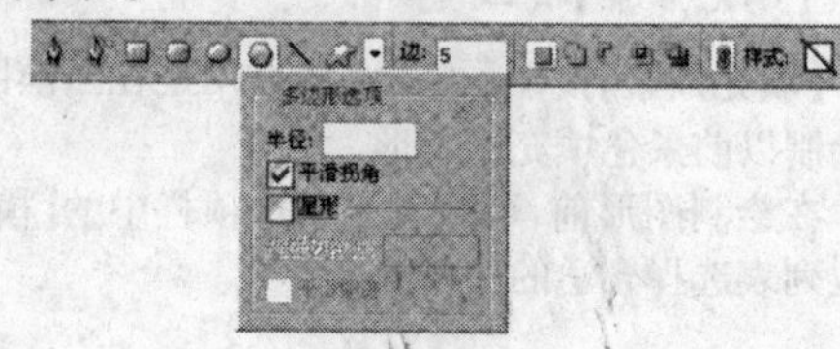

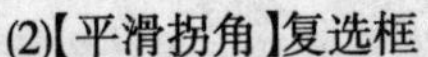

(2)【平滑拐角】复选框

选中该复选框可以平滑多边形的拐角，使过渡边缘更加圆滑。

(3)【星形】复选框

选中该复选框可以调节多边形各边的缩放，使多边形趋向于星形。

选中该复选框，【缩进边依据】文本框和【平滑缩进】复选框将被激活，处于可用状态。

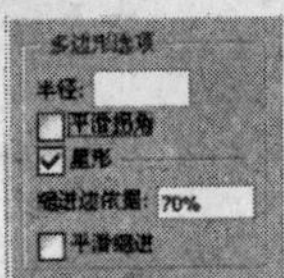

(4)【缩进边依据】文本框

在该文本框中可以设置缩进边的百分比。

(5)【平滑缩进】复选框

选中该复选框可以对变形的路径进行平滑缩进及渲染。

在工具选择栏中的【边】文本框中输入数值，可以控制多边形的边数或者星形外顶点的数量。

5.【直线】工具

【直线】工具对应的工具选项栏如图所示。

在【粗细】文本框中可以设置直线的宽度，取值范围是 1 ~ 1000 像素。

单击【几何选项】按钮打开【箭头】下拉面板，从中可以设置直线是否带有箭头以及其他相关的参数。

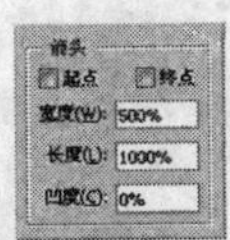

该面板中各个选项的功能如下。

(1)【起点】复选框

选中该复选框可以将箭头的位置定义在直线的起点处。

(2)【终点】复选框

选中该复选框可以将箭头的位置定义在直线的终点处。

(3)【宽度】文本框

在该文本框中可以设置直线的粗细与箭头宽度的百分比。

(4)【长度】文本框

在该文本框中可以设置直线的粗细与箭头的长度的百分比。

(5)【凹度】文本框

在该文本框中可以设置直线的粗细与箭头的凹度的百分比。在【箭头】选项组中选中【起点】和【终点】复选框，可以绘制出双向箭头。

6.【自定形状】工具

【自定形状选项】面板

选择【自定形状】工具，在工具选项栏中单击【几何选项】按钮，打开【自定形状选项】面板。

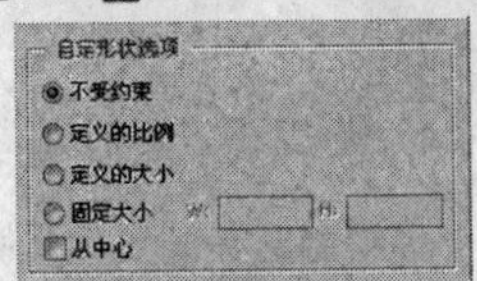

该面板中各个选项的功能如下。

(1)【定义的比例】单选钮

选中该单选钮可以约束自定形状的宽高比例。

(2)【固定大小】单选钮

选中该单选钮可以精确地设置白定义图像的大小。

(3)【定义的大小】单选钮

选中该单选钮可以限制自定义图形的大小为系统默认值。

(4)【从中心】复选框

选中该复选框可以限制绘制形状的起点为中心点。

【自定形状】拾色器

单击工具选项栏中的【自定形状】按钮打开【自定形状】拾色器。

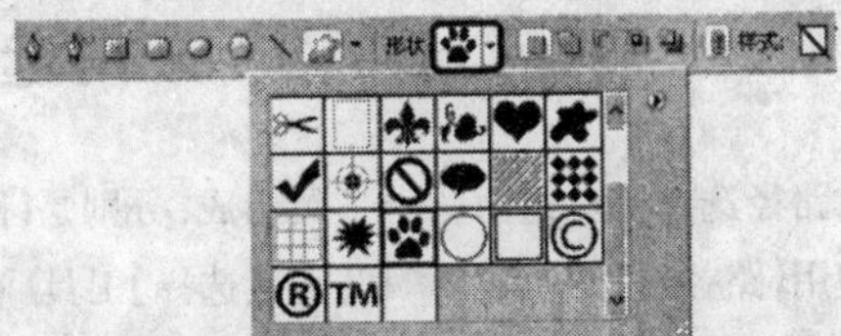

其中汇集了系统自带的所有自定形状图案。在使用【钢笔】工具绘制路径时，还可以将其保存，以备后用。

具体的操作步骤如下。

1.使用【钢笔】工具绘制闭合路径。

2.选择【编辑】>【定义自定形状】菜单项，弹出【形状名称】对话框，在【名称】文本框中输入"形状4"，单击 确定 按钮。

7.2.2 使用形状工具绘制路径

使用形状工具绘制路径的具体步骤如下。

1.选择形状工具组中的【自定形状】工具，在工具选项栏中单击【自定形状】按钮，在弹出的拾色器中选择如图所示的形状。

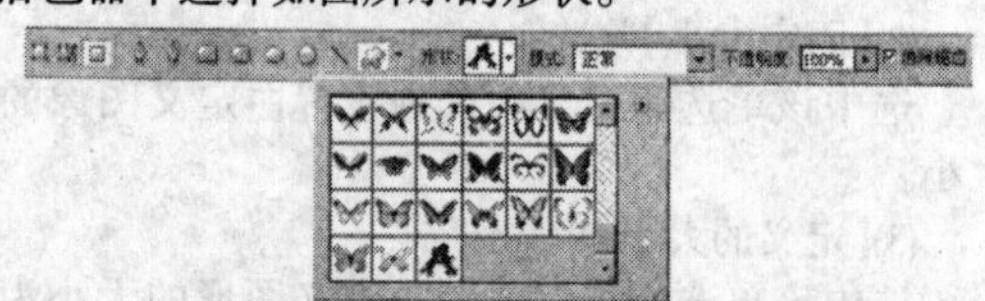

2.在工具选项栏中选择【路径】按钮，并选中合适的形状样式。

3.选择【自定形状】工具，单击工具选项栏中的自定义形状按钮，在弹出的【自定形状】拾色器中即可显示存储的形状。

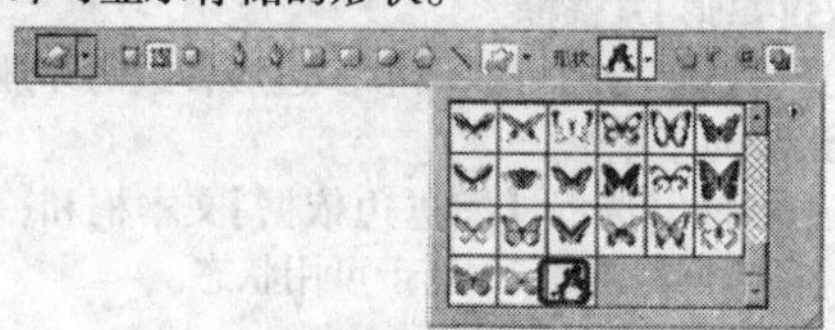

3.在图像中绘制形状，即可创建相应的路径。

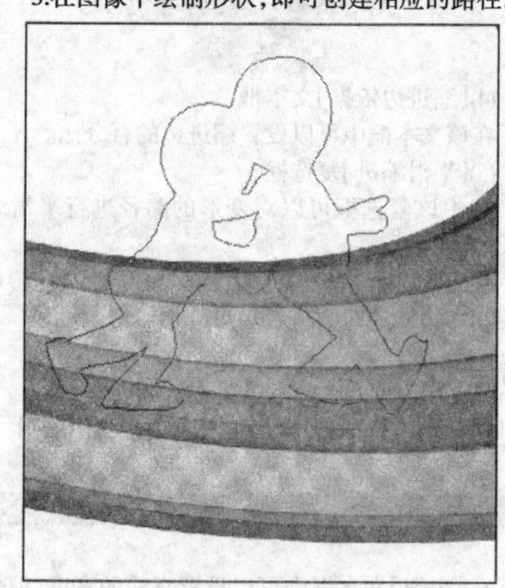

7.3 应用选择工具组编辑路径

路径选择工具组由两个工具组成，分别是【路径选择】工具和【直接选择】工具。形状的调节主要使用【路径选择】工具和【直接选择】工具。

选择工具箱中的【路径选择】工具，按住鼠标左键不放，打开路径选择工具组。

1.【路径选择】工具

该工具用于选择或者移动整个路径。

选择【路径选择】工具，在窗口中单击绘制完成的形状路径，此时可以将其选中并显示路径上所有的锚点，然后按住鼠标左键拖动即可移动该路径。

按住【A1t】键的同时拖动选中的路径，能够复制被选中的路径并移动该路径。

2.【直接选择】工具

用于选择曲线段中的锚点，通过控制锚点、方向线和方向点来改变曲线段的形状。

使用【直接选择】工具能够选择绘制完成的闭合路径，并且可以对其进行调整。

使用该工具选择路径的方法如下。

选择锚点

选择【直接选择】工具，单击形状路径上的锚点即可选作当前锚点。

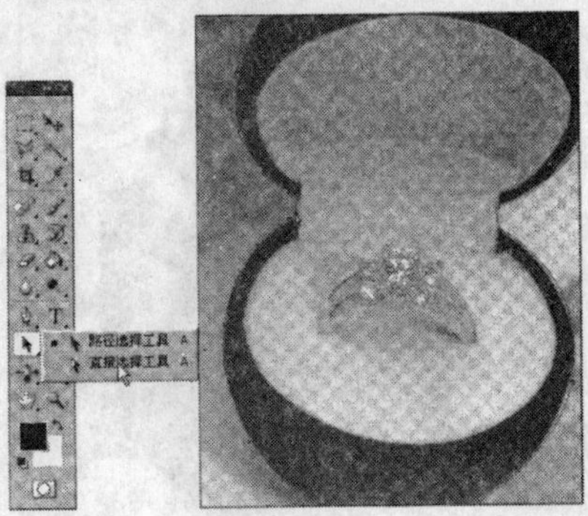

按住【shift】键依次单击锚点，则可选中多个锚点。

选择路径

选择【直接选择】工具，单击形状路径显示其中的锚点。

然后按住鼠标并拖动某个锚点即可改变路径的形状。

框选路径

选择【直接选择】工具，按住鼠标并拖动，框选需要调整的形状路径。

释放鼠标后选区内的路径即被选中。

选中框选区域内的一个锚点，然后按住鼠标拖动，则被框选的形状路径位置都会发生变化。

按住【Ctrl】键的同时在图像窗口中单击鼠标左键，可以在【路径选择】工具和【直接选择】工具之间切换。

按住【Alt】键操作时，【路径选择】工具和【直接选择】工具的功能相同。

7.4 使用【钢笔】工具绘制路径

【钢笔】工具，是绘制路径的重要工具之一，可以绘制开放式和闭合式两路径。

1.绘制直线路径

1.选择工具箱中的【钢笔】工具，在工具选项栏中设置如图所示的参数。

形状:

2.在图像窗口中将鼠标指针定位在直线段的起点位置，当鼠标指针变成形状时单击确定第一个锚点。

3.在第一条直线的终点再次单击，绘制直线路径(或按住【Shift】键单击，沿 45° 增量方向绘制直线)。

4.继续单击，绘制其他线段的锚点(最后一个锚点总是处于选中状态)。

5.若想绘制闭合路径，可在第一个锚点处单击，此时鼠标指针变成状。

6.单击即可完成闭合路径的绘制，如图所示。

若想要绘制开放路径，可以直接按下【Esc】键，或者在按住【Ctrl】键的同时在路径外单击，释放鼠标后，即可继续绘制其他路径。

直线路径中的锚点没有方向点和方向线。若想改变其形状和长度，只需要移动锚点的位置就可以了。

2.绘制曲线路径

使用【钢笔】工具单击鼠标左键创建锚点，按住鼠标左键不放沿曲线伸展的方向拖动鼠标可以创建曲线。曲线路径中的锚点有方向点和方向线。

1.选择【钢笔】工具，在图像窗口中单击鼠标左键确定第一个锚点的位置。

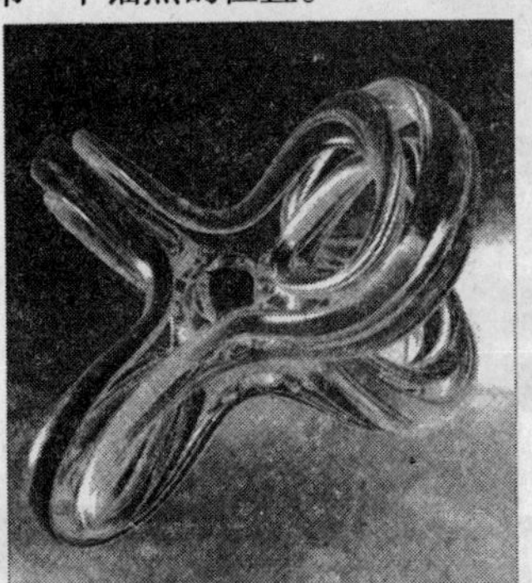

2.在另一处单击鼠标左键并按住鼠标左键进行拖动，产生一条曲线。

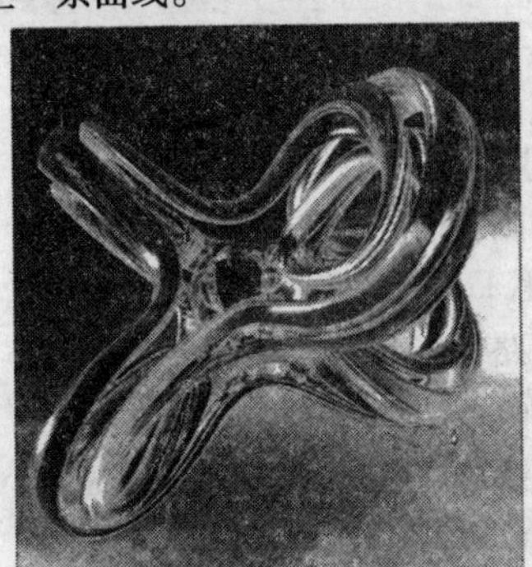

方向线的长度和斜率决定了曲线段的形状。可以对其进行调整来改变曲线的形状。按住【Ctrl】键向相反的方向拖动可以创建平滑曲线，向同一个方向拖动可以创建"S"形曲线。

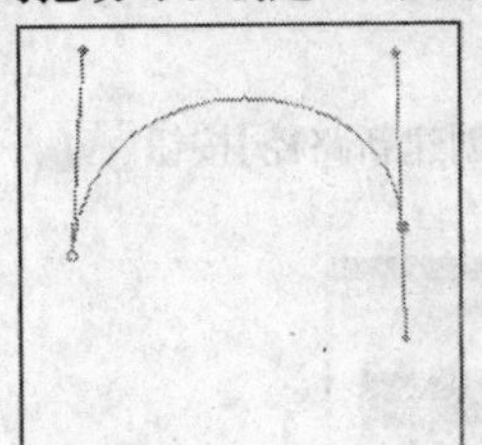

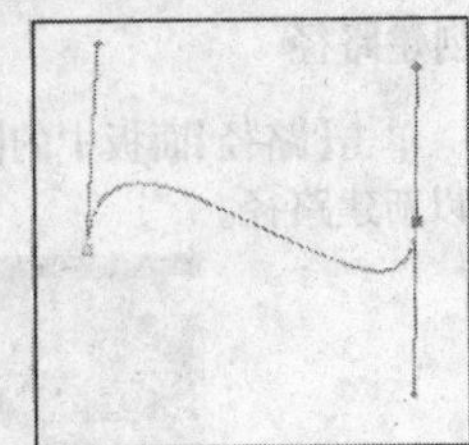

7.5 编辑路径

【路径】面板用于保存和管理路径,其中显示了每条存储的路径,当前工作路径和当前矢量蒙版路径的名称和缩览图。

7.5.1 使用【路径】面板管理路径

【路径】面板对于路径管理起着很重要的作用,使绘制和编辑较复杂的多个路径时的工作变得比较容易。

选择【窗口】>【路径】菜单项,打开【路径】面板。

路径包括存储的路径、工作路径、矢量蒙版路径。

【路径】面板中各按钮的作用如下。

(1)【用前景色填充路径】
用前景色填充路径区域。

(2)【用画笔描边路径】
用画笔工具对路径进行描边。

(3)【将路径作为选区载入】
将当前选择的路径转换为选区。

(4)【从选区中生成工作路径】
从当前的选区中生成工作路径。

(5)【创建新路径】
可以创建新的路径。

(6)【删除当前路径】
可以删除当前选择的路径。

1.创建路径

单击【路径】面板中的【创建新路径】按钮,可以新建路径。

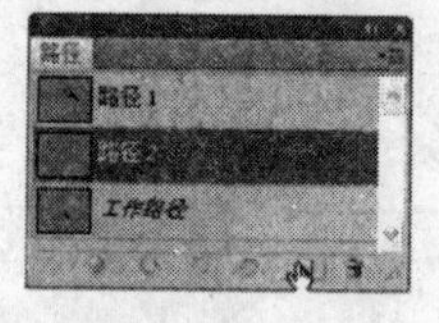

按住【Alt】键的同时单击【创建新路径】按钮,在打开的【新建路径】对话框的【名称】文本框中输入路径名称,然后单击 确定 按钮,即可新建路径。

双击面板中的路径名称,可以重命名路径。

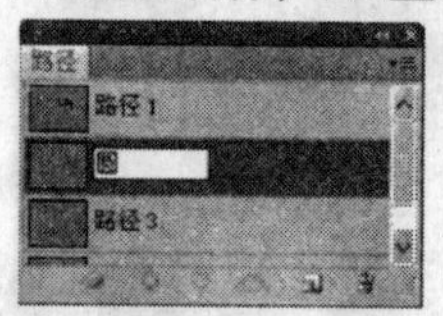

2.显示隐藏路径

单击【路径】面板中的路径即可选择该路径,在面板空白处单击,可以取消选择。

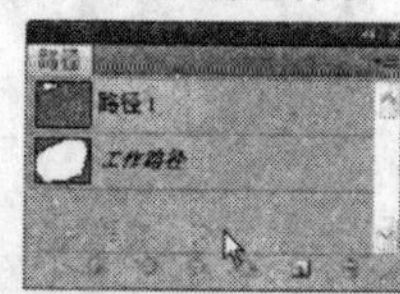

选中路径后,即使使用其他工具进行图像处理,画面中也会始终显示该路径。如果既要保持路径的选中状态又不希望对视线造成干扰,可以按下【Ctrl】+【H】组合键隐藏画面中的路径,需要时再次按下即重新显示。

3.复制路径

在【路径】面板中将路径拖至【创建新路径】按钮上可以复制路径。

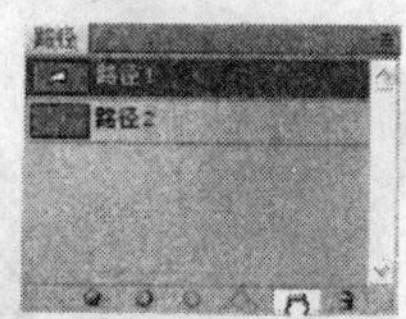

如果要复制并重命名路径,可以先选择路径,然后选择面板菜单中的【复制路径】命令,在弹出的【复制路径】对话框中输入新路径的名称。

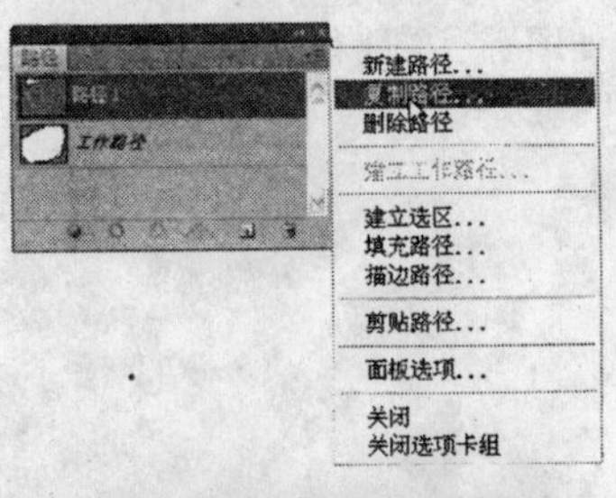

4.选择路径

单击面板中的路径即可选择该路径。

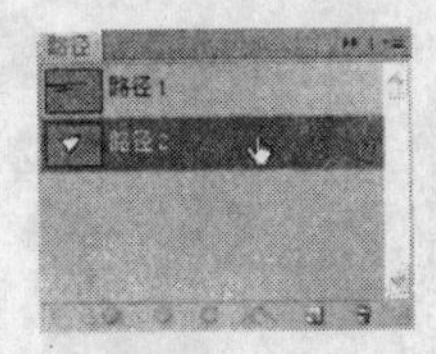

7.5.2 使用钢笔工具组编辑路径

1.【钢笔】工具

【钢笔】工具是绘制路径的基本工具，使用该工具可以创建直线路径或者平滑流畅的曲线路径。前面对【钢笔】工具已经有了初步的介绍，在此不再赘述。

2.【自由钢笔】工具

【自由钢笔】工具用于随意绘图，就像用钢笔在纸上绘图一样。绘制时，系统会自动在曲线上添加锚点。

选择工具箱中的【自由钢笔】工具，其工具的选项栏如图所示。

该工具选项栏中各选项的功能和【钢笔】工具的一样，在此不再赘述。下面介绍一下其他选项的功能。

单击工具选项栏中的【几何选项】按钮，打开【自由钢笔选项】面板。

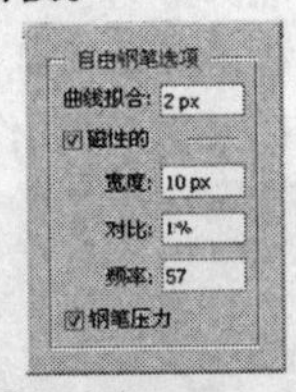

(1)【曲线拟合】文本框

在此文本框中输入 0.5 ~ 10.0 像素之间的数值。数值越大创建的路径锚点越少，路径越简单。

(2)【磁性的】复选框

选中此复选框，【宽度】、【对比】和【频率】选项被激活，这时的【自由钢笔】工具就有了磁性，鼠标指针会变为形状。这样就可以绘制与图像中定义区域的边缘对齐的路径，其功能与【磁性套索】工具有相似之处。

(3)【宽度】文本框

输入 1 ~ 256 的像素值，可以控制【自由钢笔】工具捕捉像素的范围。

(4)【对比】文本框

输入 1% ~ 100% 的百分比值，可以控制【自由钢笔】工具捕捉像素的对比度范围，输入的数值越高，图像的对比度越低。

(5)【频率】文本框

输入 0 ~ 100 的数值，可以控制【自由钢笔】工具自动产生的锚点的密度。值越大，产生的锚点密度越大。

【自由钢笔】工具使用方法简单介绍如下。

1.选择【自由钢笔】工具，设置如图所示的参数。

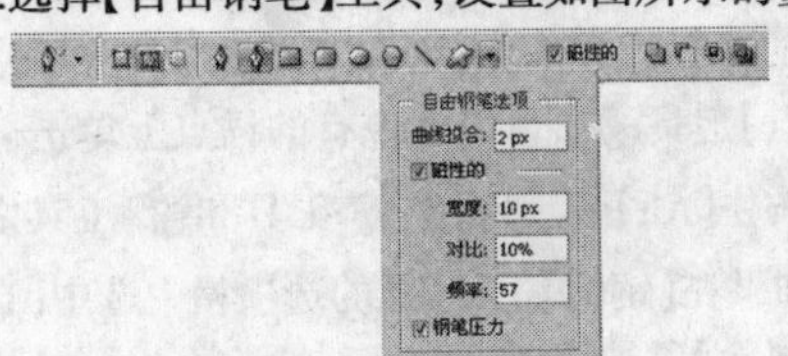

2.在图像中单击一点作为起点，如图所示。

3.松开并移动鼠标绘制路径，如图所示。

4.回到起点处单击，闭合路径，如图所示。

3.【添加和删除锚点】工具

选择工具箱中的【添加锚点】工具，可以在现有的路径上单击添加锚点；选择工具箱中的【删除锚点】工具，可以在现有的锚点上单击删除锚点。按住【Alt】键，则可在工具和工具之间切换。如果在【钢笔】工具的选项栏中选中【自动添加／删除】复选框，则可直接在路径上添加和删除锚点。

1.在工具箱中选择【添加锚点】工具。

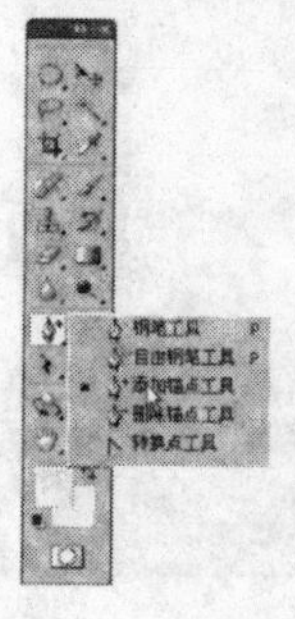

2.在如图所示的路径上单击，形状路径显示所有锚点，如图所示。

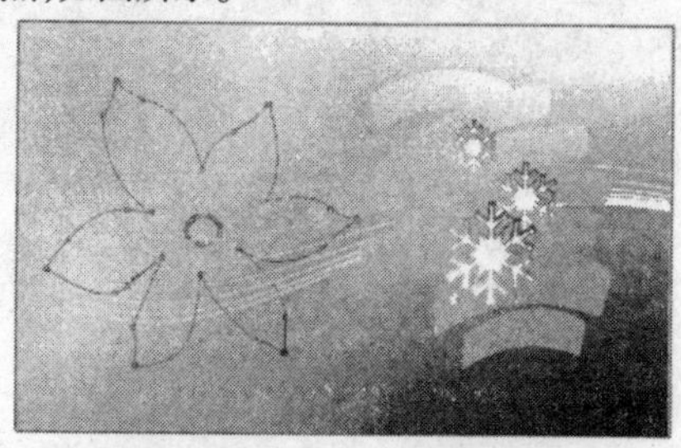

3.当鼠标变为时，单击添加锚点，如图所示。

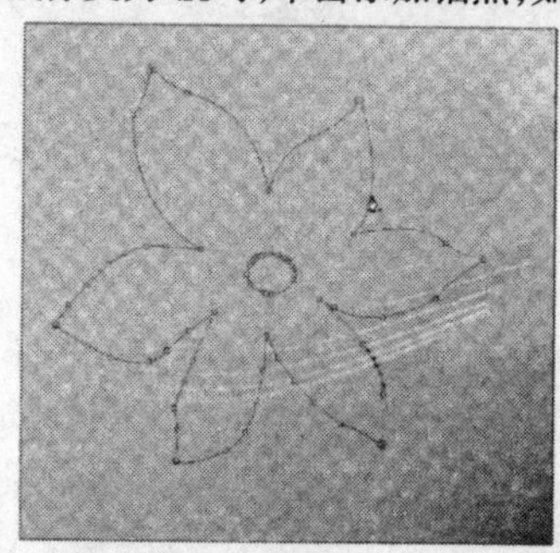

4.在工具箱中选择【删除锚点】工具，当鼠标变为时，单击即可删除锚点。

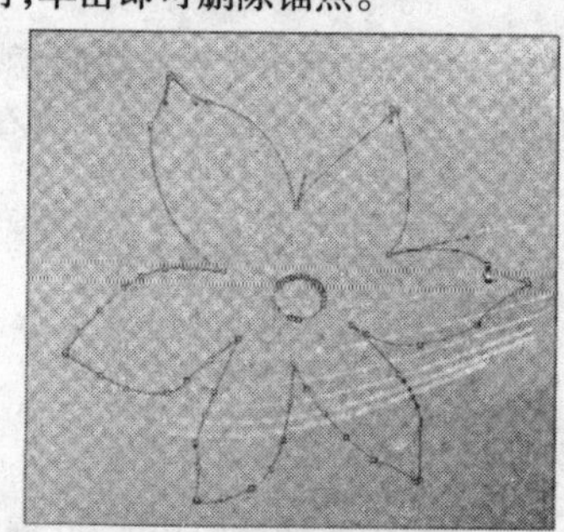

4.【转换点】工具

【转换点】工具主要用于调整绘制好的路径。在要更改的锚点上单击可以转换锚点的类型，共分为以下两种情况。

(1)将曲线锚点转换为直线锚点

1.选择【钢笔】工具，在图像中绘制路径。

2.在工具箱中选择【转换点】工具，然后在需要转换的锚点上单击即可。

(2)将直线锚点转换为曲线锚点

在需要转换的锚点上单击并拖动鼠标拉出该锚点的方向线，然后调整曲线至合适形状后释放鼠标左键即可。

1.选择【钢笔】工具，在图像中绘制路径。

2.在工具箱中选择【转换点】工具，然后在需要转换的锚点上单击，按住鼠标左键不放并拖动，拉出该锚点的方向线，如图所示。

3. 调整曲线为合适形状后释放鼠标左键即可，如图所示。

7.5.3 路径转换成选区

将路径转换为选区的方法有以下几种。

(1)单击【路径】面板下方的【将路径作为选区载入】按钮，系统会使用默认的设置将当前路径转换为选区。

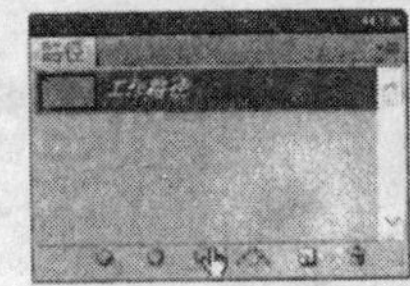

(2)按住【Ctrl】键的同时，单击【路径】面板中的缩览图，也可以将选区载入到图像中。

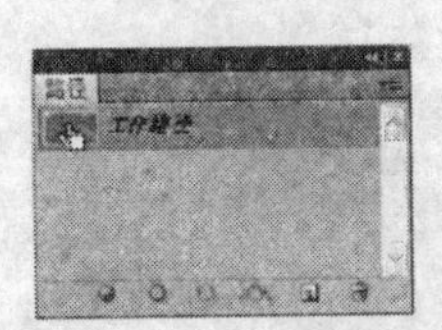

(3)在【路径】面板中选中一个路径，然后选择【路径】面板菜单中的【建立选区】菜单项，或者按住【Alt】键的同时单击【路径】面板下方的【将路径作为选区载入】按钮，打开【建立选区】对话框。

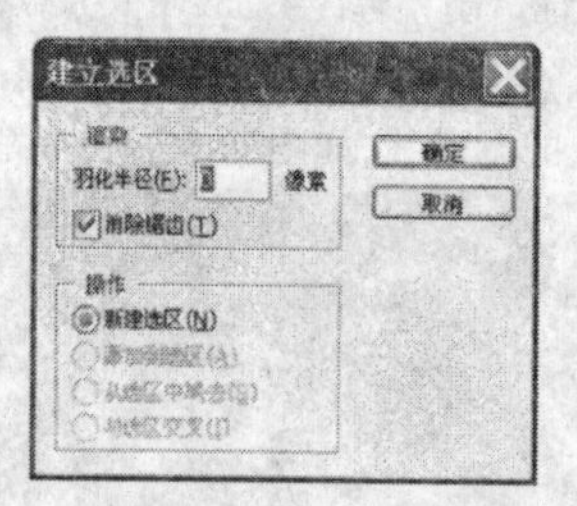

【羽化半径】值可用来定义羽化边缘在选区边框内外的伸展距离;选中【消除锯齿】复选框可以在选区中的像素与周围像素之间创建精细的过渡(只有图像中已经建立了选区,【操作】选项组的4个单选钮才可以使用)。

7.5.4 描边与填充路径

1.填充路径

填充路径必须在普通层中进行,系统会使用前景色填充闭合路径包围的区域。

填充路径的操作方法如下。

1.绘制需要填充的闭合路径。

2.单击【路径】面板中的 按钮,在弹出的菜单中选择【填充路径】菜单项。

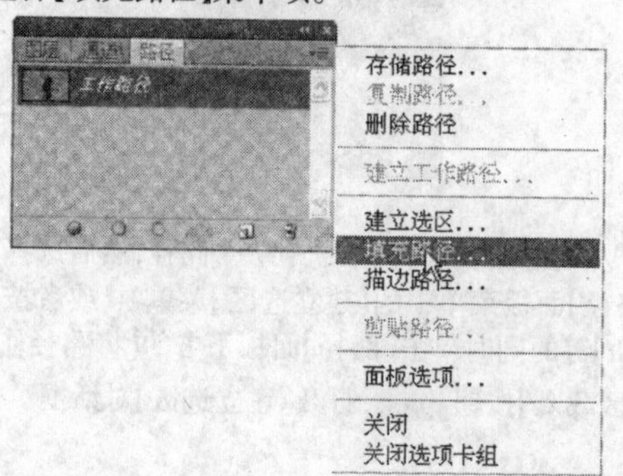

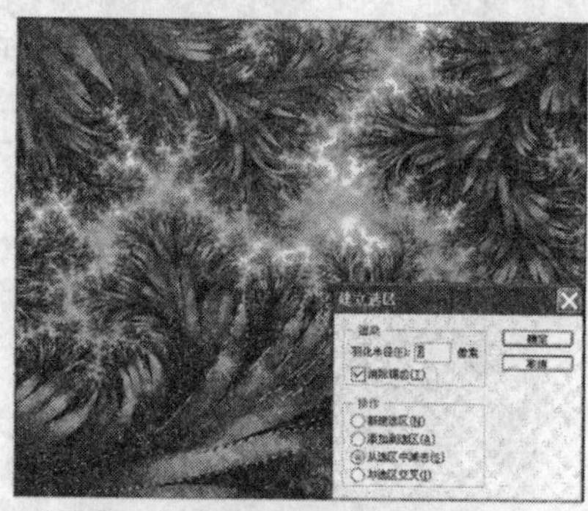

(4)按下【ctrl】+【Enter】组合键也可以将当前路径转换为选区。如果所选路径是开放的,那么转换成的选区将是路径的起点和终点连接起来而形成的闭合区域。

3.弹出【填充路径】对话框,在【使用】列表框中选择【图案】选项,在【自定图案】面板中选择适当的图案样式,其他设置如图所示,设置完成单击 确定 按钮。

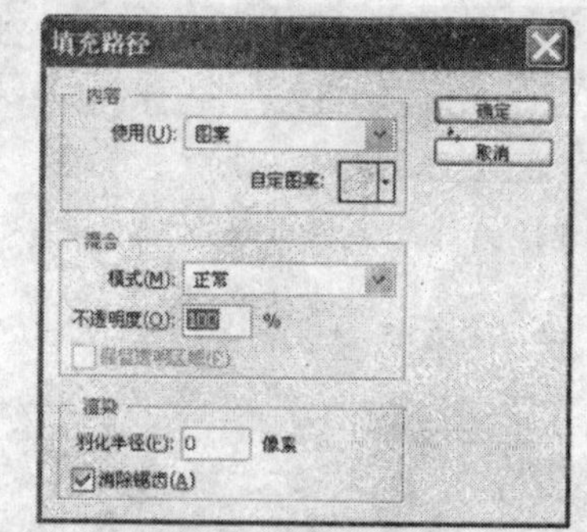

4.填充路径后得到如图所示的效果。

2.描边路径

用户不仅可以对路径进行填充,还可以对路径进行描边。

描边路径的操作方法如下。

1.绘制好需要描边的路径形状。

2.将前景色设置为黑色,选择【画笔】工具,设置适当的画笔直径。

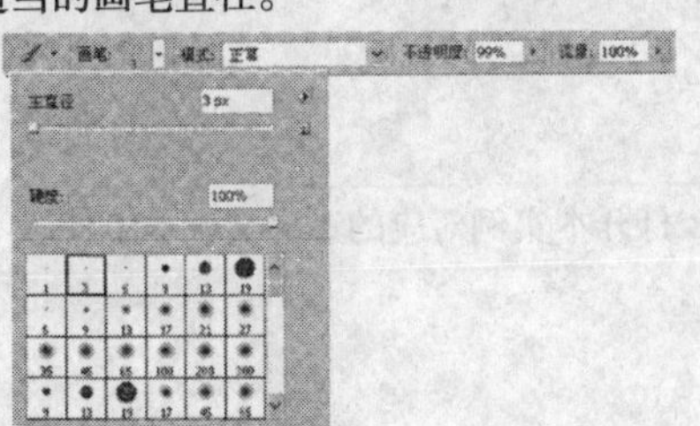

3.在【路径】面板中选中路径,然后单击右侧的菜单按钮,选择【描边路径】菜单项,或者单击【路径】面板中的【用画笔描边路径】按钮将路径描边。

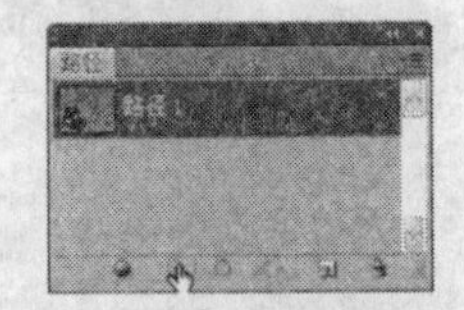

4.得到如图所示的效果。

7.6 实例——春天的乐章

本节主要通过实例介绍路径功能、文字工具以及自定形状工具等的操作方法。

▲ 素材文件与最终效果对比

1.构图设计

1.按下【Ctrl】+【N】组合键弹出【新建】对话框,从中设置如图所示的参数,然后单击 确定 按钮。

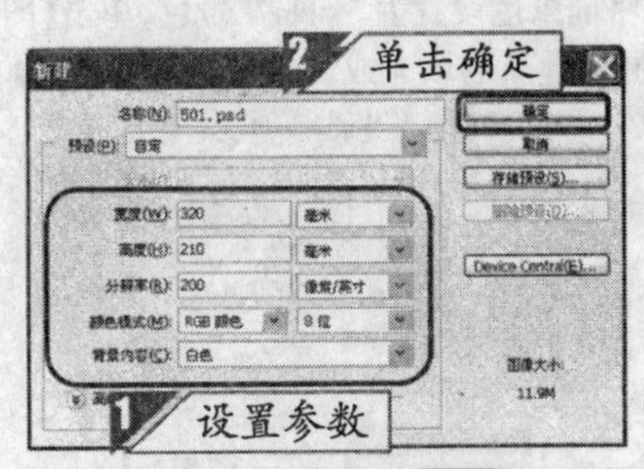

2.单击【创建新图层】按钮,新建【图层 1】图层。

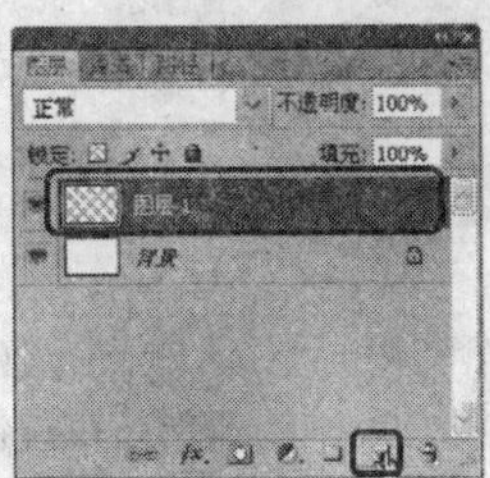

3.将前景色设置为“94d9d4”号色，单击【图层】面板中的【创建新的填充或调整图层】按钮 ，在弹出菜单中选择【渐变】菜单项。

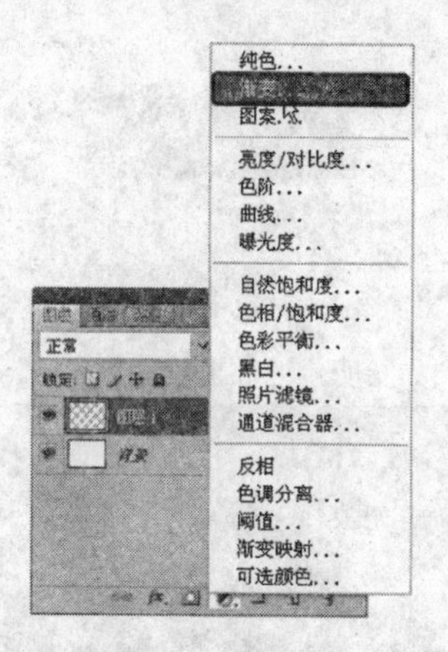

4.弹出【渐变填充】对话框，在该对话框中设置如图所示的参数，单击 确定 按钮。

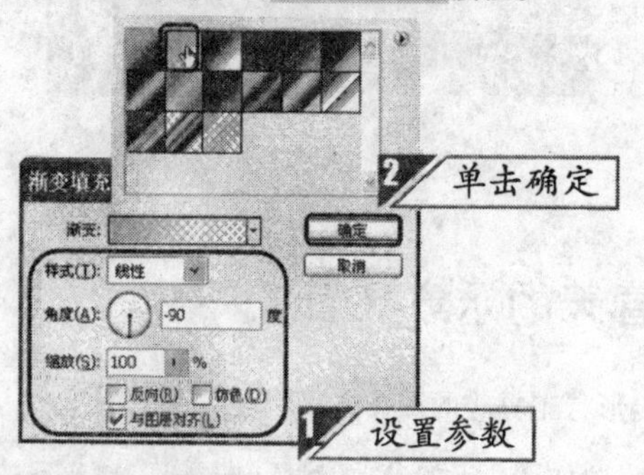

5.将前景色设置为“c6ela7”号色，单击【图层】面板中的【创建新的填充或调整图层】按钮 ，在弹出的菜单中选择【渐变】菜单项。

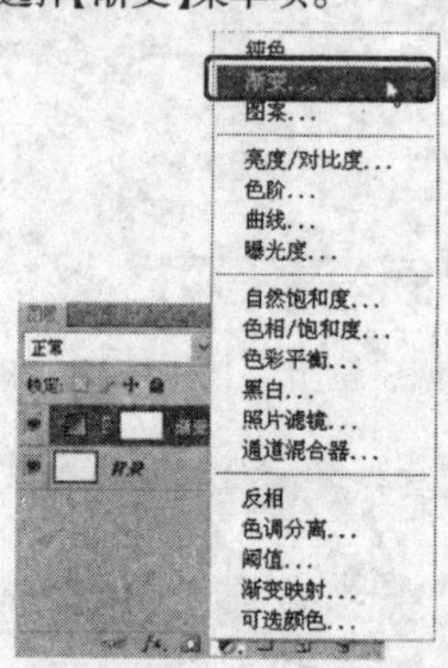

6.弹出【渐变填充】对话框，在该对话框中设置如图所示的参数，单击 确定 按钮。

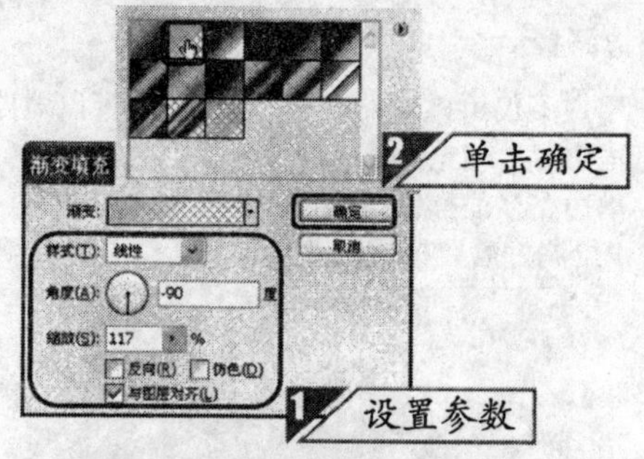

7.设置完成后得到如图所示的效果。

8.打开本实例对应的素材文件501.tiff。

9.选择【云01】图层，使用【移动】工具 将其拖动到501.psd文件中。

10.按下【Ctrl】+【T】组合键调出调整控制框，按住【Shift】键调整云层的大小，并调整其位置，调整合适后按下【Enter】键确认操作。

11.参照上述方法依次将素材文件 501.tiff 中的【云 02】和【草地】图层，拖动到 501.psd 文件中，调至合适的位置和大小，得到图像效果如图所示。

12.将前景色设置为“e21864”号色，在工具箱中选择【钢笔】工具，在工具选项栏中设置如图所示的参数。

13.在图像的下方单击创建始点，单击鼠标左键并向下拖动创建第二个平滑点。

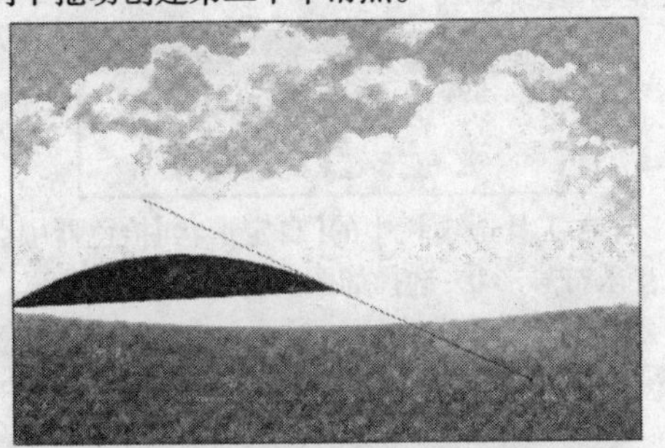

14. 在拖动过程中可以灵活拖动鼠标调整方向线的长度和角度，绘制不同走势的路径。

15.参照上述方法继续绘制路径，得到如图所示的效果。

16. 分别将前景色设置为“ff761b”、“fde351”、“7ac31f”、“009aa3”和“00649e”号色，参照上述方法绘制其他路径。

17.单击【创建新组】按钮，新建【组 1】图层组。

18.在【图层】面板中选中【形状 1】到【形状 6】图层，按住鼠标左键不放将其拖到【组 1】图层组中。

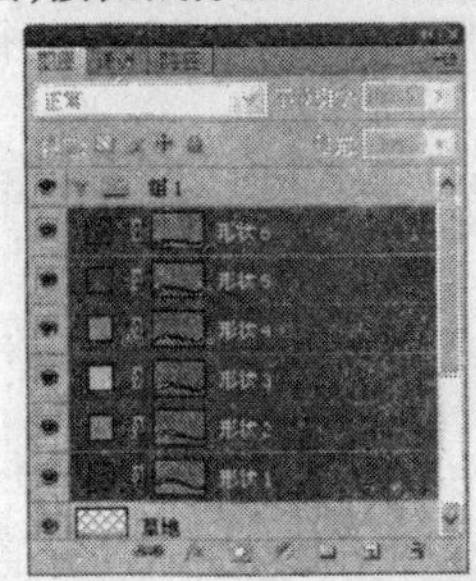

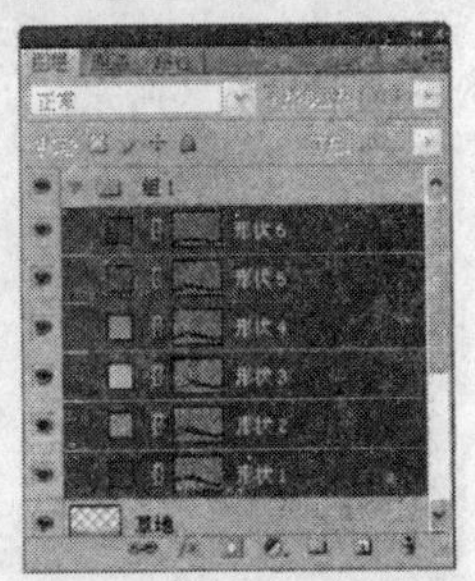

19.选中素材文件 501.tiff 中的【草】图层，使用【移动】工具将其拖动到 501.psd 文件中。

20.按下【Ctrl】+【T】组合键调出调整控制框，按住【Shift】键调整图像的大小，并调整其位置，调整合适后按下【Enter】键确认操作。

21. 参照上述方法选中素材文件 501.tiff 中的【花】图层组，将其拖动到 501.psd 文件中，并调整其大小。

22.将【花】图层组拖动到【组 1】图层组下方，得到图像效果如图所示。

2.细节设置

1.将前景色设置为"66962a"号色，在工具箱中选择【自定形状】工具，在工具选项栏中设置如图所示的参数。

2.单击【形状】图标后的按钮，弹出【自定形状】拾色器，单击右上角的按钮，在弹出的菜单中选择【音乐】菜单项。

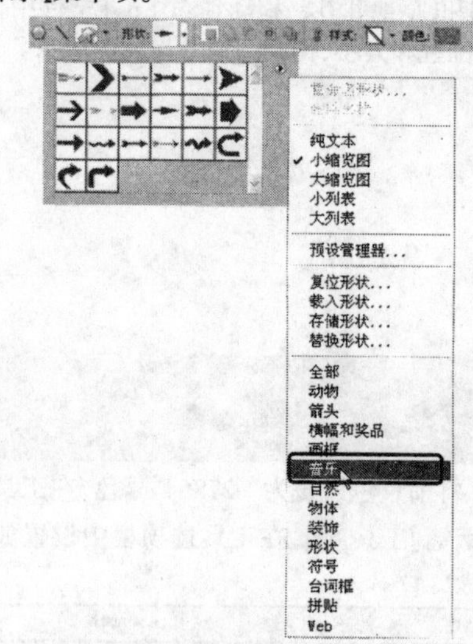

3.此时弹出【Adobe Photoshop】对话框，单击 追加(A) 按钮。

4.在工具选项栏中的【自定形状】拾色器中会追加音乐符号形状，选择如图所示的形状选项。

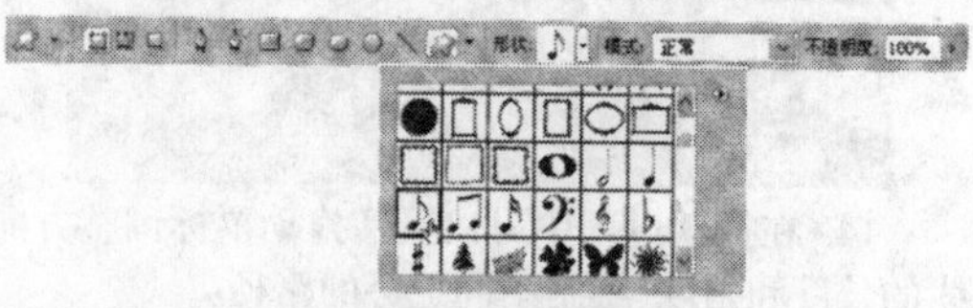

5.单击【创建新图层】按钮，新建图层。

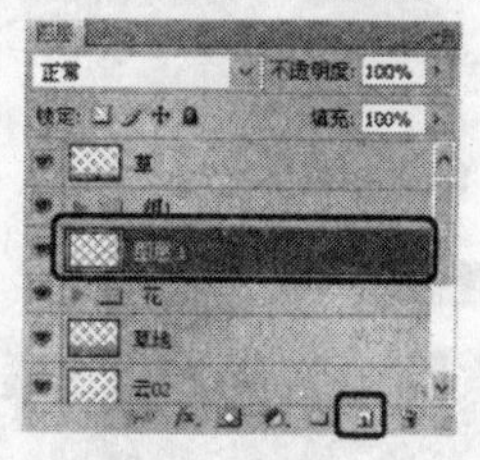

6.使用【自定形状】工具，在图像中绘制如图所示的形状。

7.参照上述方法在工具选项栏中的【自定形状】拾色器中选择不同的音乐符号，绘制如图所示的效果。

8.选择【横排文字】工具，在工具选项栏中设置合适的字体及字号。

9.在图像中输入适当的文字，输入完成后单击工具选项栏中的【提交所有当前编辑】按钮，确认操作，最终得到如图所示的效果。

第8章　滤镜

Photoshop 软件的功能比较强大，应用领域也相对比较广泛，其滤镜功能非常突出，应用该功能可以制作各种奇特的效果。

8.1　滤镜的基本知识

滤镜是 Photoshop 中最具吸引力的功能之一，可以把普通的图像变为非凡的视觉作品，它不仅可以制作各种特效，还可以模拟出素描、水彩、油画等绘画效果。

滤镜是 Photoshop 软件中功能比较丰富的工具之一，应用该功能可以制作精彩的艺术效果。

1.执行滤镜

在菜单栏中选择【滤镜】菜单项，弹出【滤镜】菜单，从中可以选择不同的菜单项以及子菜单项。

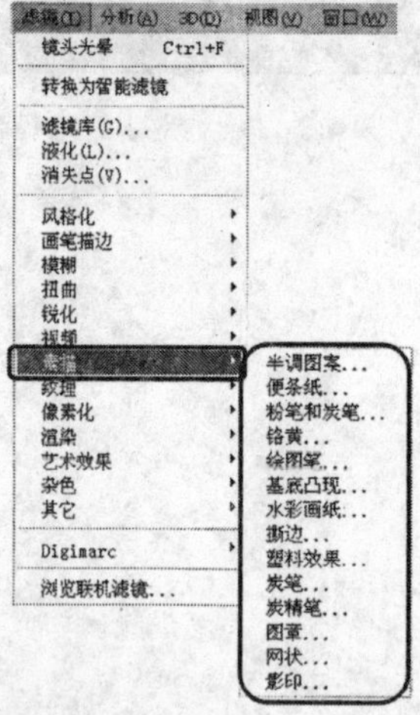

当执行某个滤镜命令后，若想再次执行该命令，可以按下【Ctrl】+【F】组合键重复执行最近一次应用过的滤镜。

重复应用滤镜的操作步骤如下。

1.打开一张图片。

2.选择【滤镜】▷【风格化】▷【拼贴】菜单项。

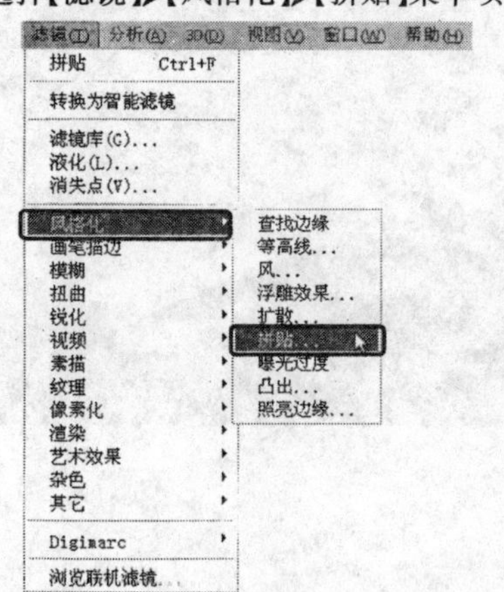

3.弹出【拼贴】对话框，在该对话框中设置相关参数，然后单击 确定 按钮。

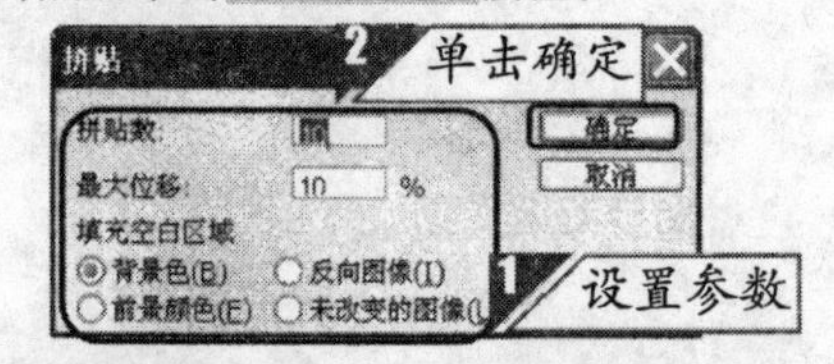

4.设置拼贴滤镜后得到如图所示的效果。

5.按下【Ctrl】+【F】组合键重复执行该滤镜，得到如图所示的效果。

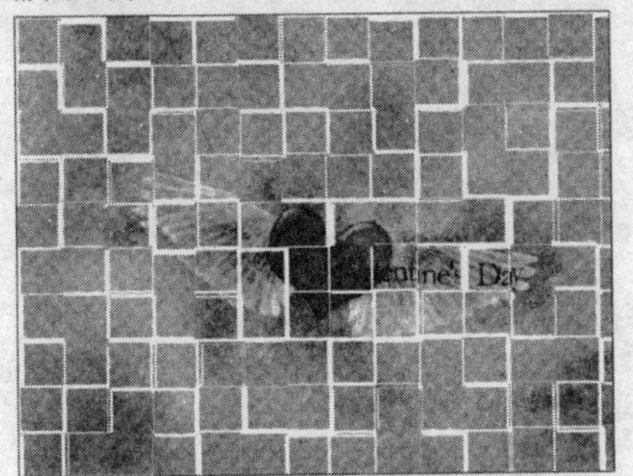

6.多次按下【Ctrl】+【F】组合键重复执行该滤镜，得到如图所示的效果。

2.使用滤镜的注意事项

在实际应用中，注意以下几条原则可以帮助用户选择合适的滤镜。

(1)选中需要处理的图层或者图像，如果在图像中没有建立选区，则会对整个图像执行滤镜命令；当选中一个图层或者一个通道时，只会对当前图层或者通道执行滤镜命令。

(2)由于滤镜的处理效果以像素为单位，所以在处理不同分辨率的图像时，即使应用同样的滤镜参数，效果也会有所不同。

(3)当执行某次滤镜命令后，在【滤镜】菜单的最上方会出现该滤镜的名称，此时如果想再次执行此命令，选择该菜单项即可。

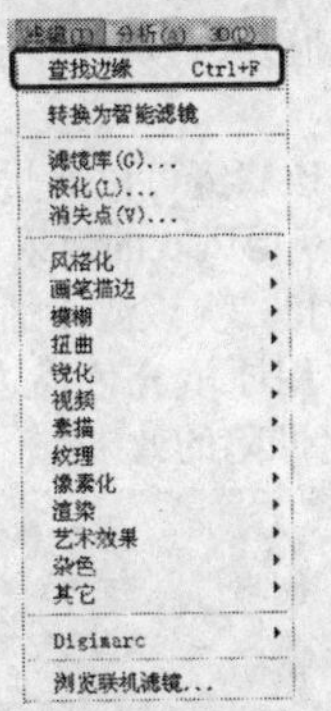

(4)在【滤镜】菜单中，选择滤镜名称后带有“…”的菜单项会弹出相应的对话框。

转换为智能滤镜

滤镜库(G)...
液化(L)...
消失点(V)...

例如选择【滤镜】>【液化】菜单项，会弹出【液化】对话框。

(5)位图模式和索引模式的图像以及文本图层都不能应用滤镜效果，有些滤镜只能应用于 RGB 模式的图像。

(6)若对选区执行滤镜命令后会出现比较突兀的现象，可以在执行该命令前先对选区进行羽化。

(7)预览功能在处理图像时比较重要，使用该功能可以直接观察到处理后的效果与原图的对比。

8.2 内置滤镜

本节主要介绍 Photoshop CS4 中各个内置滤镜的功能和特点以及特殊滤镜制作的效果。

1.【风格化】滤镜组

【风格化】滤镜组中的滤镜是通过置换像素和查找并增加图像的对比度，在选区中生成绘画或印象派的效果。

【风格化】滤镜组中包括 9 种滤镜效果，下面分别介绍各种滤镜的功能。

(1)【查找边缘】滤镜：使用该滤镜，可以查找对比强烈的图像区域并突出边缘，用相对于白色背景的黑色线条将其勾勒。该功能对生成图像的边缘非常有用。

(2)【等高线】滤镜：该滤镜可以查找图像中的主

要亮度区域并勾勒边缘，以获得与等高线图类似的效果。

(3)【风】滤镜：该滤镜可以通过在图像中放置细小的水平线条，来获得风吹的效果。

(4)【浮雕效果】滤镜：该滤镜通过将选区的填充色转换为灰色，并用原填充色描边边缘，从而使选区显示出凸起或者凹陷的效果。

(5)【扩散】滤镜：使用该滤镜可以搅乱选区中的像素虚化焦点，产生类似透过玻璃观察图像的效果。

(6)【拼贴】滤镜：该滤镜可以将图像分解为一系列的拼贴，使选区偏离其原来的位置。

(7)【曝光过度】滤镜：该滤镜可以使图像的正片与负片混合，产生类似于拍摄过程中将摄影照片短暂曝光的效果。

(8)【凸出】滤镜：该滤镜可赋予图像三维的立方体或者锥体效果。

(9)【照亮边缘】滤镜：该滤镜可以突出体现主要颜色变化区域的边缘，并为其添加类似霓虹灯的光亮。

2.【画笔描边】滤镜组

【画笔描边】滤镜组通过使用不同的画笔和油墨描边效果创造出自然绘画效果的外观。

(1)【成角的线条】滤镜：该滤镜使用对角描边重新绘制图像，用相反方向的线条来绘制亮区和暗区。

(2)【墨水轮廓】滤镜：该滤镜是以钢笔画的风格，用纤细的线条在原细节上重绘图像。

(3)【喷溅】滤镜：该滤镜用来模拟喷溅喷枪的效果，增加选项可以简化总体效果。

(4)【喷色描边】滤镜：该滤镜使用图像的主色，用成角的、喷溅的颜色线条重新绘画图像。

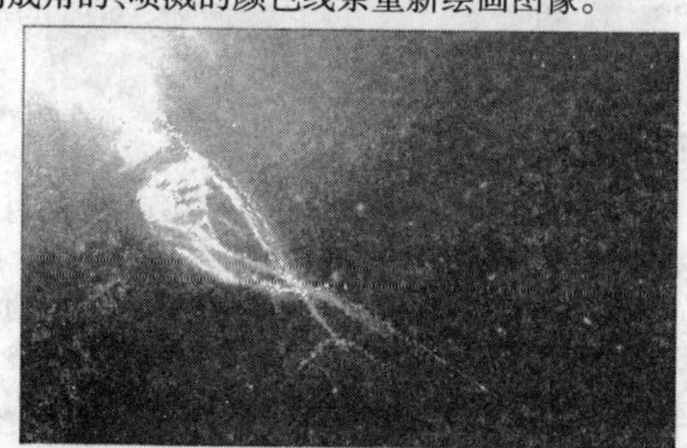

(5)【强化的边缘】滤镜：该滤镜可以强化图像边缘。设置高的边缘亮度控制值时，强化效果类似白色粉笔；设置低的边缘亮度控制值时，强化效果类似黑色油墨。

(6)【深色线条】滤镜：该滤镜使用短的、绷紧的深色线条绘制暗区，使用长的白色线条绘制亮区。

(7)【烟灰墨】滤镜：该滤镜以日本画的风格绘画图像，看起来像是用蘸满油墨的画笔在宣纸上绘画，使用非常黑的油墨来创建柔和的模糊边缘。

(8)【阴影线】滤镜：该滤镜可以在保留原始图像的细节和特征的同时，使用模拟的铅笔阴影线添加纹理，并使彩色区域的边缘变粗糙。

3.【模糊】滤镜组

使用【模糊】滤镜组中的滤镜可以对图像进行模糊处理。该滤镜组也可以去除图像中的杂色，使变化显得柔和。

(1)【表面模糊】滤镜:该滤镜可以在保留图像边缘的同时模糊图像。此滤镜用于创建特殊效果,并可消除杂色或粒度。

(2)【动感模糊】滤镜:该滤镜可以沿某一方向以指定强度进行模糊,其效果类似于以固定的曝光时间给一个移动的对象拍照。

(3)【方框模糊】滤镜:该滤镜是基于相邻像素的平均颜色值来模糊图像的。使用该滤镜时,半径参数值设置的越大,产生的模糊效果越好。

(4)【高斯模糊】滤镜:该滤镜通过控制模糊半径来对图像进行处理,添加低频细节,使图像产生一种朦胧效果。

(5)【进一步模糊】滤镜:这种滤镜是在图像中有显著颜色变化的地方消除颜色,从而产生较强的模糊效果。

(6)【模糊】滤镜:该滤镜通过平衡己定义的线条和遮蔽区域的清晰边缘旁边的像素,使图像中的颜色变化显得柔和一些。应用【进一步模糊】滤镜比应用【模糊】滤镜的效果更明显。

(7)【径向模糊】滤镜:该滤镜可以模拟移动或者旋转相机所产生的模糊效果。

(8)【镜头模糊】滤镜:使用该滤镜向图像中添加模糊可以产生更窄的景深效果,以使图像中的一些对象在焦点内,而某些区域变模糊。可以使用简单的选区来确定哪些区域变模糊,或者可以提供单独的 Alpha 通道深度映射来准确地描述希望如何增加模糊。

(9)【平均】滤镜:该滤镜找出图像或者选区的平均颜色,然后用该颜色进行填充以创建平滑的外观。

(10)【特殊模糊】滤镜:该滤镜可以精确地模糊图像边界线以内区域。

(11)【形状模糊】滤镜:该滤镜可以使用指定的形状来创建模糊。

4.【扭曲】滤镜组

使用【扭曲】滤镜组可以对图像进行变形扭曲,从而创建 3D 或者其他的图像效果。

(1)【波浪】滤镜:使用该滤镜可以使图像产生强烈的波纹效果。

(2)【波纹】滤镜:该滤镜可以在选区上创建波状起伏的图案来模拟水池表面的波纹。

(3)【玻璃】滤镜:该滤镜可以使图像看起来像透过不同类型的玻璃看到的效果。

(4)【海洋波纹】滤镜:该滤镜可以将随机分隔得波纹添加到图像表面,使图像看上去像是在水中一样。

(5)【极坐标】滤镜:该滤镜可以使图像产生强烈的变形。

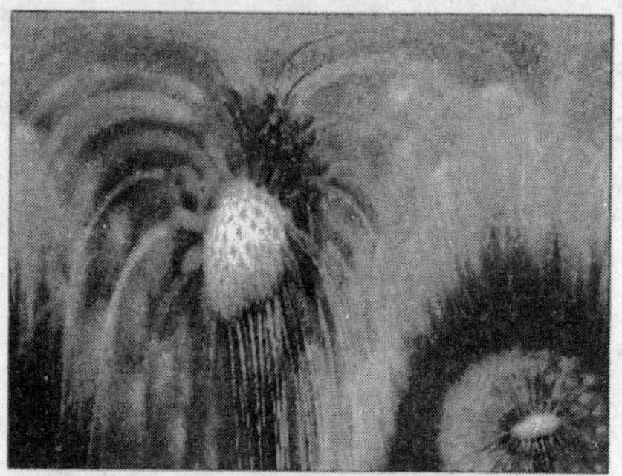

(6)【挤压】滤镜：该滤镜可以挤压选区内的图像，从而使图像产生凸起或者凹陷的效果。

(7)【镜头校正】滤镜：该滤镜可以修复常见的镜头瑕疵，如桶形和枕形失真、晕影和色差等。桶形失真是一种镜头缺陷，它会导致图像向外弯曲；枕形失真的效果相反，图像会向内弯曲；晕影现象是指图像的边缘(尤其是角落)会比图像中心暗；色差现象出现时则显示为对象边缘有一圈色边，它是由于镜头对不同平面中不同颜色的光进行对焦而导致的。

(8)【扩散亮光】滤镜：该滤镜可以对图像的高亮区域用背景色进行填充，以散射图像上的高光，使图像产生发光效果。

(9)【切变】滤镜：使用该滤镜可以通过调整曲线框中的曲线来扭曲图像。

(10)【球面化】滤镜：使用该滤镜可以在图像的中心产生球形的凸起或者凹陷的效果，以适应选中的曲线，使对象具有3D效果。

(11)【水波】滤镜：使用该滤镜可以根据选区中像素的半径将选区径向扭曲，从而产生类似于水波的效果。

(12)【旋转扭曲】滤镜：使用该滤镜可以旋转选区内的图像，其中心的旋转程度比边缘的旋转程度大。指定角度时可以生成旋转扭曲图案。

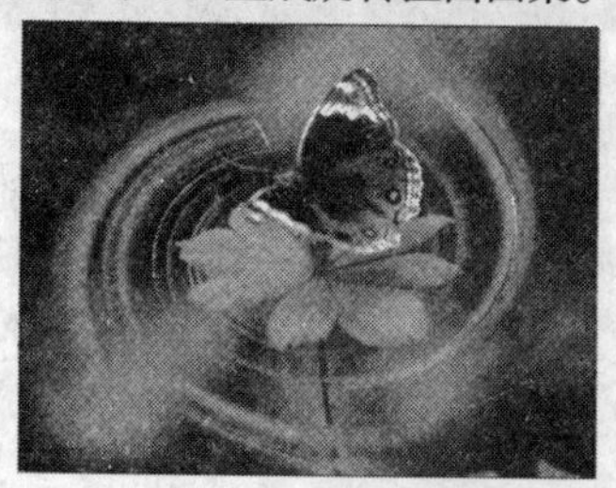

(13)【置换】滤镜：使用该滤镜必须用PSD格式的图像作为置换图像，然后进行相关设置，以确定当前图像如何根据置换图产生弯曲、破碎的效果。

5.【锐化】滤镜组

使用【锐化】滤镜组中的滤镜可以增加相邻像素的对比度来聚焦模糊的图像，使之变得更清晰。

(1)【USM锐化】滤镜：对于专业色彩校正来说，可以使用该滤镜调整边缘细节的对比度，并在边缘的每一侧生成一条亮线和一条暗线，此过程将使边缘突出，造成图像更加锐化的错觉。

(2)【锐化】滤镜：该滤镜通过增大相邻像素之间的对比使模糊的图像变得清晰。

(3)【进一步锐化】滤镜：该滤镜也是通过增大图像像素之间的对比使图像产生清晰的效果，相当于多次利用【锐化】滤镜的效果。

(4)【智能锐化】滤镜：该滤镜具有【USM锐化】滤镜所没有的锐化控制功能，该滤镜通过设置锐化算法，或者控制阴影和高光中的锐化量来锐化图像。

(5)【锐化边缘】滤镜：该滤镜可以只锐化图像的边缘，同时保留总体的平滑度。使用该滤镜在不指定数量的情况下锐化边缘。

6.【素描】滤镜组

【素描】滤镜组中的滤镜可以利用前景色和背景色来置换图像中的色彩，此外还适用于创建美术和手绘外观的图像效果。

(1)【半调图案】滤镜：该滤镜可以根据前景色和背景色重新给图像添加颜色，使图像在保持连续色调范围的同时模拟半调网屏的效果。

(2)【便条纸】滤镜：该滤镜可以简化图像，创建具有浮雕凹陷和纸颗粒感的效果。

(3)【粉笔和炭笔】滤镜：使用该滤镜可以重绘图像的高光和中间调，并使用粗糙粉笔绘制纯中间调的灰色背景。

(4)【铬黄】滤镜:使用该滤镜可以渲染图像,使其具有擦亮的铬黄表面效果。高光在反射表面上是高点,阴影是低点。

(5)【绘画笔】滤镜:该滤镜使用细小的、线状的油墨描边以捕捉原图像中的细节。它使用前景色作为油墨,使用背景色作为纸张,替换原图像中的颜色。

(6)【基底凸现】滤镜:使用该滤镜可以使图像呈现出较为细腻的浮雕效果,并加入光照以突出浮雕表面的变化。

(7)【水彩画纸】滤镜:该滤镜可以将图像制作成像画在潮湿的纤维纸上的涂鸦,使其上的颜色流动并混合。

(8)【撕边】滤镜:使用该滤镜可以重建图像,使图像看起来像是由粗糙的、撕破的纸片组成的,然后使用前景色与背景色为图像着色。

(9)【塑料效果】滤镜:该滤镜可以按照 3D 塑料效果塑造图像,然后使用前景色与背景色为图像着色。

(10)【炭笔】滤镜:该滤镜可以产生色调分离的涂抹效果。主要边缘以粗线条绘制,而中间色调用对角描边进行素描。炭笔的颜色是前景色,纸张颜色是背景色。

(11)【炭精笔】滤镜:该滤镜可以在图像上模拟浓黑和纯白的炭精笔纹理,在暗区使用前景色,在亮区使用背景色。

(12)【图章】滤镜:该滤镜可以简化图像,使之看起来像用橡皮或者木制图章创建的效果。

(13)【网状】滤镜:该滤镜可以模拟胶片乳胶的可控收缩和扭曲来创建图像,使之在阴影处呈块状,在高光处呈轻微颗粒化。

(14)【影印】滤镜:该滤镜用前景色和背景色模拟影印图像的效果,只复制图像的暗区边缘,而将中间色调改为纯黑色或者纯白色。

7.【纹理】滤镜组

使用【纹理】滤镜组中的滤镜可以模拟具有深度感或者物质感的外观纹理效果。

(1)【龟裂缝】滤镜:使用该滤镜可以将图像绘制在一个高凸现的石膏表面上,以沿着图像等高线生成精细的网状裂缝,还可以对包含多种颜色的图像创建浮雕效果。

(2)【颗粒】滤镜：该滤镜利用不同的颗粒类型在图像中添加不同的纹理。颗粒类型包括常规、软化、喷洒、结块、强反差、扩大、点刻、水平、垂直和斑点等。

(3)【马赛克拼贴】滤镜：使用该滤镜可以渲染图像，使其看起来像是由小的碎片或者拼贴组成，然后在拼贴之间增加深色的缝隙。

(4)【拼缀图】滤镜：使用该滤镜可以将图像分解成若干个小方块，用图像中该区域的主色填充。该滤镜还可以随机减少或者增大拼贴的深度，以模拟高光和阴影效果。

(5)【染色玻璃】滤镜：使用该滤镜可以产生不规则分离的彩色玻璃块，它们之间的缝隙将用前景色填充。

(6)【纹理化】滤镜：使用该滤镜可以将模拟生成的纹理效果应用于图像。

8.【像素化】滤镜组

【像素化】滤镜组中的滤镜主要是使用由相近颜色值的像素结块成的单元格，重新定义图像或选区，从而产生格状、点状、马赛克等特殊效果。

(1)【彩块化】滤镜：使用该滤镜可以使纯色或者相近颜色的像素结成相近颜色的色块，从而使图像看起来像手绘图像，或者使现实主义的图像类似抽象派绘画。

(2)【彩色半调】滤镜：使用该滤镜可以模拟在图像的每个通道使用放大的半调网屏效果。对于每个通道，滤镜先将图像划分为矩形，再用圆形替换，圆形的大小与矩形的亮度成比例。

(3)【点状化】滤镜：使用该滤镜可以将图像分解为随机分布的网点，如同点画作品一样，并使用背景色作为网点之间的画布区域，产生点状效果。

(4)【晶格化】滤镜：该滤镜可以使图像像素结块形成多边形纯色。

(5)【马赛克】滤镜：该滤镜通过将图像中的像素结为方块状，并且使每一个块中的像素颜色相同来产生马赛克效果。

(6)【碎片】滤镜：该滤镜可以对选区中的像素进行 4 次复制，然后将 4 个副本平均并偏移，从而使图像产生一种不聚焦的模糊效果。

(7)【铜板雕刻】滤镜：该滤镜将图像转换为黑白区域的随机图案或者彩色图像中颜色完全饱和的随机图案。

9.【渲染】滤镜组

使用【渲染】滤镜组中的滤镜可以在图像中生成云彩图案、折射图案和模拟的光反射等效果。

(1)【分层云彩】滤镜：该滤镜使用介于前景色与

背景色之间的颜色值随机地生成云彩图案。第一次使用【分层云彩】滤镜时，图像中的某些部分会被反相为云彩图案。

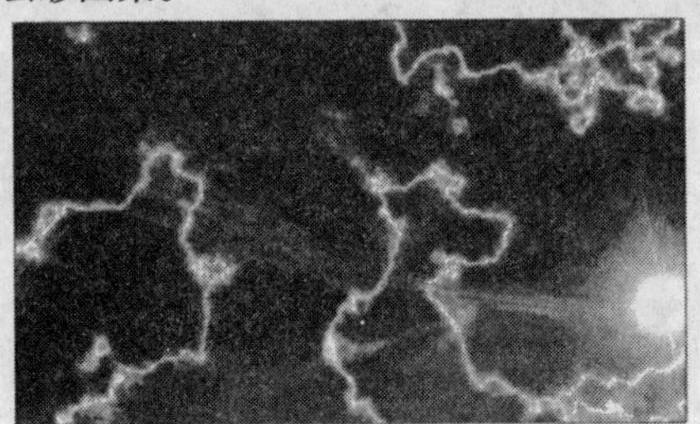

(2)【光照效果】滤镜：使用该滤镜可以在图像中应用17种不同的光照样式、3种光照类型和4组光照属性，从而可以给RGB图像添加无数种光照效果。此外，还可以使用灰度文件的纹理创建出类似于3D的效果，并存储自建的样式以便在其他图像中使用。

(3)【镜头光晕】滤镜：使用该滤镜可以模拟亮光照射到相机镜头所产生的折射效果。

(4)【纤维】滤镜：该滤镜使用前景色与背景色创建编织纤维的外观。

(5)【云彩】滤镜：该滤镜使用介于前景色与背景色之间的随机值生成柔和的云彩图案。如果要生成色彩较为分明的云彩图案，那么在按住【A1t】键的同时选择【滤镜】▶【渲染】▶【云彩】菜单项即可。应用该滤镜时，当前图层上的图像数据会被替换。

10.【艺术效果】滤镜组

使用【艺术效果】滤镜组中的滤镜，可以为美术或者商业项目制作多种不同的效果。这些滤镜一般模仿自然或者传统介质生成效果。

(1)【壁画】滤镜：该滤镜可以在图像的边缘添加黑色，并用小块颜料以短而圆、粗略涂抹的笔触重新绘制出古壁画风格的图像。

(2)【彩色铅笔】滤镜：该滤镜使用各种颜色的铅笔在纯色背景上绘制图像。保留重要边缘，外观以粗糙阴影线状态显示，纯色背景色透过比较平滑的区域显示出来。

(3)【粗糙蜡笔】滤镜：使用该滤镜可以在布满纹理的图像背景上应用色彩画笔描边。在图像亮色区域，色彩画笔看上去很厚，几乎看不见纹理；在图像深色区域，色彩画笔似乎被擦去了，使纹理显露出来。

(4)【底纹效果】滤镜：使用该滤镜可在带纹理的背景上绘制图像，然后将最终图像绘制在源图像的上面。

(5)【调色刀】滤镜：使用该滤镜可以减少图像中的细节，以生成描绘得很淡的画布效果。

(6)【干画笔】滤镜：该滤镜用干画笔技术(介于油彩和和水彩之间)绘制图像边缘，通过将图像的颜色范围减少到普通颜色范围来简化图像。

(7)【海报边缘】滤镜：该滤镜可以减少图像中的颜色数量(对其进行色彩分离)，查找图像的边缘并绘制黑色线条。生成新图像区域中有简单的阴影，也有细小的深色细节。

(8)【海绵】滤镜：该滤镜使用颜色对比强烈、纹理较重的区域进行图像的绘制，生成类似于海绵绘画的效果。

(9)【绘画涂抹】滤镜：使用该滤镜可以选取各种大小(1～50)和类型的画笔来创建绘画效果，使图像产生模糊的艺术效果。

(10)【胶片颗粒】滤镜：该滤镜可以将平滑图案应用于图像的阴影和中间色调，将一种更平滑、饱和度更高的图案添加到亮区。在消除混合图像条纹和将各种来源的图像元素进行视觉统一时，此滤镜非常有用。

(11)【木刻】滤镜：使用该滤镜可以将图像描绘成由几层边缘粗糙的彩纸剪片组成的效果。

(12)【霓虹灯光】滤镜：使用该滤镜可以将各种类型的灯光添加到图像中的对象上，生成类似霓虹灯的发光效果。

(13)【水彩】滤镜：该滤镜以水彩的风格绘制图像，使用蘸了水和颜料的中号画笔绘制以简化图像细节。当边缘有显著的色调变化时，该滤镜会使颜色更饱满。

(14)【塑料包装】滤镜：使用该滤镜可以给图像涂上一层光亮的塑料，以强化图像中线条及表面细节。

(15)【涂抹棒】滤镜：该滤镜使用短的黑色线条涂抹暗区以柔化图像。该效果会使亮区变得更亮，因此会失去部分图像细节。

11.【杂色】滤镜组

使用【杂色】滤镜组可以创建与众不同的纹理或者移去有问题的区域，例如划痕、灰尘等效果。

(1)【减少杂色】滤镜：该滤镜是在基于影响整个图像或各个通道的用户设置保留边缘的同时减少杂色。

(2)【蒙尘和划痕】滤镜：该滤镜通过更改图像中相异的像素来减少杂色。

(3)【去斑】滤镜：该滤镜用于检测图像的边缘(有颜色变化的区域) 并模糊去除那些边缘外的所有选区。使用该滤镜可以去除图像中的杂色，同时保留细节。

(4)【添加杂色】滤镜：使用该滤镜可以将一定数量的杂色以随机的方式添加到图像中，使其产生颗粒状的效果。该滤镜也可以用于减少羽化选区或者渐进填充中的条纹，或者使经过重大修饰的区域看起来更真实。

(5)【中间值】滤镜：该滤镜是通过混合选区中像素的亮度来减少图像中的杂色。该滤镜通过搜索像素选区的半径范围来查找亮度相近的像素，消除与相邻像素差异太大的像素，并用搜索到的像素的中间亮度值替换中心像素。此滤镜在消除或者减少图像的动感效果时非常有用。

12.【其他】滤镜组

在该滤镜组中，用户可以自定义滤镜效果，也可以使用滤镜修改蒙版，还可以在图像中使选区发生位移和快速调整颜色。

(1)【高反差保留】滤镜：该滤镜在有强烈颜色转换发生的地方按指定的半径保留边缘细节，并且不显示图像的其余部分。使用此滤镜可以移去图像中的低频细节，产生的效果与【高斯模糊】滤镜相反。

(2)【位移】滤镜：使用该滤镜可以将选区内的图像移动到指定的水平位置或者垂直位置，而选区原位置变成空白区域。可以用当前背景色或图像的另一部分填充这块区域；如果选区靠近图像边缘，也可以使用所选择的填充内容来填充。

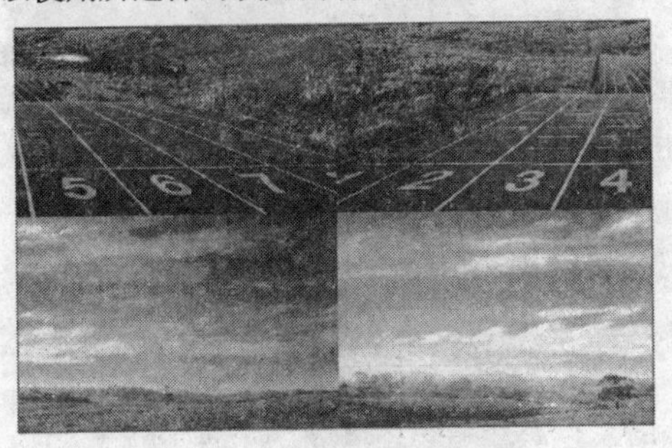

(3)【自定】滤镜：该滤镜根据预定义的数学运算，更改图像中每个像素的亮度值，然后根据周围的像素值为每个像素重新指定一个值。此操作与通道的加、减计算类似。

使用【自定】滤镜用户可以设计所需的滤镜效果并存储，再将其应用于其他的 Photoshop 图像。

(4)【最大值】滤镜：使用该滤镜可以扩大图像中的白色区域，缩小黑色区域。

(5)【最小值】滤镜：使用该滤镜可以扩大图像中的黑色区域，缩小白色区域。

13.实例——精雕细琢

▲ 素材文件与最终效果对比

背景设计

1.按下【Ctrl】+【N】组合键弹出【新建】对话框，从中设置如图所示的参数，然后单击 确定 按钮。

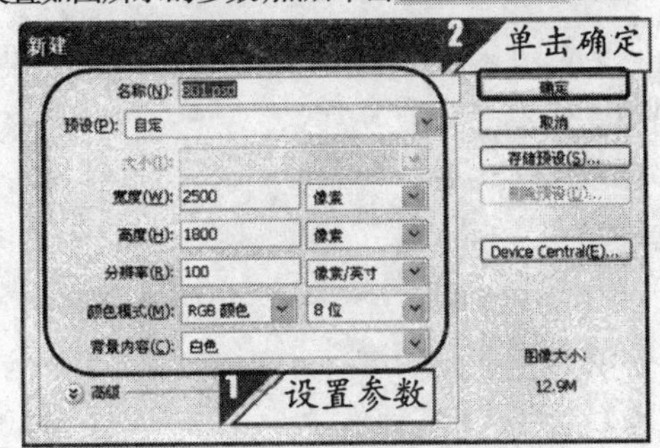

2.打开本实例对应的素材文件 801.tiff,选择【铜鼎】图层。

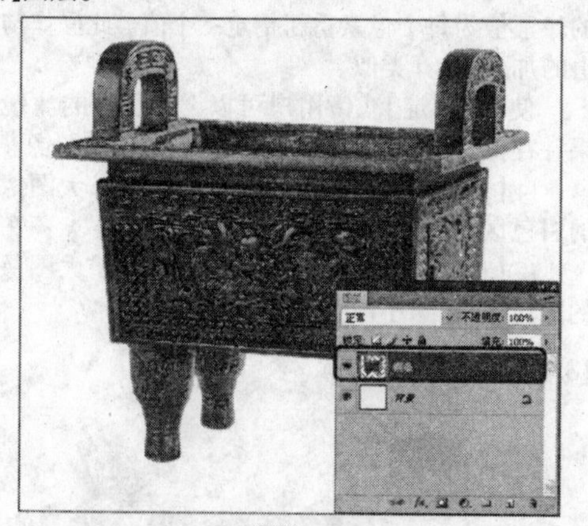

3.选择【移动】工具,将【铜鼎】图层图像拖动到文件 801.psd 中。

4.在【图层】面板中的【填充】文本框中输入“60%”。

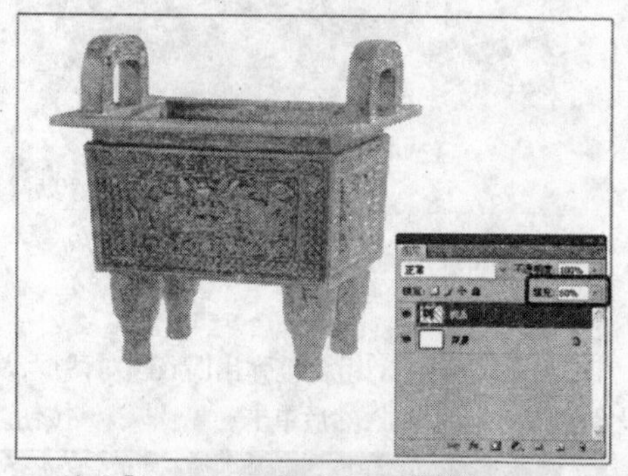

5.单击【添加图层蒙版】按钮,为该图层添加图层蒙版。

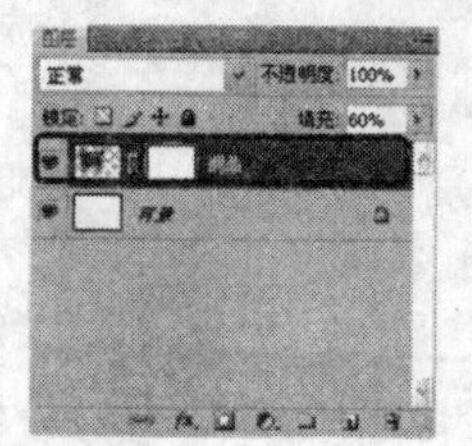

6.将前景色设置为黑色,选择【渐变】工具,在工具选项栏中设置如图所示的选项。

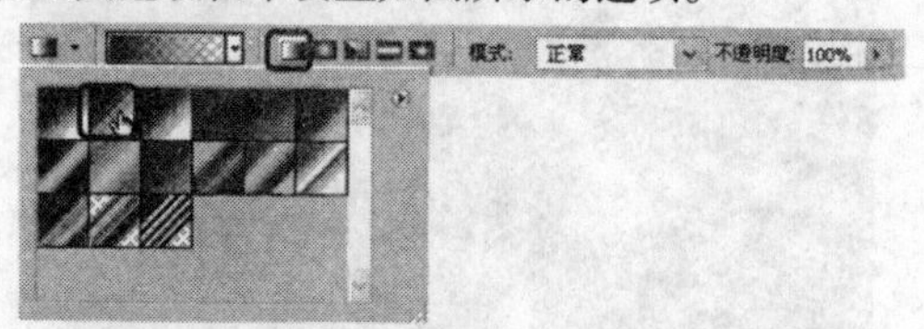

7.按住【Shift】键在图像中由右向左拖动鼠标,添加如图所示的渐变效果。

8.按住【Shift】键在图像中由下向上拖动鼠标,添加如图所示的渐变效果。

9.单击【创建新图层】按钮,新建图层。

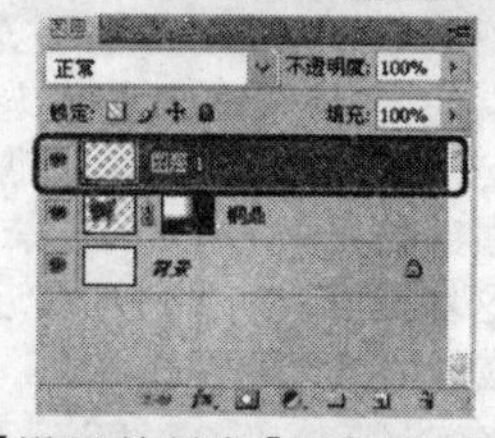

10.单击【设置前景色】颜色框,在弹出的【拾色器(前景色)】对话框中设置如图所示的参数,然后单击 确定 按钮。

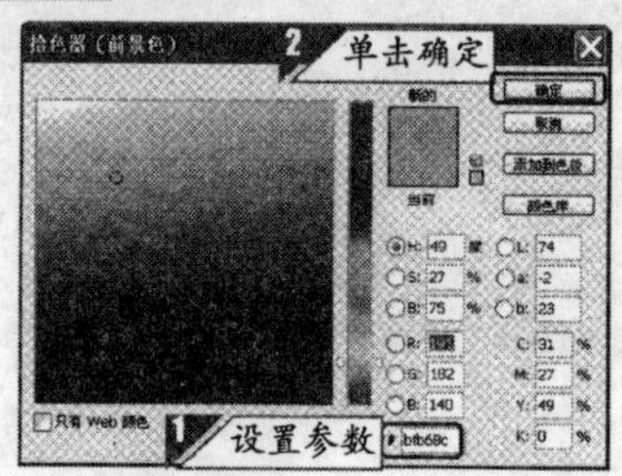

11.单击【设置背景色】颜色框，在弹出的【拾色器(背景色)】对话框中设置如图所示的参数，然后单击 确定 按钮。

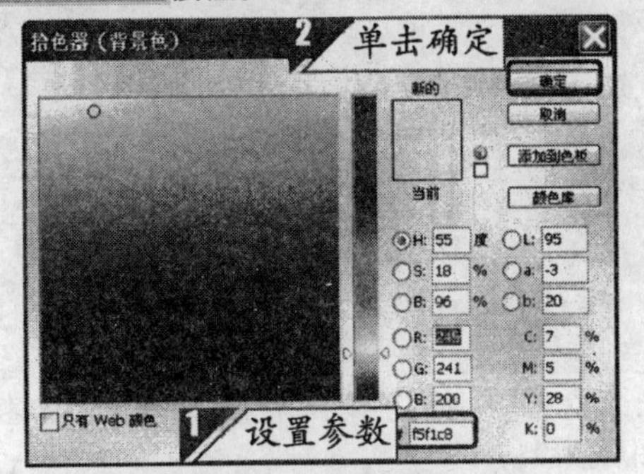

12.选择【滤镜】▶【渲染】▶【云彩】菜单项。

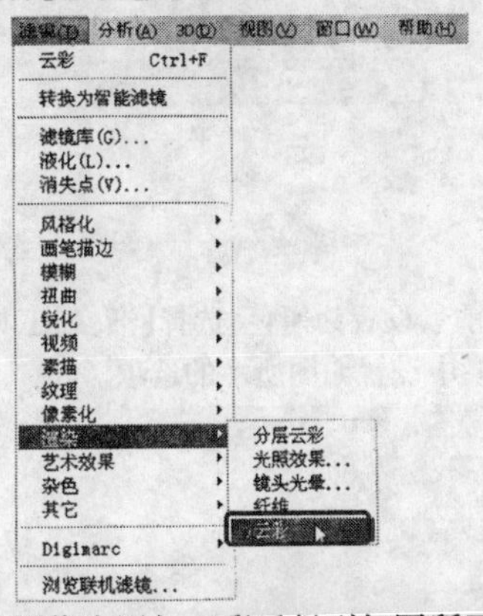

13.在图像中添加云彩后得到如图所示的效果。

14.在【图层】面板中的【填充】文本框中输入“75%”。

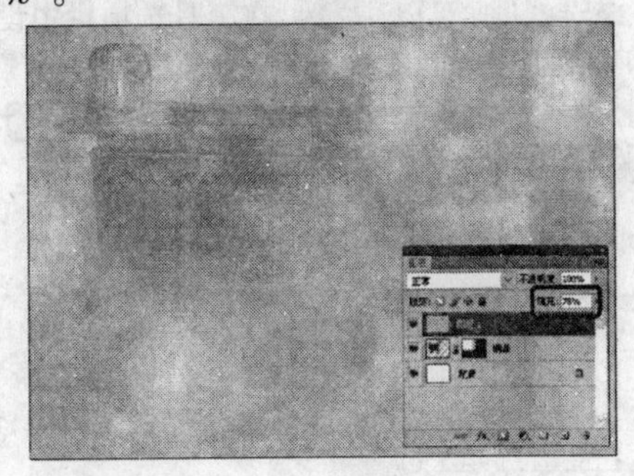

15.单击【添加图层蒙版】按钮，为其添加图层蒙版。

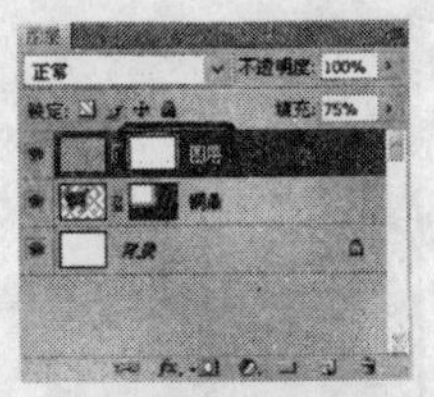

16.将前景色设置为黑色，选择【渐变】工具，在工具选项栏中设置如图所示的选项。

17.按住【Shift】键在图像中由右向左拖动鼠标，添加如图所示的渐变效果。

18.单击【创建新的填充或调整图层】按钮，在弹出的菜单中选择【色相/饱和度】菜单项。

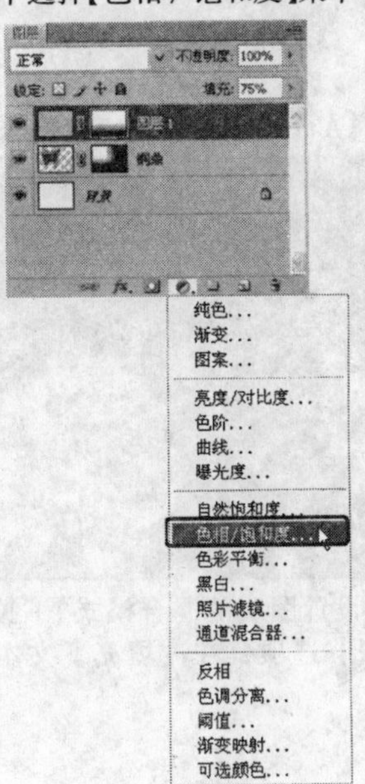

19.在【色相/饱和度】调板中设置如图所示的参数。

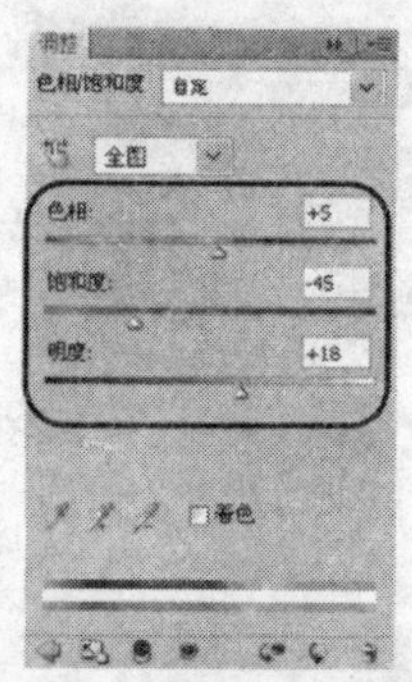

20.设置完参数后得到如图所示的效果。

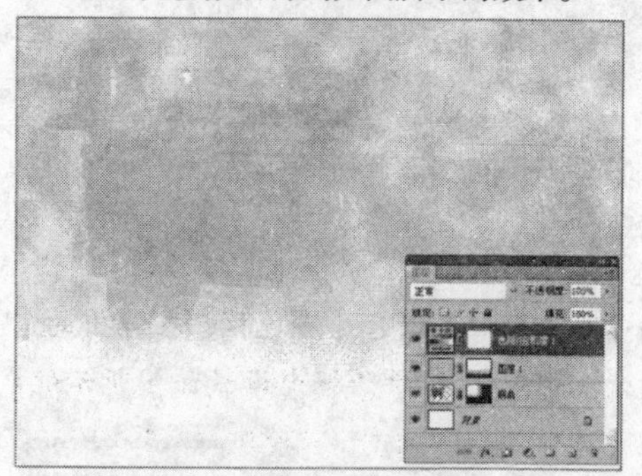

21.将前景色设置为"615b41"号色,单击【创建新图层】按钮,新建图层。

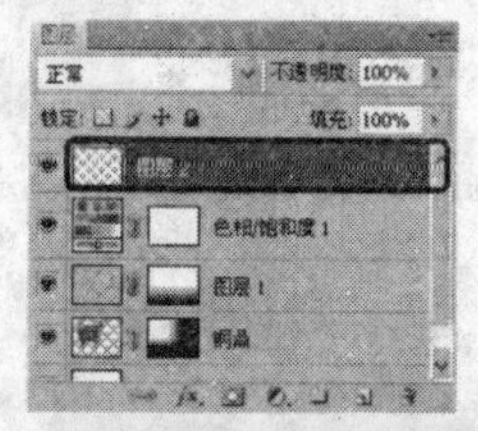

22.按下【Alt】+【Delete】组合键填充图层。

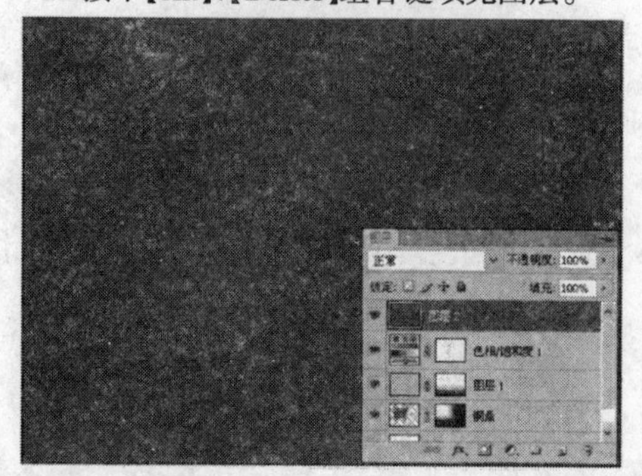

23.在【设置图层的混合模式】下拉列表中选择【线性加深】选项,在【填充】文本框中输入"76%"。

24.单击【添加图层蒙版】按钮,为该图层添加图层蒙版。

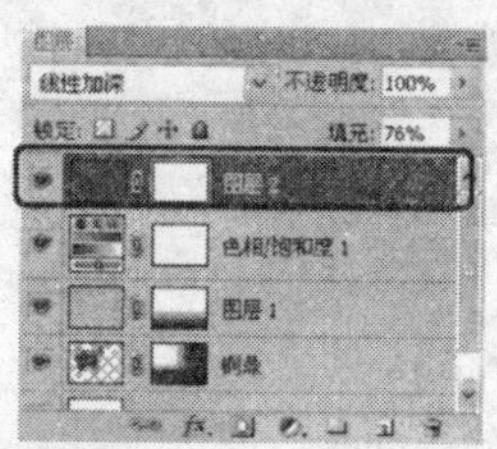

25.将前景设置为黑色,选择【渐变】工具,在工具选项栏中设置如图所示的选项。

26. 在图像中由下至上拖动鼠标,添加渐变效果。

27.选择【画笔】工具,在工具选项栏中设置如图所示的参数。

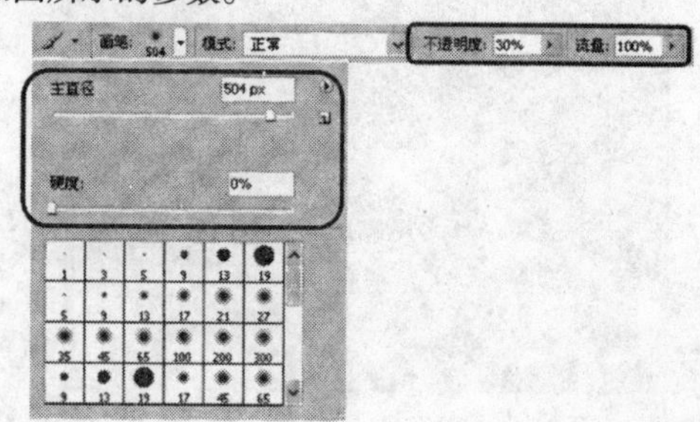

28.在图像中适当涂抹铜鼎周围的图像，使其过渡均匀。

细节设计

1.选择【铜鼎】图层，按下【Ctrl】+【J】组合键复制图层，得到【铜鼎副本】图层。

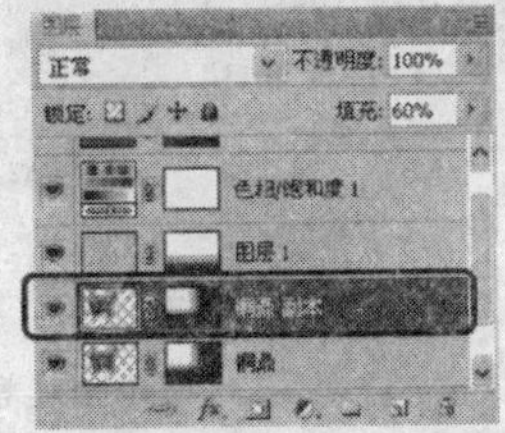

2. 在该图层的图层蒙版缩览图上单击鼠标右键.在弹出的菜单中选择【删除图层蒙版】菜单项。

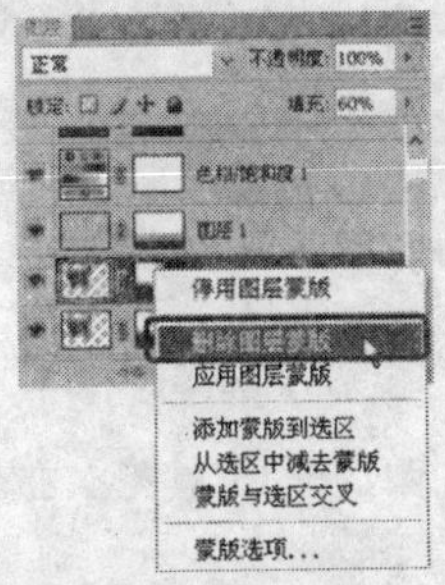

3.将【铜鼎副本】图层移至【图层 2】图层的上方，在【填充】文本框中输入“100%”。

4.按下【Ctrl】+【T】组合键调出调整控制框，按住【sllift】键调整图像的大小，并适当调整其位置，调整合适后按下【Enter】键确认操作。

5.将前景色设置为“cecdbe”号色，将背景色设置为白色，选择【图层 2】图层，单击【创建新图层】按钮，新建图层。

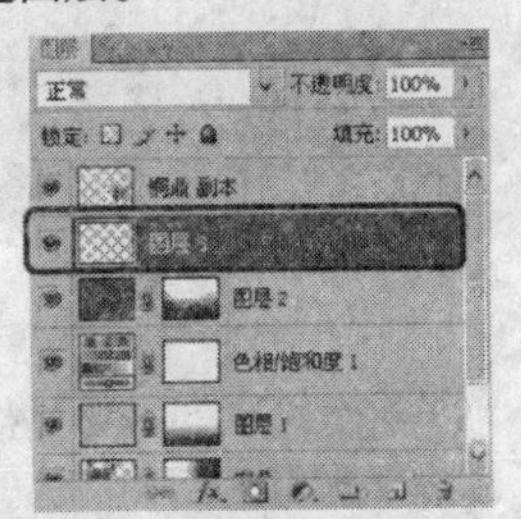

6.选择【渐变】工具，在工具选项栏中设置如图所示的选项。

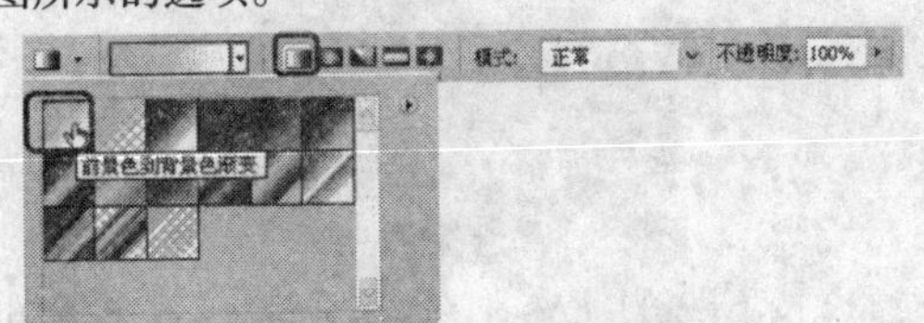

7.按住【shiR】键在图像中由上至下拖动到鼠标，添加如图所示的渐变效果。

8.将前景色设置为白色，选择【矩形】工具，在工具选项栏中设置如图所示的选项。

9.单击【创建新图层】按钮，新建图层。

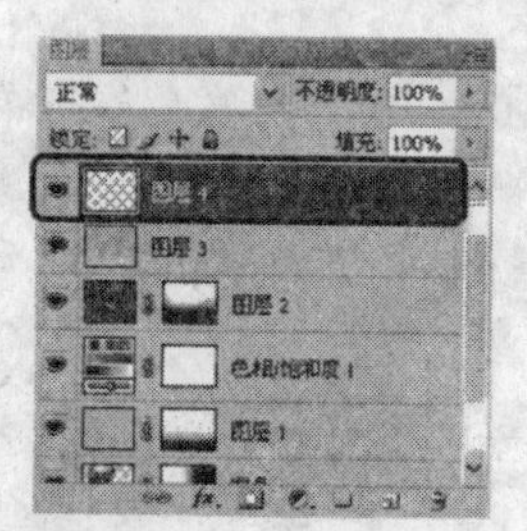

10.在图像中绘制如图所示的矩形图像。

11.将【图层 3】图层移至【图层 4】图层的上方。

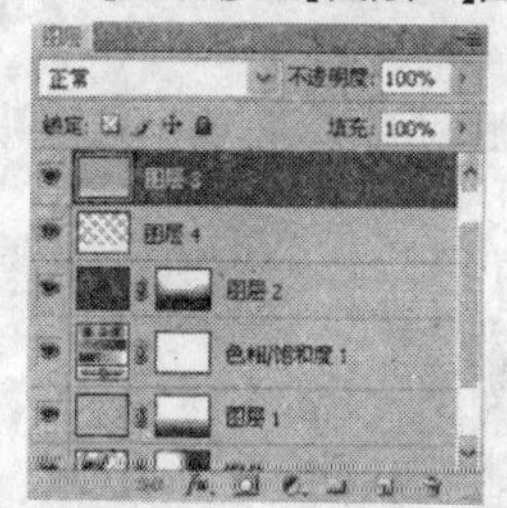

12.按下【Ctrl】+【Alt】+【G】组合键将【图层 3】图层嵌入到下一图层中。

13.选择【图层 4】图层，单击【添加图层蒙版】按钮，为其添加图层蒙版。

14.将前景色设置为黑色，选择【渐变】工具，在工具选项栏中设置如图所示的选项。

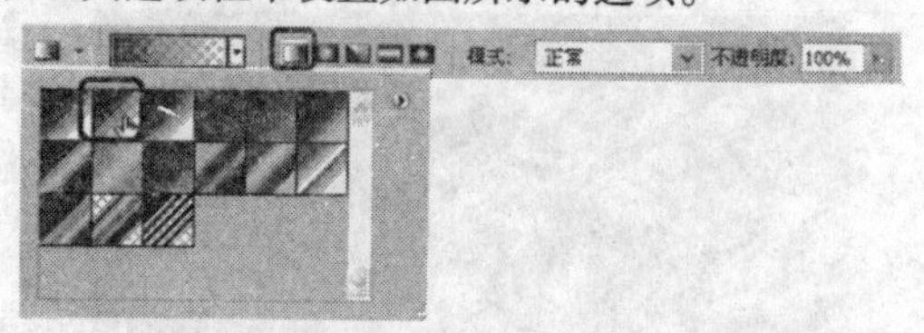

15.在图像中由左下角向右上方拖动鼠标，添加如图所示的渐变效果。

16.选择【图层 3】图层，单击【创建新图层】按钮，新建图层。

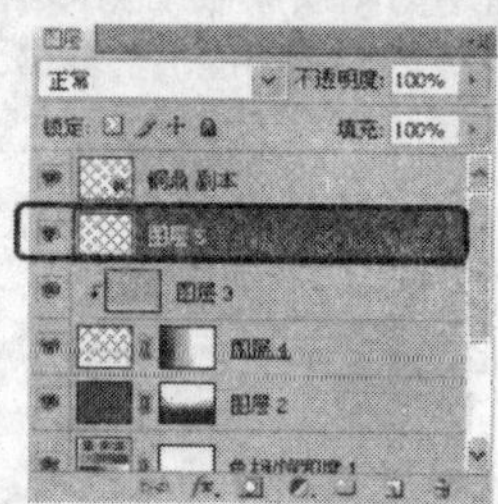

17.选择【椭圆选框】工具，在工具选项栏中设置如图所示的参数。

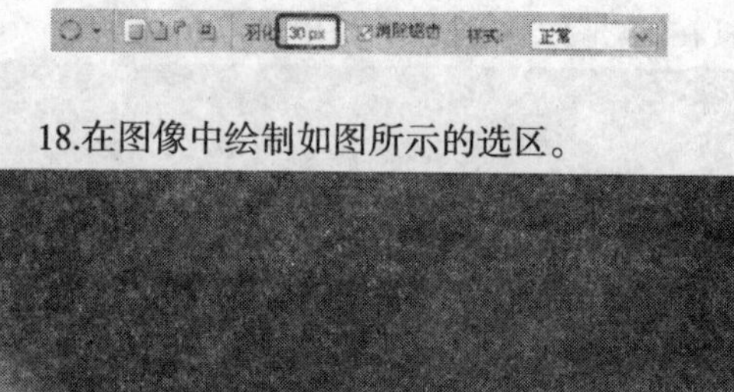

18.在图像中绘制如图所示的选区。

19.按下【Alt】+【Delete】组合键填充选区，按下【Ctrl】+【D】组合键取消选区。

20. 在【图层】面板的【填充】文本框中输入“25%”。

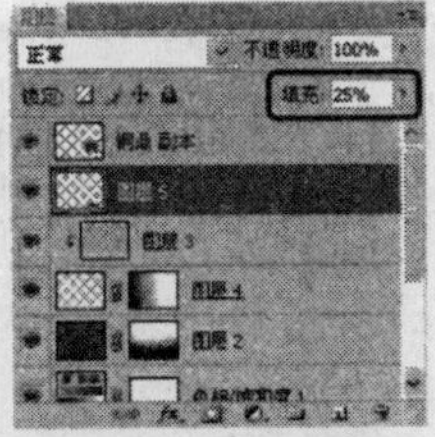

21.设置参数后得到如图所示的效果。

文字设计

1.单击【创建新图层】按钮型，新建图层。

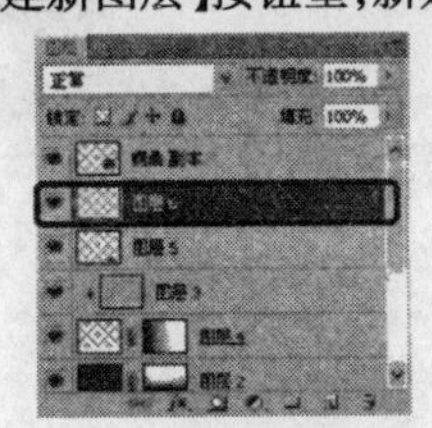

2.选择【矩形选框】工具，在工具选项栏中设置如图所示的参数。

3.在图像中绘制如图所示的选区。

4.将前景色设置为“eleld7”号色，选择【渐变】工具，在工具选项栏中设置如图所示的选项。

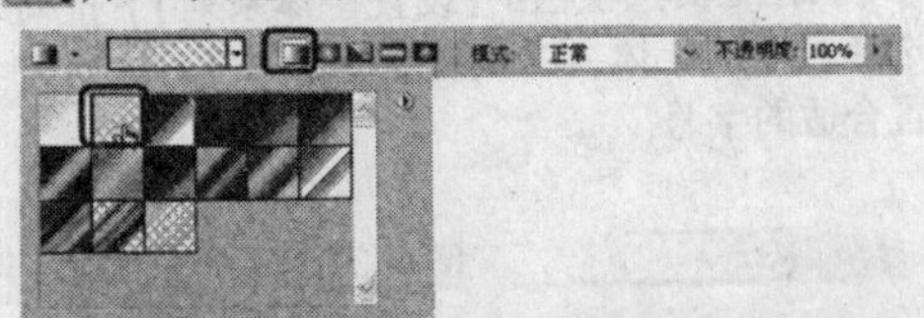

5.按住【Shift】键在选区内由左向右拖动鼠标，添加渐变效果，按下【Ctrl】+【D】组合键取消选区。

6.将前景色设置为黑色，选择【横排文字】工具，在工具选项栏的【设置字体系列】下拉列表中选择合适的字体，在【设置字体大小】下拉列表中设置合适的字号。

7.在图像中输入如图所示的文字，输入完成后单击工具选项栏中的【提交所有当前编辑】按钮，确认操作。

8.单击工具选项栏中的【设置文本颜色】颜色框，在弹出的【选择文本颜色】对话框中设置如图所示的参数，然后单击 确定 按钮。

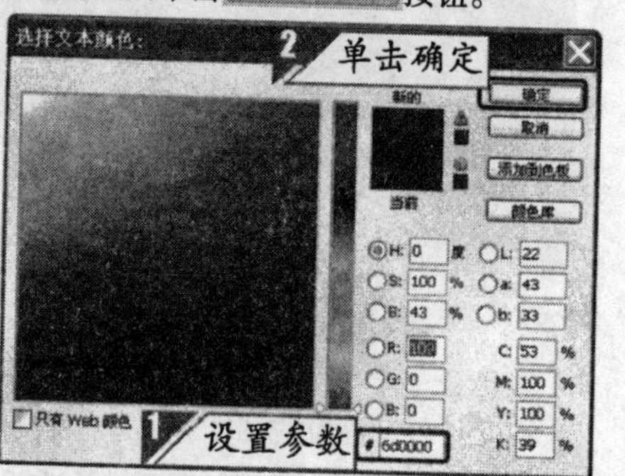

9.在工具选项栏的【设置字体系列】下拉列表中选择合适的字体，在【设置字体大小】下拉列表中设置合适的字号。

10.在图像中输入如图所示的文字，输入完成后单击工具选项栏中的【提交所有当前编辑】按钮 ，确认操作。

11.在【设置图层的混合模式】下拉列表中选择【明度】选项，在【填充】文本框中输入“20%”。

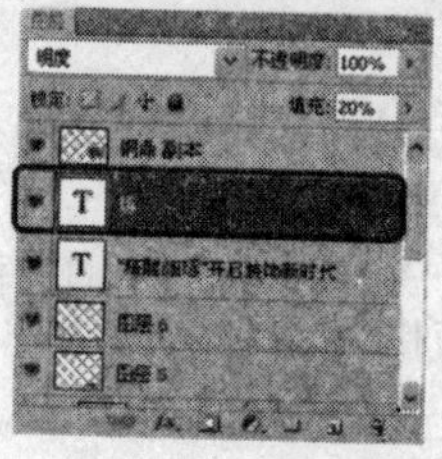

12.将“琢”字图层移至最顶层，选择【铜鼎副本】图层，单击【创建新的填充或调整图层】按钮 ，在弹出的菜单中选择【自然饱和度】菜单项。

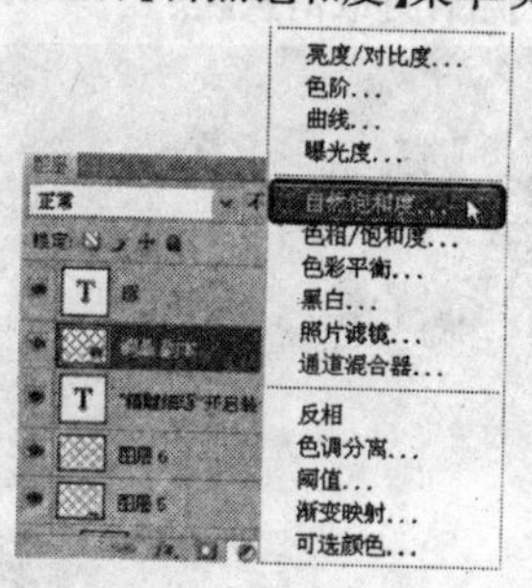

13.在【自然饱和度】调板中设置如图所示的参数。

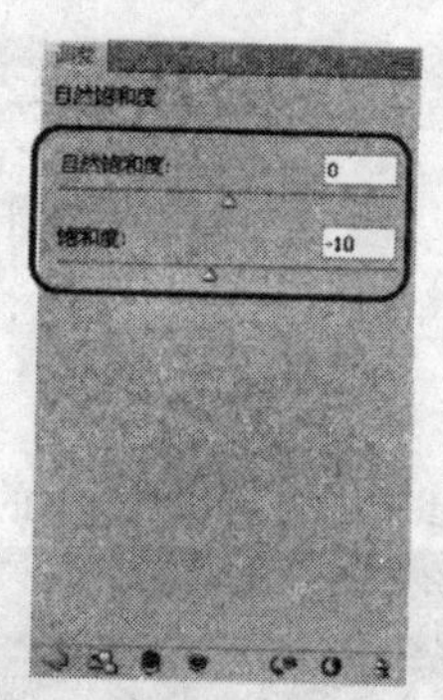

14.最终得到如图所示的效果。

8.3 图像修饰滤镜

本节主要介绍 Photoshop 软件中图像修饰滤镜的相关内容，其中包括【液化】滤镜、【消失点】滤镜的基本概念以及【Digimarc(作品保护)】滤镜组的基本功能。

1.【液化】滤镜

使用【液化】滤镜可以对图像进行各种样式的变形，以达到某种特殊的效果。

选择【滤镜】▶【液化】菜单项，弹出【液化】对话框。

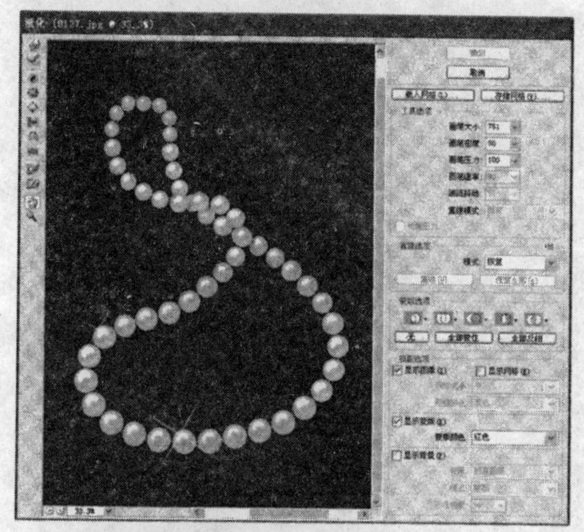

下面介绍各个工具的功能。

(1)【向前变形】工具：使用此工具在图像预览图中按住鼠标左键并拖动可以向前推进像素。

(2)【重建】工具可以逐步取消之前的部分或者全部操作。

(3)【顺时针旋转扭曲】工具可以将图像中的像素顺时针旋转：按住【Alt】键使用该工具时，图像中的像素将逆时针旋转。

(4)【褶皱】工具可以使图像中的像素向画笔中心靠拢，类似被挤压的效果。

(5)【膨胀】工具：可以使图像中的像素从画笔中心向外扩张。

(6)【左推】工具：该工具使用起来比较灵活；向上移动画笔时像素向左推进，向下移动画笔则向右推进；顺时针移动画笔像素会膨胀，逆时针移动画笔则会缩进。按住【Alt】键进行上述操作时，效果则相反。

(7)【镜像】工具：可以产生镜面映照的效果。

(8)【湍流】工具：可以将像素平滑地过渡到一起，产生特殊的波浪效果。

(9)【冻结蒙版】工具：可以将不需要发生变化的像素保护起来。

(10)【解冻蒙版】工具：将冻结蒙版的像素解冻。

(11)【抓手】工具：移动并查看图像。

(12)【缩放】工具：放大或缩小图像。

(13)【工具选项】选项组：在该选项组中可以调节画笔笔触大小，边缘的羽化强度以及笔触作用到像素的速度，以便很好地控制终止动作的时间。

(14)【蒙版选项】选项组：该选项组包括【替换选区】按钮、【添加到选区】按钮、【从选区中减去】按钮、【与选区交叉】按钮和【反向选区】按钮，用于设置蒙版的显示状态以及其他相关的编辑操作。

(15)【视图选项】选项组：在该选项组中可以设置图像、网格、蒙版以及背景的显示状态，还可以设置蒙版的颜色等。

2.【消失点】滤镜

使用【消失点】滤镜可以在编辑包含透视平面的图像时保持正确的透视。

选择【滤镜】▶【消失点】菜单项，弹出【消失点】对话框。

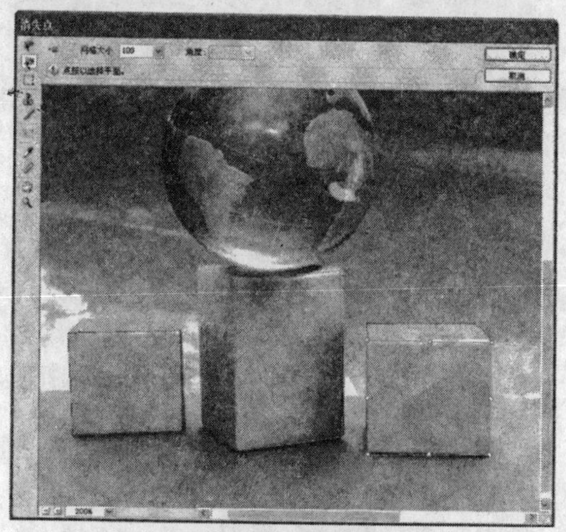

下面介绍该对话框中各个选项的含义。

(1)【编辑平面】工具：用于调节图像中使用【创建平面】工具创建的网格。

(2)【创建平面】工具：用于创建四边形透视网格的节点，按住【Ctrl】键拖动一边上的节点可以创建一个垂直的平面。

(3)【选框】工具：创建矩形选区。

(4)【图章】工具：选择该工具，按住【Alt】键单击一点取样，然后在图像中拖动鼠标可以绘制图像。

(5)【画笔】工具：用于选定绘制图像的笔触及颜色。

(6)【变换】工具：用于对复制的图像进行变换。

(7)【吸管】工具：用于设置绘制图像的颜色。

(8)【测量】工具：测量长度或者角度。

(9)【抓手】工具：移动或者查看图像。

(10)【缩放】工具：用于缩放图像。

3.【Digimarc(作品保护)】滤镜组

应用【Digimarc(作品保护)】滤镜组可以将数字水印嵌入到图像中以存储版权信息，保护知识产权。

(1)【读取水印】滤镜：该滤镜用于检查图像中是否含有水印。如果检查出水印则可以显示作者的内容及版权用途等信息；如果检查不出水印，则会弹出相关信息。

(2)【嵌入水印】滤镜：该滤镜用于将水印添加到图像中。在初次使用时，应向 DigimarcCorporation 注册，以获取唯一的创作者 ID。

4.实例——可爱猫咪

▲ 素材文件与最终效果对比

1.打开本实例对应的素材文件 802.ipg，选择【滤镜】▶【液化】菜单项。

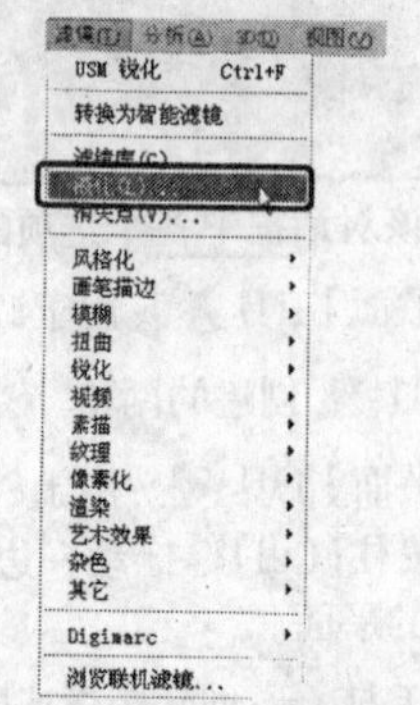

2.弹出【液化】对话框，在【工具选项】组中设置如图所示的参数。

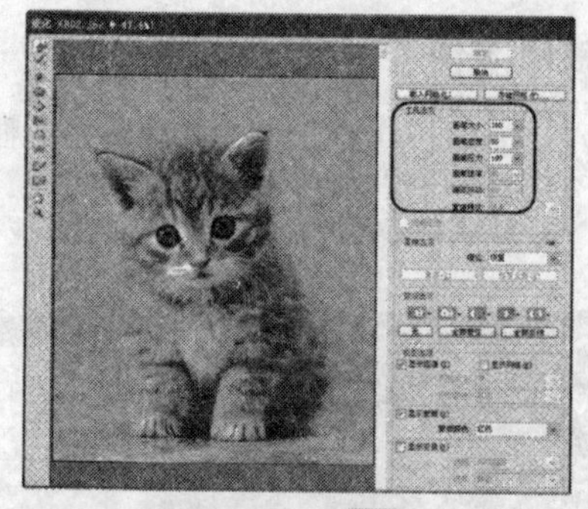

3.选择【冻结蒙版】工具，在猫咪的嘴部涂抹，冻结该区域的图像像素。

4.选择【膨胀】工具，分别在两只眼睛上单击鼠标左键，将其放大。

5.单击 确定 按钮，最终得到如图所示的效果。

第9章 神奇的3D功能

3D功能是Photoshop CS4新增的功能之一。应用该功能可以在PhotoshopCS4中为精良的模型制作逼真的贴图,以获得较好的三维渲染效果。

9.1 3D菜单

使用【3D】菜单项可以制作出独特的立体效果,下面介绍该菜单中比较常用的【从图层新建形状】和【从灰度新建网格】菜单项。

9.1.1 从图层新建形状

选择【3D】▶【从图层新建形状】菜单项,弹出相应的子菜单,在该子菜单中包含11个子菜单项。

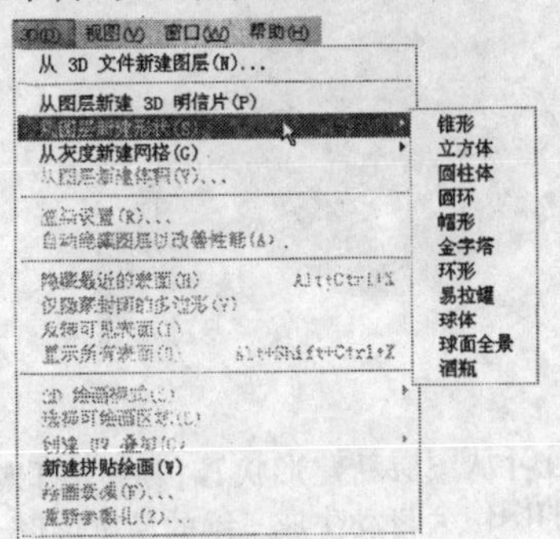

执行其中某项命令后,即可启用工具箱【3D旋转】工具组中的工具。配合【3D】面板可以为三维图像添加特殊的材质及光照效果。

1.锥形

选择【3D】▶【从图层新建形状】▶【锥形】菜单项,当前打开的图像会自动生成椎体形状,选择工具箱【3D旋转】工具组中的工具可以对图像进行相关的旋转或移动。

2.立方体

选择【3D】▶【从图层新建形状】▶【立方体】菜单项,当前打开的图像会自动生成三维的立方体。

3.圆柱体

选择【3D】▶【从图层新建形状】▶【圆柱体】菜单项,当前打开的图像会自动生成三维的圆柱形。

4.圆环

选择【3D】▶【从图层新建形状】▶【圆环】菜单项，当前打开的图像会自动生成三维的圆环，选择工具箱中的【3D 旋转】工具组中的工具可以对图像进行相关的旋转或移动。

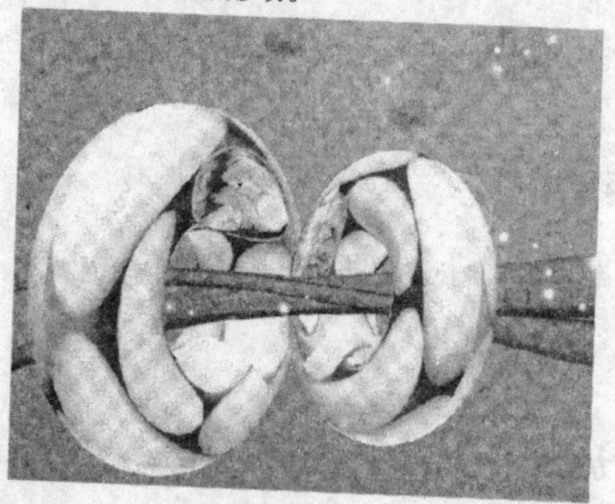

5.帽形

选择【3D】▶【从图层新建形状】▶【帽形】菜单项，当前打开的图像会自动生成三维的帽形。

6.金字塔

选择【3D】▶【从图层新建形状】▶【金字塔】菜单项，当前打开的图像会自动生成三维的金字塔形。

7.环形

选择【3D】▶【从图层新建形状】▶【环形】菜单项，当前打开的图像会自动生成三维的环形。

8.易拉罐

选择【3D】▶【从图层新建形状】▶【易拉罐】菜单项，当前打开的图像会自动生成三维的易拉罐形。

9.球体

选择【3D】▶【从图层新建形状】▶【球体】菜单项，当前打开的图像会自动生成三维的球体。

10.球面全景

选择【3D】▶【从图层新建形状】▶【球面全景】菜单项，当前打开的图像会自动生成三维的球面全景图，该命令的功能与【球体】命令的功能相似。

11.酒瓶

选择【3D】▶【从图层新建形状】▶【酒瓶】菜单项，当前打开的图像会自动生成三维的酒瓶形。

9.1.2 从灰度新建网格

1.平面

选择【3D】▶【从灰度新建网格】▶【平面】菜单项，当前打开的图像会自动生成三维空间中的平面。根据原图中的明暗对比强度，生成的平面产生高低不等的凸起。

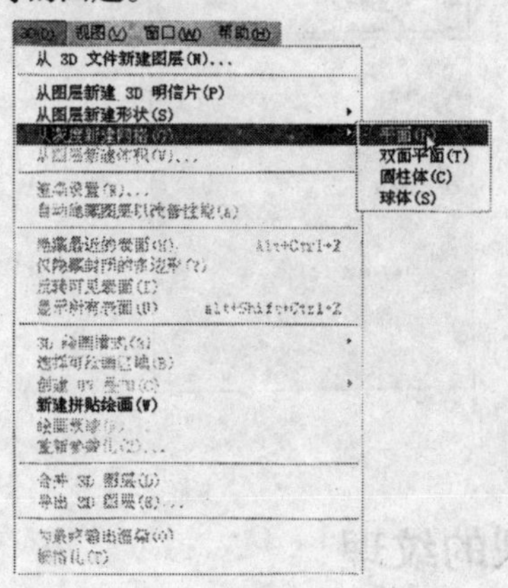

2.双面平面

选择【3D】▶【从灰度新建网格】▶【双面平面】菜单项，当前打开的图像会自动生成三维空间中的一对平面，其效果与【平面】命令的效果相似。

3.圆柱体

选择【3D】▶【从灰度新建网格】▶【圆柱体】菜单项，当前打开的图像会自动生成三维的中空的圆柱形，并且该圆柱的表面会根据原图中的明暗对比强度，产生高低不等的凸起。

4.球体

选择【3D】▶【从灰度新建网格】▶【球体】菜单项，当前打开的图像会自动生成三维的不规则的球形，同时球体表面会产生不同程度的凸起。

9.2 3D 面板

【3D】面板是 Photoshop CS4 中新增的三维功能面板，在该面板中可以对三维图形进行渲染，如材质、灯光等元素。

选择【窗口】▶【3D】菜单项，即可打开【3D】面板。

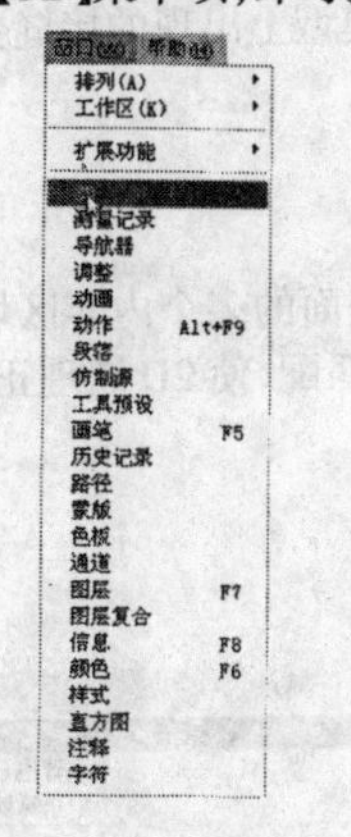

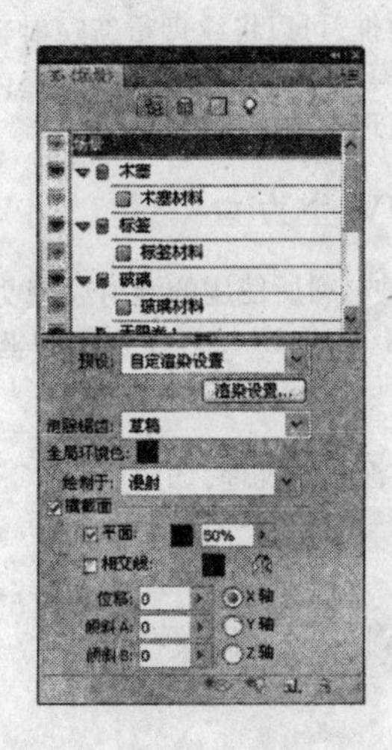

1.3D 的场景设置

使用【3D 场景设置】可以设置渲染模式，选择要在其上绘制的纹理或创建横截面。打开一个 3D 模型，单击【3D】面板中的【场景】按钮，然后选择相应的场景条目。

2.3D 网格设置

单击【3D】面板顶部……会显示如下图所示……

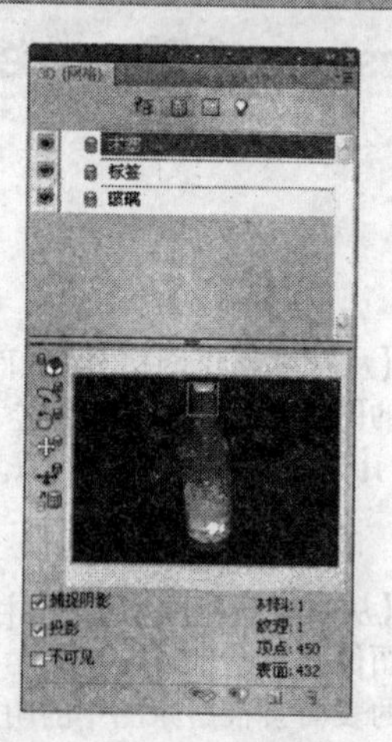

3.3D 材料设置

单击【3D】面板顶部的【材料】按钮 ，面板中会列出在 3D 文件中使用的材料。如果模型包含多个网格，则可能会有与每个网格相关联的特定材料。

4.3D 光源设置

单击【3D】面板顶部的【光源】按钮 ，面板中会显示相应选项。3D 光源可以从不同的角度照亮模型，添加逼真的深度和阴影效果。

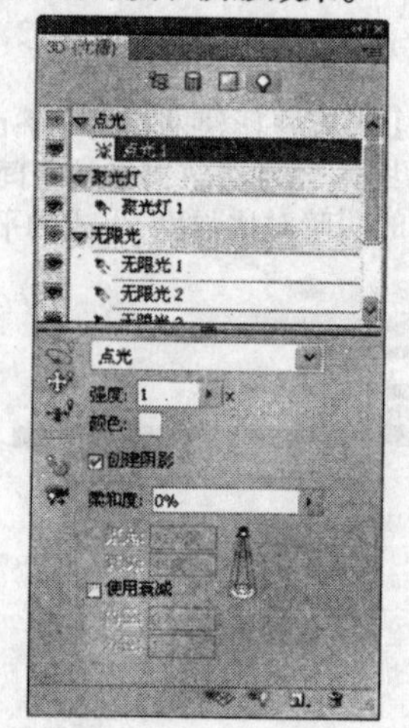

9.3 创建和编辑 3D 模型的纹理

在 Photoshop 中打开 3D 文件时，纹理作为 2D 文件与 3D 模型一起导入，条目显示在【图层】面板中，嵌套于 3D 图层的下方，并按照散射、凹凸、光泽度等类型编组。

9.3.1 重新参数化纹理映射

如果 3D 模型的纹理没有正确映射到网格，用 Photoshop 中打开这样的文件时，纹理会在模型表面产生扭曲，例如多余的接缝、图案拉伸或挤压等。选择【3D】➢【重新参数化】菜单项，弹出【Adobe photoshop CS4 Extended】对话框，可以将纹理重新映射到模型，从而校正扭曲。选中【低扭曲度】单选钮，可以使纹理图案保持不变，但在模型表面会产生较多裂缝；选中【较少裂缝】单选钮，会使模型上出现的接缝数量最小化，这会产生更多的纹理拉伸或挤压。

9.3.2 创建 UV 叠加口

3D 模型上多种材料所使用的漫射纹理文件可以将应用于模型上不同表面的多个内容区域编组，这个过程称为 uV 映射。它将 2D 纹理映射中的坐标与 3D 模型上的特定坐标相匹配，使 2D 纹理正确地绘制在 3D 模型上。

双击【图层】面板中的纹理，如图所示。

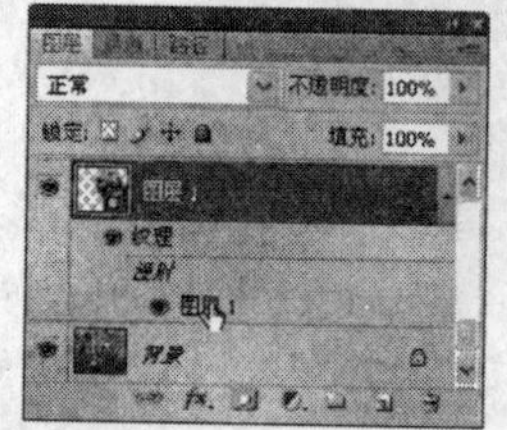

打开纹理文件，选择【3D】➢【创建 UV 叠加】菜单项，UV 叠加将作为附加图层添加到纹理文件的【图层】面板中。

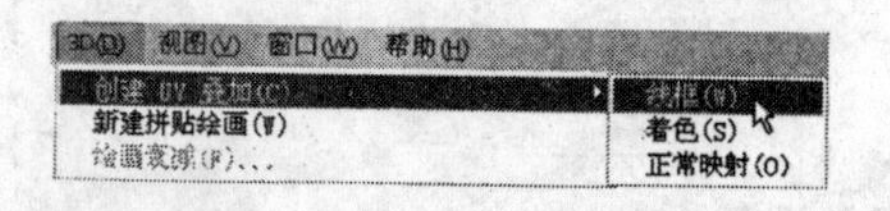

【线框】：显示 UV 映射的边缘数据。

【着色】：显示使用实色渲染模式的模型区域。

【正常映射】：显示转换为 RGB 值的几何常值，R=X、G=Y、B=Z。

9.4 实例——魔幻水晶球

本实例应用：Photoshop CS4 新增的 3D 功能以及图层样式功能等制作精致的透明水晶球效果。

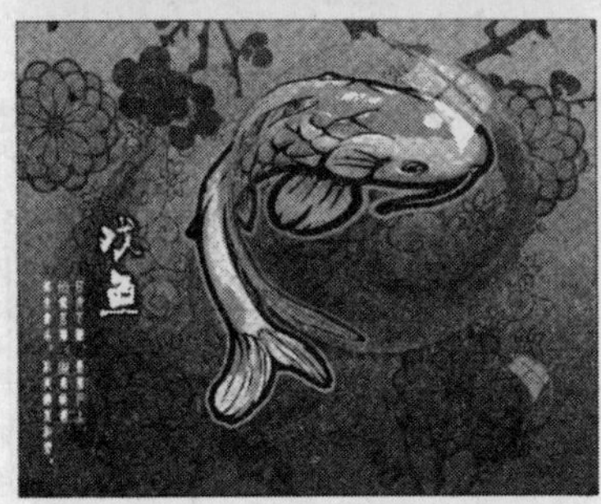

素材文件与最终效果对比

1.构图设计

1. 打开本实例对应的素材文件 901jpg，按下【Ctrl】+【J】组合键复制【背景】图层，得到【图层 1】图层。

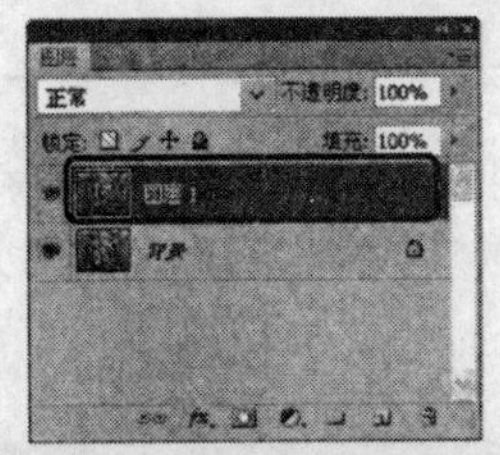

2.选择【3D】>【从图层新建形状】>【球体】菜单项。

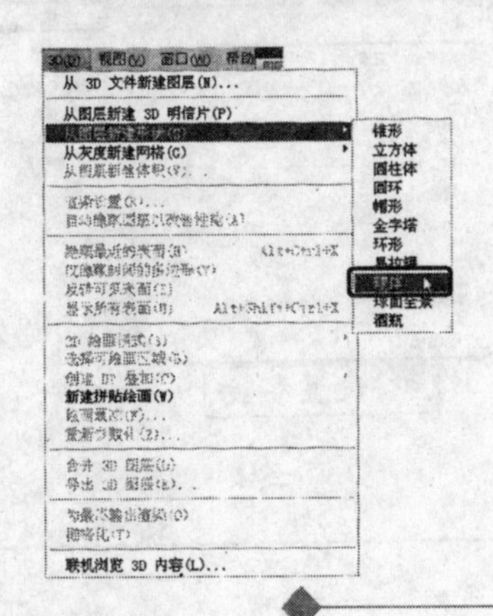

3.生成球体后得到如图所示的效果。

4.选择【窗口】>【3D】菜单项，打开【3D】面板。

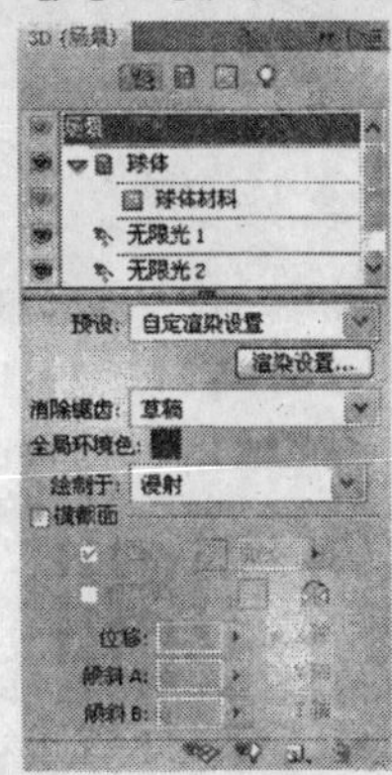

5.单击【全局环境色】颜色框，在弹出的【选择全局环境色】对话框中设置如图所示的参数，然后单击 确定 按钮。

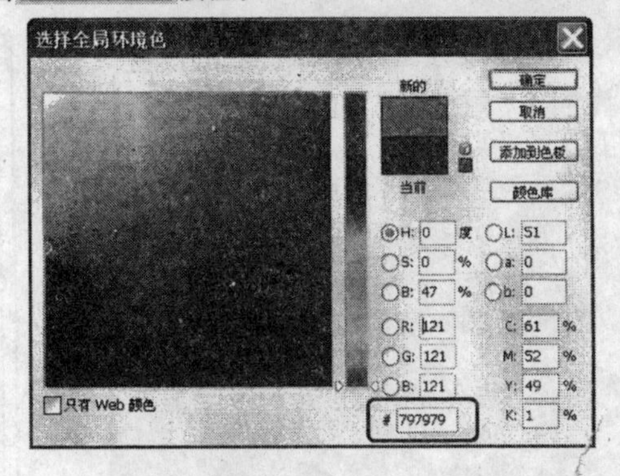

6.设置全局前景色后得到如图所示的效果。

7.选择【3D 滑动】工具，在球体上单击鼠标左键并按住不放，灵活拖动鼠标，调整球体的空间位置。

8.选择【3D 旋转】工具，在球体上单击鼠标左键并按住不放，灵活拖动鼠标，旋转球体的角度。

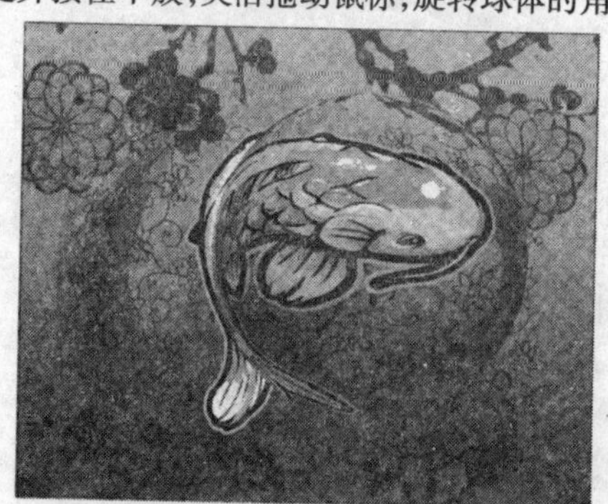

9.选择【3D 平移】工具，移动球体的位置，得到如图所示的效果。

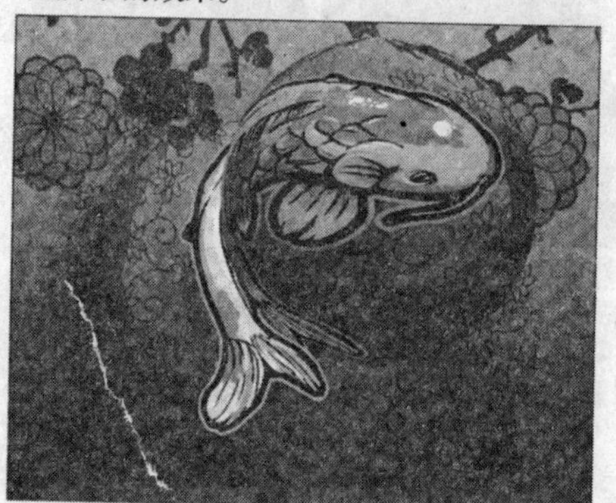

10.单击【添加图层样式】按钮，在弹出的菜单中选择【投影】菜单项。

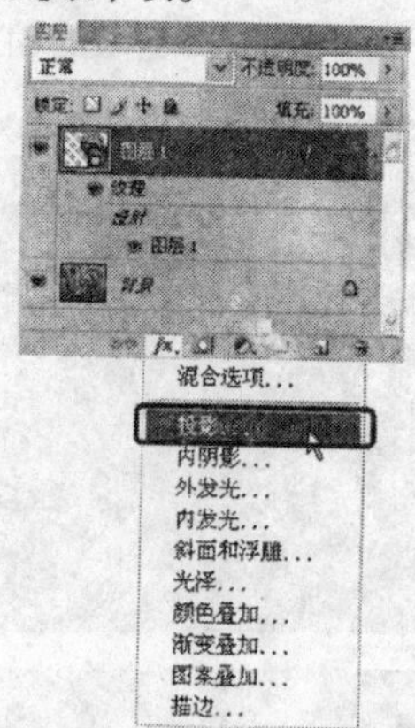

11.在弹出的【图层样式】对话框中设置如图所示的参数。

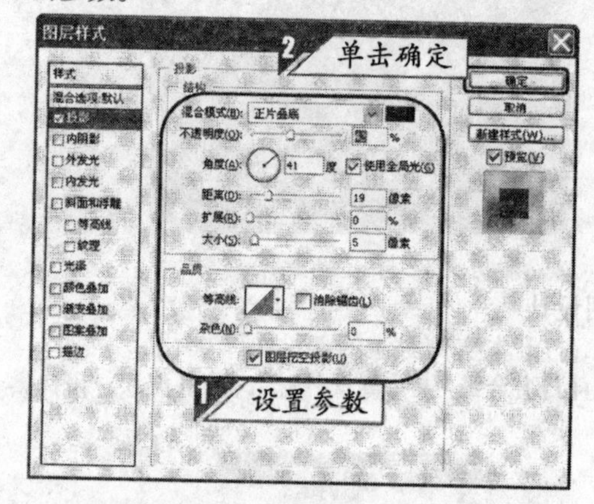

12.选中【内阴影】复选框，设置如图所示的参数，并将阴影颜色设置为白色，然后单击确定按钮。

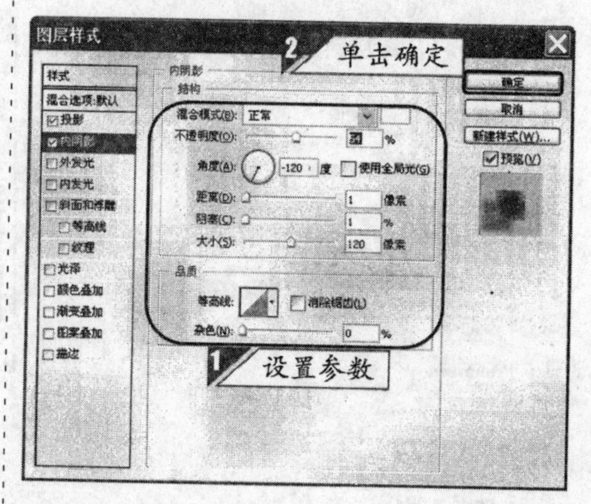

13.添加图层样式后得到如图所示的效果。

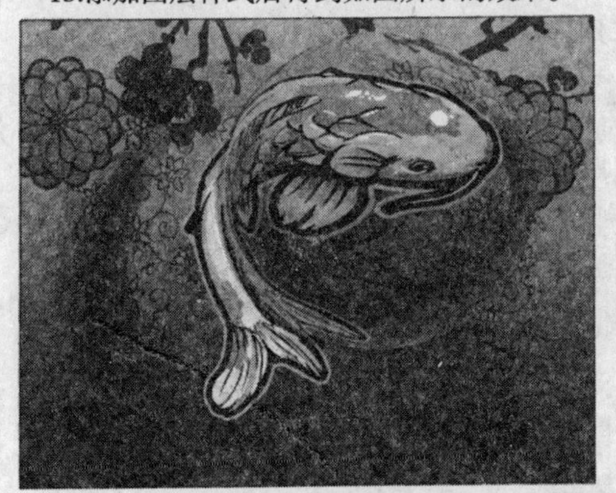

14.按下【Ctrl】+【J】组合键复制图层，得到【图层 1 副本】图层。

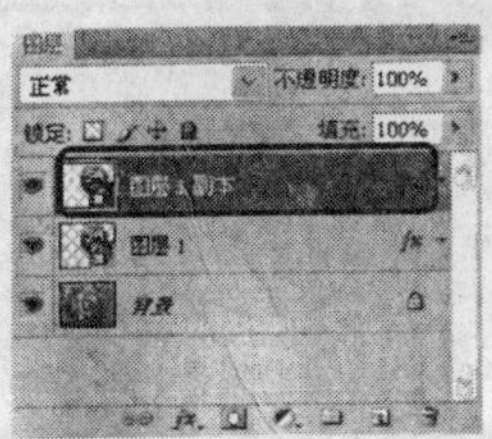

15.在【图层 1 副本】图层上单击鼠标右键，在弹出的菜单中选择【栅格化 3D】菜单项。

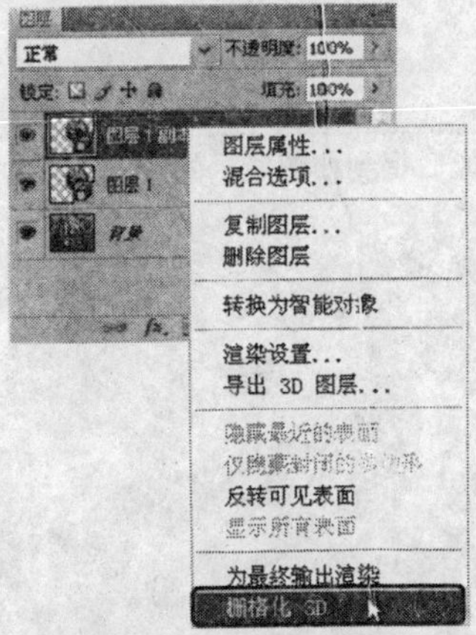

16. 在【图层】面板的【填充】文本框中输入“0%”。

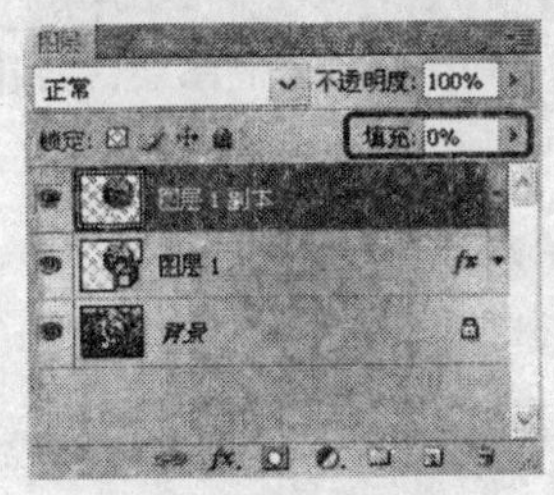

17.设置参数后得到如图所示的效果。

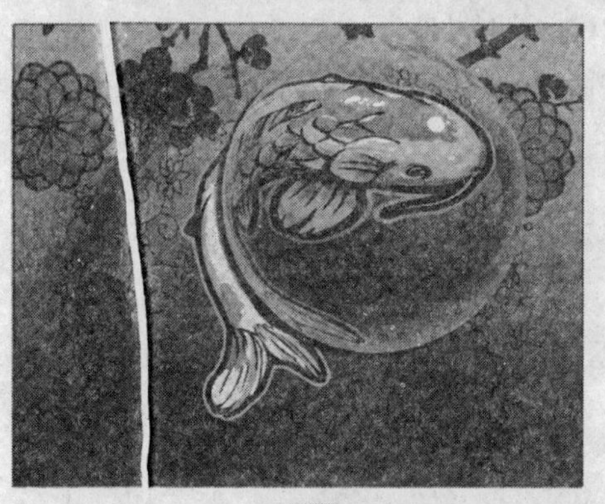

18.选择【移动】工具，将栅格化的球体移动到图像的右下方。

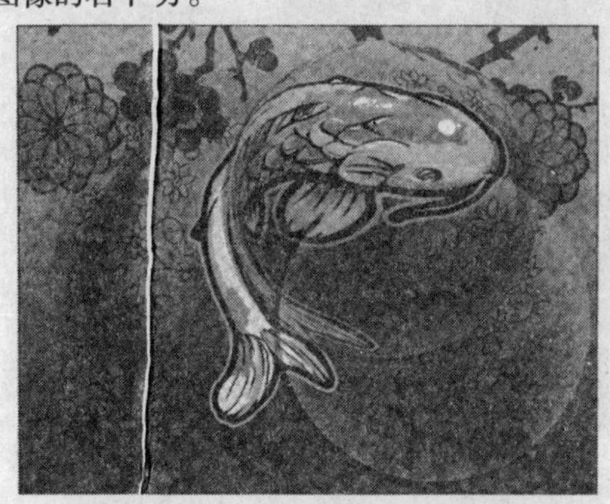

19.按下【Ctrl】+【T】组合键调出调整控制框，按住【Shift】键调整图像的大小，调整合适后按下【Enter】键确认操作。

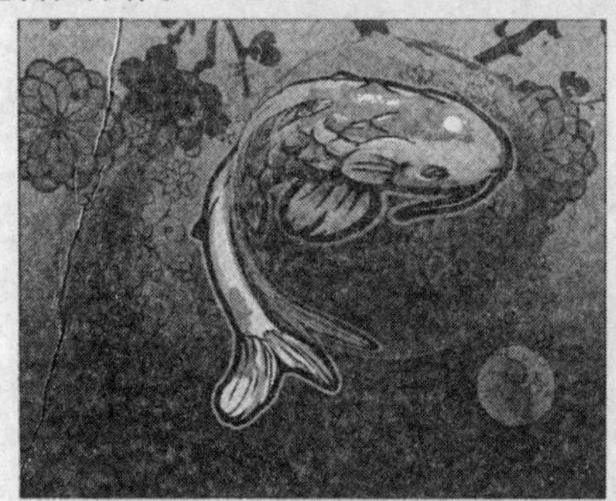

20.选择【滤镜】▷【液化】菜单项。

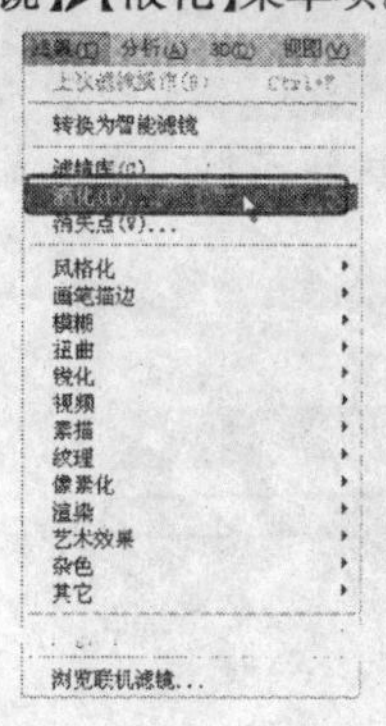

21.在弹出的【液化】对话框中选择【向前变形】工具，在右侧的【工具选项】组中设置如图所示的参数。

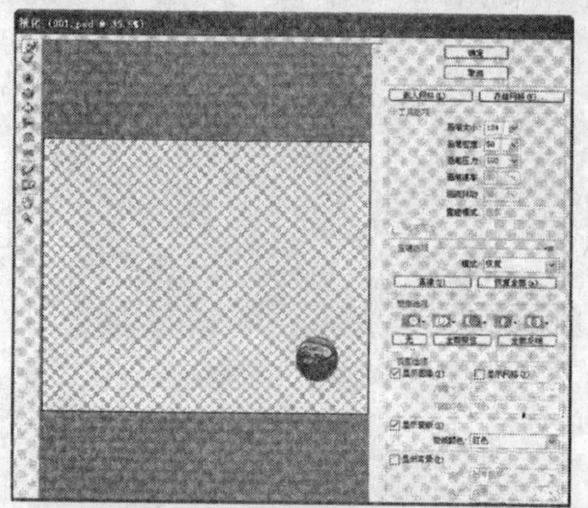

22.在图像预览区推动球体的边缘使其变形，效果如图所示，然后单击 确定 按钮。

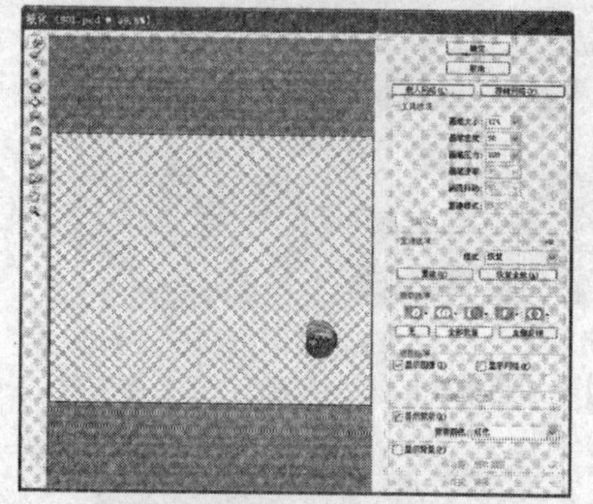

23.打开【图层】面板，在【图层 1 副本】图层的【投影】样式层上双击鼠标左键。

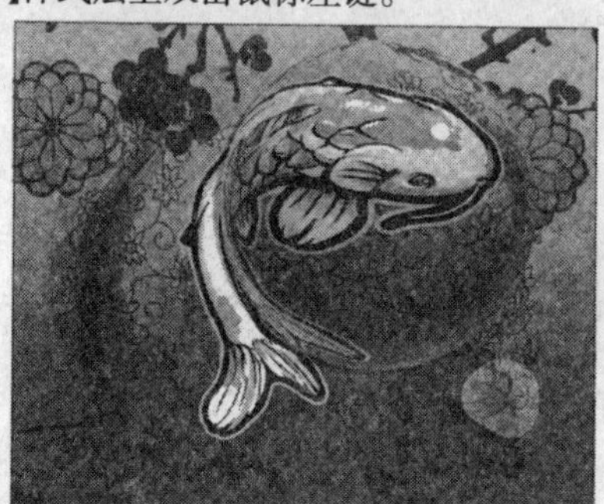

24.在弹出的【图层样式】对话框中设置如图所示的参数。

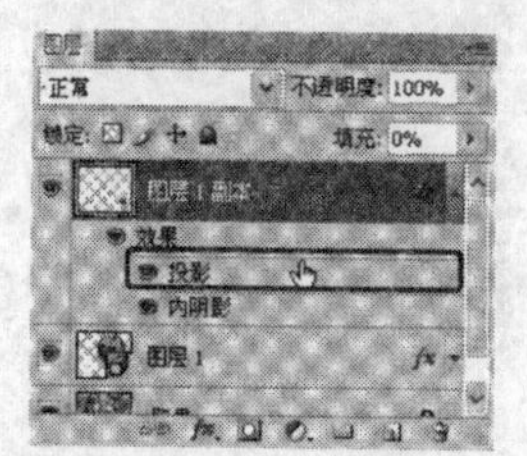

25.单击并选择【内阴影】选项，设置如图所示的参数，然后单击 确定 按钮。

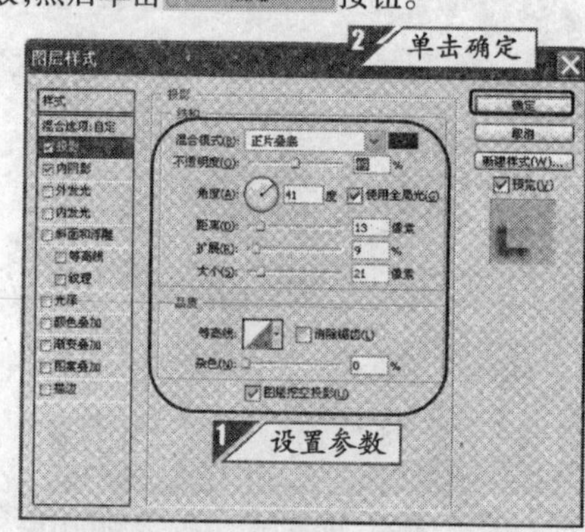

26.设置样式参数后得到如图所示的效果。

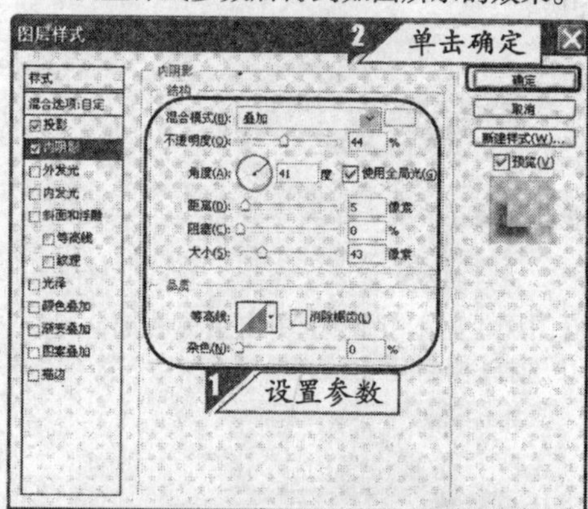

27.液化图像后得到如图所示的效果。

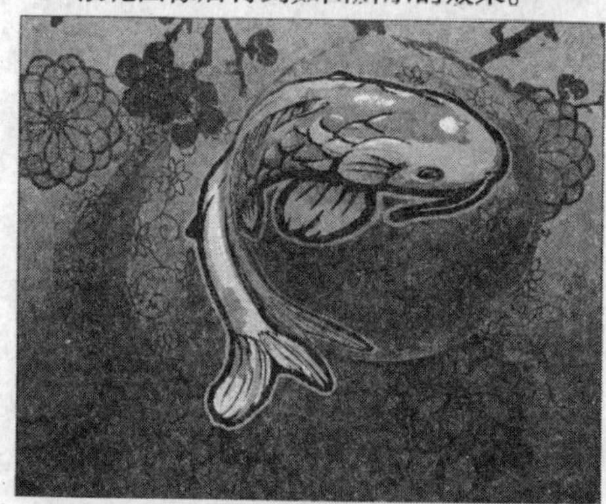

28.按下【Ctrl】+【J】组合键复制图层，得到【图层 1 副本 2】图层。

29.按下【Ctrl】+【T】组合键调出调整控制框，按住【Shift】键调整图像的大小及位置，调整合适后按下【Enter】键确认操作，得到如图所示的效果。

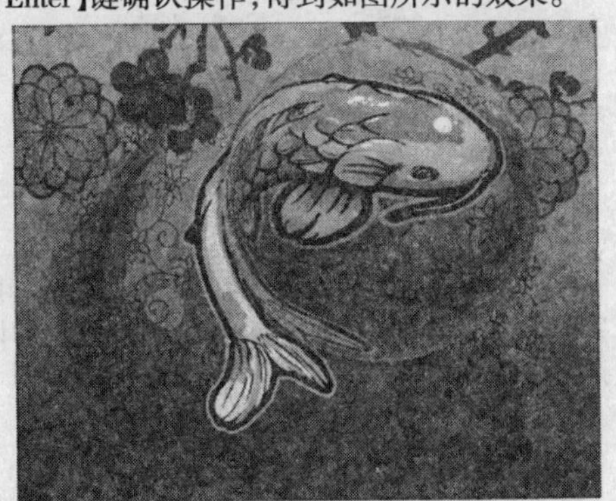

2.细节设计

1.选择【钢笔】工具，在工具选项栏中设置如图所示的选项。

2.在图像中绘制如图所示的闭合路径。

3.按下【Ctrl】+【Enter】组合键将路径转换为选区。

4.将前景色设置为白色，单击【图层】面板中的【创建新图层】按钮，新建图层。

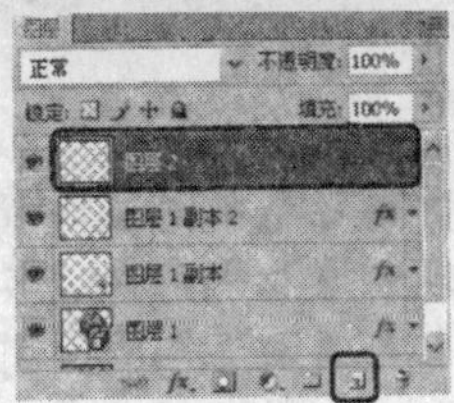

5.按下【Alt】+【Delete】组合键填充选区。

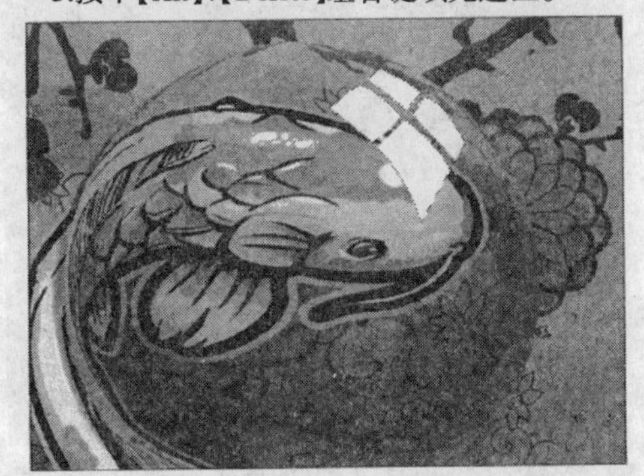

6. 在【图层】面板的【填充】文本框中输入“70%”。

7.按下【Ctrl】+【D】组合键取消选区，得到如图所示的效果。

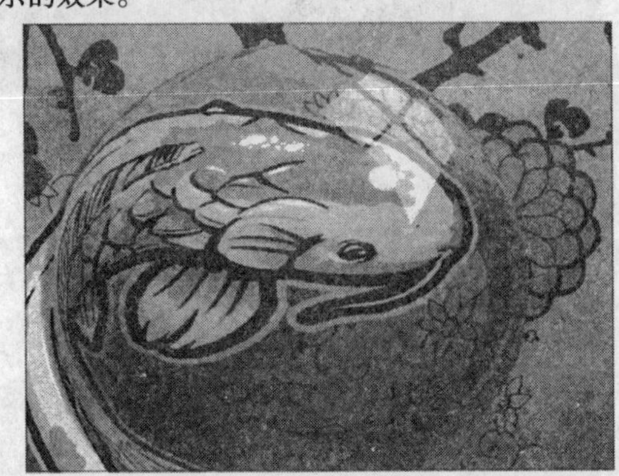

8.按下【Ctrl】+【J】组合键复制图层，得到【图层2副本】图层。

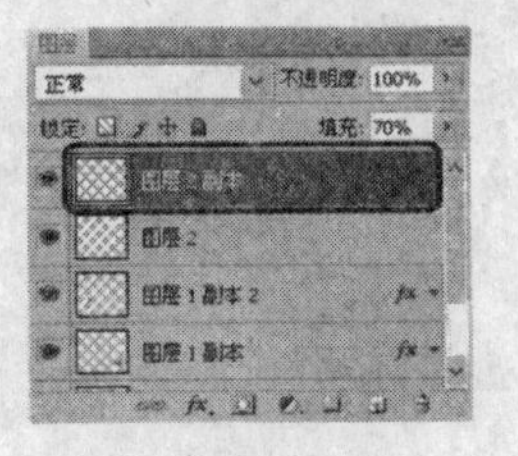

9.使用【移动】工具，移动图像的位置，得到如图所示的效果。

10.按下【Ctrl】+【T】组合键调出调整控制框，按住【Shift】键调整图像的大小，调整合适后按下【Enter】键确认操作。

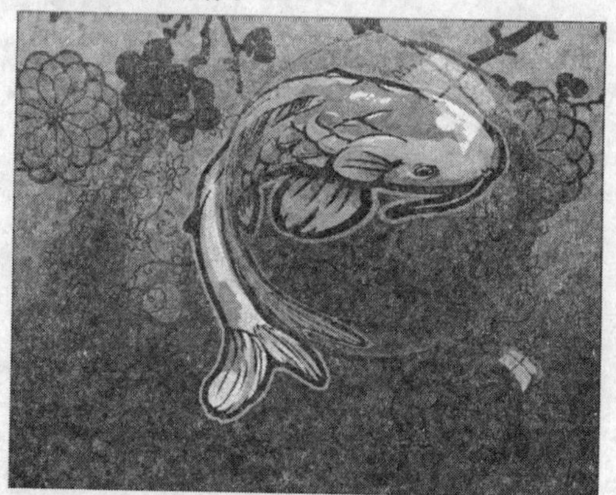

11. 在【图层】面板的【填充】文本框中输入“44%”

12.得到如图所示的效果。

13.按下【Ctrl】+【J】组合键复制图层，得到【图层2 副本 2】图层。

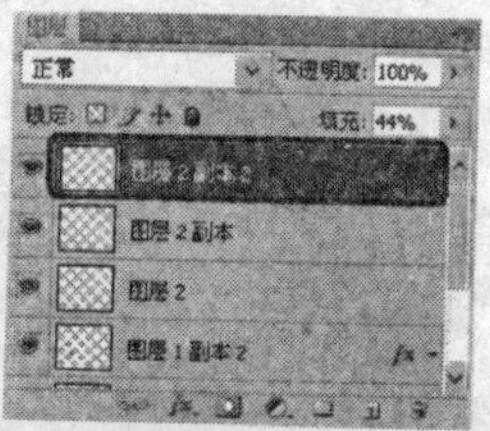

14. 在【图层】面板的【填充】文本框中输入“25%”.在【设置图层的混合模式】下拉列表中选择【颜色减淡】选项。

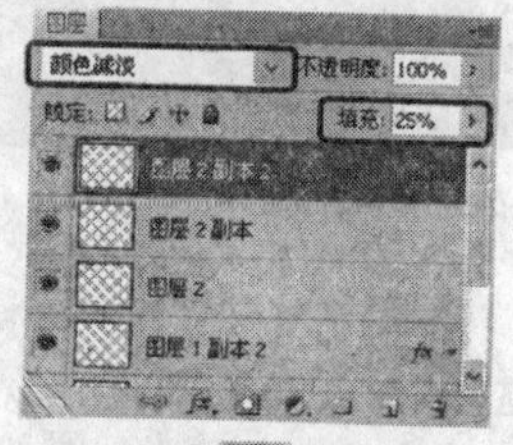

15.使用【移动】工具，移动图像的位置，得到如图所示的效果。

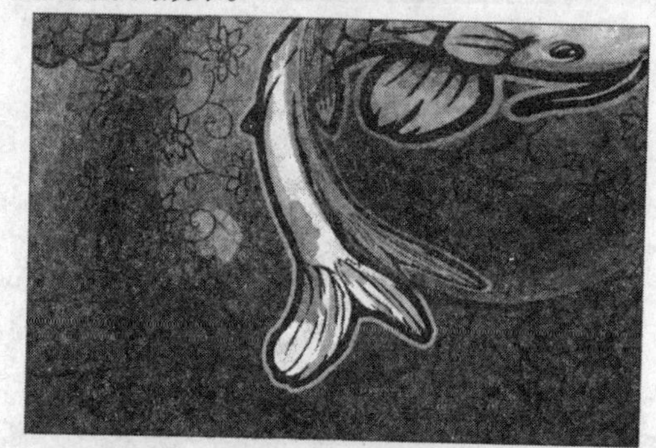

16.按下【Ctrl】+【T】组合键调出调整控制框.按住【Shift】键调整图像的大小，调整合适后按下【Enter】键确认操作。

3.添加文字

1.将前景色设置为白色，选择【直排文字】工具，在工具选项栏的【设置字体系列】下拉列表中选择合适的字体，在【设置字体大小】下拉列表中选择合适的字号。

2.在图像中输入如图所示的文字,输入完成后单击工具选项栏中的【提交所有当前编辑】按钮,确认操作。

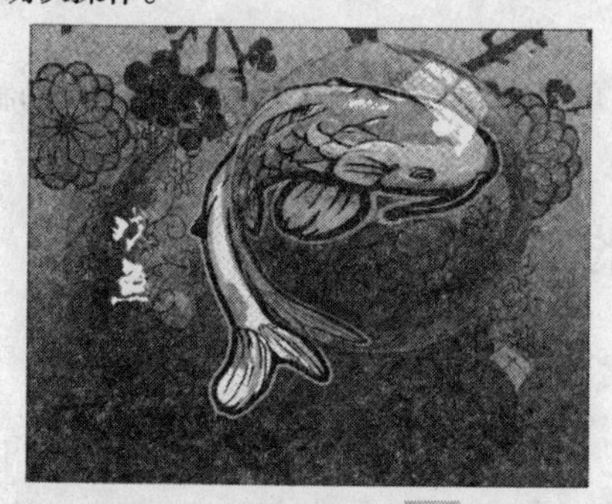

3.单击【添加图层样式】按钮,在弹出的菜单中选择【描边】菜单项。

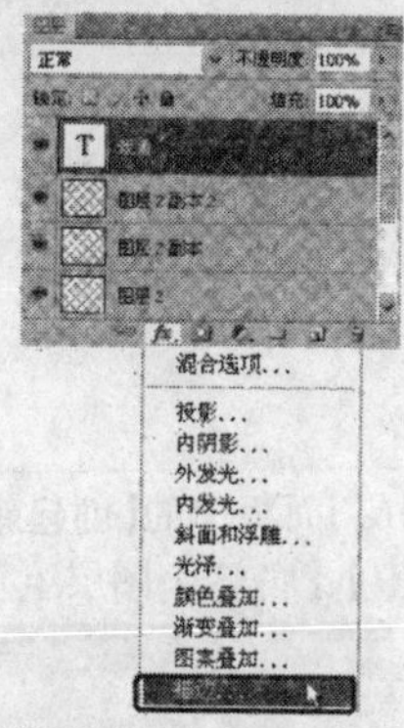

4.在弹出的【图层样式】对话框中设置如图所示的参数,然后单击 确定 按钮。

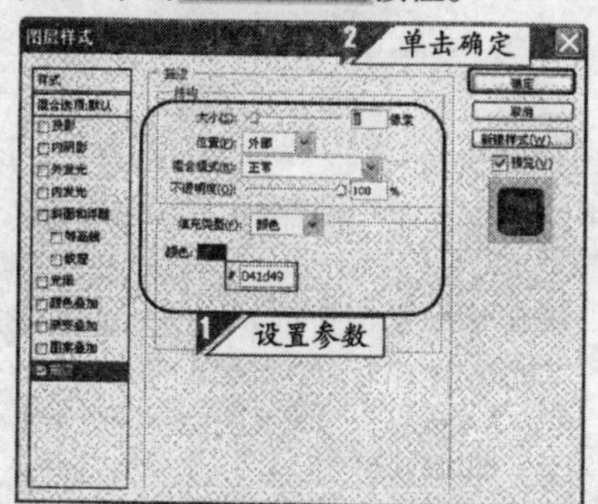

5.打开【字符】面板,从中设置如图所示的参数。

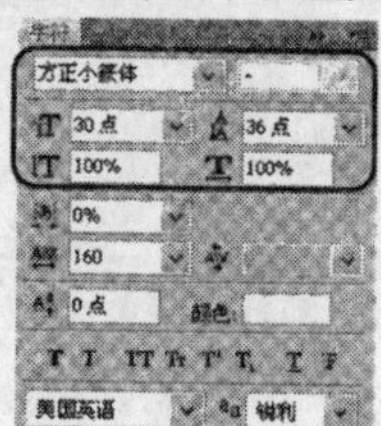

6.在图像中输入如图所示的文字,输入完成后单击工具选项栏中的【提交所有当前编辑】按钮,确认操作。

7.单击【添加图层样式】按钮,在弹出的菜单中选择【描边】菜单项。

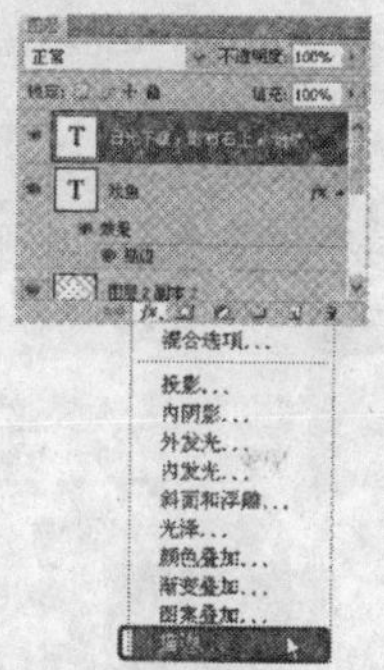

8.在弹出的【图层样式】对话框中设置如图所示的参数,并将描边颜色设置为白色,然后单击 确定 按钮。

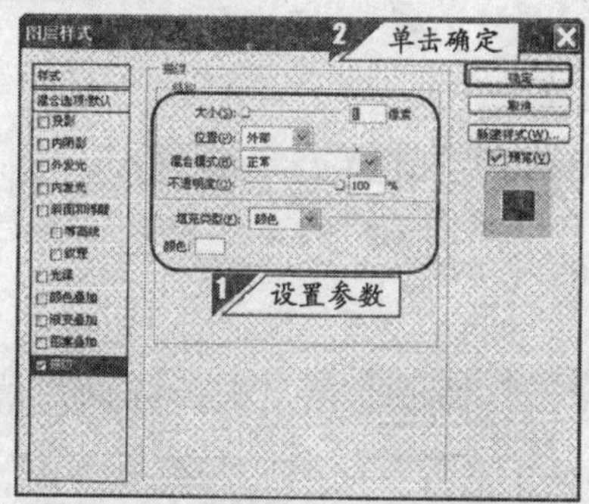

9.最终得到如图所示的效果。

第10章 Photoshop之网页应用

随着网络的不断发展，Photoshop 软件也被广泛的应用在网页设计领域。本章主要介绍网页的制作、切片的应用以及格式的优化等内容。

10.1 实例——我的空间我做主

本节主要介绍如何应用矩形工具以及文字工具等制作个性时尚的网页效果。

▲ 最终效果

1.页头设计

1.按下【Ctrl】+【N】组合键弹出【新建】对话框，在该对话中设置如图所示的参数，然后单击 确定 按钮。

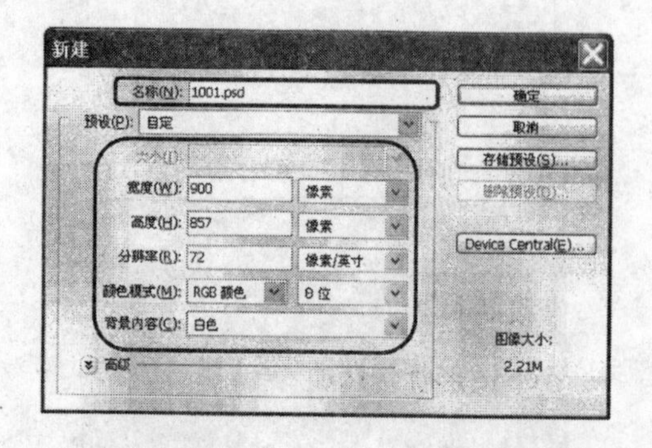

2.按下【Ctrl】+【R】组合键显示标尺，按照设计的结构.拉出相应的辅助线.

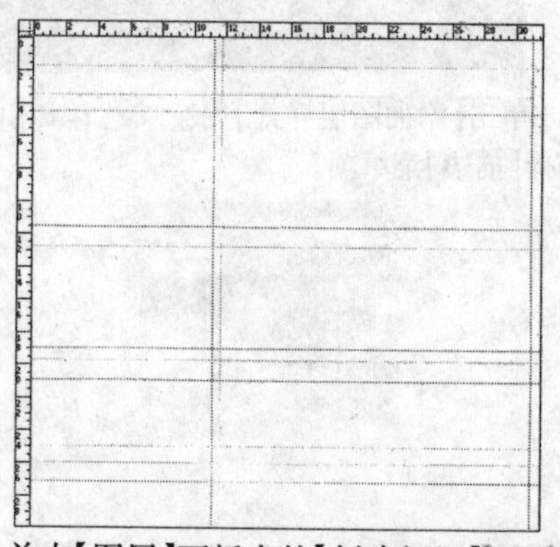

3.单击【图层】面板中的【创建新组】按钮，分别新建【头】、【中】、【底】3个图层组。

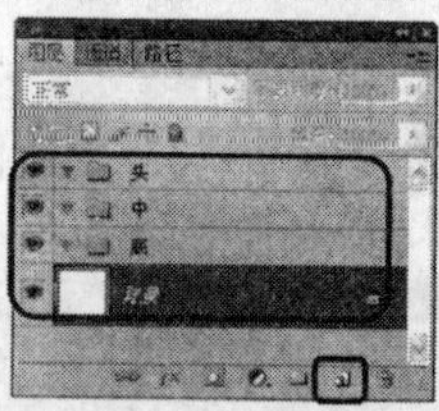

4.将前景色设置为“#f3f3f3”，选择【矩形】工具，在工具选项栏中设置如图所示的参数。

5. 根据辅助线在画布上方绘制如图所示的形状。

6.再次选择【矩形】工具，在上端绘制一个颜色参数为"#feaclc"和"#000000"之间的小长方形。

7.打开素材文件 1001.tiff，选择【LOGO】图层，使用【移动】工具将其拖动到 1001.psd 文件中，调至合适的位置和大小，得到图像效果如图所示。

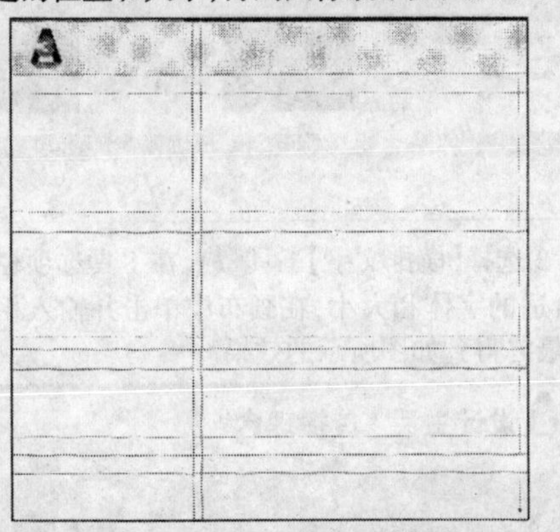

8.将前景色设置为黑色，选择【横排文字】工具，在工具选项栏中设置合适的字体和大小，在画布中单击并输入相关文字。

9.将前景色设置为白色，选择【矩形】工具，在如图所示的位置绘制出一矩形状的搜索框。

10.单击【图层】面板中的【添加图层样式】按钮，在弹出的菜单中选择【描边】菜单项。

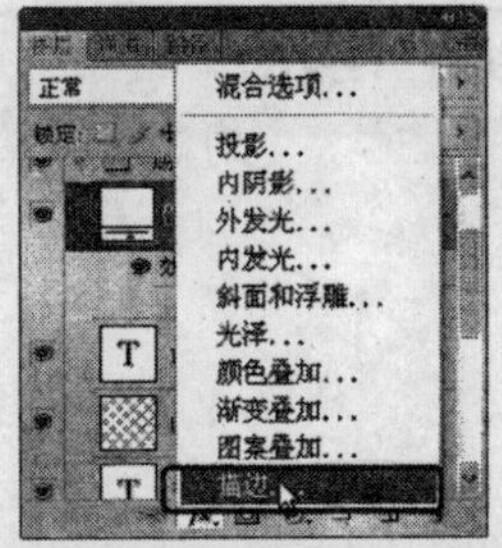

11.在弹出的【图层样式】对话框中设置如图所示的参数，然后单击 确定 按钮。

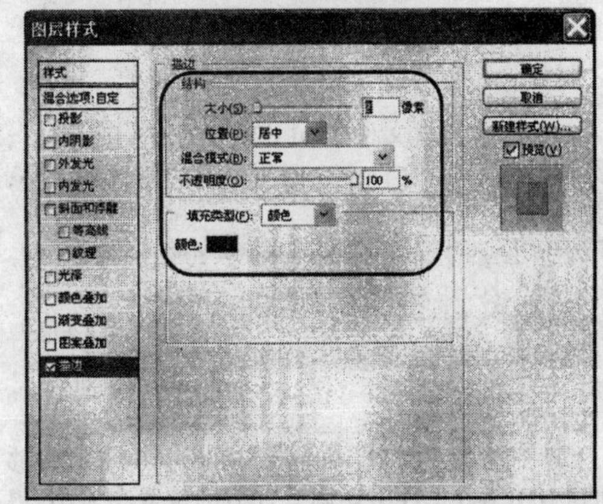

12. 参照前面 9~11 的操作步骤制作出搜索按钮，并输入合适的文字，得到如图所示的图像效果。

13.按下【Ctrl】键选中所有图层，将其拖动到【头】图层组中。

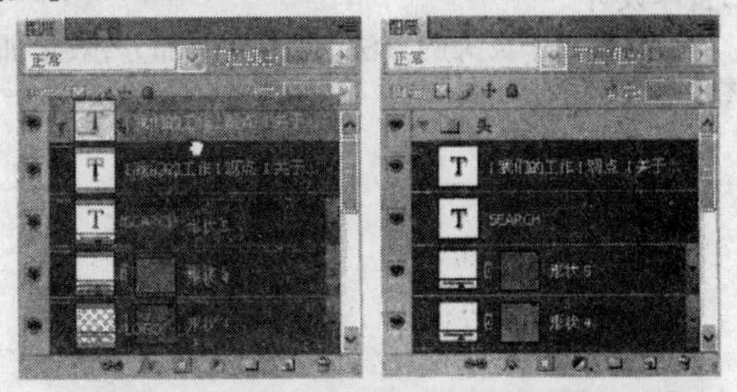

14.将前景色设置为"#feaclc"，选择【矩形】工具，在如图所示的位置绘制出一矩形。158.将前景色设置为白色，选择【横排文字】工具，在工具选项栏中设置合适的字体和大小，在画布中单击并输入相关文字。

15.选中素材文件 1001.tifF 中的【中 01】图层，移动到 1001.psd 文件中，调至合适的位置和大小，得到图像效果如图所示。

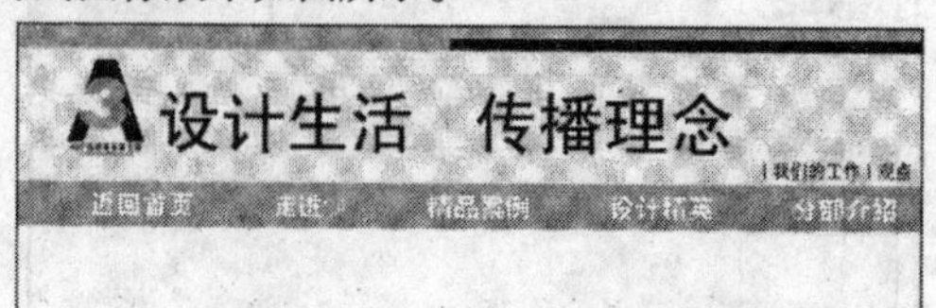

16.选中素材文件 100.tiffk 中的【中 01】图层，移动到 1001.psd 文件中，调至合适的位置和大小，得到图像效果如图所示。

2.整体设计

1.参照制作页头的方法，制作页中部分，效果如图所示。

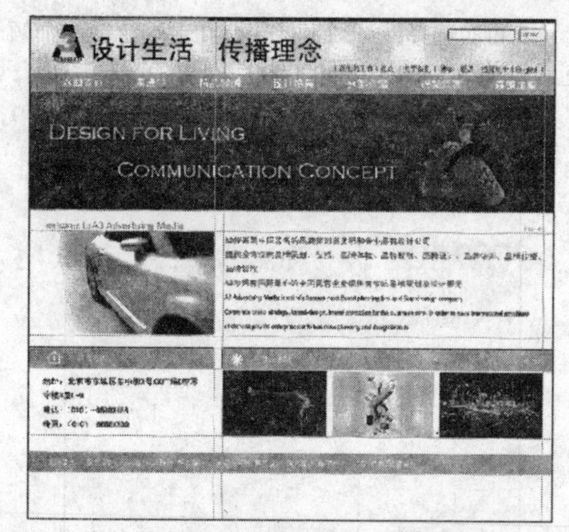

2.将前景色设置为“#f3f3f3”，选择【矩形】工具，绘制出网页底部的主体色，得到图像效果如图所示。

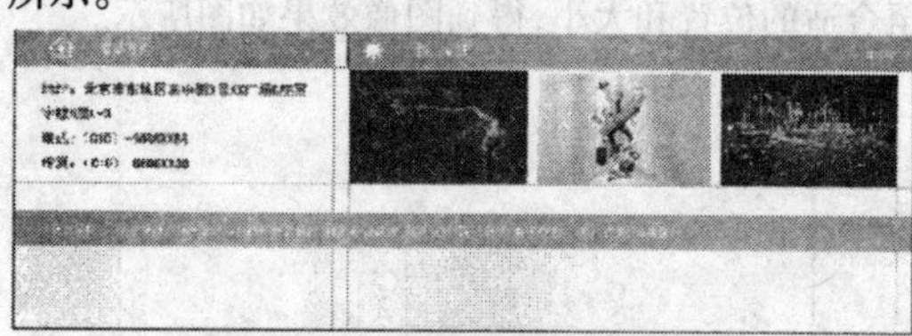

3.选择【横排文字】工具 T，在工具选项栏中设置合适的字体和大小，在画布中单击并输入相关文字，最终得到如图所示的效果。

10.2 创建切片

在制作网页时，通常要对页面进行分割，即制作切片。通过优化切片可以对分割的图像进行不同程度的压缩，以便减少图像的下载时间，还可以为切片制作动画，链接到 URL 地址，或者使用它们制作翻转按钮。

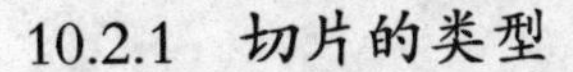

10.2.1 切片的类型

在 Photoshop 中，使用切片工具创建的切片称为用户切片，通过图层创建的切片称为基于图层的切片。

创建新的用户切片或者基于图层的切片时，会生成附加的自动切片来占据图像的其余区域，自动切片可填充图像中用户切片或基于图层的切片未定义的空间。

每次添加或编辑用户切片或基于图层的切片时，都会重新生成自动切片。用户切片和基于图层的切片由实线定义，自动切片则由虚线定义，如图所示。

10.2.2 使用切片工具创建切片

本小节主要介绍如何使用切片工具创建切片。

在工具箱中选择【切片】工具，在工具选项栏中可以设置其基本属性。

在【样式】下拉列表中可以选择切片的创建方法。

(1)【正常】选项：通过拖动鼠标确定切片的大小。

(2)【固定长宽比】选项：输入切片的高、宽比例，可以创建具有固定长宽比的切片。

(3)【固定大小】选项：输入切片的高度和宽度值，然后在画面单击鼠标即可创建指定大小的切片。

下面介绍如何创建切片。

1.打开一个文件。

2.选择【切片】工具，在工具选项栏的【样式】下拉列表中选择【正常】选项，然后在要创建切片的区域上单击并拖出一个矩形选框。

3.放开鼠标即可创建一个用户切片，该切片以外的部分会生成自动切片。按住【Shift】键的同时拖动鼠标可以创建正方形切片，按住【Alt】键拖动鼠标可以从中心向外创建切片。

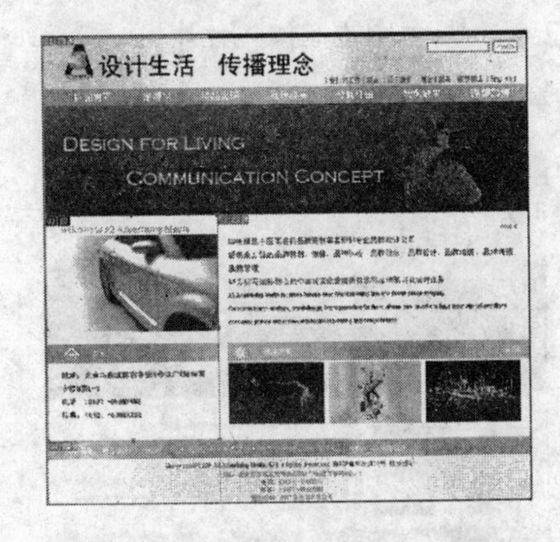

10.2.3 基于参考线创建切片

本小节主要介绍如何基于参考线创建切片。

1.打开一个文件,按下【Ctrl】+【R】组合键显示标尺。

2. 分别从水平标尺和垂直标尺上拖出参考线,定义切片的范围。

3.选择【切片】工具,单击工具选项栏中的"基于参考线的切片"按钮,即可基于参考线的划分方式创建切片。

10.2.4 基于图层创建切片

本小节主要介绍如何基于图层创建切片。

1.打开一个文件。

2.打开【图层】面板,选择【图层 1】图层。

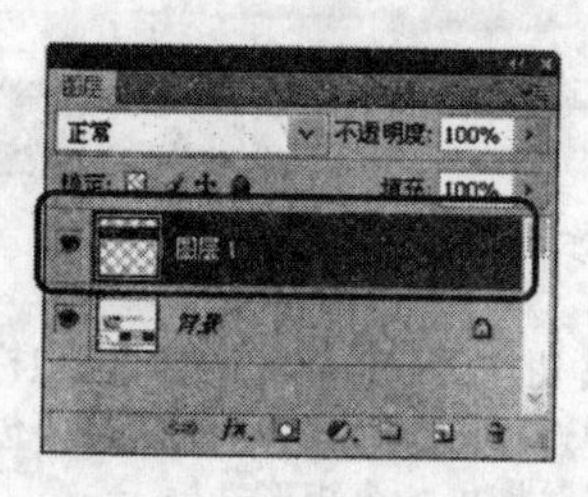

3.选择【图层】➢【新建基于图层的切片】菜单项。

4. 完成上步操作后即可基于图层创建切片，该切片会包含当前图层中的所有像素。

5.当移动或编辑当前图层内容时，切片区域会随之自动调整，如图所示。

10.3 修改切片

本节主要介绍修改切片的方法，如划分切片、组合切片、删除切片和设置切片选项。

10.3.1 实例——调整切片

本小节主要介绍利用【切片选择】工具选择、移动与调整切片。

在工具箱中选择【切片选择】工具，在工具选项栏中可以设置其基本属性。

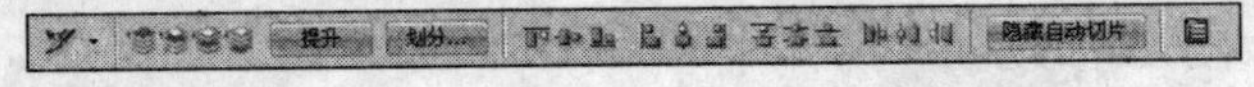

【调整切片堆叠顺序】按钮组

在创建切片时，最后创建的切片堆叠在顶层。当切片重叠时，单击该选项组中的按钮，可以改变切片的堆叠顺序，便于选择底层的切片。

提升 按钮

单击该按钮，可以将所选的自动切片或图层切片转换为用户切片。

划分... 按钮

单击该按钮，弹出【划分切片】对话框，设置参数后可以对所选切片进行划分。

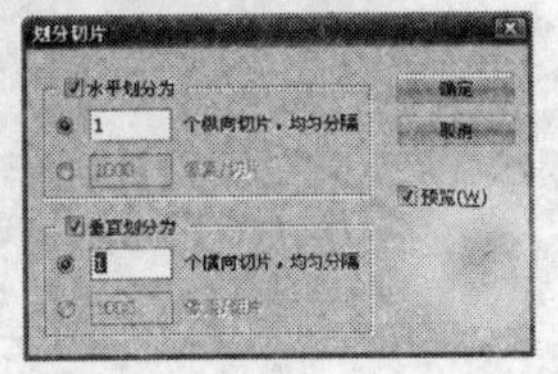

隐藏自动切片 **按钮**

单击该按钮,隐藏自动切片。

按钮

单击该按钮,在弹出的【切片选项】对话框中可以设置切片的名称和类型等。

下面介绍如何调整切片。

1.打开一个文件,选择【切片】工具,在图像中创建两个切片。

2.选择【切片选择】工具,单击其中一个切片,再按住【Shift】键选中另一个切片。

3.拖动切片定界框上的控制点,调整大小。

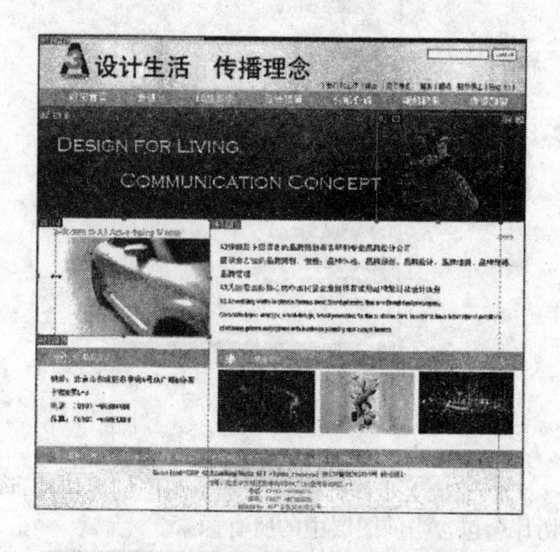

4.单击鼠标拖动切片可将其移动,按住【shm】键可以沿垂直、水平或者45° 角的方向移动,按住【Alt】键拖动可以复制切片。

10.3.2 划分切片

本小节主要介绍划分切片的方法。

使用【切片选择】工具选择切片,单击工具选项栏中的 划分... 按钮,弹出【划分切片】对话框,下面介绍该对话框中的各个选项。

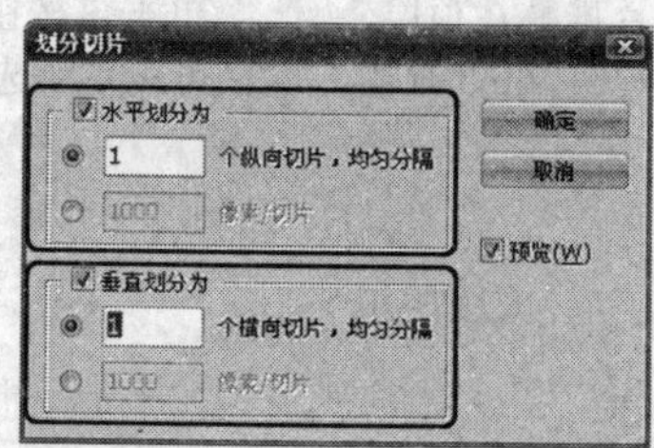

【水平划分为】选项组

选中该复选框后，可以在长度方向上划分切片，有两种划分方式。

(1)选择【个纵向切片，均匀分隔】选项时，可以输入切片的划分数目。

(2)选择【像素 / 切片】选项时，可以输入一个数值，基于指定数目的像素创建切片。

【垂直划分为】选项组

选中该复选框后，可以在宽度方向上划分切片。

10.3.3 组合切片和删除切片

1.组合切片

使用【切片选择】工具选择两个或更多的切片，单击鼠标右键，在弹出的菜单中选择【组合切片】菜单项，即可将所选切片组合为一个切片。

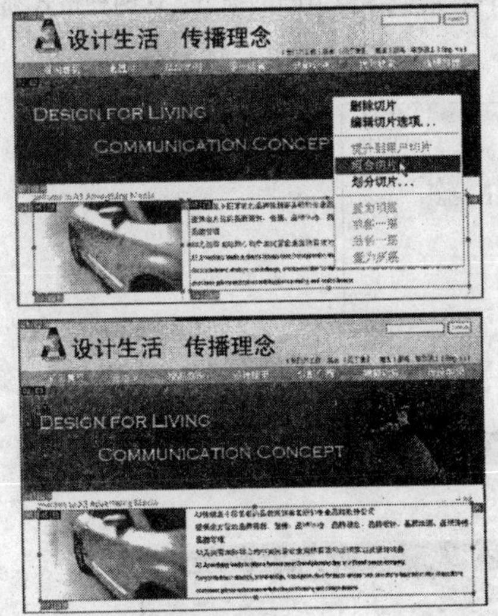

2.删除切片

使用【切片选择】工具选择两个或更多的切片，按下【Delete】键即可删除；要删除所有切片，选择【视图】▶【清除切片】菜单项。

10.3.4 设置切片选项

使用【切片选择】工具双击切片，或者选择切片，然后单击工具选项栏中的按钮，即可弹出【切片选项】对话框。

下面介绍该对话框中的常用选项。

【切片类型】下拉列表

(1)可以选择要输出的切片的内容类型，【图像】选项为默认的类型，切片包含图像数据。

(2)选择【无图像】选项时，可以在切片中输入HTML文本，但不能导出为图像，并且无法在浏览器中预览。

(3)选择【表】选项时，导出的切片将作为嵌套表写入到HTML文本文件中。

【名称】文本框

可以输入切片名称。

【URL】文本框

输入与切片链接的Web地址。在浏览器中单击切片图像时，即可连接到此选项设置的网址和目标框架。

【信息文本】文本框

可以指定哪些信息出现在浏览器中。

【尺寸】选项组

X 和 Y 选项用于设置切片的位置，w 和 H 选项用于设置切片的大小。

10.4 Web 图形优化选项

创建切片后，需要对图像进行优化，以减小文件的大小。在 Web 上发布图像时，较小的文件可以方便 Web 服务器更加高效地存储和传输。

10.4.1 优化 GIF 和 PNG-8 格式

GIF 格式是用于压缩具有单调颜色和清晰细节的图像的标准格式，是一种无损压缩格式。

PNG-8 格式与 GIF 格式一样，也可以有效地压缩纯色区域，同时保留清晰的细节。这两种格式都支持 8 位颜色，可以显示多达 256 种颜色。

选择【文件】≫【存储为 Web 和设备所用格式】菜单项。

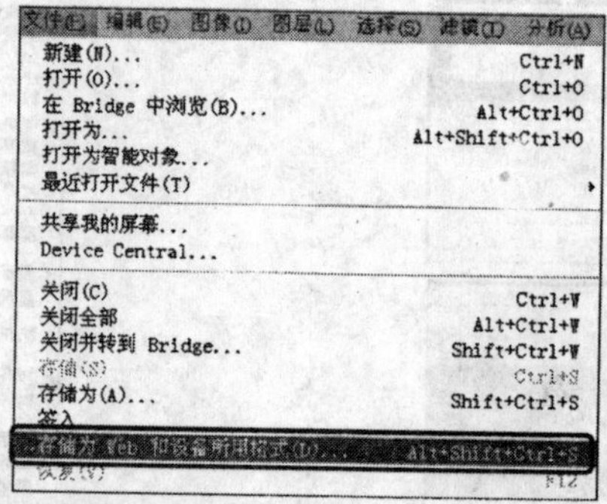

弹出【存储为 Web 和设备所用格式】对话框。

在该对话框中的【优化的文件格式】下拉列表中选择【GIF】或者【PNG.8】选项，可以显示各自的优化选项。

下面介绍该对话框中的各个选项。

【损耗】文本框

通过有选择地扔掉数据来减小文件大小，可以将文件减小到5%～40%。通常情况下，应用5%～10%的损耗值不会对图像产生太大的影响。

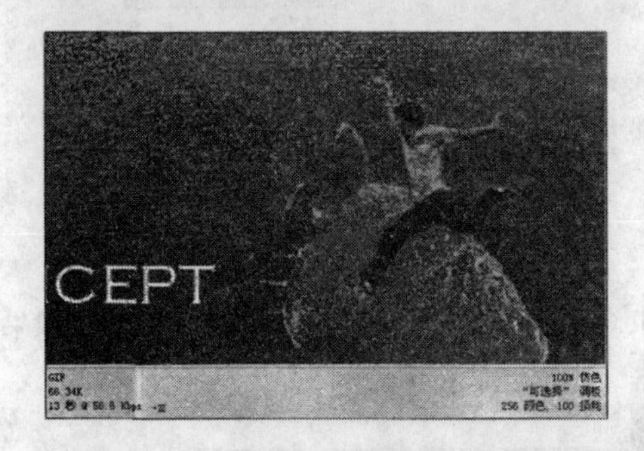

【减低颜色深度算法/颜色】文本框

结合使用，指定用于生成颜色查找的方法，以及要在【颜色表】中使用的颜色数量。

【仿色算法/仿色】文本框

通过模拟电脑的颜色显示系统中未提供的颜色，较高的仿色数值会使图像中出现更多的颜色和细节，但是会增大文件大小。

【透明度/数量】文本框

确定如何优化图像中的透明像素。

【交错】文本框

当完整图像文件正在下载时，在浏览器中显示图像的低分辨率版本，使用户感觉下载时间更短。

10.4.2 优化JPEG格式

JPEG格式是用于压缩连续色调图像的标准格式。将图片优化为JPEG格式时采用的是有损压缩，会有选择的扔掉数据以减小文件大小。

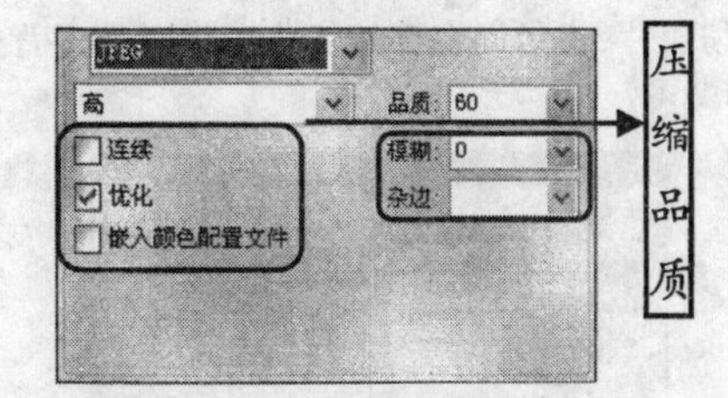

【压缩品质/品质】文本框

用来设置压缩程度，【品质】值越高，图像的细节越多，生成的文件也越大。

【连续】复选框

选中该项,在 Web 浏览器中以渐进方式显示图像。

【优化】复选框

要最大程度地压缩文件时，建议选中该复选框。

【嵌入颜色配置文件】复选框

选中该项，会在优化文件中保存颜色配置文件,方便某些浏览器会使用颜色配置文件进行颜色校正时调用。

【模糊】复选框

指定应用于图像的模糊量,可以创建与【高斯模糊】滤镜相同的效果。

【杂边】复选框

为原始图像中透明的像素指定一个填充颜色。

10.4.3 优化 PNG-24 格式

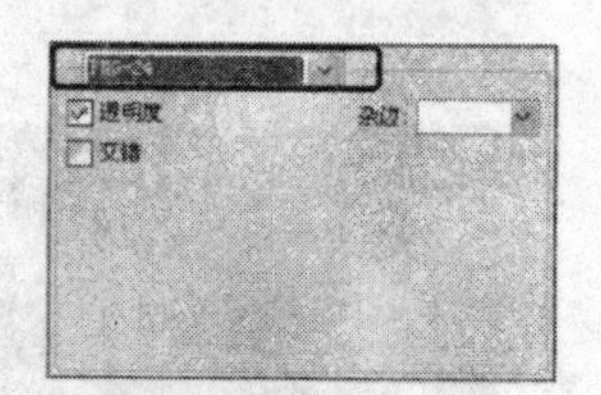

PNG-24 格式适用于压缩连续色调图像，可以在图像中保留多达 256 个透明度级别,但生成的文件要比,JPEG 格式生成的文件大。设置方法可参考 GIF 格式的相应选项。

10.4.4 优化 WBMP 格式

WBMP 格式是用于优化移动设备图像的标准格式,如图所示为原始图像和应用该格式优化后的效果。

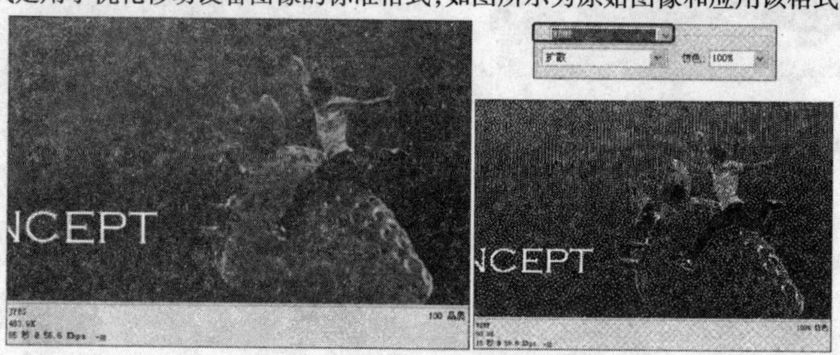

10.5 Web 图形输出设置

在优化 Web 图像后,单击【存储为 Web 和设备所用格式】对话框右上角的按钮,在弹出的菜单栏中选择【编辑输出设置】菜单项。

弹出【输出设置】对话框,在该对话框中可以命名文件和切片,也可以在存储优化图像时处理背景图像。要使用预设的输出选项,只需在【设置】下拉列表中选择即可。

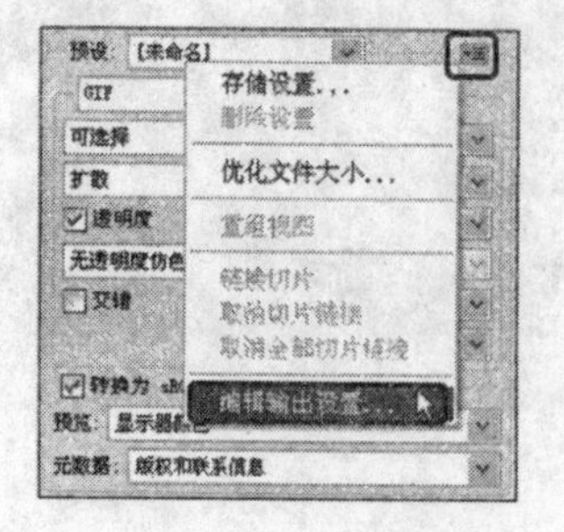

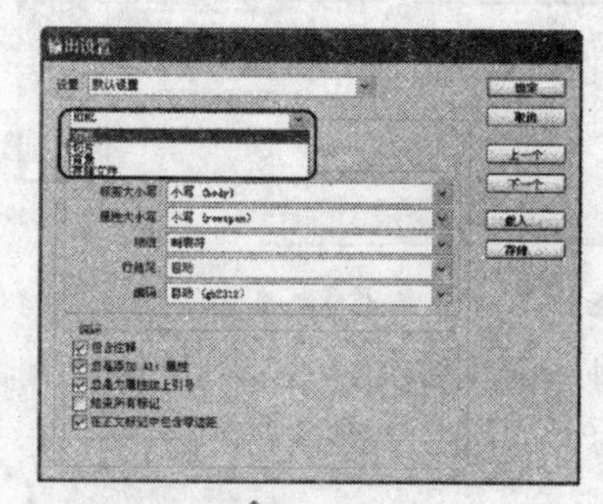

第11章 VI设计

每个企业都有自己的一套VI设计，不同的标志象征不同的意义，本章主要介绍Photoshop CS4软件在VI设计领域的基本应用。

11.1 标志设计

本节主要介绍应用文字工具以及色彩调整功能等制作企业标志的操作过程。

▲ 最终效果

1.按下【Ctrl】+【N】组合键，弹出【新建】对话框，在该对话框中设置如图所示的参数，然后单击 确定 按钮。

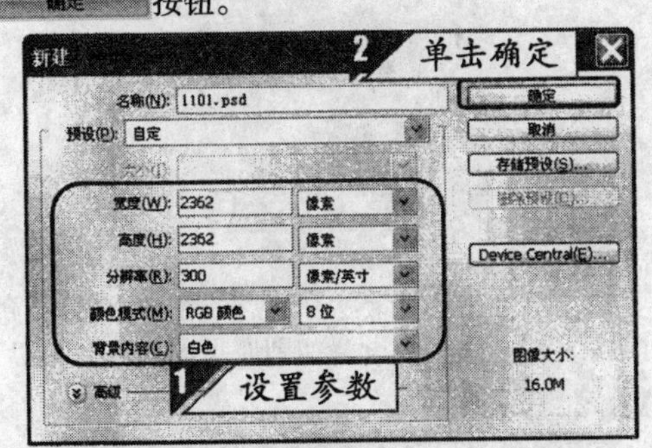

2.将前景色设置为黑色，选择【横排文字】工具 T ，在工具选项栏的【设置字体系列】下拉列表中选择适当的字体，在【设置字体大小】下拉列表中设置如图所示的字号。

3.在图像中输入如图所示的字母，单击工具选项栏右侧的【提交所有当前编辑】按钮 ✓ ，确认操作。

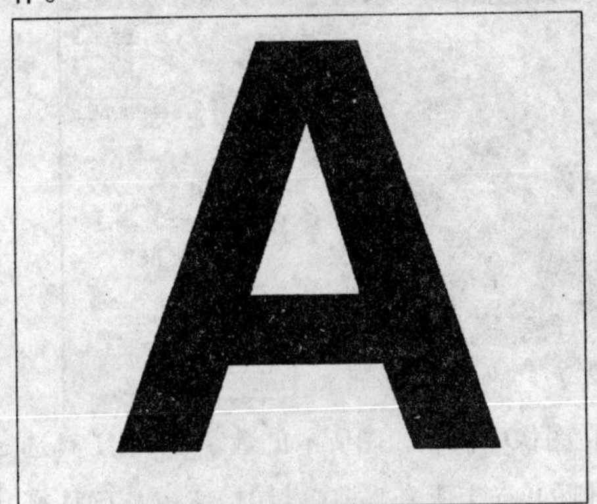

4.在【图层】面板中的【A】图层上单击鼠标右键，在弹出的菜单中选择【栅格化文字】菜单项，将文字栅格化。

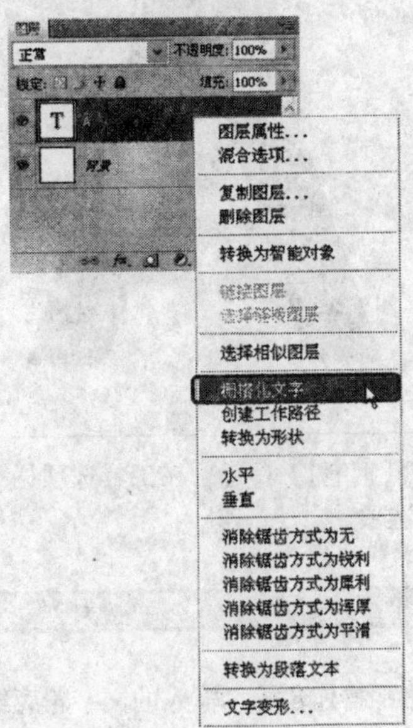

5.【A】图层栅格化后成为普通图层，如图所示。

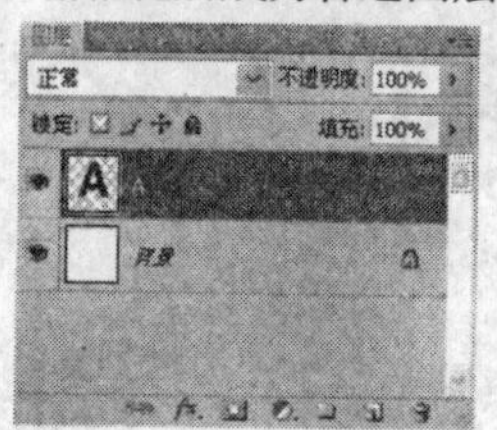

6.选择【横排文字】工具 T，在工具选项栏的【设置字体系列】下拉列表中选择适当的字体，在【设置字体大小】下拉列表中设置如图所示的字号。

7.单击工具选项栏中的【设置文本颜色】颜色框，在弹出的【选择文本颜色】对话框中设置如图所示的参数，然后单击 确定 按钮。

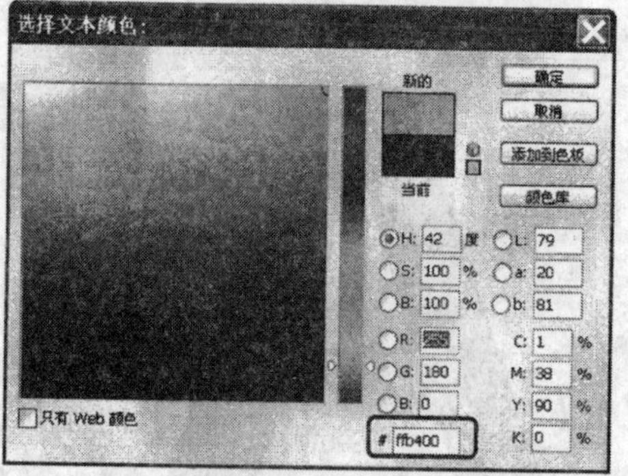

8.在图像中输入如图所示的数字，单击工具选项栏右侧的【提交所有当前编辑】按钮，确认操作。

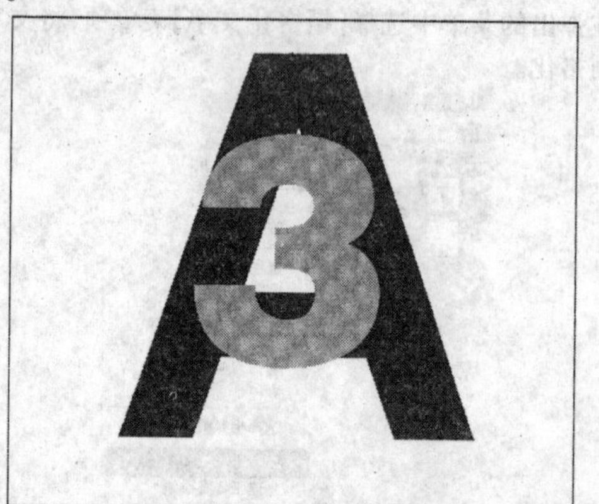

9.选择【钢笔】工具，在工具选项栏中设置如图所示的选项。

10. 参照操作步骤 8 输入的文字轮廓绘制如图所示的闭合路径。

11.按下【Ctrl】+【Enter】组合键将路径转换为选区。

12.单击【创建新图层】按钮，新建图层。

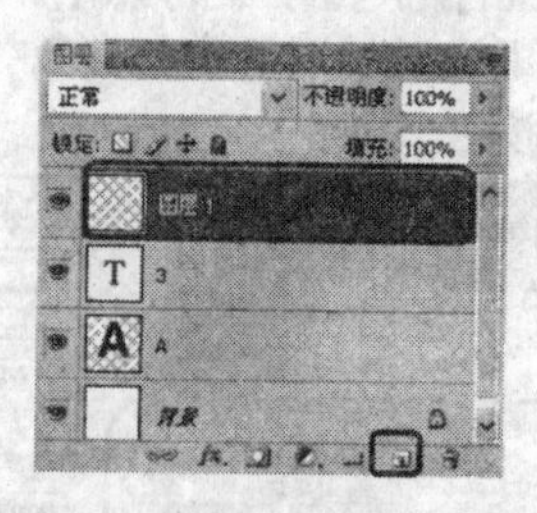

13.单击【设置前景色】颜色框，在弹出的【拾色器(前景色)】对话框中设置如图所示的参数，完成后单击 确定 按钮。

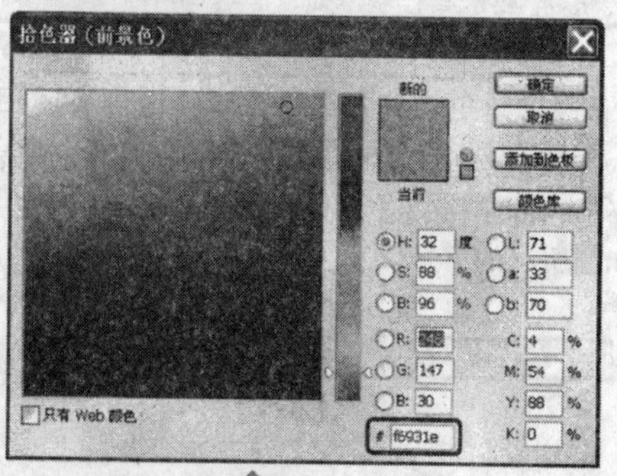

14.按下【Alt】+【Delete】组合键填充选区，按下【Ctrl】+【D】组合键取消选区，隐藏【3】文本图层得到如图所示的效果。

15.选择【钢笔】工具，在图像中绘制如图所示的闭合路径。

16.按下【Ctrl】+【Enter】组合键将路径转换为选区。

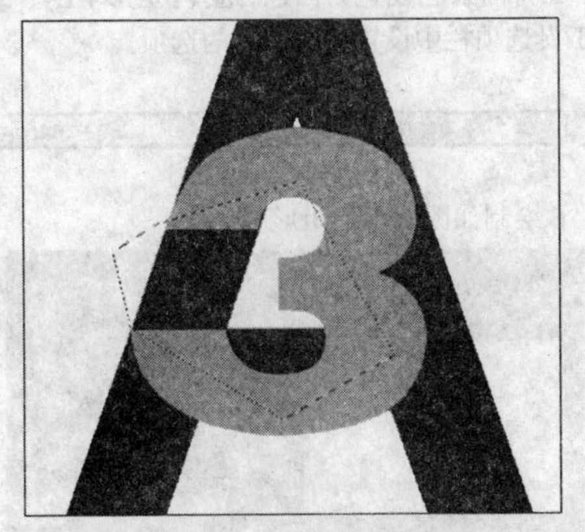

17.在【图层】面板中选择【A】文本图层。

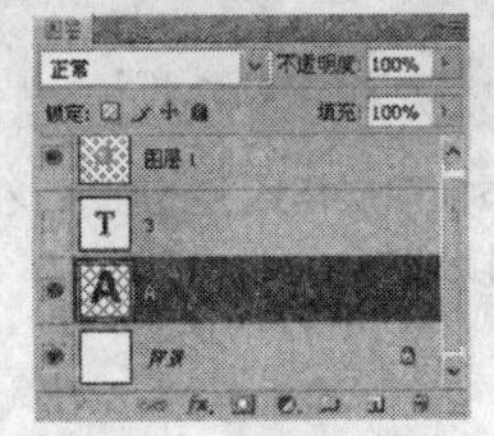

18.按下【Delete】组合键删除选区内的图像，按下【Ctrl】+【D】组合键取消选区。

19.选择【横排文字】工具，在工具选项栏的【设置字体系列】下拉列表中选择适当的字体，在【设置字体大小】下拉列表中设置如图所示的字号。

20.在工具选项栏中将文本颜色设置为黑色。在图像中输入如图所示的文字，然后单击工具选项栏中的【提交所有当前编辑】按钮，确认操作。

21.选择【横排文字】工具，在工具选项栏的【设置字体系列】下拉列表中选择适当的字体，在【设置字体大小】下拉列表中设置如图所示的参数。

22.在图像中输入如图所示的文字，输入完成后单击工具选项栏中的【提交所有当前编辑】按钮确认操作，最终得到如图所示效果。

11.2 办公用品设计

本节主要介绍应用文字工具以及路径等功能制作企业办公用品的操作过程。

11.2.1 名片设计

1.名片正面设计

版面设计

1.按下【Ctrl】+【N】组合键弹出【新建】对话框,设置如图所示的参数,然后单击 确定 按钮。

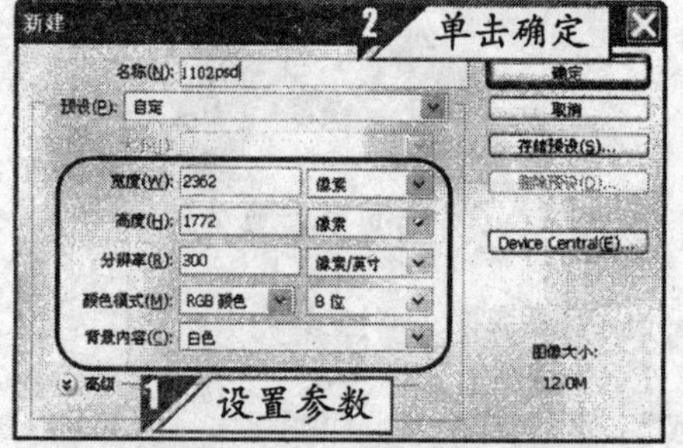

2.单击【设置前景色】颜色框,在弹出的【拾色器(前景色)】对话框中设置如图所示的参数,然后单击 确定 按钮。

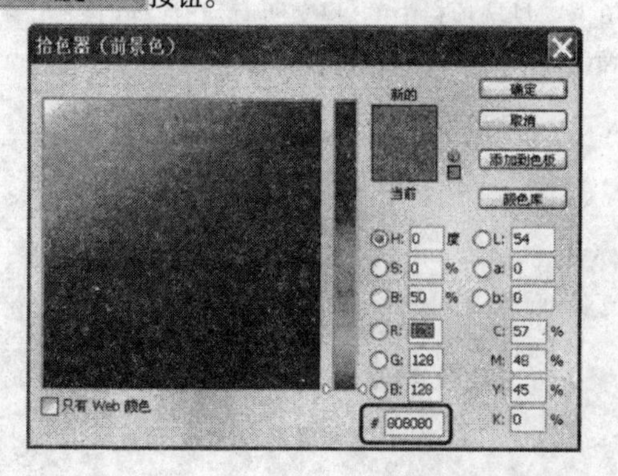

3.按下【Alt】+【Delete】组合键填充图像。

4.单击【创建新图层】按钮,新建图层。

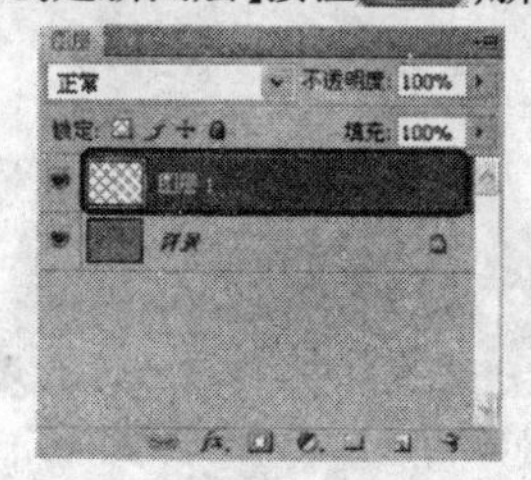

5.将前景色设置为白色,选择【矩形】工具,在工具选项栏中设置如图所示的选项。

6.绘制如图所示的矩形。

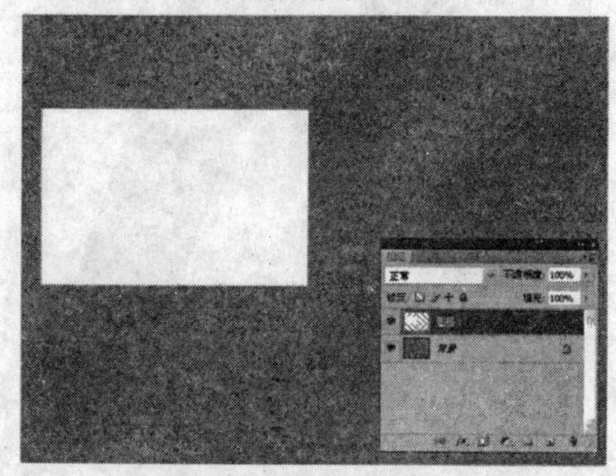

7.单击【添加图层样式】按钮 fx,在弹出的菜单中选择【投影】菜单项。

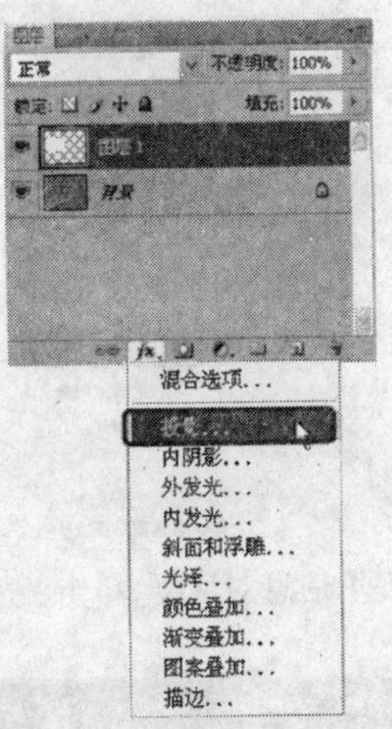

8.在弹出的【图层样式】对话框中设置如图所示的参数,然后单击 确定 按钮。

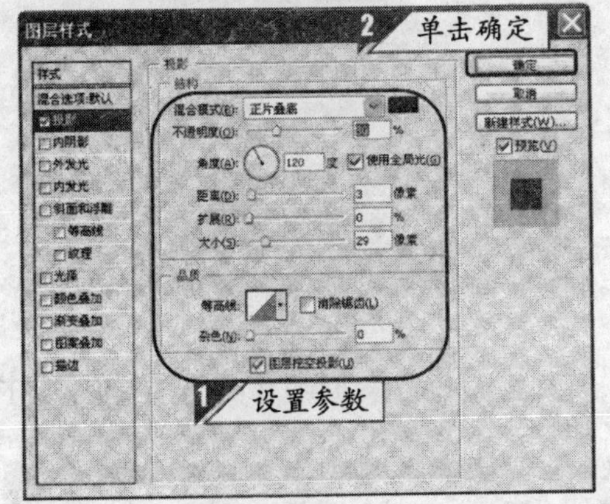

9. 打开本实例对应的素材文件 1102.tiff,选择【图层 1】图层。

10.选择【移动】工具，将素材文件 1102.tiff 中的【图层 1】图层图像拖动到文件 1102.psd 中。

11.按下【Ctrl】+【J】组合键复制图层,得到【图层 2 副本】图层。

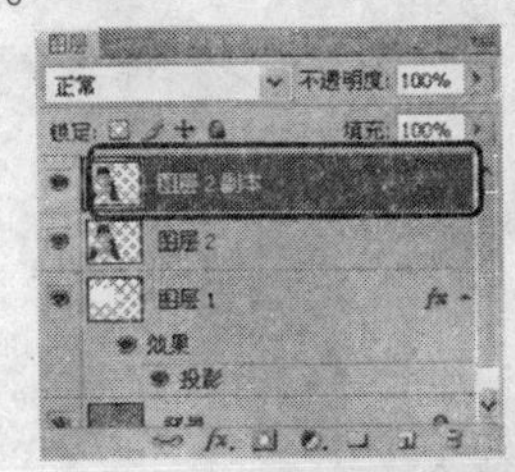

12.按下【Ctrl】+【T】组合键调出调整控制框,按住【Shift】键调整图像的大小,调整合适后按下【Enter】键确认操作。

13.选择【图层 2】图层,按下【Ctrl】+【T】组合键调出调整控制框,按住【Shift】键调整图像的大小,调整合适后按下【Enter】键确认操作。

14.按住【Ctrl】键单击【图层 2】的图层缩略图，将【图层 2】图像载入选区。

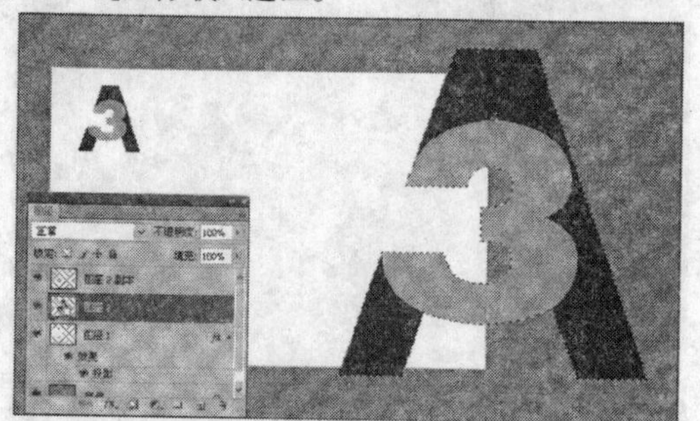

15.单击【设置前景色】颜色框，在弹出的【拾色器(前景色)】对话框中设置如图所示的参数，然后单击 确定 按钮。

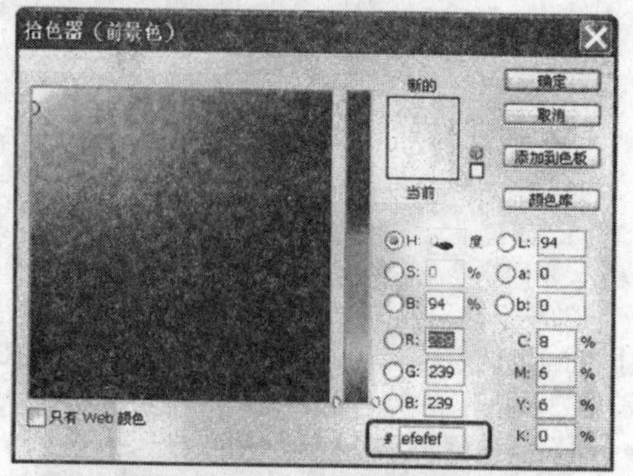

16.单击【创建新图层】按钮，新建图层。

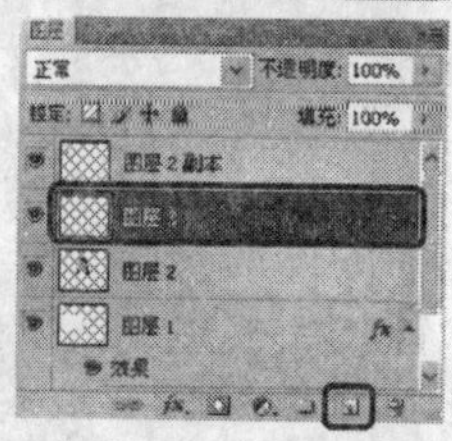

17.按下【Alt】+【Delete】组合键填充选区，按下【Ctrl】+【D】组合键取消选区。

18.选择【图层 2】图层，单击鼠标右键，在弹出的菜单中选择【删除图层】菜单项。

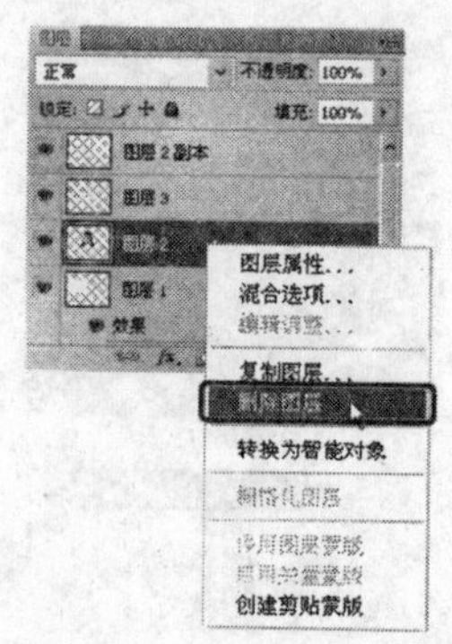

19.弹出提示信息对话框，单击 是(Y) 按钮将该图层删除。

20.选择【图层 3】图层。

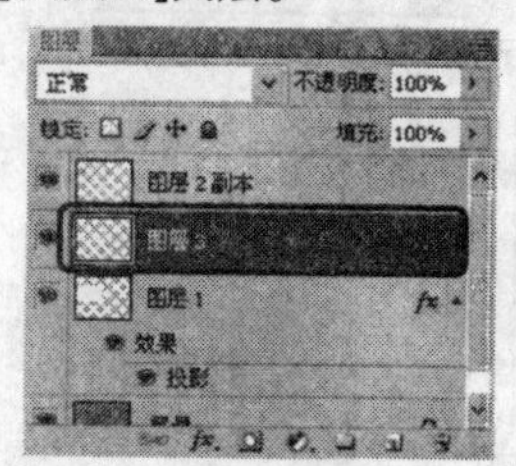

21.按下【Ctrl】+【Alt】+【G】组合键将其嵌入到下一图层中。

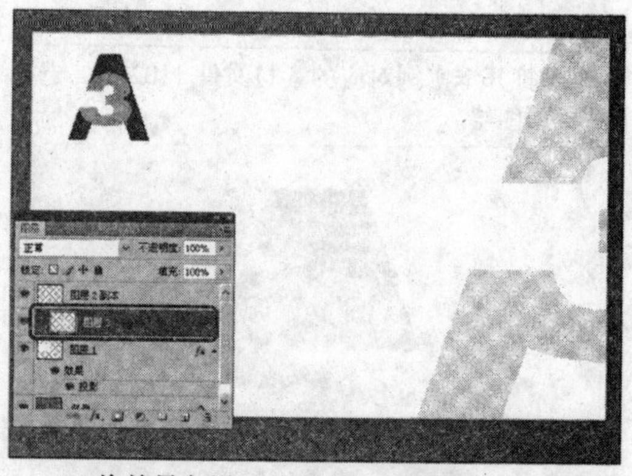

22.将前景色设置为黑色，选择【横排文字】工具，在工具选项栏的【设置字体系列】下拉列表中选择适当的字体，在【设置字体大小】下拉列表中设置如图所示的字号。

23.在图像中输入如图所示的文字，然后单击工具选项栏中的【提交所有当前编辑】按钮，确认

操作。

24.选择【横排文字】工具，在工具选项栏的【设置字体系列】下拉列表中选择适当的字体，在【设置字体大小】下拉到列表中设置如图所示的字号。

25.在图像中输入如图所示的文字，输入完成后单击工具选项栏中的【提交所有当前编辑】按钮，确认操作。

26.参照上述方法，输入其他相关文字，得到如图所示的效果。

倒影设计

1.隐藏【背景】图层和【图层 1】图层的【效果】样式，选中【图层】面板中最顶层的图层。

2.按下【Ctrl】+【Alt】+【Shift】+【E】组合键盖印图层，得到【图层 4】图层。

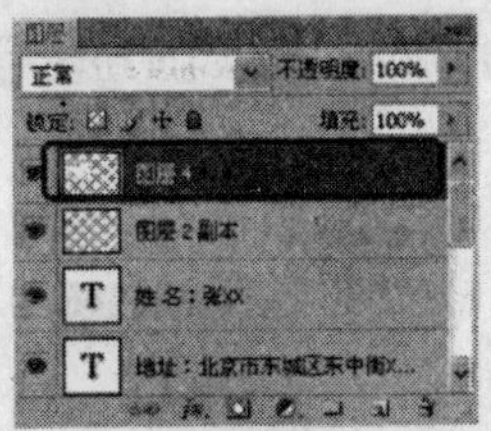

3.选择【编辑】➢【变换】➢【垂直翻转】菜单项，将图像垂直翻转。

4.显示【背景】图层和【图层 1】图层的【效果】样式，选中【图层 4】图层。

5.选择【移动】工具，将【图层 4】图层图像向下移动。

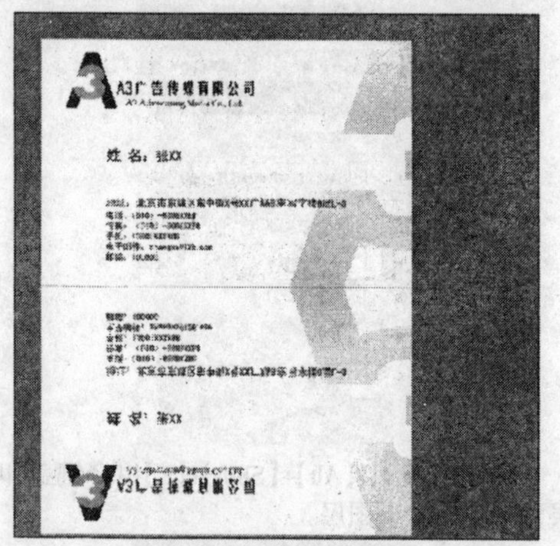

6.单击【添加图层蒙版】按钮，为该图层添加图层蒙版。

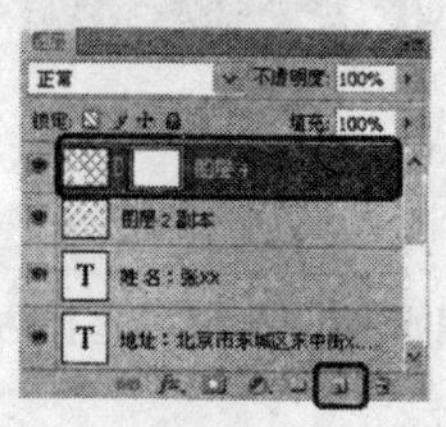

7.将前景色设置为黑色，选择【渐变】工具，在工具选项栏中设置如图所示的选项。

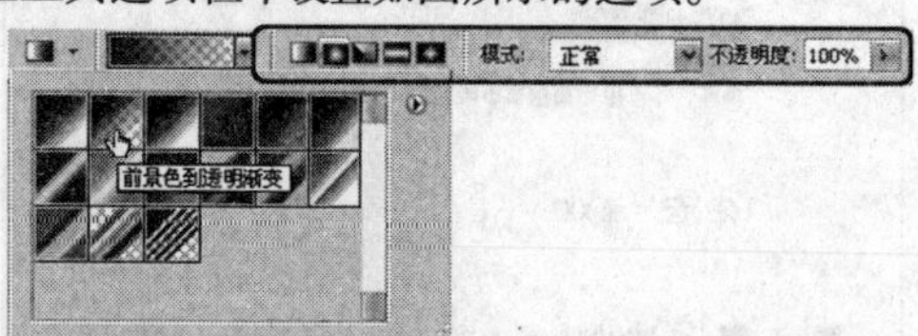

8.按住【Shift】键在图像中由下至上拖动鼠标，添加渐变，制作倒影效果。

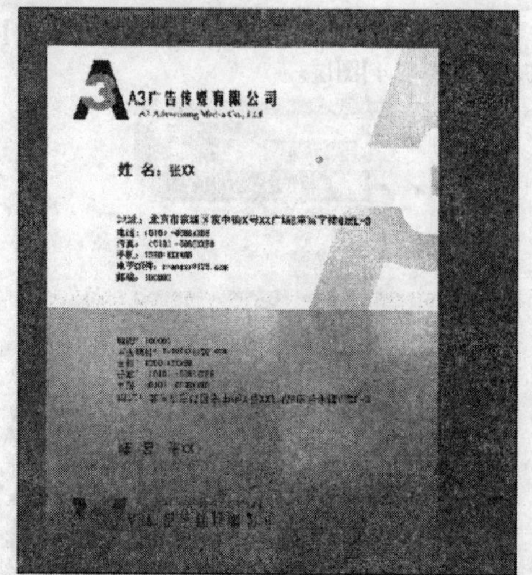

9.在【图层】面板中的【不透明度】文本框中输入“40%”。

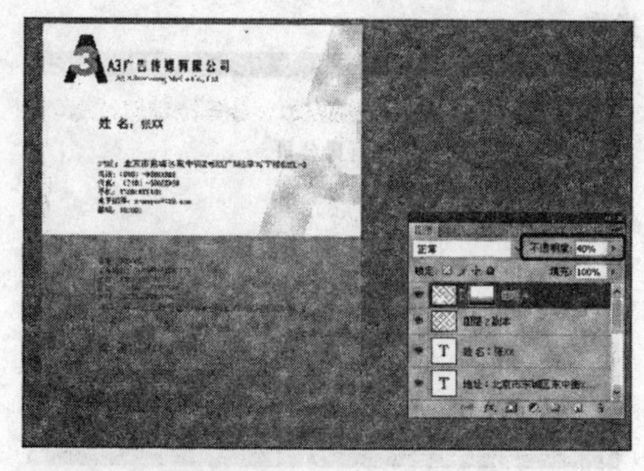

2.名片背面设计

1.选择【图层 1】图层，按下【Ctrl】+【J】组合键，复制【图层 1】图层，得到【图层 1 副本】图层。

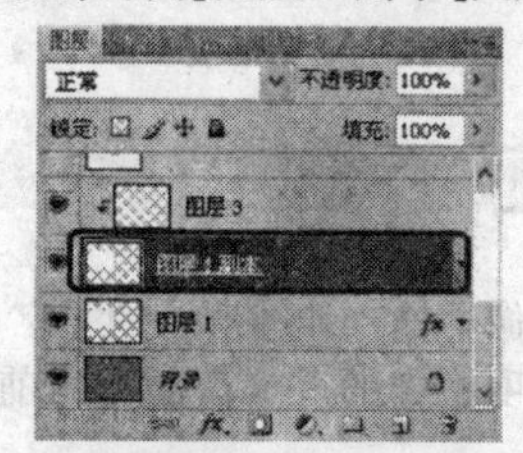

2.选择【图层 1】图层。

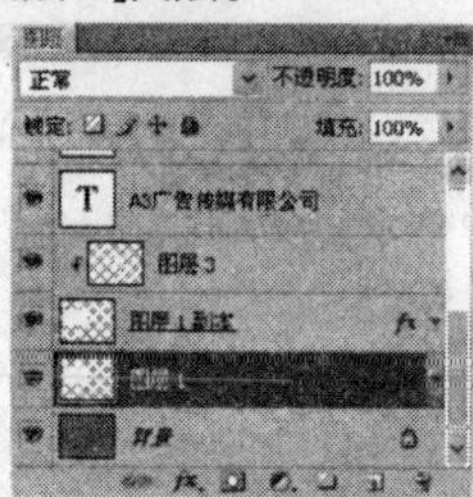

3.选择【移动】工具，将【图层 1】图层图像向右移动。

4.单击【设置前景色】颜色框，在弹出的【拾色器(前景色)】对话框中设置如图所示的参数，然后单击 确定 按钮。

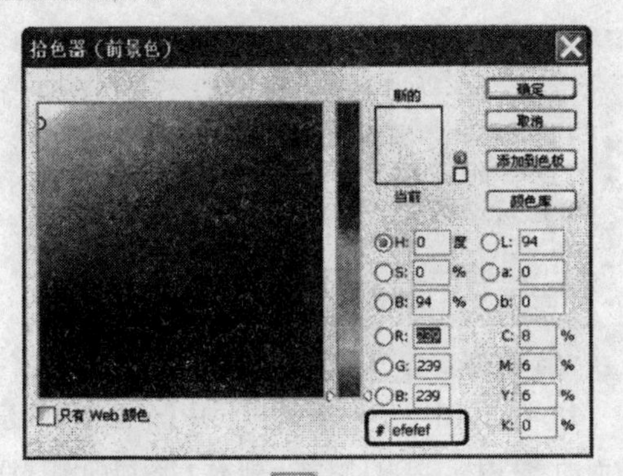

5.选择【矩形】工具，在工具选项栏中设置如图所示的选项。

6.单击【创建新图层】按钮，新建图层。

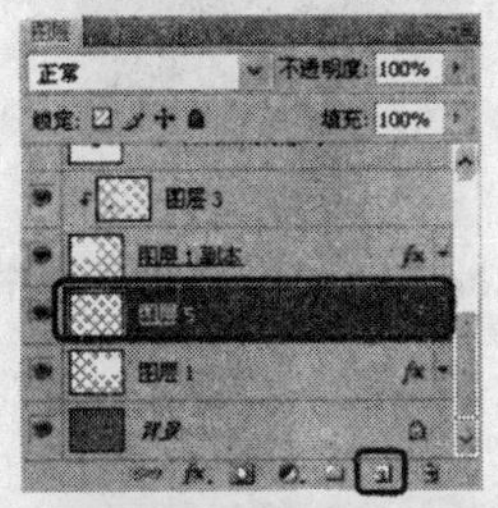

7.在图像中绘制如图所示的矩形。

8.按下【Ctrl】+【Alt】+【G】组合键将其嵌入到下一图层中。

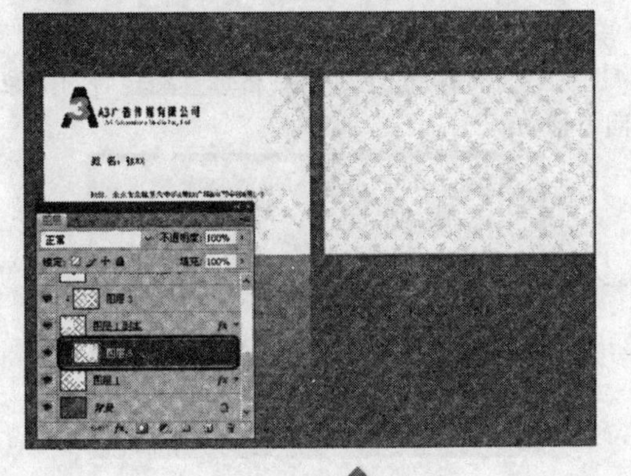

9. 选择本实例对应的素材文件 1102.tiff，选中【图层 1】图层。

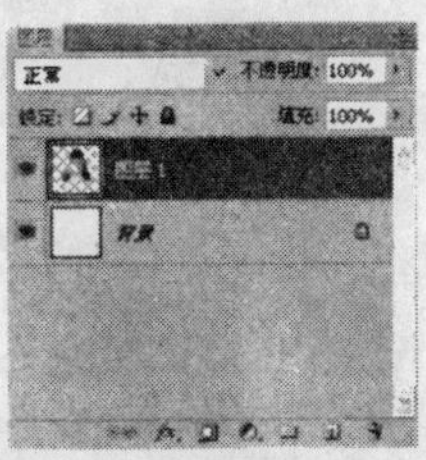

10.选择【移动】工具，将素材文件 1102.tiff 中的【图层 1】图层图像拖动到文件 1102.psd 中。

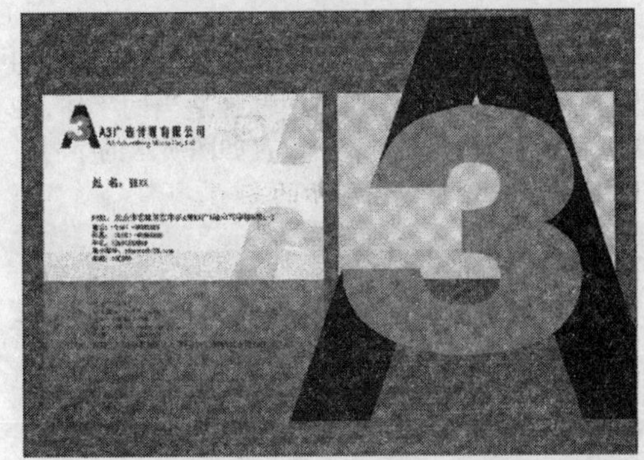

11.按下【Ctrl】+【T】组合键调出调整控制框，按住【Shift】键调整图像的大小，调至合适后按下【Enter】键确认操作。

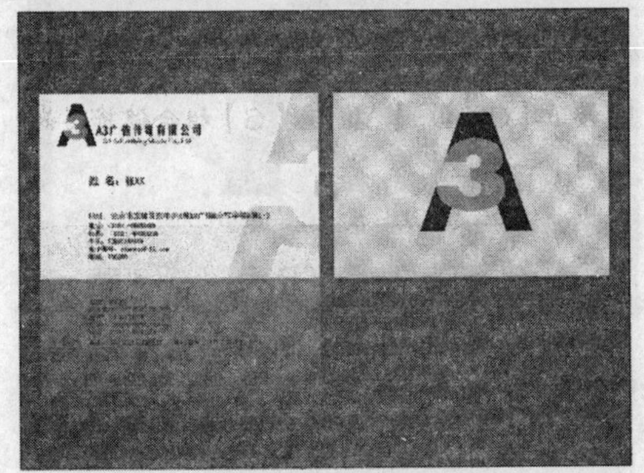

12.将前景色设置为黑色，选择【横排文字】工具，在工具选项栏的【设置字体系列】下拉列表中选择适当的字体，在【设置字体大小】下拉列表中设置如图所示的字号。

13.在图像中输入如图所示的文字，输入完成后单击工具选项栏中的【提交所有当前编辑】按钮，确认操作。

14.选择【横排文字】工具，在工具选项栏的【设置字体系列】下拉列表中选择适当的字体，在【设置字体大小】下拉列表中设置如图所示的字号。

15.在图像中输入如图所示的文字，输入完成后单击工具选项栏中的【提交所有当前编辑】按钮，确认操作。

16.在【图层】面板中选中所有关于名片背面设计的图层。

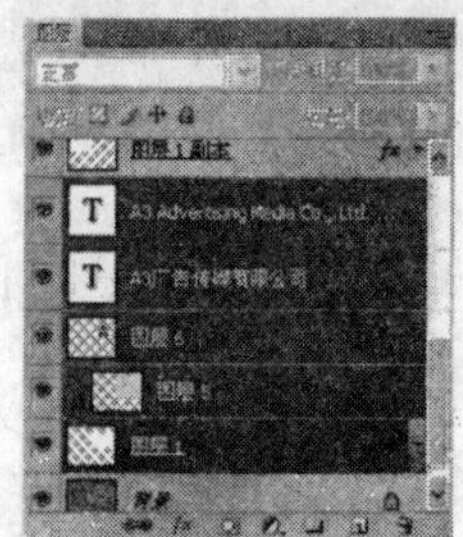

17.按住鼠标左键，将选中的图层拖至【创建新图层】按钮上，释放鼠标，复制多个图层。

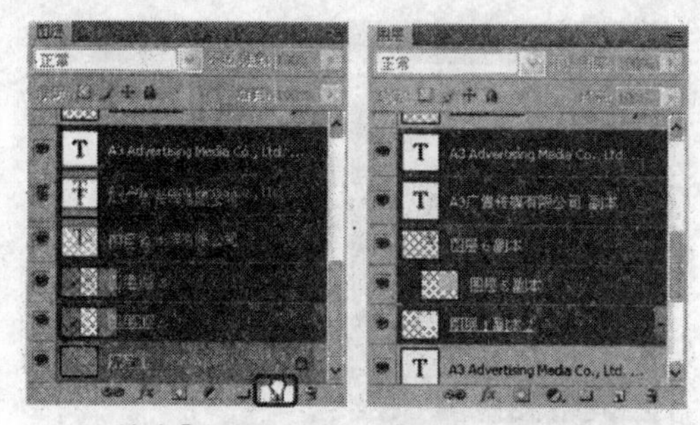

18.单击【图层 1 副本 2】图层中【效果】样式层前面的图标，隐藏【图层 1 副本 2】图层的图层样式。

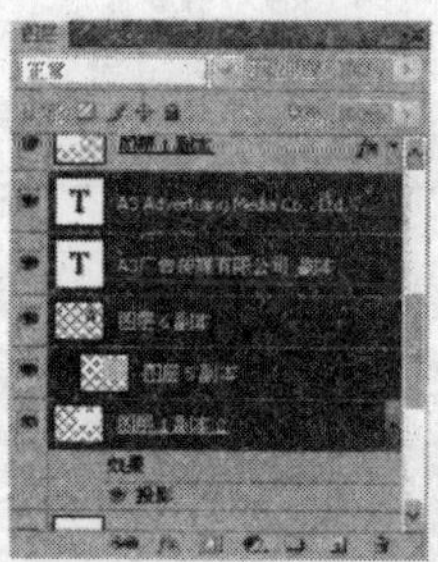

19.按下【Ctrl】+【E】组合键合并选中的副本图层群组。

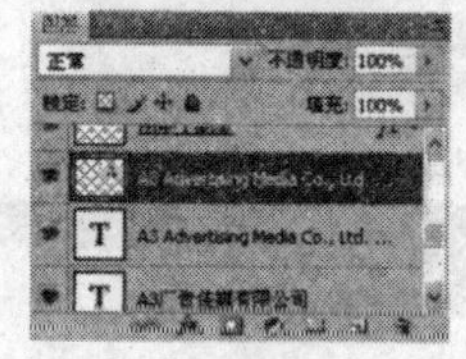

20.选择【编辑】▶【变换】▶【垂直翻转】菜单项，将图像垂直翻转。

21.选择【移动】工具，将垂直翻转后的图像向下移动。

22.单击【添加图层蒙版】按钮，为该图层添加图层蒙版。

23.将前景色设置为黑色，选择【渐变】工具，在工具选项栏中设置如图所示的选项。

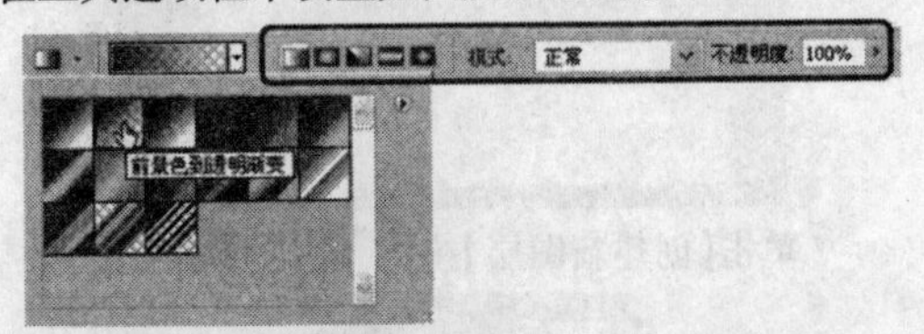

24.按住【Shift】键在图像中由下至上拖动鼠标，添加渐变，制作倒影效果。

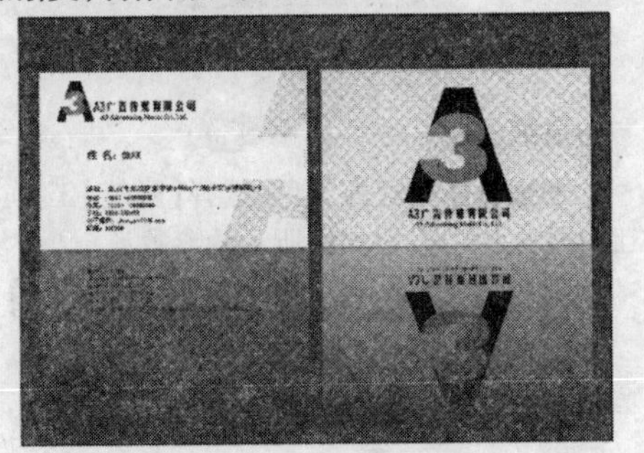

25.在【图层】面板中的【不透明度】文本框中输入“40%”。

26.最终得到如图所示的效果。

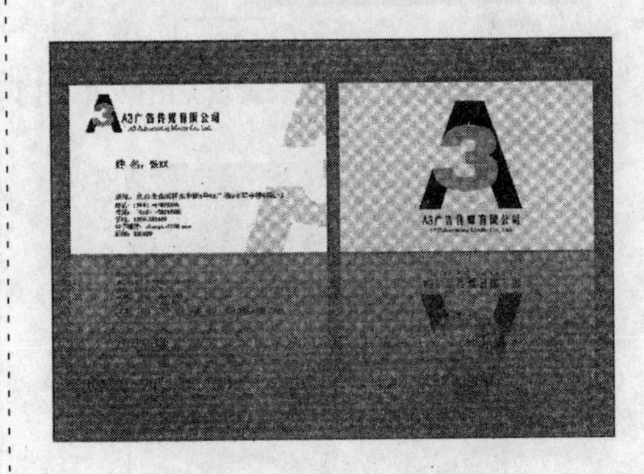

11.2.2 信纸信封设计

▲ 最终效果

1.信纸设计

版面设计

1.按下【Ctrl】+【N】组合键弹出【新建】对话框，在该对话框中设置如图所示的参数，然后单击确定按钮。

2.单击【设置前景色】颜色框,在弹出的【拾色器(前景色)】对话框中设置如图所示的参数,然后单击 确定 按钮。

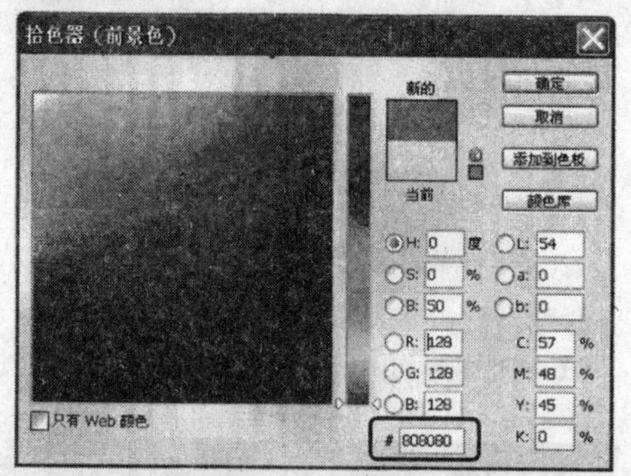

3.按下【Alt】+【Delete】组合键填充图像,单击【】按钮 ,新建图层。

4.单击【设置前景色】颜色框,在弹出的【拾色器(前景色)】对话框中设置如图所示的参数,然后单击 确定 按钮。

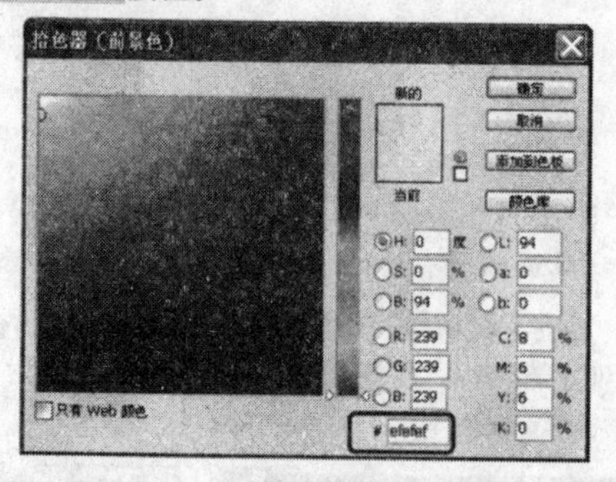

5.选择【矩形】工具 ,在工具选项栏中设置如图所示的选项。

6.绘制如图所示的矩形。

7.单击【创建新图层】按钮 ,新建图层。

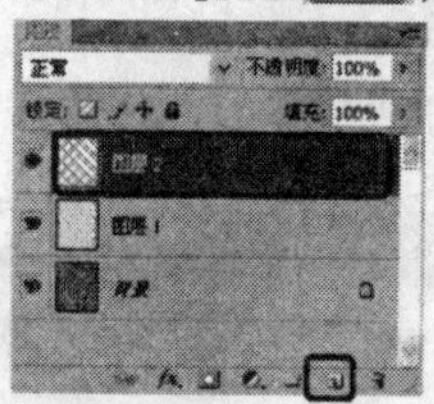

8.将前景色设置为黑色,选择【画笔】工具 ,在工具选项栏中设置如图所示的参数。

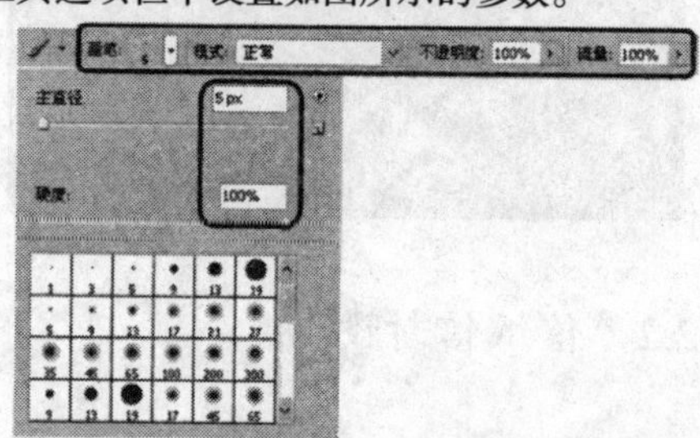

9.按住【Shift】键水平拖动鼠标,在图像中绘制如图所示的直线。

10.按下【Ctrl】+【J】组合键复制图层，得到【图层2副本】图层。

11.选择【移动】工具，按住【Shift】键向下移动副本线条的位置。

12.打开本实例对应的素材文件1103.tiff，选择【图层1】图层。

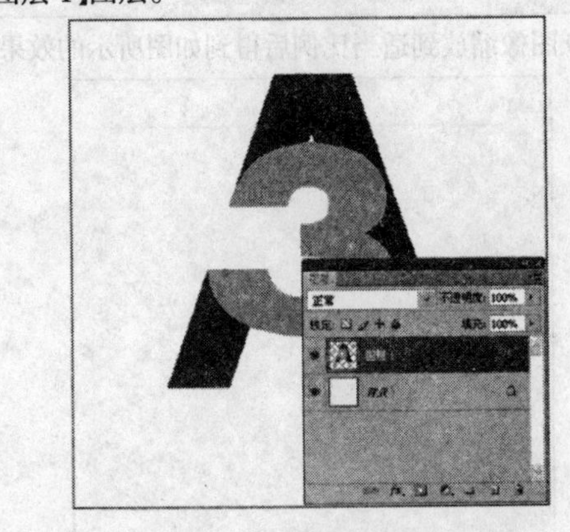

13.选择【移动】工具，将素材文件1103.tiff中【图层1】图层图像拖动到文件1103.psd中。

14.按下【Ctrl】+【T】组合键调出调整控制框，按住【Shift】键调整图像的大小，调整合适后按下【Enter】键确认操作。

添加文字

1.将前景色设置为黑色，选择【横排文字】工具，在工具选项栏的【设置字体系列】下拉列表中选择适当的字体，在【设置字体大小】下拉列表中设置如图所示的字号。

2.在图像中输入如图所示的文字，输入完成后单击工具选项栏中的【提交所有当前编辑】按钮，确认操作。

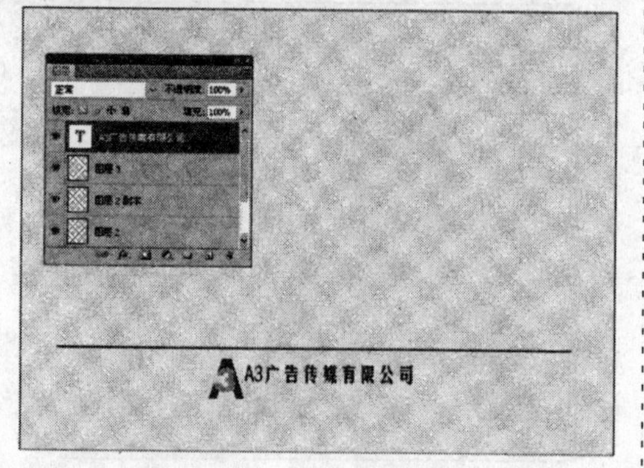

3.选择【横排文字】工具，在工具选项栏的【设置字体系列】下拉列表中选择适当的字体，在【设置字体大小】下拉列表中设置如图所示的字号。

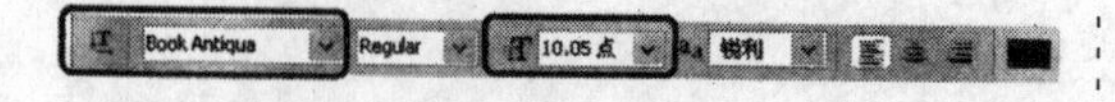

4.在图像中输入如图所示的文字，输入完成后单击工具选项栏中的【提交所有当前编辑】按钮，确认操作。

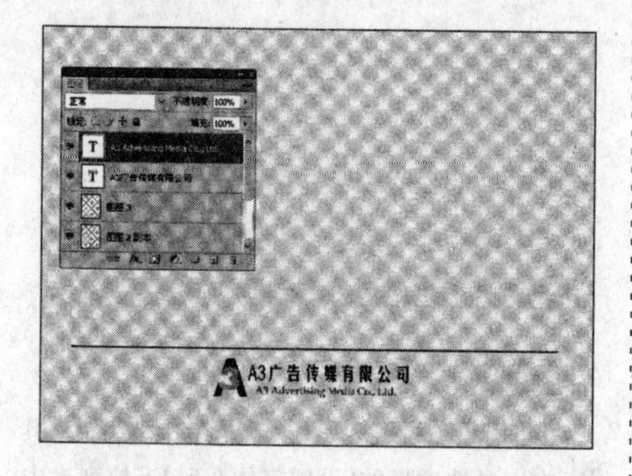

5.在工具选项栏的【设置字体系列】下拉列表中选择适当的字体，在【设置字体大小】下拉列表中设置如图所示的字号。

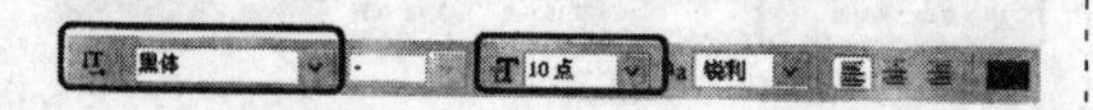

6.在图像中输入如图所示的文字，输入完成后单击工具选项栏中的【提交所有当前编辑】按钮，确认操作。

7.在工具选项栏的【设置字体系列】下拉列表中选择适当的字体，在【设置字体大小】下拉列表中设置如图所示的字号。

8.在图像中输入如图所示的文字，输入完成后单击工具选项栏中的【提交所有当前编辑】按钮，确认操作。

9.图像缩放到适当比例后得到如图所示的效果。

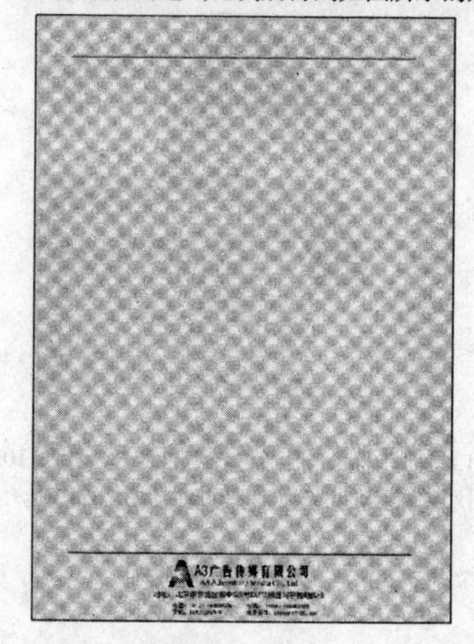

2.信封设计

版面设计

1.单击【设置前景色】颜色框，在弹出的【拾色器(前景色)】对话框中设置如图所示的参数，然后单击 确定 按钮。

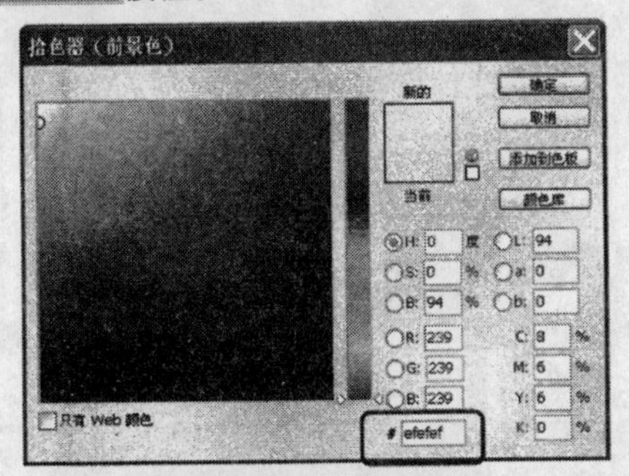

2.单击【创建新图层】按钮，新建图层。

3.选择【矩形】工具，在工具选项栏中设置如图所示的选项。

4.绘制如图所示的矩形。

5.单击【添加图层样式】按钮 fx，在弹出的菜单中选择【投影】菜单项。

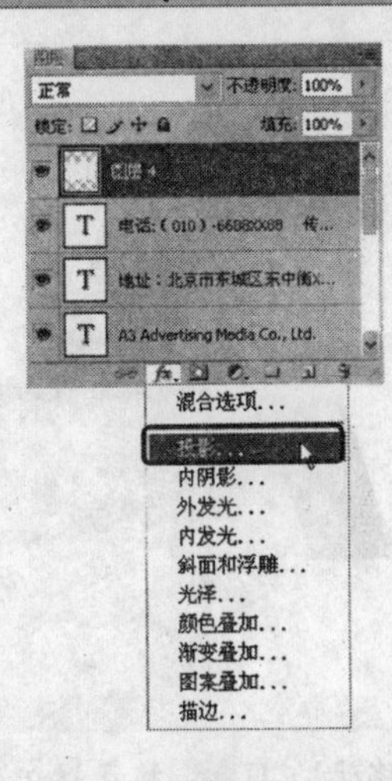

6.在弹出的【图层样式】对话框中设置如图所示的参数，然后单击 确定 钮。

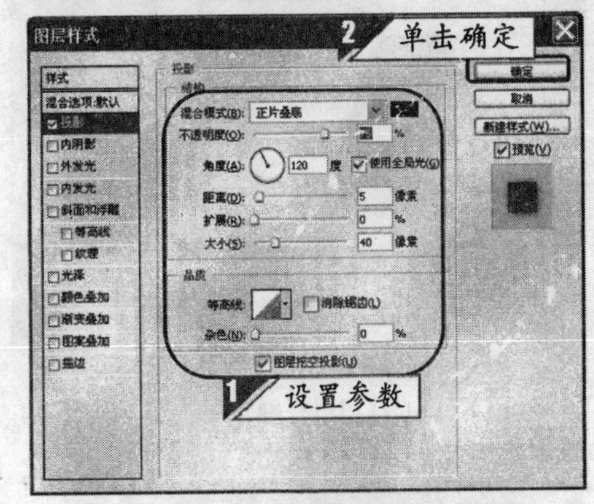

7.添加图层样式后得到如图所示的效果。

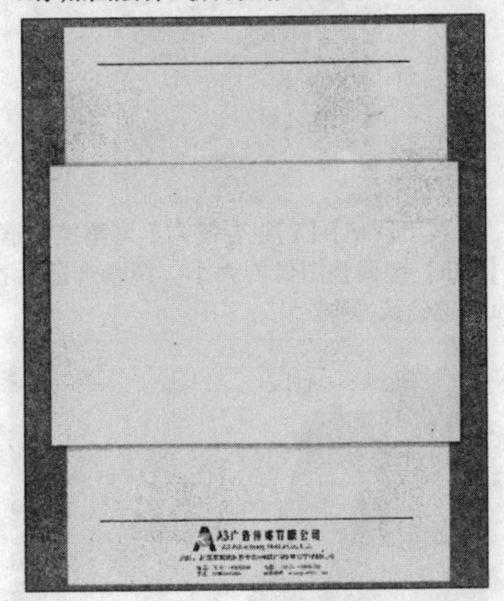

8. 打开本实例对应的素材文件 1103.tiff，选择【图层 1】图层。

9.选择【移动】工具，将素材文件1103.tiff中【图层1】图层图像拖动到文件1103.psd中。

10.按下【Ctrl】+【J】组合键复制图层，得到【图层5副本】图层。

11.按下【Ctrl】+【T】组合键调出调整控制框，按住【Shift】键调整图像的大小，调整合适后按下【Enter】键确认操作。

12.按住【Ctrl】键单击【图层5副本】图层的图层缩览图，将图像载入选区。

13.隐藏【图层5副本】图层。

14.选择【图层4】图层，单击【创建新图层】按钮，新建图层。

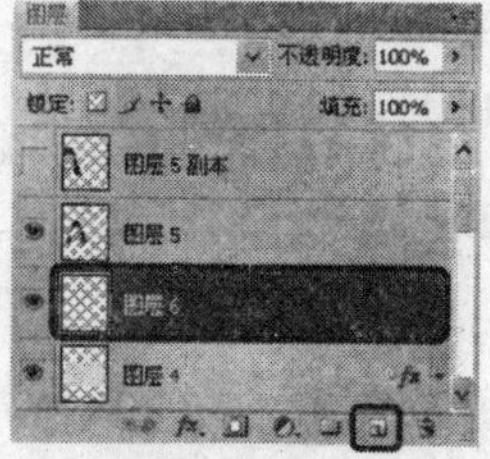

15.单击【设置前景色】颜色框，在弹出的【拾色器(前景色)】对话框中设置如图所示的参数，然后单击 确定 按钮。

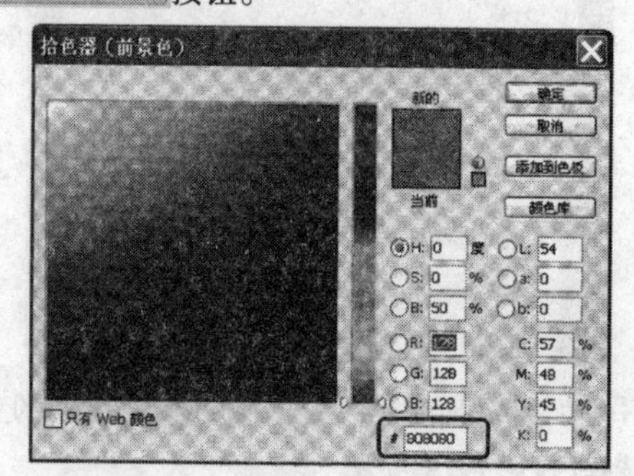

16.按下【Alt】+【Delete】组合键填充选区，按下【Ctrl】+【D】组合键取消选区。

17.在【图层】面板中的【不透明度】文本框中输入“8%”。

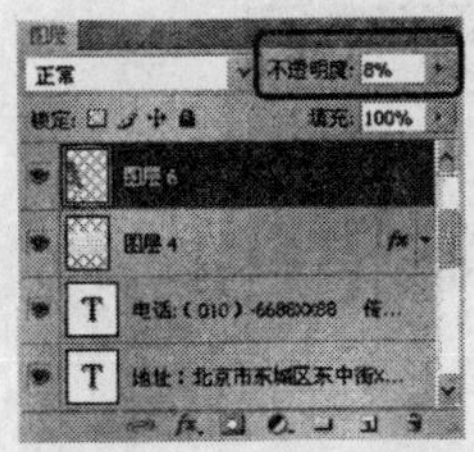

18.按下【Ctrl】+【Alt】+【G】组合键将该图层嵌入到下一图层中。

19.在【图层】面板中选择【图层 5】图层。

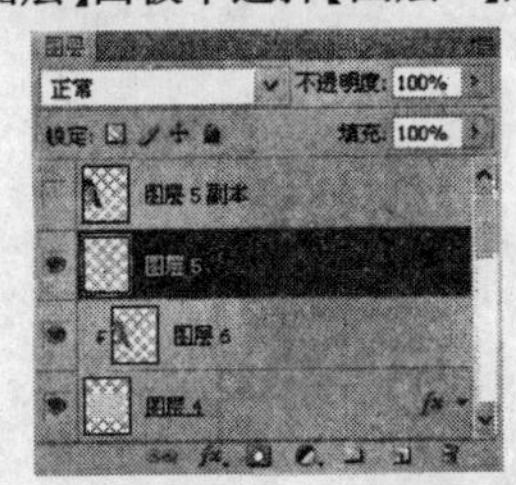

20.按下【Ctrl】+【T】组合键调出调整控制框，按住【Shift】键调整图像的大小，调整合适后按下【Enter】键确认操作。

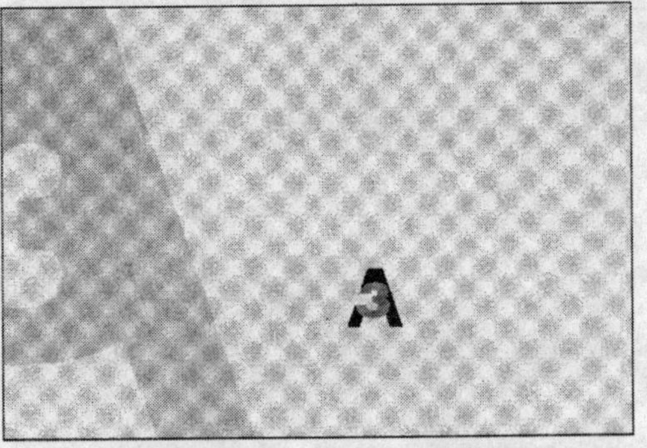

21.将前景色设置为黑色，选择【横排文字】工具 T，在工具选项栏的【设置字体系列】下拉列表中选择适当的字体，在【设置字体大小】下拉列表中设置如图所示的字号。

22.在图像中输入如图所示的文字，输入完成后单击工具选项栏中的【提交所有当前编辑】按钮 ✓，确认操作。

23.在工具选项栏的【设置字体系列】下拉列表中选择适当的字体，在【设置字体大小】下拉列表中设置如图所示的字号。

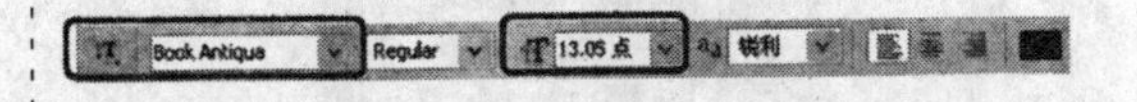

24.在图像中输入如图所示的文字，输入完成后单击工具选项栏中的【提交所有当前编辑】按钮 ✓，确认操作。

细节设计

1.选择【钢笔】工具 ,在工具选项栏中设置如图所示的选项。

2.在图像中绘制如图所示的矩形闭合路径。

3.将前景色设置为黑色,选择【画笔】工具 ,打开【画笔】面板,从中设置如图所示的参数。

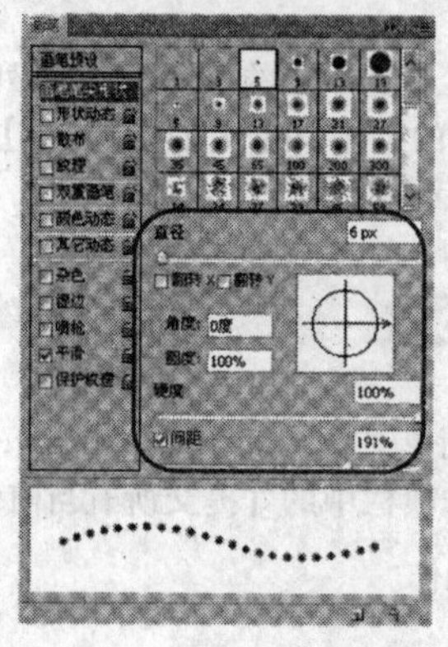

4.单击【创建新图层】按钮 ,新建图层。

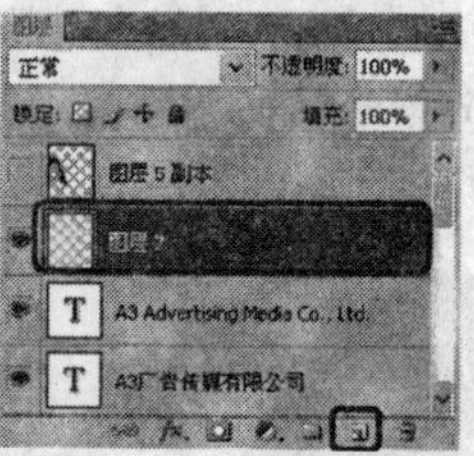

5.打开【路径】面板,按住【Alt】键单击【用画笔描边路径】按钮 ,弹出【描边路径】对话框,从中设置如图所示的选项,然后单击 确定 按钮。

6.单击【路径】面板的空白位置隐藏路径。

7.在【路径】面板中单击鼠标左键选中【工作路径】层。

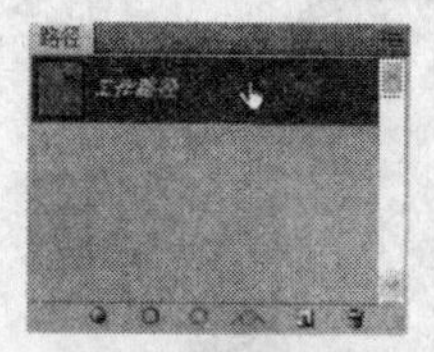

8.选择【路径选择】工具 ,选中图像中绘制的路径。

9.水平向右移动路径的位置,效果如图所示。

10.将前景色设置为黑色,选择【画笔】工具,打开【画笔】面板,从中设置如图所示的参数。

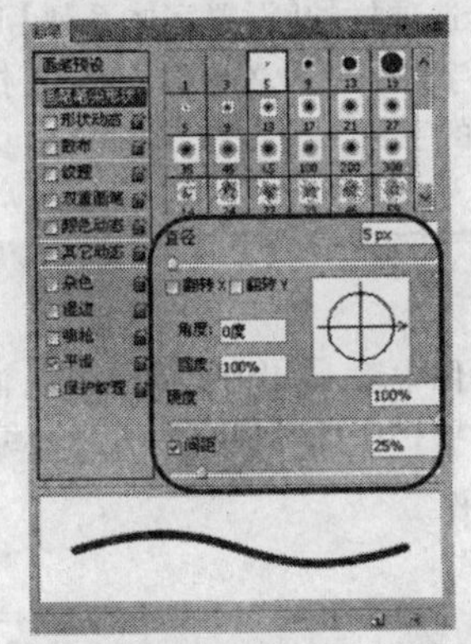

11.打开【路径】面板,按住【Alt】键单击【用画笔描边路径】按钮,弹出【描边路径】对话框,从中设置如图所示的选项,然后单击 确定 按钮。

12.单击【路径】面板的空白位置隐藏路径。

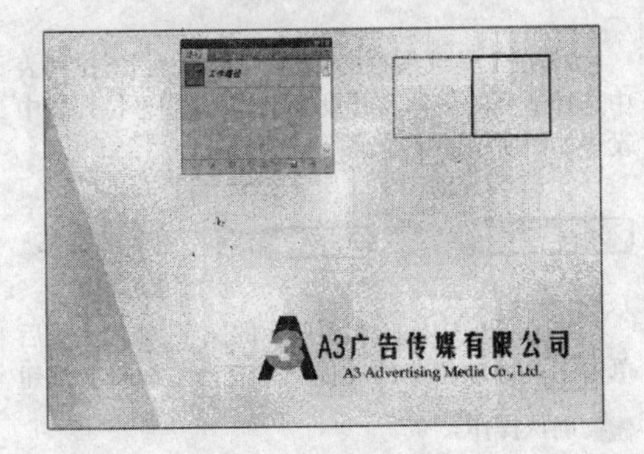

13.单击【创建新图层】按钮,新建图层。

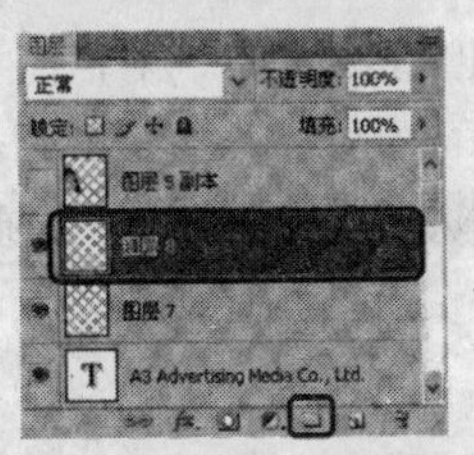

14.将前景色设置为黑色,选择【矩形】工具,在工具选项栏中设置如图所示的选项。

15.按住【Shift】键在图像中绘制如图所示的矩形。

16.在【图层】面板中的【填充】文本框中输入"0%"。

17.单击【添加图层样式】按钮,在弹出的菜单中选择【描边】菜单项。

18.在弹出的【图层样式】对话框中设置如图所示的参数，然后单击 确定 按钮。

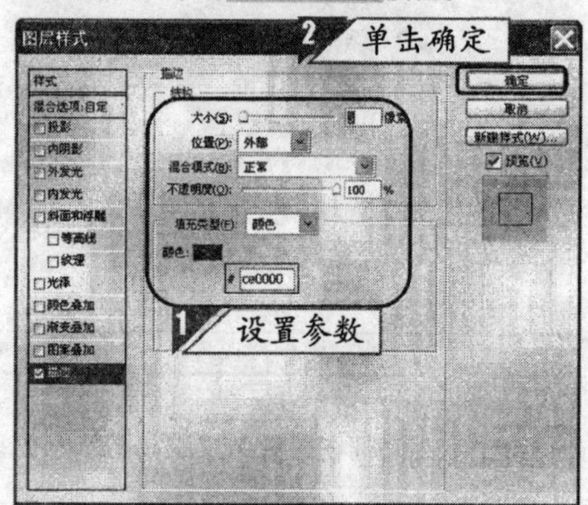

19.描边后得到如图所示的效果。

20.按下【Ctrl】+【J】组合键复制图层，得到【图层8副本】图层。

21.选择【移动】工具，将副本图层水平向右移动。

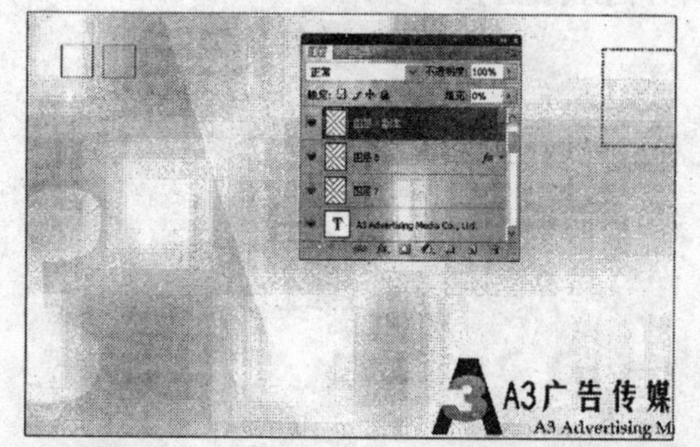

22.参照上述方法绘制其他线框，得到如图所示的效果。

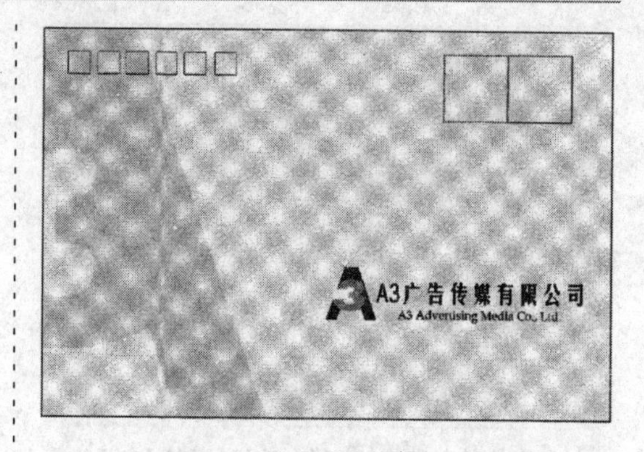

23.将前景色设置为黑色，选择【横排文字】工具，在工具选项栏的【设置字体系列】下拉列表中选择适当的字体，在【设置字体大小】下拉列表中设置如图所示的字号。

24.在图像中输入如图所示的文字，输入完成后单击工具选项栏中的【提交所有当前编辑】按钮，确认操作。

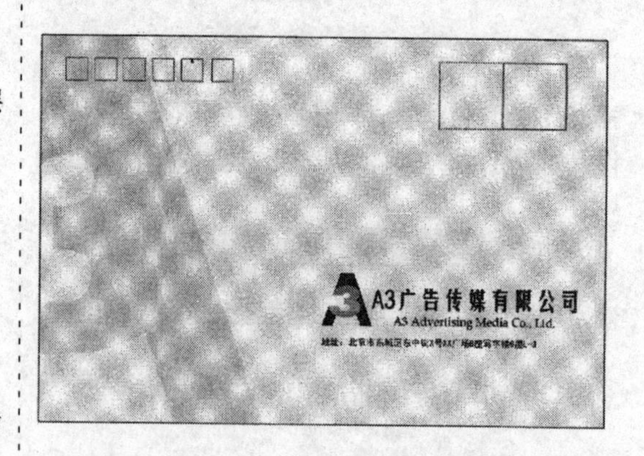

25.在工具选项栏的【设置字体系列】下拉列表中选择适当的字体，在【设置字体大小】下拉列表中设置如图所示的字号。

26.在图像中输入如图所示的文字，输入完成后单击工具选项栏中的【提交所有当前编辑】按钮，确认操作。

27.单击工具选项栏中的【设置文本颜色】颜色框，在弹出的【选择文本颜色】对话框中设置如图所示的参数，然后单击 确定 按钮。

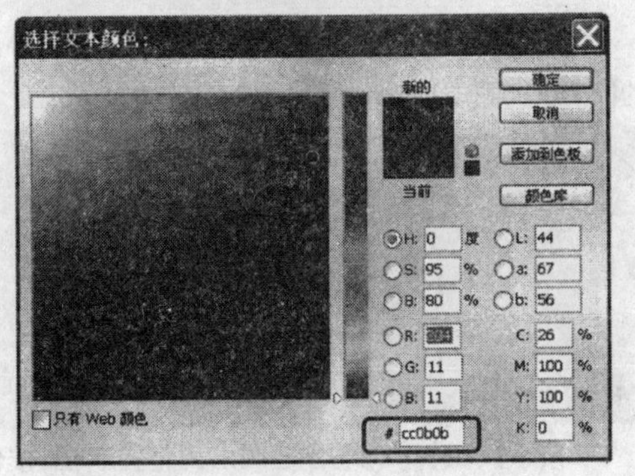

28.在工具选项栏中的【设置字体系列】下拉列表中选择适当的字体，在【设置字体大小】下拉列表中设置如图所示的字号。

29.在图像中输入如图所示的文字，输入完成后单击工具选项栏的【提交所有当前编辑】按钮，确认操作，得到如图所示的效果。

11.3 室外广告设计

本节主要介绍如何应用文字工具以及滤镜功能等制作室外广告作品。

▲ 最终效果

1.按下【Ctrl】+【N】组合键弹出【新建】对话框，在该对话框中设置如图所示的参数，然后单击 确定 按钮。

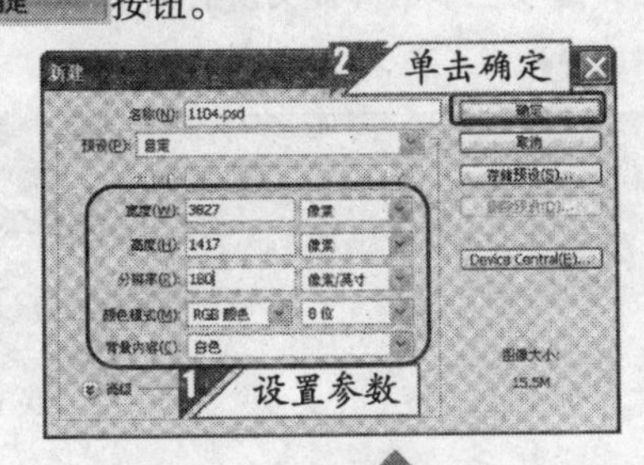

2.单击【设置前景色】颜色框，在弹出的【拾色器(前景色)】对话框中设置如图所示的参数，然后单击 确定 按钮。

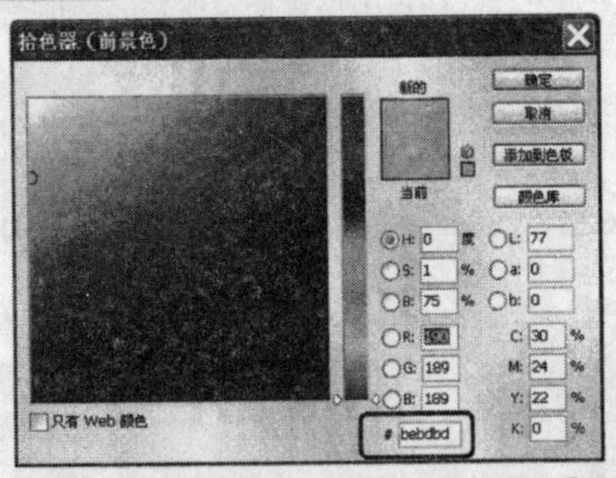

3.单击【设置背景色】颜色框，在弹出的【拾色器(背景色)】对话框中设置如图所示的参数，然后单击 确定 按钮。

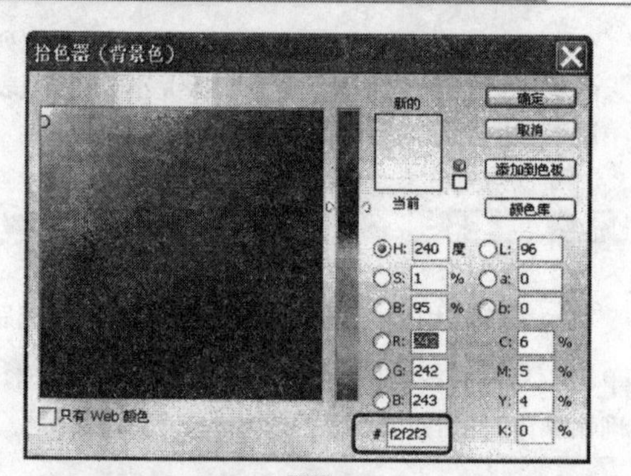

4.选择【渐变】工具，在工具选项栏中单击【渐变编辑器】颜色条，弹出【渐变编辑器】对话框，从中设置如图所示的参数，然后单击 确定 按钮。

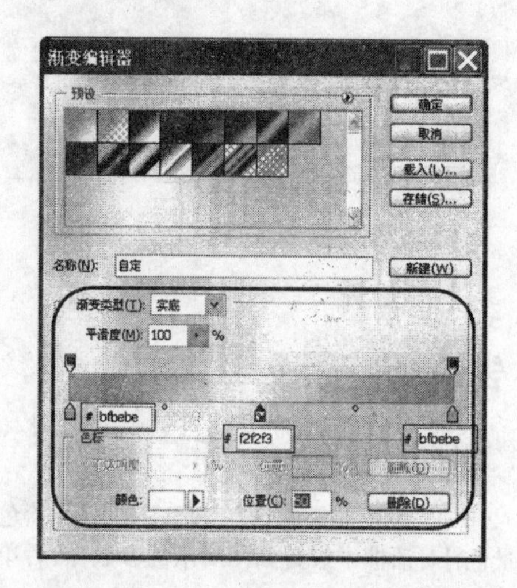

5.在工具选项栏中设置如图所示的选项。

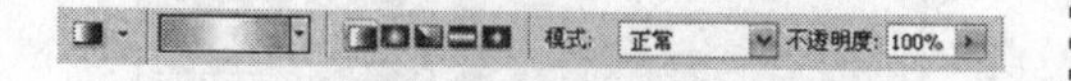

6.按住【ShiR】键在图像中由左边缘至右边缘水平拖动鼠标，添加渐变效果。

7. 打开本实例对应的素材文件 1104.tiff，选择【图层 1】图层。

8.选择【移动】工具，将素材文件 1104.tiff 中的【图层 1】图层拖动到文件 1104.psd 中。

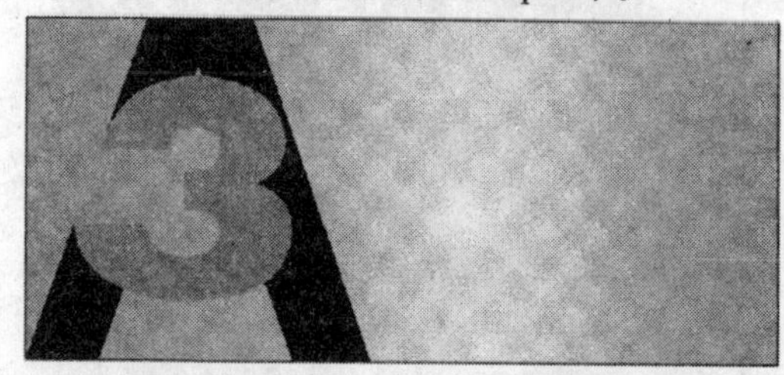

9.按下【Ctrl】+【T】组合键调出调整控制框，按住【Shift】键调整图像大小，调整合适后按下【Enter】键确认操作。

10.将前景色设置为黑色，选择【横排文字】工具，在工具选项栏的【设置字体系列】下拉列表中选择适当的字体，在【设置字体大小】下拉列表中设置如图所示的字号。

11.在图像中输入如图所示的文字，输入完成后单击工具选项栏中的【提交所有当前编辑】按钮，确认操作。

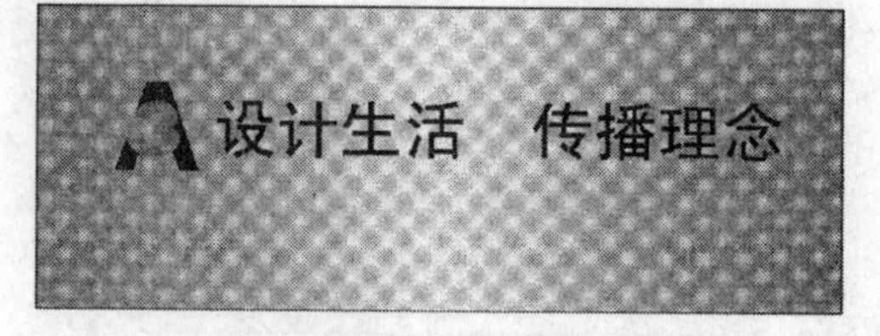

12.按下【Ctrl】+【J】组合键复制图层，得到文本图层的副本图层。

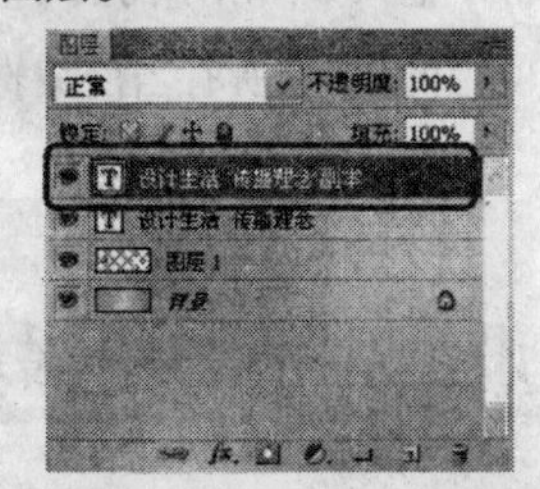

13.在【图层】面板中选择文本图层。在该图层上单击鼠标右键，在弹出的菜单中选择【栅格化文字】菜单项。

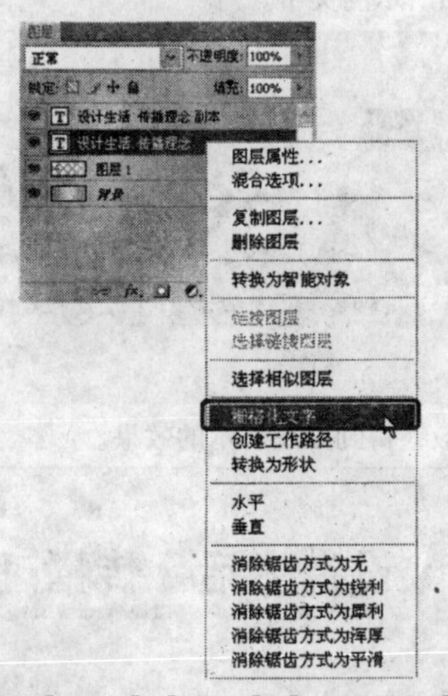

14.选择【滤镜】>【模糊】>【动感模糊】菜单项，弹出【动感模糊】对话框，从中设置如图所示的参数，然后单击 确定 按钮。

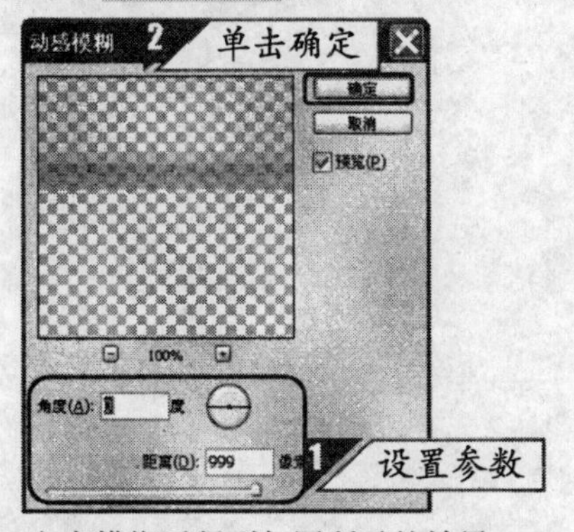

15.文字模糊后得到如图所示的效果。

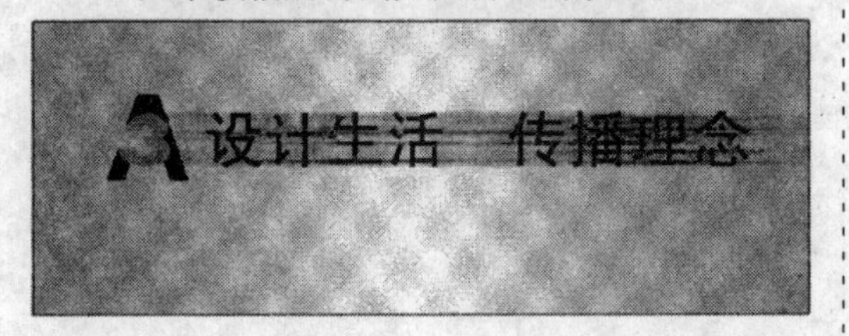

16.在【图层】面板中的【不透明度】文本框中输入“50%”。

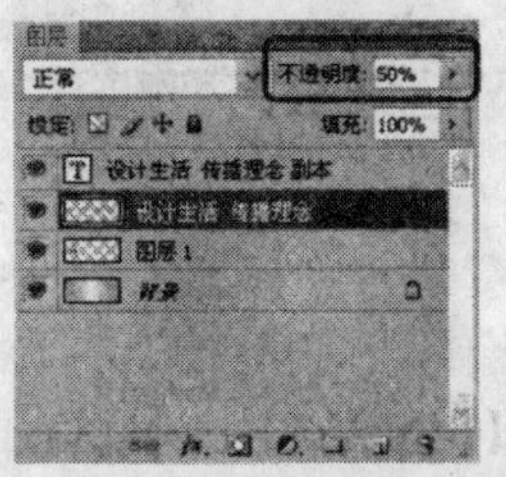

17.设置不透明度后得到如图所示的效果。

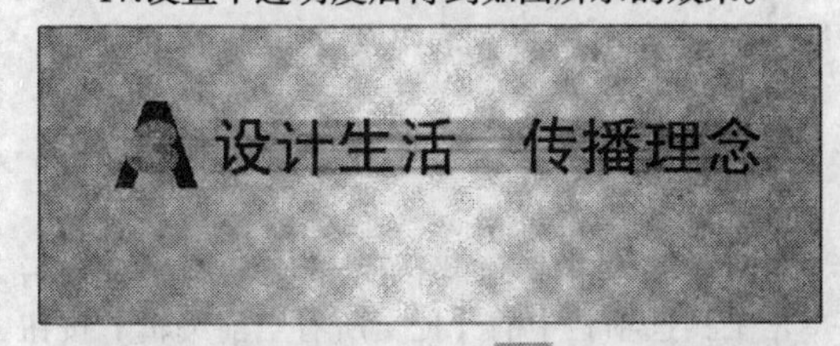

18.选择【横排文字】工具 T，在工具选项栏的【设置字体系列】下拉列表中选择适当的字体，在【设置字体大小】下拉列表中设置如图所示的字号。

19.在图像中输入如图所示的文字，输入完成后单击工具选项栏中的【提交所有当前编辑】按钮 ✓，确认操作。

20.按下【Ctrl】+【J】组合键复制图层，得到文本图层的副本图层。

21.参照 13~16 操作步骤中的方法模糊文字，得到如图所示的效果。

22.将【图层 1】图层移至最顶层。

23.选择【横排文字】工具 T ,在工具选项栏的【设置字体系列】下拉列表中选择适 "–3 的字体,在【设置字体大小】下拉列表中设置如图所示的字号。

24.在图像中输入如图所示的文字,输入完成后单击工具选项栏中的【提交所有当前编辑】按钮 ✓ ,确认操作。

25.在工具选项栏的【设置字体系列】下拉列表中选择适当的字体,在【设置字体大小】下拉列表中设置如图所示的字号。

26.在图像中输入如图所示的文字,输入完成后单击工具选项栏的【提交所有当前编辑】按钮 ✓ ,确认操作。

27.参照 23 ~ 26 操作步骤中的方法在标志下方输入如图所示的文字。

28.最终得到如图所示的效果。

第 12 章　商业案例

随着商业领域的不断扩展，Photoshop 软件也不断更新版本，并逐渐成为商业广告设计的好帮手，本章主要介绍 Photoshop 软件在商业领域的应用。

12.1　实例——珠宝广告

本实例主要介绍应用图像调整命令以及文字功能等，使用人物照片和首饰素材制作高贵典雅的饰品广告的操作过程。

▲ 最终效果

1.打开本实例对应的素材文件 1201jpg 和 1201.tiff。

2.选择【移动】工具，将素材文件 1201.tiff 中的【光点】图层图像拖动到素材文件 12010pg 中，并调整光点的位置。

3.选择素材文件 1201.tiff，选中【人物】图层。

4.选择【移动】工具，将素材文件 1201.tiff 中的【人物】图层像拖动到素材文件 1201jpg 中，并调整光点的位置。

5.选择【图层】▶【调整】▶【色相 / 饱和度】菜单项，弹出【色相 / 饱和度】对话框，从中设置如图所示的选项。选择【吸管】工具，在图像中人物的白纱上单击吸取颜色，然后设置相关参数，单击 确定 按钮。

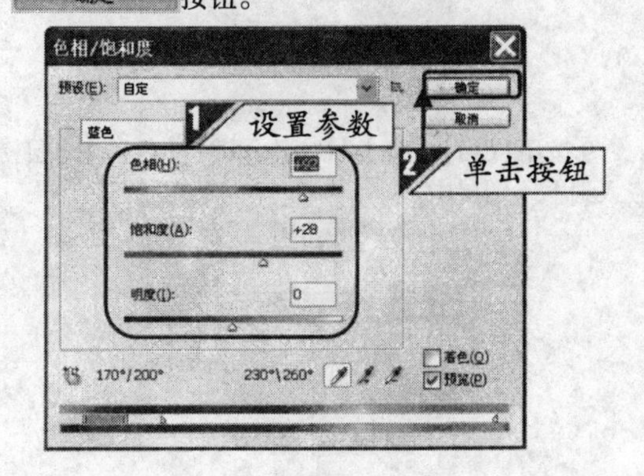

6.得到如图所示的效果。

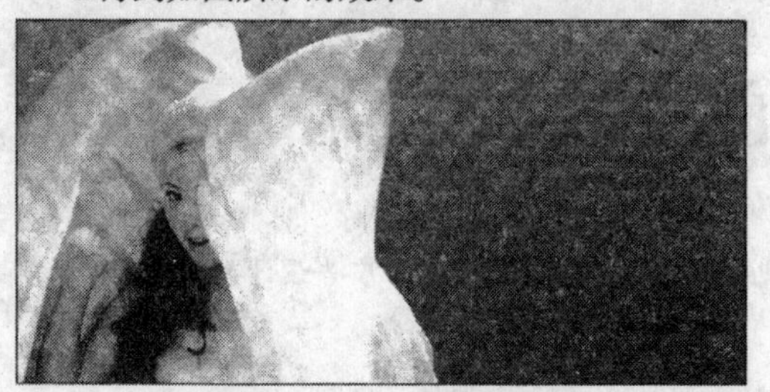

7.单击【图层】面板中的【创建新的填充或调整图层】按钮 ，在弹出的菜单中选择【色阶】菜单项。

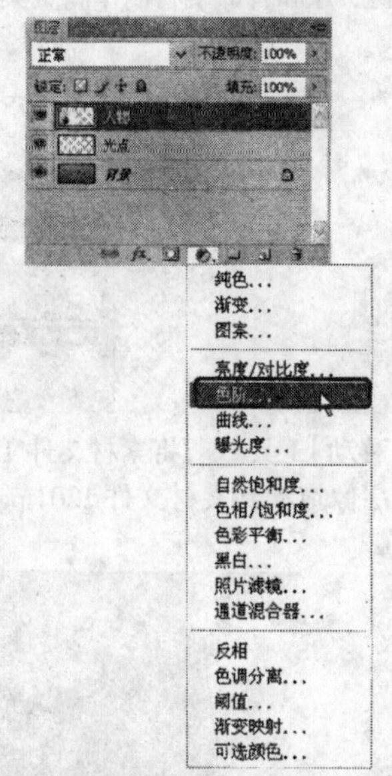

8.在【色阶】调板中设置如图所示的参数。

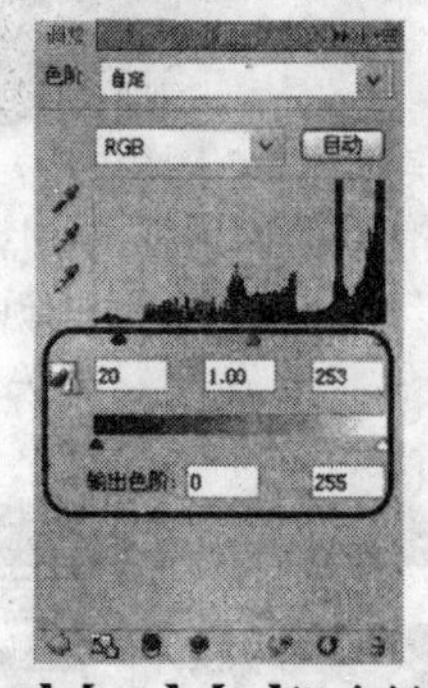

9.按下【Ctrl】+【Alt】+【G】组合键将【色阶】图层嵌入到下一图层中。

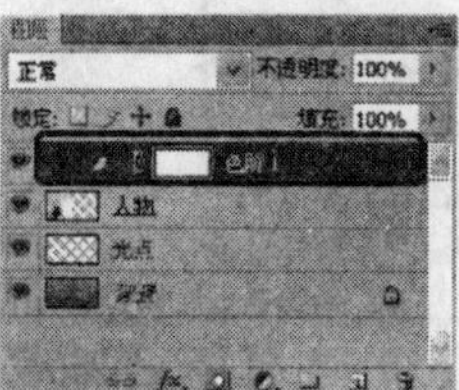

10.单击【图层】面板中的【创建新的填充或调整图层】按钮 ，在弹出的菜单中选择【色相 / 饱和度】菜单项。

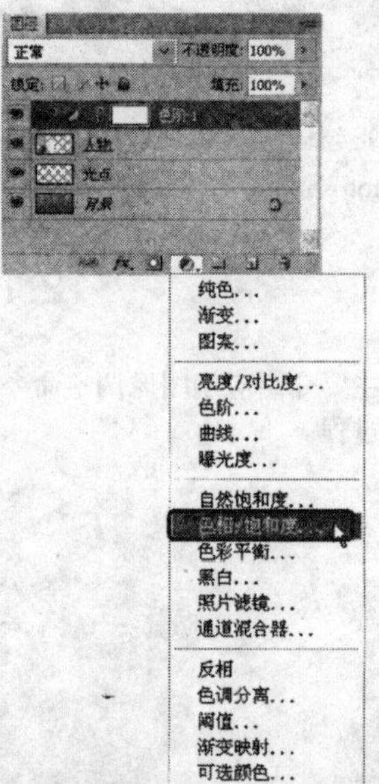

11.在【色相 / 饱和度】调板中设置如图所示的参数。

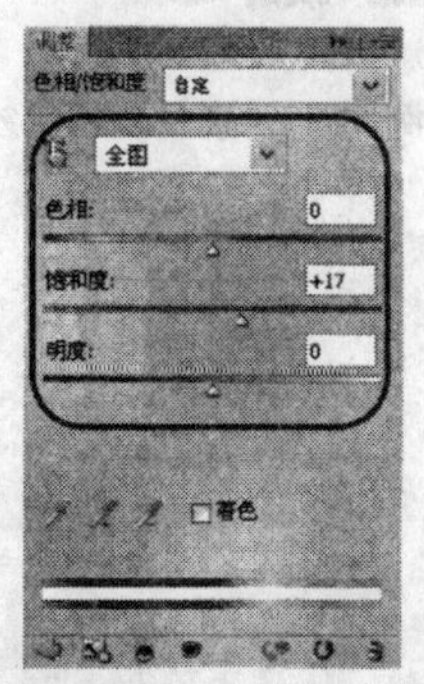

12.单击【图层】面板中的【创建新的填充或调整图层】按钮 ，在弹出的菜单中选择【色彩平衡】菜单项。

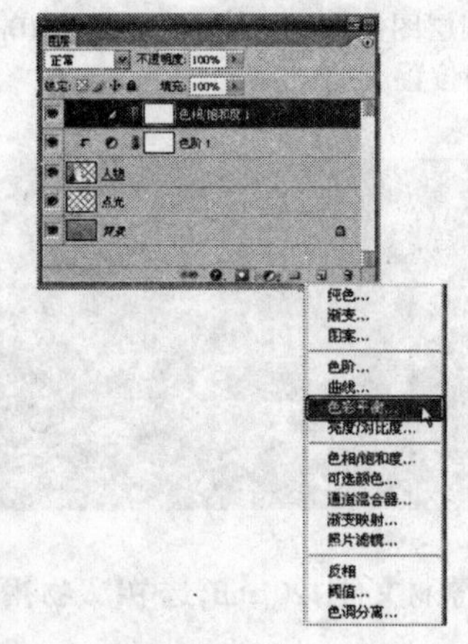

13.在【色彩平衡】调板中选中【阴影】单选钮，设置如图所示的参数。

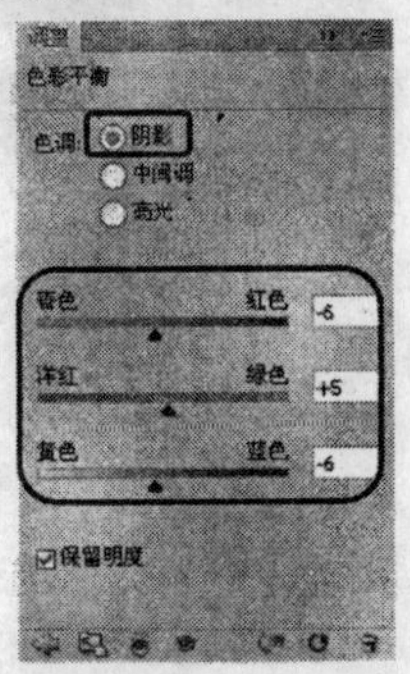

14.在【色彩平衡】调板中选中【高光】单选钮，设置如图所示的参数。

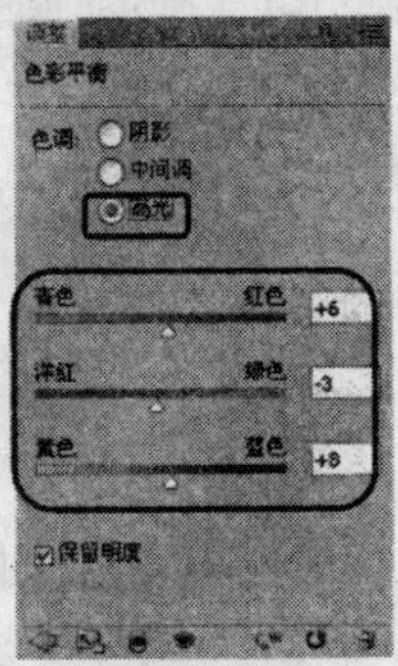

15.选择【人物】图层，单击【添加图层蒙版】按钮，为该图层添加图层蒙版。

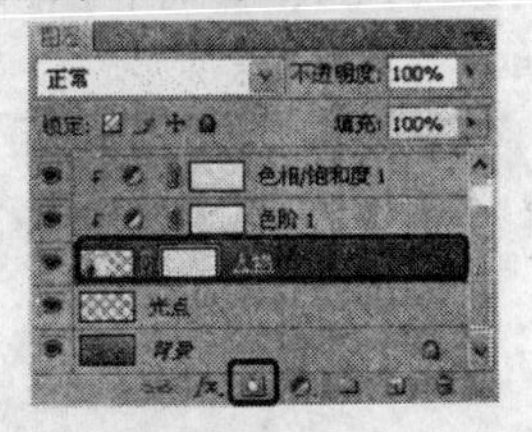

16.选择【画笔】工具，将前景色设置为黑色，在工具选项栏中设置如图所示的参数。

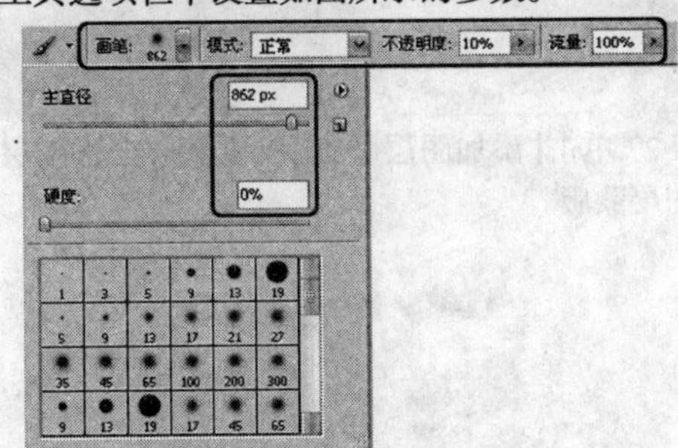

17.在图像中涂抹人物衣服的边缘，将部分图像适当隐藏。

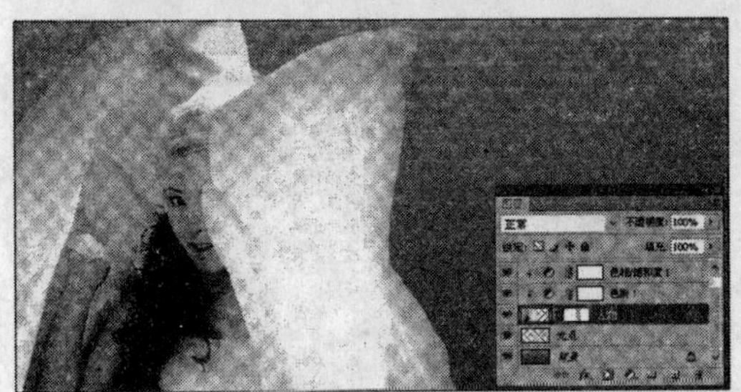

18.选择【色彩平衡 1】图层。

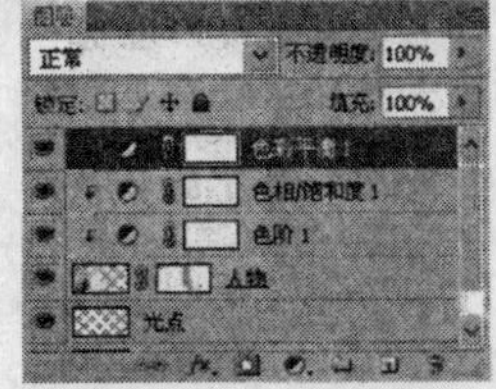

19.打开本实例对应的素材文件 1201.tiff，选择【戒指】图层，使用【移动】工具将其拖动到素材文件 1201.jpg 中，按下【Ctrl】+【Alt】+【G】组合键，将该图层取消嵌入，使调整命令应用于整个画面。

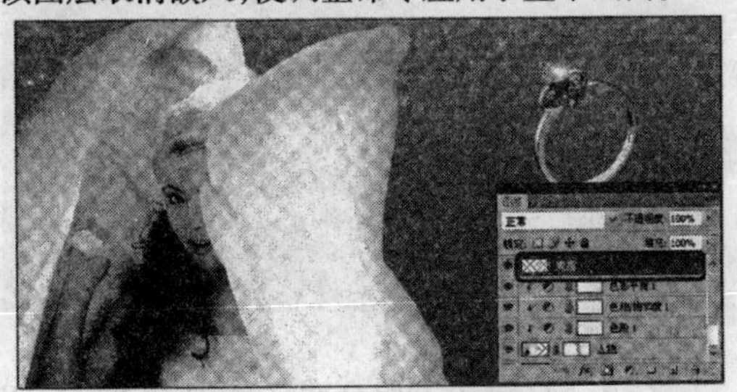

20.单击【添加图层样式】按钮，在弹出的菜单中选择【外发光】菜单项。

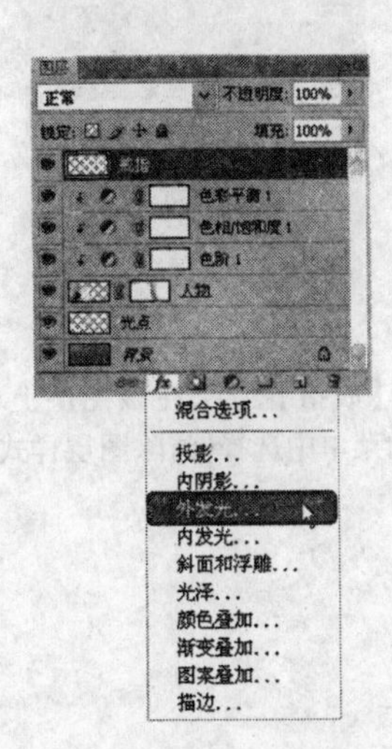

21.在弹出的【图层样式】对话框中设置如图所示的参数，然后单击 确定 按钮。

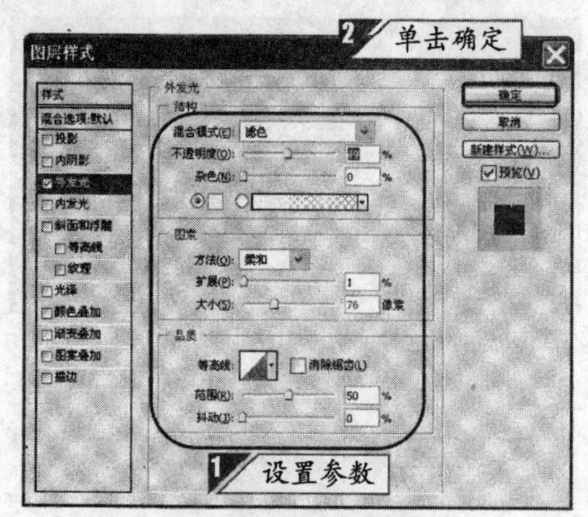

22.得到如图所示的效果。

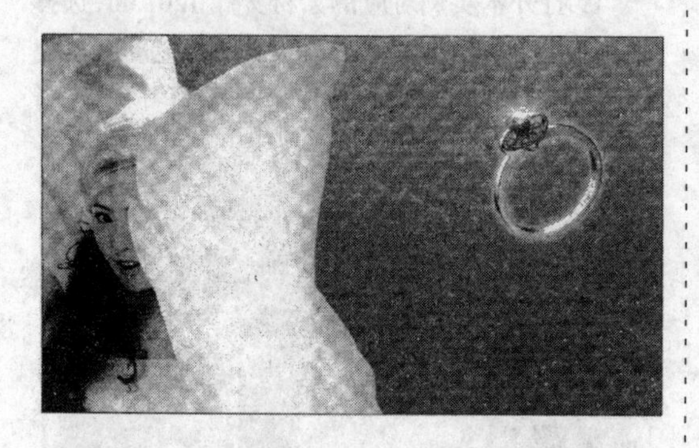

23.按下【Ctrl】+【J】组合键复制【戒指】图层,得到【戒指副本】图层。

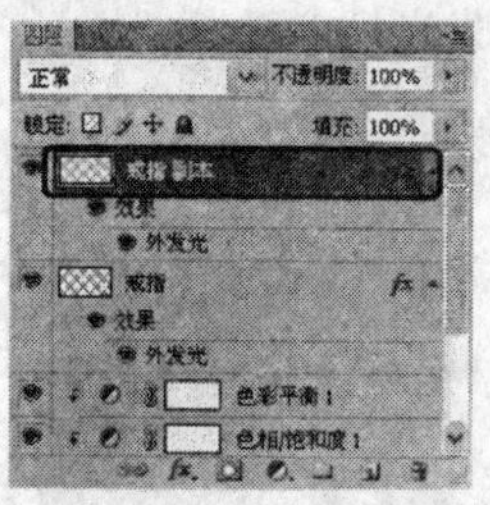

24.选择【戒指】图层,在该图层上单击鼠标右键,在弹出的菜单中选择【清除图层样式】菜单项。

25.选择【编辑】>【变换】>【垂直翻转】菜单项,将图像垂直翻转。

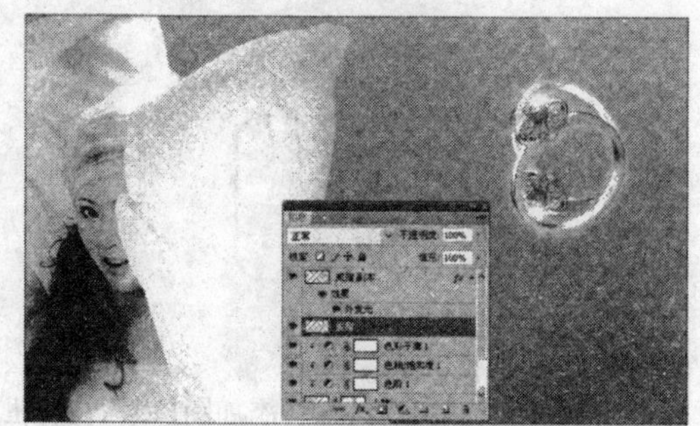

26.使用【移动】工具 向下移动戒指的位置,效果如图所示。

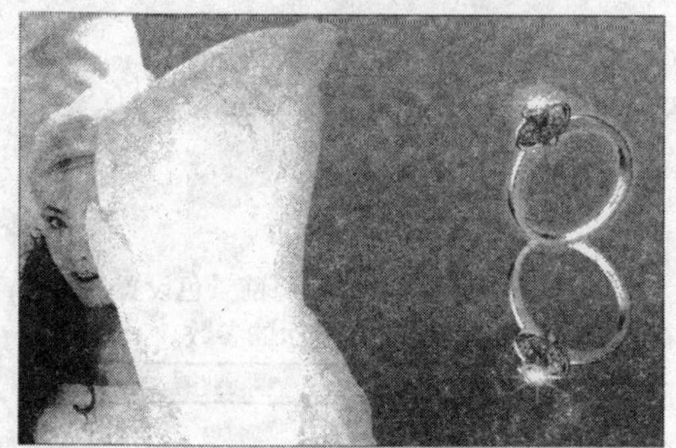

27.单击【添加图层蒙版】按钮 ,为该图层添加图层蒙版。

28.将前景色设置为黑色，选择【渐变】工具，在工具选项栏中设置如图所示的选项。

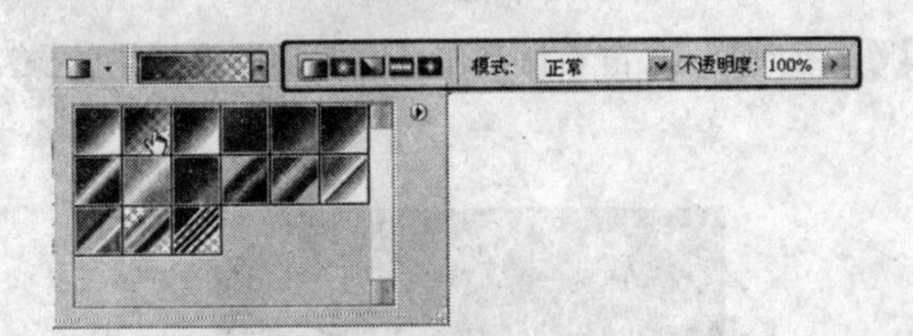

29.按住【Shift】键在图像中后部由下至上添加渐变，制作倒影效果。

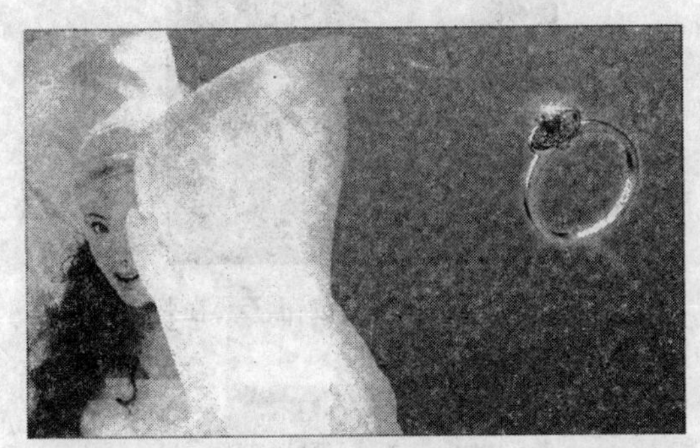

30.打开素材文件1201.tiff，选择【心形】图层。

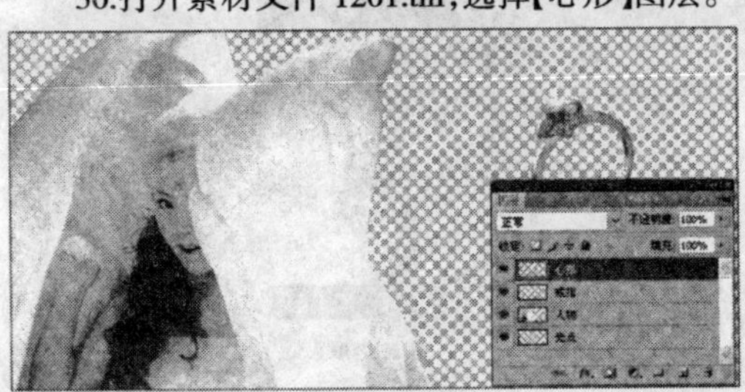

31.使用【移动】工具将【心形】图层图像拖动到素材文件1201.jpg中，并调整图像的位置，效果如图所示。

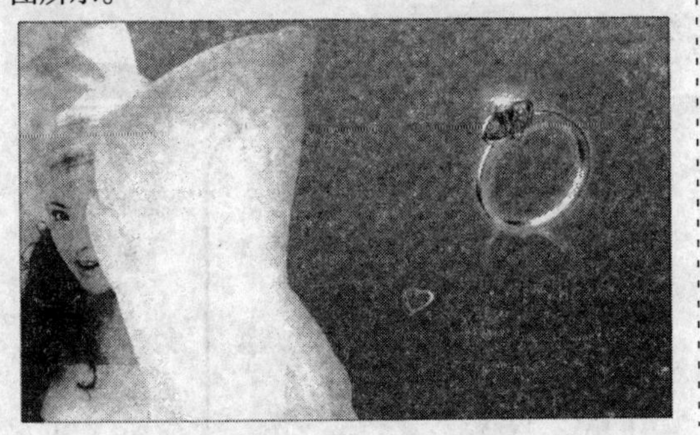

32.将前景色设置为白色，选择【横排文字】工具，在工具选项栏中设置适当的字体及字号。

33.在图像中输入如图所示的文字，单击工具选项栏中的【提交所有当前编辑】按钮，确认操作。

34.参照上述方法，在图像中输入其他文字，最终得到如图所示的效果。

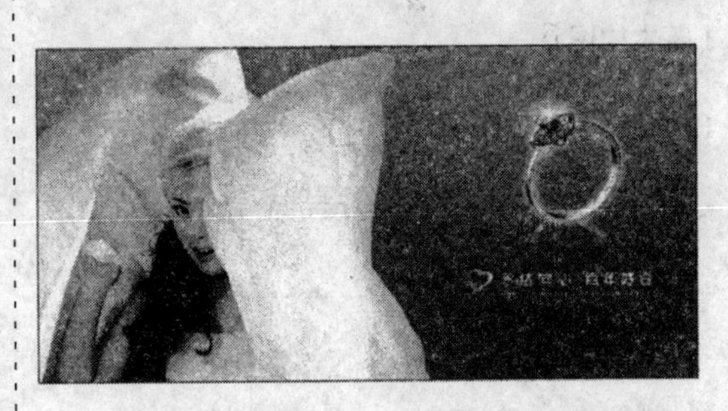

12.2 实例——电影海报

本实例主要介绍应用【图层样式】以及【色彩调整】等命令，使用宇宙素材制作科幻电影海报效果的操作过程。

▲ 素材文件与最终效果对比

1.基本构图

1. 打开本实例对应的素材文件 1202dpg 和 1202.tiff。

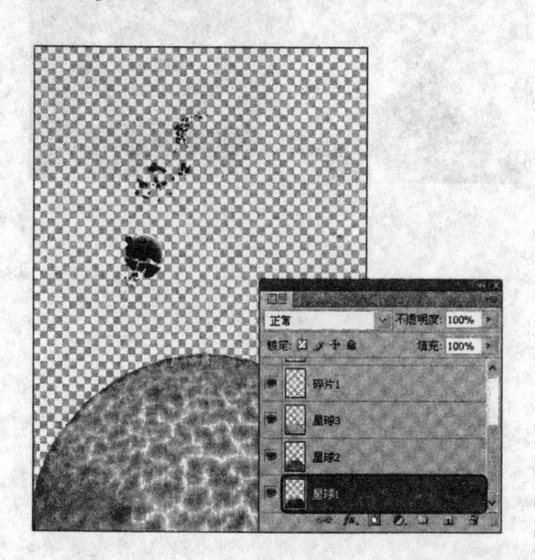

2.使用【移动】工具将素材文件 1202.tiff 中【星球 1】图层图像拖动到 1202.jpg 中，并适当调整星球的位置，效果如图所示。

3.单击【添加图层样式】按钮 fx，在弹出的菜单中选择【外发光】菜单项。

4.弹出【图层样式】对话框，参数设置如图所示，然后单击 确定 按钮。

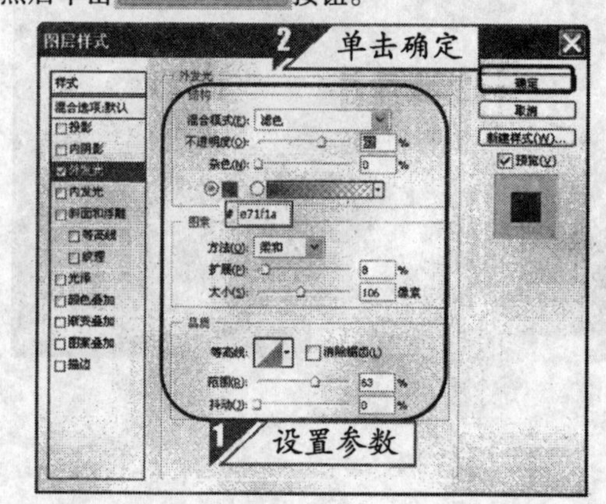

5. 单击【创建新的填充或调整图层】按钮 ,在弹出的菜单中选择【亮度 / 对比度】菜单项。

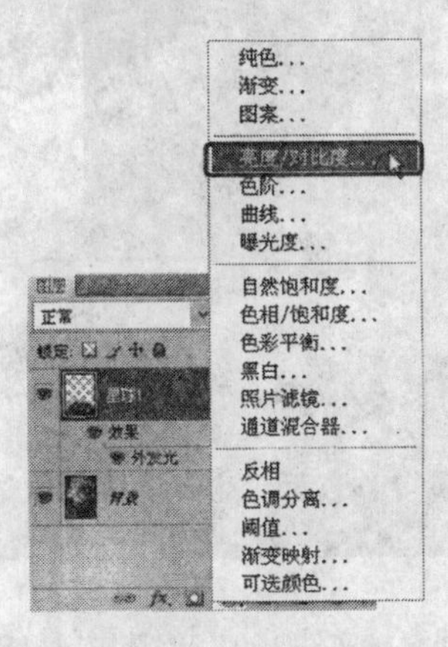

6.在【亮度 / 对比度】面板中设置如图所示的参数。

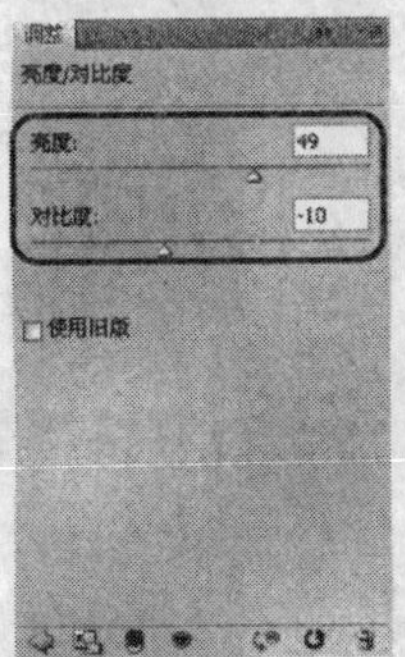

7.按下【Ctrl】+【Aft】+【G】组合键将调整图层嵌入到下一图层中。

8.单击【创建新的填充或调整图层】按钮 ,在弹出的菜单中选择【色相 / 饱和度】菜单项。

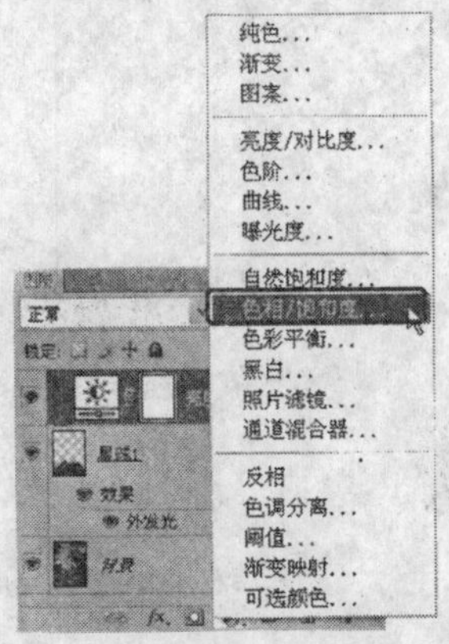

9.在【色相 / 饱和度】面板中设置如图所示的参数。

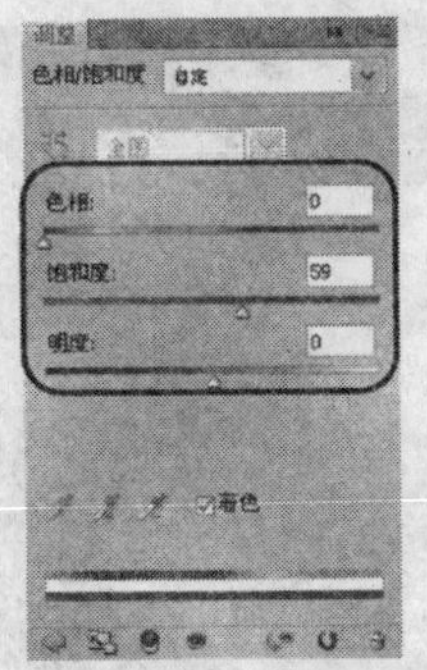

10.按下【Ctrl】+【Alt】+【G】组合键将调整图层嵌入到下一图层中。

11.打开素材文件 1202.tiff,选中【星球 2】图层。

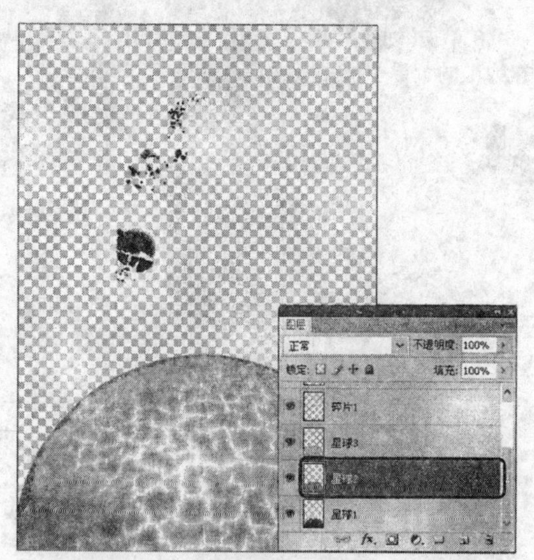

12.使用【移动】工具将【星球 2】图层图像拖动到素材文件 1202.jpg 中。

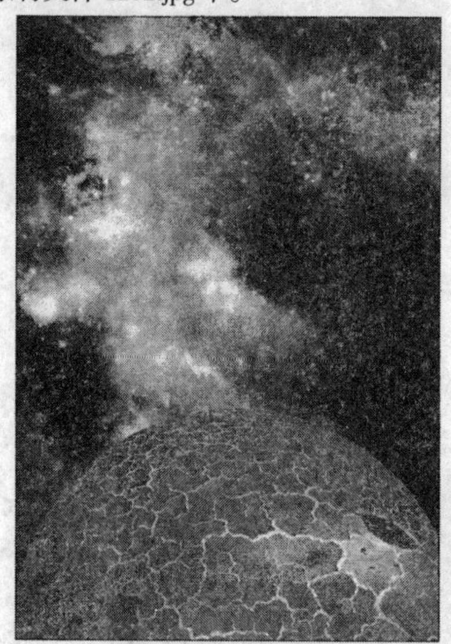

13.按下【Ctrl】+【Alt】+【G】组合键取消嵌入。

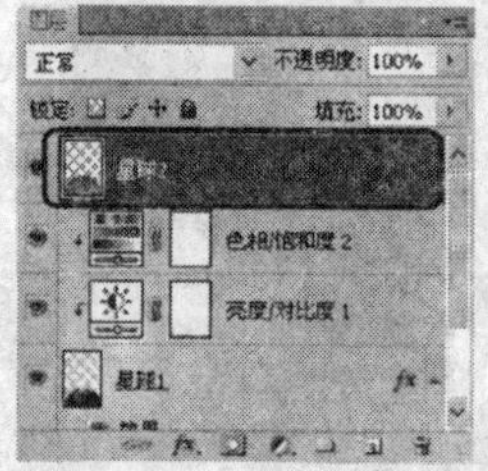

14.在【设置图层的混合模式】下拉列表中选择【叠加】选项。

15.打开素材文件 1202.tiff,选中【星球 3】图层。

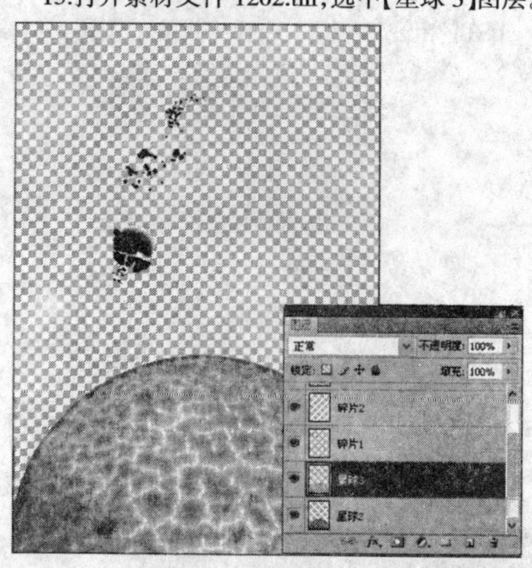

16.使用【移动】工具将【星球 3】图层图像拖动到素材文件 1202.jpg 中。

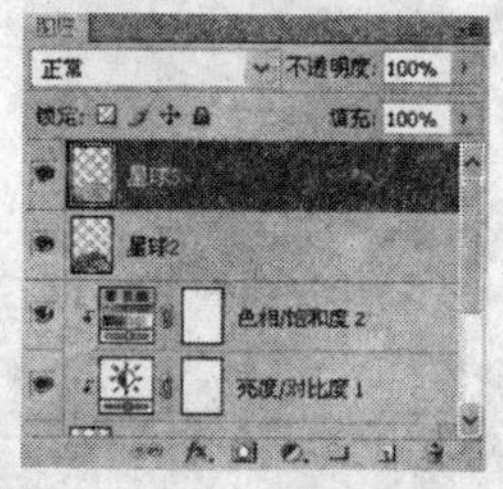

17.在【设置图层的混合模式】下拉列表中选择【叠加】选项。

18. 单击【创建新的填充或调整图层】按钮 ，在弹出的菜单中选择【亮度 / 对比度】菜单项。

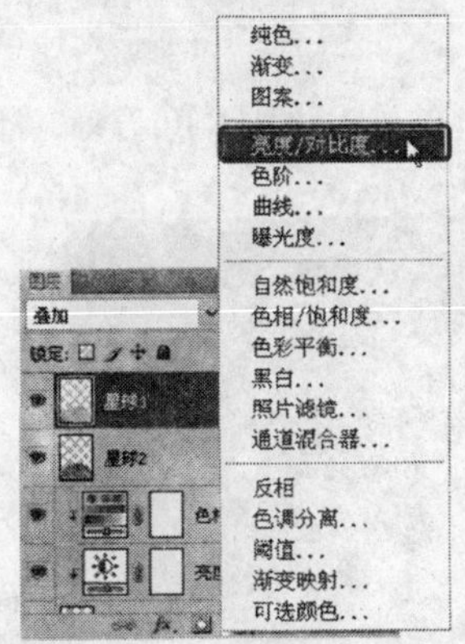

19.雀【亮度 / 对比度】面板中设置如图所示的参数。

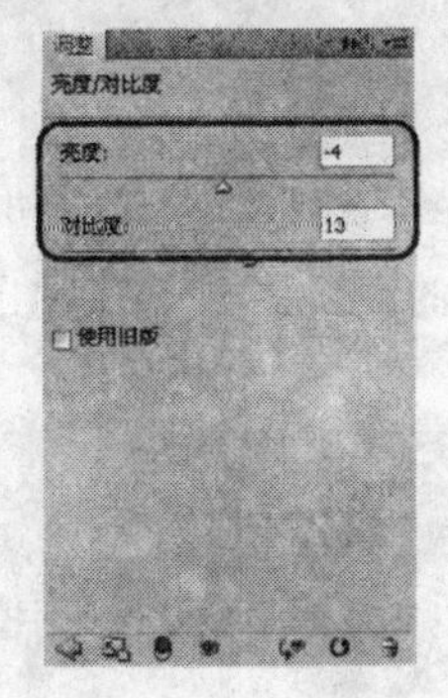

20.打开素材文件 1202.tiff，选中【碎片 4】图层。

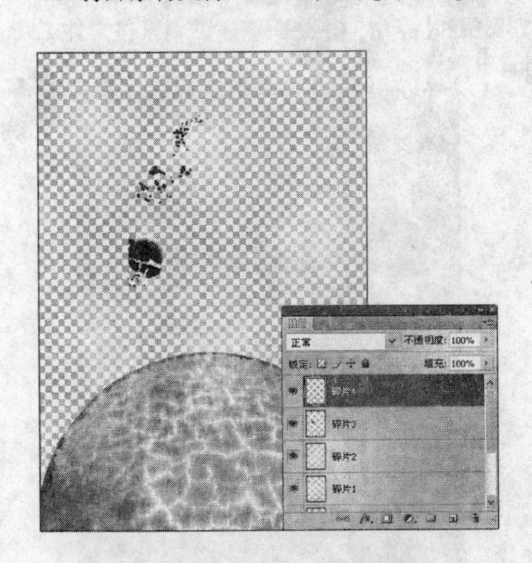

21.使用【移动】工具将【碎片 4】图层图像拖动到素材文件 1202.jpg 中。

22.打开本实例对应的素材文件 1202.tiff，按住【Ctrl】键分别单击【碎片 1】图层、【碎片 2】图层和【碎片 3】图层，将其选中。

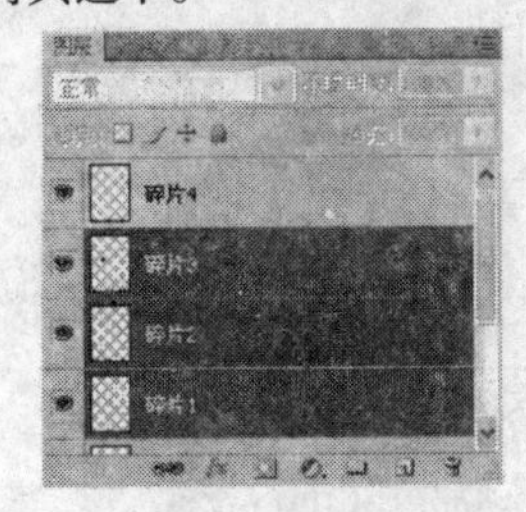

23.使用【移动】工具将【碎片 1】图层、【碎片 2】图层和【碎片 3】图层图像拖动到素材文件 1202.jpg 中。

2.色彩调整

1.单击【添加图层样式】按钮，在弹出的菜单中选择【外发光】菜单项。

2.在弹出的【图层样式】对话框中设置如图所示的参数，然后单击 确定 按钮。

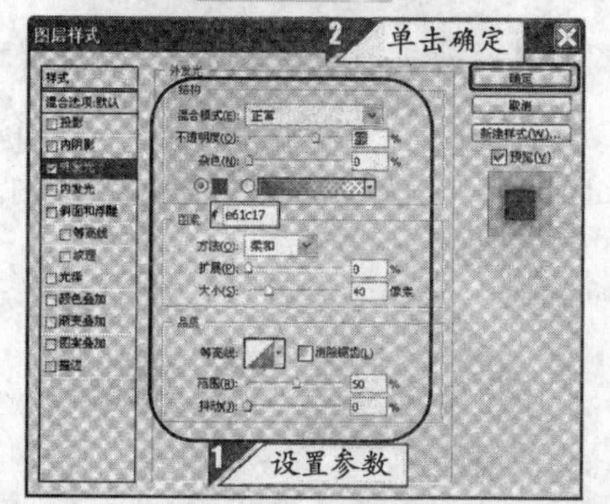

3.单击【创建新的填充或调整图层】按钮，在弹出的菜单中选择【色相/饱和度】菜单项。

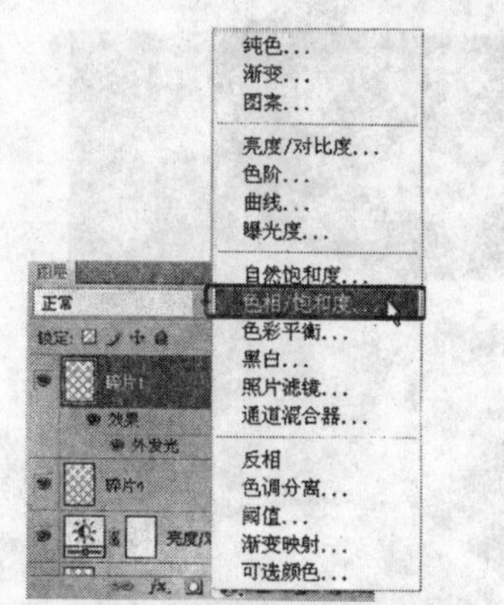

4.在【色相/饱和度】面板中设置如图所示的参数。

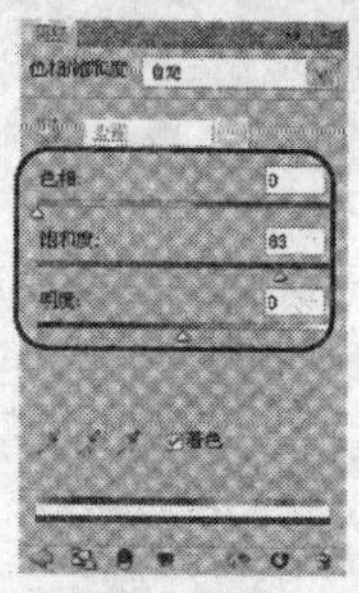

5.按下【Ctrl】+【Aft】+【G】组合键，将调整图层嵌入到下一图层中。

6.选择【碎片 2】图层，单击【添加图层样式】按钮，在弹出的菜单中选择【外发光】菜单项。

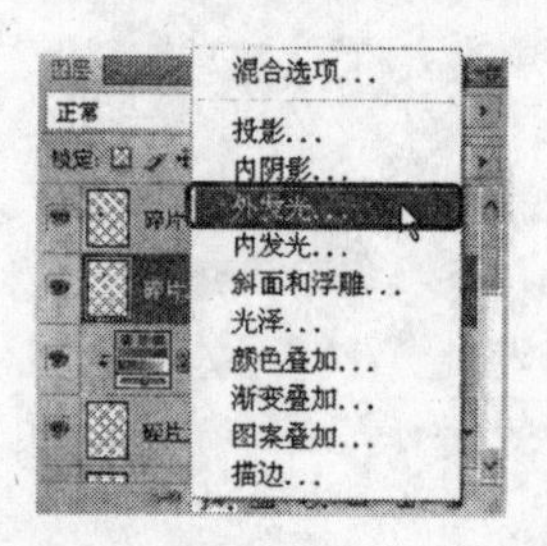

7.弹出【图层样式】对话框，参数设置如图所示，然后单击 确定 按钮。

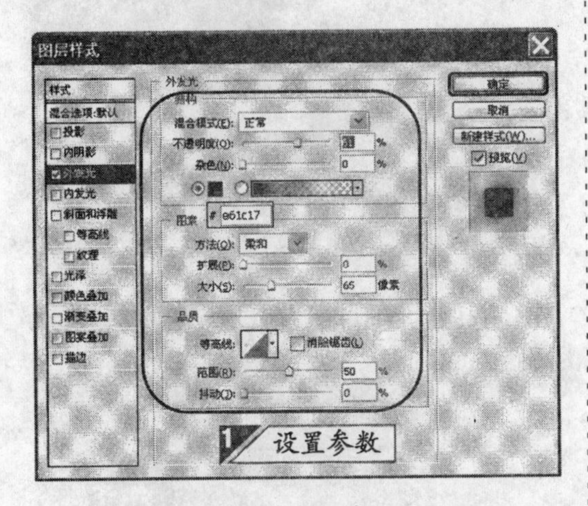

8.添加图层样式后得到如图所示的效果。

9.单击【创建新的填充或调整图层】按钮 ，在弹出的菜单中选择【色相 / 饱和度】菜单项。

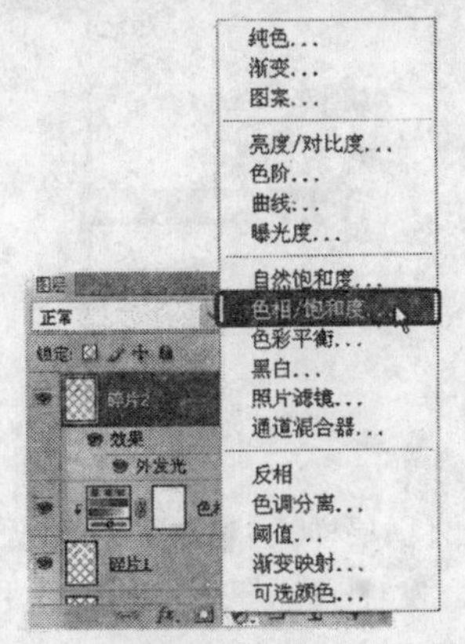

10.在【色相 / 饱和度】面板中设置如图所示的参数。

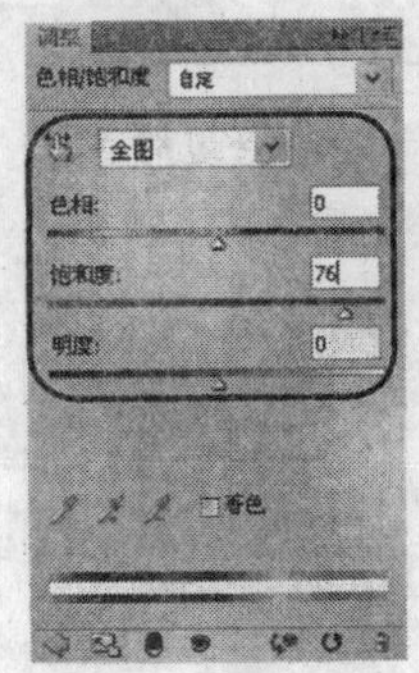

11.按下【Ctrl】+【Alt】+【G】组合键将调整图层嵌入到下一图层中。

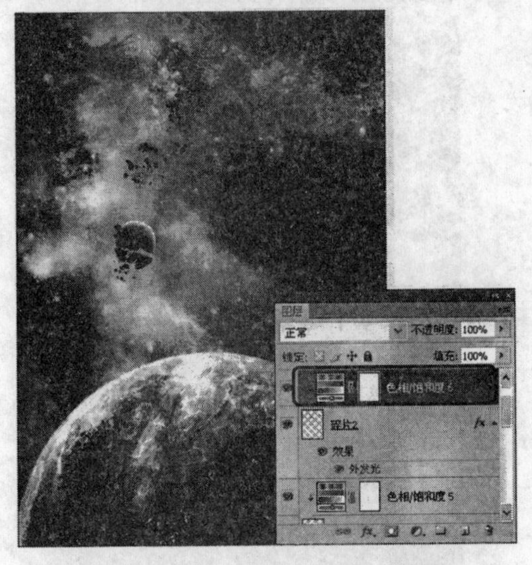

12.选择【碎片 3】图层，单击【添加图层样式】按钮 fx，在弹出的菜单中选择【外发光】菜单项。

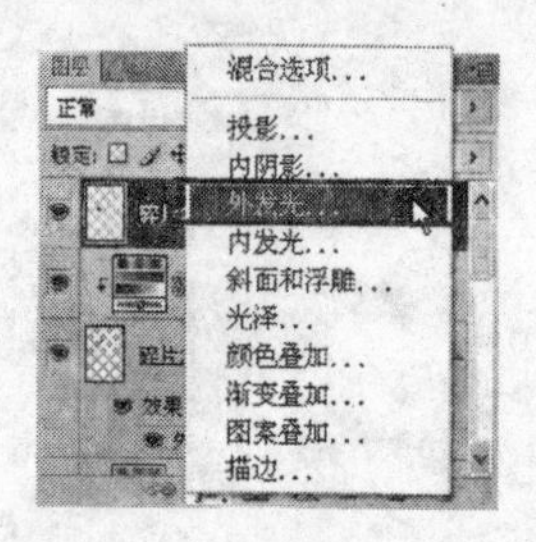

13.弹出【图层样式】对话框，参数设置如图所示，然后单击 确定 按钮。

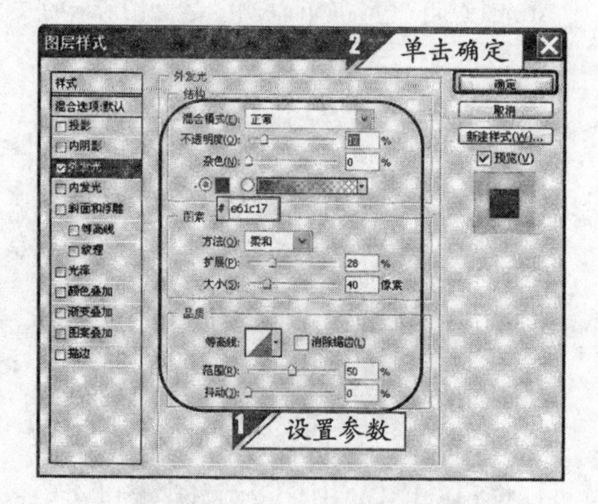

14.添加图层样式后得到如图所示的效果。

15. 单击【创建新的填充或调整图层】按钮 ，在弹出的菜单中选择【色相 / 饱和度】菜单项。

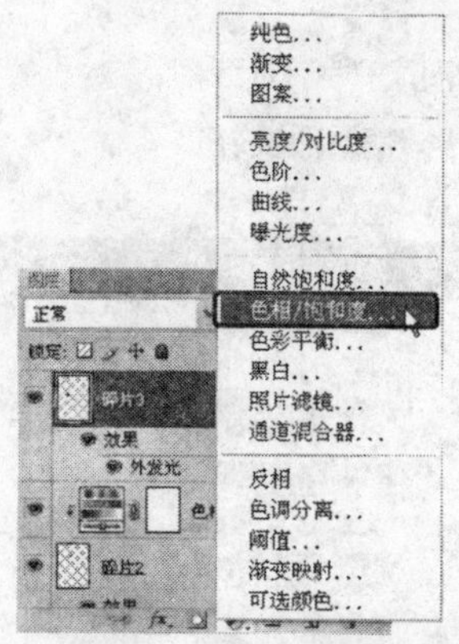

16.在【色相 / 饱和度】面板中设置如图所示的参数。

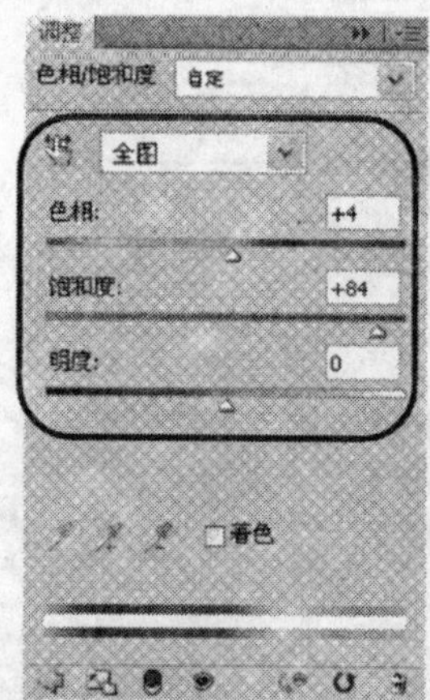

17.按下【Ctrl】+【Aft】+【G】组合键将调整图层嵌入到下一图层中。

3.文字装饰

1.单击【创建新图层】按钮 ，新建图层。

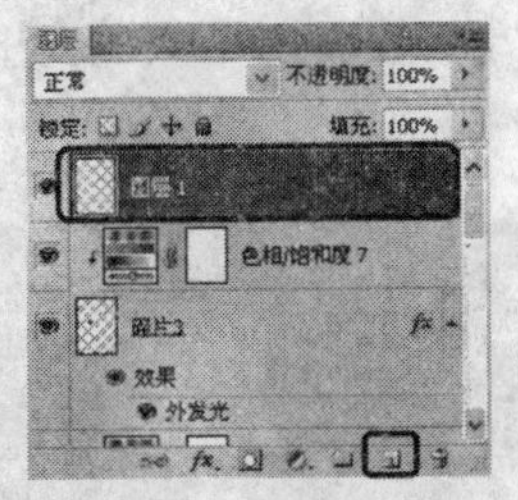

2.将前景色设置为黑色,选择【渐变】工具，在工具选项栏中设置如图所示的选项。

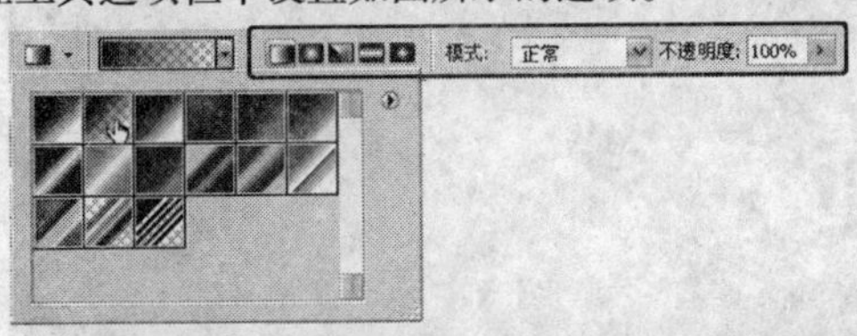

3. 在图像中分别由每条边缘向内拖动鼠标,添加渐变效果。

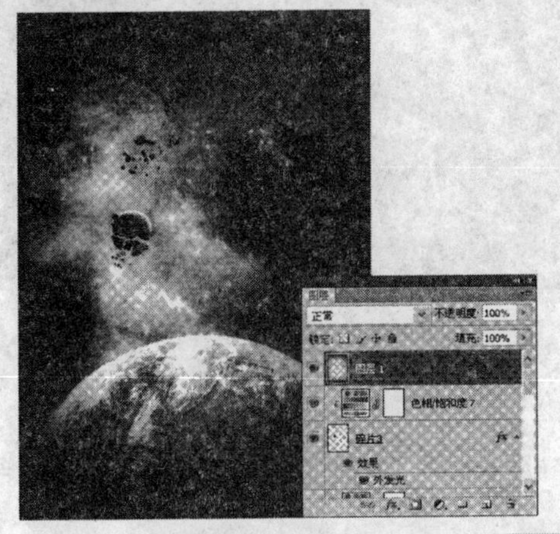

4.单击【创建新的填充或调整图层】按钮，在弹出的菜单中选择【照片滤镜】菜单项。

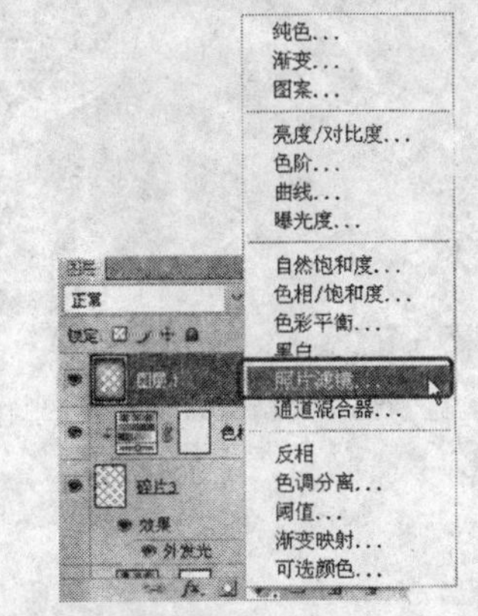

5.在【照片滤镜】面板中设置如图所示的参数。

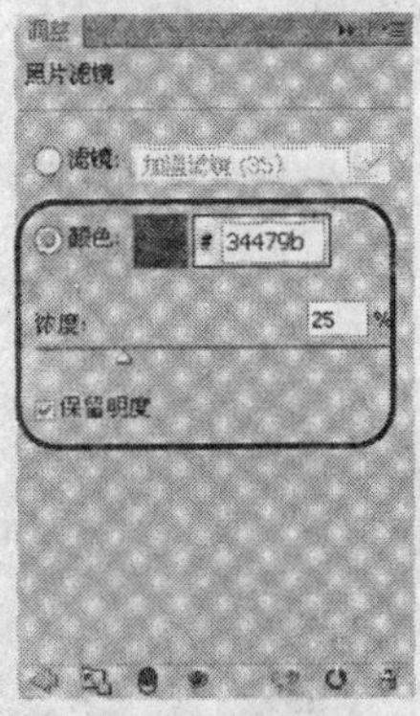

6. 单击【创建新的填充或调整图层】按钮，在弹出的菜单中选择【亮度 / 对比度】菜单项。

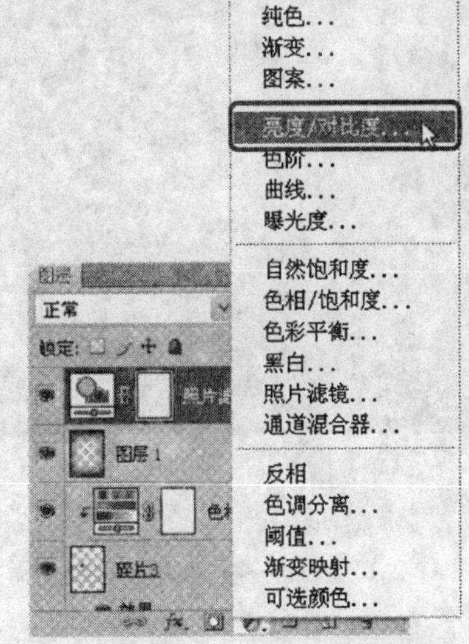

7.在【亮度 / 对比度】面板中设置如图所示的参数。

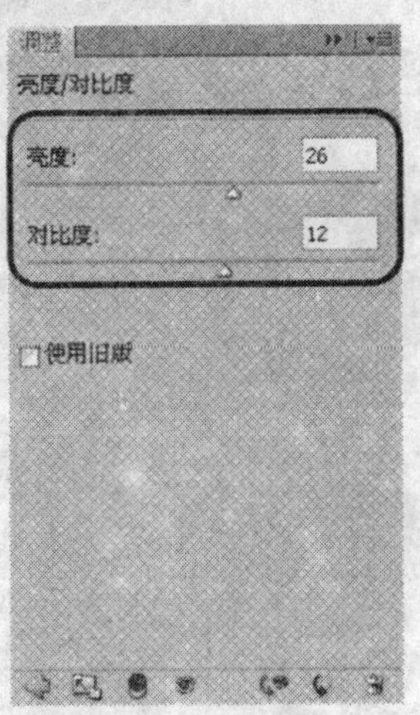

8.将前景色设置为白色,选择【横排文字】工具，在工具选项栏中设置适当的字体及字号。

9.在图像中输入如图所示的文字,单击工具选项栏中的【提交所有当前编辑】按钮,确认操作。

10.参照上述方法,设置适当的字体及字号,在图像中输入其他文字,最终得到如图所示的效果。

练兵场 车展海报

按照 12.2 节介绍的方法,应用路径制作海报效果。操作过程可参见配套光盘 \ 练兵场 \ 车展海报。

▲ 素材文件与最终效果对比